OPUS DEI

Un regard objectif sur les mythes et les réalités
de la puissance la plus mystérieuse
de l'Église catholique

JOHN L. ALLEN, JR.

OPUS DEI

Un regard objectif sur les mythes et les réalités
de la puissance la plus mystérieuse
de l'Église catholique

Traduit de l'américain par Jean-Louis Morgan

Stanké
QUEBECOR MEDIA

Catalogage avant publication de Bibliothèque et Archives Canada

Allen, John L., 1965-

   Opus Dei : un regard objectif sur les mythes et les réalités de la puissance la plus mystérieuse de l'Église catholique

   Traduction de : Opus Dei.

   ISBN 2-7604-1025-0

   1. Opus Dei (Société). I. Titre.

BX819.3.O68A4414 2006   267'.182   C2006-940464-X

Infographie et mise en pages : Luc Jacques
Création de la couverture de l'édition en anglais : Michael J. Windsor
Couverture de l'édition en français : Christian Campana

Remerciements

Les Éditions internationales Alain Stanké reconnaissent l'aide financière du gouvernement du Canada par l'entremise du Programme d'aide au développement de l'industrie de l'édition (PADIÉ) pour ses activités d'édition. Nous remercions le Conseil des Arts du Canada, la Société de développement des entreprises culturelles du Québec (SODEC) du soutien accordé à notre programme de publication. Gouvernement du Québec – Programme de crédit d'impôt pour l'édition de livres – gestion SODEC.

Publié et traduit avec l'autorisation de The Doubleday Broadway Publishing Group, une division de Random House, Inc.

Les Éditions internationales Alain Stanké   Stanké international, Paris
7, chemin Bates   Tél. : 01 40 26 33 60
Outremont (Québec) H2V 4V7   Téléc. : 01 40 26 33 60
Tél. : (514) 396-5151
Téléc. : (514) 396-0440

Dépôt légal – Bibliothèque et Archives nationales du Québec, 2006

ISBN-10 : 2-7604-1025-0
ISBN-13 : 978-2-7604-1025-1

Diffusion au Canada : Québec-Livres
Diffusion hors Canada : Interforum

À mon grand-père, Raymond Leo Frazier, mort à l'âge de quatre-vingt-douze ans pendant que j'élaborais le présent ouvrage. Il fut mon premier modèle, un grand homme et, je le crois aussi, une sorte de saint. Il m'a appris la plupart des choses que je sais à propos de l'intégrité et de la joie de vivre, et à apprécier les menus plaisirs de l'existence. C'était également un grand narrateur dont une partie du talent – du moins, je l'espère – a déteint sur sa descendance. Je dédie également ce livre à ma femme, Shannon, dont la patience et la compréhension tout au long de ce projet ont été mises à rude épreuve, jusqu'aux limites du supportable.

INTRODUCTION

S'il me fallait avoir recours à une métaphore pour expliquer l'Opus Dei, cette institution fondée en Espagne, en 1928, par saint Josemaría Escrivá, et qui est devenue la puissance la plus controversée de l'Église catholique, je la[1] décrirais comme la Guinness brune Extra Stout de cette religion. Il s'agit en effet d'une préparation puissante, au goût très prononcé, qui ne s'adresse pas à tout le monde.

Envisager les choses dans une telle perspective risque de donner une image superficielle, sinon insultante de la question, car l'Opus Dei n'est pas un produit de consommation, mais une voie spirituelle qui propose de mener à la sanctification dans l'état propre à chacun, une voie suivie avec grande fidélité et grand sérieux par quelque 85 000 personnes et admirée par des milliers d'autres. Toutefois, à l'intérieur comme à l'extérieur de l'Église catholique, un nombre impressionnant s'y oppose farouchement. À première vue, comparer l'Opus Dei à une bière peut sembler plutôt vulgaire. Pourtant, comparer le rôle important que l'institution joue au sein

---

1. La traduction officielle du latin Opus Dei est « œuvre de Dieu » ou, en raccourci, Œuvre. On désigne également l'Opus Dei comme une *organisation*, une *institution*, une *association*, une *prélature*, une « *franc-maçonnerie blanche* ». Les épithètes de genre féminin dominent donc largement et justifient le choix qui a été fait de féminiser le nom cette « garde rapprochée du pape ». (N.d.T.)

de l'Église à celui que joue la Guinness Extra Stout dans le monde de la bière n'est pas sans analogie.

À une époque où le marché de ce qu'on appelait autrefois la cervoise se trouve envahi par des bières dites « légères » ou « allégées », la Guinness Extra Stout ne s'excuse pas des calories qu'elle contient, pas plus que de sa teneur en alcool. Elle se présente sous la forme d'un mélange amer et écumant que certains consommateurs s'amusent à décrire comme étant de l'huile à moteur coiffée d'un faux col. Résistant aux caprices de la mode, elle a ses amateurs parmi les puristes qui la respectent pour son immutabilité. Il est certain que, si vous estimez que son goût est affreux, cette immutabilité ne représente pas pour vous un argument plaidant en sa faveur. Pourtant, si cette épaisse bière brune ne domine pas le marché, elle aura toujours ses amateurs inconditionnels.

Si l'on désirait appliquer une telle image à l'Église catholique, on pourrait dire que, depuis le concile Vatican II (1962-1965), la spiritualité semble avoir adopté une attitude selon laquelle il s'agit de faire plus de choses avec une économie de moyens. La dynamique de Vatican II proposait d'ouvrir largement les fenêtres de l'Église, d'effectuer une mise à jour de celle-ci, de la rajeunir en revenant aux origines mêmes de l'Évangile, de s'ouvrir au monde, d'encourager l'unité entre les chrétiens divisés et le reste de l'humanité. En ce qui concerne les rites et rituels de l'Église, on préconisait notamment leur simplification, l'abandon du latin en tant que langue principale du culte et son remplacement par les langues vernaculaires. Certaines dévotions et certains rites traditionnels furent mis de côté, tandis que les pratiques spirituelles comme le jeûne du vendredi ne furent plus obligatoires. Dans les relations que l'Église entretenait avec ceux qui professaient d'autres croyances, un dialogue interreligieux et œcuménique remplaçait l'apologétique. Souvent, les religieux et religieuses abandonnaient leurs habits distinctifs par crainte de se distancer de leurs ouailles en se singularisant. Dans plusieurs secteurs, on interprétait la mission de l'Église comme une volonté de promouvoir le développement humain et social, ici et maintenant, et de considérer la prière et les sacrements comme une spiritualité faisant miroiter de belles promesses. L'enseignement général de la religion, la mémorisation aveugle de la doctrine faisaient place à une approche plus analytique et critique, tandis que les activités charitables s'accompagnaient dorénavant d'une attention supplémentaire aux injustices globales et à ce qu'il est convenu d'appeler le « péché social ». Tout ce que je viens d'énumérer peut sembler une caricature de ces nouvelles tendances ecclésiastiques et théologiques, mais telles sont les grandes lignes de ce que Rome appelle l'*aggiornamento*.

À notre époque de nouvelles concoctions ecclésiastiques, l'Opus Dei offre aux fidèles une solution de remplacement sans mièvrerie. À l'image de la brasserie Guinness et de sa robuste Stout, la « part du marché » occupée par l'Opus Dei, compte tenu de son image publique démesurée dans le catholicisme global, est remarquablement restreinte. Si l'on se fie à l'*Annuario Pontificio 2004*, l'annuaire officiel du Saint-Siège, l'Opus Dei comprend dans le monde entier 85 491 membres, dont 1850 prêtres et 83 641 laïcs. Ces chiffres représentent 0,008 % de la population catholique du globe qui, elle, compte 1,1 milliard d'âmes. Signalons que 55 % des membres de l'Opus Dei sont des femmes. Pour donner une idée de grandeur, l'archidiocèse de Hobart, en Tasmanie, compte 87 691 personnes, un chiffre supérieur à tous les effectifs de l'Opus Dei sur l'ensemble de la planète.

L'Opus Dei, qui signifie l'« Œuvre de Dieu » en latin, est la seule « prélature personnelle » de l'Église catholique, ce qui signifie que son dirigeant, l'évêque Javier Echevarría Rodríguez, a pleine juridiction sur les membres pour toutes questions touchant la vie interne de l'institution. Pour celles qui concernent l'ensemble des catholiques, les membres de l'Opus Dei demeurent sous la juridiction de leur évêque. Généralement, on considère l'Opus Dei comme faisant partie des nouveaux mouvements et groupes laïques du xxe siècle, et que son succès international a pris de l'ampleur avec Vatican II.

Telle que présentée par Escrivá, l'idée maîtresse de l'Opus Dei réside dans la sanctification du travail ordinaire. Cela signifie que tout être humain peut découvrir Dieu en pratiquant le droit, l'ingénierie ou la médecine, ou encore en ramassant les ordures ou en distribuant le courrier, à condition de faire preuve d'un esprit chrétien approprié dans l'exercice de ses fonctions. Les membres de l'Opus Dei subissent une sérieuse formation doctrinale et spirituelle et, en général, ne prennent pas de raccourcis dans leur quête de la sainteté. Alors que la plupart des catholiques ne s'approchent qu'épisodiquement des sacrements, on demande aux membres de l'Opus Dei de le faire quotidiennement. La plupart des catholiques ne récitent plus le rosaire? Qu'à cela ne tienne! Les membres de l'Opus Dei le récitent chaque jour. L'archevêque de Nairobi, au Kenya, Mgr Raphaël S. Ndingi, m'a raconté en souriant qu'il n'y a pas si longtemps, pour repérer les membres de l'Opus Dei en Afrique, il suffisait de les faire monter dans sa voiture. S'ils vous demandaient de les laisser à plus d'un kilomètre de leur destination pour avoir le temps de réciter leur chapelet, c'est qu'ils appartenaient à l'institution. Aujourd'hui, nombreux sont les catholiques qui acceptent certains des enseignements de l'Église avec modération. Par contre, l'Opus Dei encourage ses membres à penser «avec l'Église», c'est-à-dire à accepter l'intégralité de ses enseignements concernant la foi et la morale. Dans le clergé appartenant à l'Opus Dei, on insiste beaucoup sur la discipline ecclésiastique de la vieille école. Ses prêtres s'habillent comme autrefois, lisent leur bréviaire et passent beaucoup de temps au confessionnal. L'une des preuves de leur sérieux est qu'à ce jour, aux États-Unis, pas un seul prêtre de l'Opus Dei n'a été accusé de délit de nature sexuelle et n'a été éloigné de son ministère aux termes des règlements spéciaux approuvés en 2002 par le Vatican pour son Église américaine.

Il est inexact de qualifier l'Opus Dei d'option «traditionaliste» en la comparant au catholicisme postconciliaire que l'on pourrait qualifier de «libéral», car, d'un point de vue historique, l'Opus Dei est loin d'être traditionaliste. Sa vision selon laquelle les laïcs et les prêtres, hommes et femmes, doivent partager la même vocation et faire partie du même corps dans le cadre de leurs activités professionnelles était si novatrice que, dans l'Espagne de 1940, on accusa Escrivá d'hérésie. Dans l'Opus Dei, la plupart des prêtres ont des directeurs spirituels laïques, ce qui rompt avec la culture cléricale traditionnelle. De plus, ce sont les membres laïques de l'Opus Dei, hommes et femmes, qui votent pour leur prélat (c'est-à-dire leur dirigeant), ce qui ressemble étrangement à l'élection démocratique d'un évêque dans l'Église catholique actuelle. L'Opus Dei fut la première institution de l'Église à demander et à recevoir en 1950 la permission du Vatican de s'assurer le concours de non-catholiques et même de gens d'autres religions parmi ses « coopérateurs », ce qui se traduisait par l'arrivée de sympathisants non membres.

Dans un sens plus large, la manière dont Escrivá insistait pour faire diffuser l'Évangile dans le monde par des laïcs dans le cadre de leurs occupations professionnelles constituait quelque chose comme une révolution copernicienne pour le catholicisme, qui a toujours donné aux laïcs des seconds rôles et réservé les premiers aux prêtres et aux religieuses. Dans un certain sens, les guerres culturelles de la période post-Vatican II ont été marquées par le sempiternel antagonisme entre la « gauche » et la « droite » de l'Église et ont obscurci les idées spirituelles de l'Opus Dei. Le public ne manque pas de relever l'orthodoxie sans compromis qui caractérise le message de l'institution, mais rarement le message lui-même.

Si l'on se fie aux critères contemporains, la spiritualité et les convictions doctrinales de la plupart des membres de l'Opus Dei ressemblent à s'y méprendre à une tradition quelque peu démodée, car ses membres semblent s'accrocher à des pratiques, à des dévotions et à des prières anciennes que l'on interprète aujourd'hui à la lumière de nouveaux critères ou que l'on a carrément abandonnées. Dans un certain sens, l'Opus Dei est un choc pour une certaine sorte de sensibilité catholique et, au mieux, un mystère aux yeux du monde séculier qui, souvent, ne comprend pas grand-chose aux religions institutionnelles.

C'est peut-être à cause de l'intransigeance de la philosophie de son catholicisme que l'Opus Dei est devenue un jalon de la guérilla culturelle plus large qui se déroule au sein de l'Église ainsi qu'à l'extérieur de celle-ci. Ceux qui se décrivent comme des catholiques « libéraux » détestent l'Opus Dei et s'y opposent. Pour leur part, les « conservateurs » sont davantage portés à défendre l'institution, sans doute parce qu'ils s'opposent farouchement à ceux qui la critiquent. Dans le monde séculier plus général, l'Opus Dei est considérée de manière simpliste comme une société secrète de référence, un cénacle fermé à tendances élitistes, un peu comme la Skull and Bones[2] ou la franc-maçonnerie. Le succès commercial du roman de Dan Brown, *Da Vinci Code,* a permis ces conceptions triviales de l'Opus Dei.

L'Opus Dei place la barre très haut pour ses membres, et leur retour sur terre peut s'avérer fort pénible si quoi que ce soit tourne mal. Plusieurs des anciens membres de l'organisation s'accordent pour dire que cette situation est loin d'être exceptionnelle. Ils racontent comment ils ont été blessés par les expériences qu'ils ont vécues, comment on les a poussés aux limites de leur résistance physique et émotionnelle, comment leurs contacts avec le monde extérieur ont été réduits et comment on les a poussés à traiter avec l'Opus Dei et à accepter toute forme d'autorité en faisant preuve d'une obéissance décérébrée. En résumé, un certain pourcentage des anciens membres de l'Opus Dei la critiquent avec férocité, certains parlant même d'« abus spirituels » et de violation de leurs droits civiques. Ils soutiennent que le climat interne de l'Opus Dei, qu'ils qualifient de « défensif », d'insulaire et parfois même d'apocalyptique, est bien éloigné de l'image d'Épinal que l'institution aimerait projeter. En anglais, l'Opus Dei Awareness Network ou ODAN (Réseau pour connaître l'Opus Dei) donne la parole à ces personnes. En espagnol, le site Web opuslibros.org permet aussi à ces dissidents de s'exprimer. Les descriptions que l'on y donne de l'institution sont contestées par des dizaines de milliers de membres satisfaits, ainsi que par d'autres membres qui entretiennent de bons rapports avec l'Opus Dei. Il se peut que ces groupes antagonistes décrivent plus ou moins la même réalité, mais vue à travers des prismes différents. Certains membres sont persuadés que l'institution est véritablement l'« Œuvre de Dieu », alors que d'autres, non moins convaincus, sont certains que l'Opus Dei est un formidable instrument de domination et d'asservissement.

---

2. Fondée à Yale en 1832 par le général William Huntington Russell et Alphonso Taft, et ayant comme emblème une tête de mort surmontant deux tibias croisés, cette société secrète et patricienne est réservée principalement aux enfants des financiers de Wall Street. Ses membres ont une forte influence sur la politique américaine. (N.d.T.)

Deux distinguos

La mystique et la controverse entourant l'Opus Dei rendent l'analyse attentive du problème assez compliquée. En tentant d'y voir clair, il convient de distinguer deux choses. La première est le *message* que transmet l'Opus Dei, et la seconde est l'*institution* proprement dite. Le fait, par exemple, que certains membres se ceignent les reins d'un cilice, une ceinture hérissée de barbelures acérées qu'ils portent deux heures chaque jour, le fait que l'Opus Dei ne publie pas les noms de ses membres, sont des pratiques institutionnelles dérivées et, par conséquent, secondaires par rapport à ce que l'organisation est censée être en réalité. Étant donné l'attention que de telles pratiques attirent dans les médias et la presse à potins, il est possible de passer beaucoup de temps à lire des propos sur l'Opus Dei et à en parler sans jamais traiter de ses objectifs et de sa mission.

À la base, le message de l'Opus Dei est que la rédemption du monde viendra en grande partie des laïcs, hommes et femmes, sanctifiant leur tâche quotidienne et transformant la laïcité de l'intérieur. Selon la manière dont l'Opus Dei envisage les choses, les termes « spiritualité » et « prières » ne sont pas des activités réservées exclusivement à l'église, un ensemble de pratiques pieuses se dissociant du reste de la vie. Le véritable point de convergence de la vie spirituelle est le travail ordinaire de la personne, ainsi que les relations qu'elle entretient avec son prochain. Bref, ce qui constitue la trame de la vie quotidienne est envisagé dans une perspective d'éternité et acquiert une pertinence de nature transcendantale. Il s'agit là d'un concept explosif doublé d'un potentiel pour libérer une énergie créatrice vraiment chrétienne dans plusieurs secteurs d'activité.

L'idée maîtresse de cette philosophie est qu'il faut remonter à travers des siècles d'histoire de l'Église pour retrouver l'esprit des premiers chrétiens, d'humbles laïcs, des hommes et des femmes semblables à leurs collègues et à leurs voisins, vaquant à leurs occupations habituelles et qui, pourtant, « s'enflamment » au contact de l'Évangile et changent le monde.

Aussi légitime que soit la curiosité du public, quand il évoque des questions aussi brûlantes que le secret, l'argent et le pouvoir au sein de l'Opus Dei, en ne traitant que ces aspects, il court le risque d'aborder le sujet par la porte de service et de ne pas l'envisager dans l'optique même de l'institution. Voilà pourquoi, dans les deux premiers chapitres, nous proposons au lecteur un survol de l'Opus Dei et de la personnalité de son fondateur. La deuxième partie de l'ouvrage (les chapitres 3 à 6) est consacrée à la pierre angulaire sur laquelle repose l'esprit de l'« Œuvre » et sur ce que les membres décrivent comme les principes primordiaux de l'Opus Dei, soit la sanctification par le travail, la façon d'être contemplatif au milieu du tumulte du monde, la liberté des chrétiens, la « filiation divine », c'est-à-dire l'appréciation vivante dont on peut faire preuve en s'identifiant comme fille ou fils de Dieu. La troisième partie soulève les questions que l'on se pose le plus fréquemment sur l'Opus Dei, comme le rôle des femmes ou les méthodes de recrutement des nouveaux membres. La deuxième partie se révèle donc de première importance pour comprendre le message de l'Opus Dei, tandis que la troisième traite de l'institution. Toutefois, ces distinctions ne sont pas étanches. Comme dans toute organisation, les objectifs et aspirations de l'Opus Dei façonnent sa culture institutionnelle, tandis que les exigences de l'institution influencent parfois la manière dont les objectifs sont compris et appliqués.

Selon une autre manière d'exprimer cette distinction, plusieurs anciens membres qui demeurent en bons termes avec l'Opus Dei expliquent que, si leur expérience leur a appris à se rapprocher des idéaux du groupe – tout spécialement si le travail quotidien peut se révéler comme une piste sur le chemin de la sainteté –, cela n'a rien à voir avec l'appel que l'on peut ressentir à devenir membre de l'institution. Un ancien membre, qui a démissionné après vingt-cinq ans, explique ainsi sa décision : « Il m'a fallu tout ce temps pour me rendre compte que, si je comprenais les objectifs de l'Opus Dei et que si j'étais persuadé de la validité de son message, cela n'avait pas pour moi valeur de vocation. J'approuve entièrement le message de l'Opus Dei et son appel universel à la sanctification du travail et de la vie quotidienne. C'est d'ailleurs ce qui m'a attiré vers l'organisation et qui m'attire encore. Pourtant, si je ressens sans ambiguïté le besoin de faire connaître cet appel à la sainteté, je n'ai jamais eu la vocation de réaliser cet idéal dans l'esprit spécifique et avec la manière dont l'applique l'Opus Dei. »

La seconde distinction se situe entre la *sociologie* des membres de l'Opus Dei et la *philosophie* de l'institution. Cette philosophie se résume en un mot : sécularisation. Cela signifie – du moins partiellement – que l'Opus Dei ne tient pas à agir comme un groupe de pression possédant son propre ordre du jour, mais qu'elle tient à former son propre corps séculier, une entité motivée, capable de tirer ses propres conclusions dans les domaines de la politique, du droit, des finances, des arts, etc. Sur des problèmes comme la politique fiscale, la guerre au terrorisme ou encore la manière d'administrer les soins de santé, il n'existe pas de « ligne de parti » dans l'Opus Dei. On découvre, en fait, que les membres de l'institution ont une foule d'opinions sur la question. On peut le constater tout spécialement en Espagne, sous une forme très concentrée. Il n'est en effet pas rare que des politiciens membres de l'Opus Dei soient pris sérieusement à partie dans la presse par de grandes signatures formatrices d'opinions, qui sont elles-mêmes membres de l'Opus Dei !

Aujourd'hui, en Occident, les lignes de faille politiques ont tendance à se définir par des questions culturelles comme l'avortement et l'homosexualité. L'accent que l'Opus Dei place sur sa manière de « penser avec l'Église » incite ses membres à adopter carrément une attitude de droite, et ce, non point pour leur appartenance à l'organisation, mais parce qu'il s'agit de catholiques qui favorisent une lecture traditionnelle de la doctrine de l'Église. Cela signifie inévitablement que les gens attirés par l'Opus Dei – du moins dans certaines parties du monde – risquent davantage d'être issus de milieux conservateurs. Voilà pourquoi de nombreux membres de l'Opus Dei auraient tendance à faire preuve de conservatisme par rapport à une quantité d'autres problèmes, qu'il s'agisse de politique séculière ou de débats sur les affaires internes de l'Église. À de rares exceptions près, les tendances politiques comme théologiques au sein de l'Opus Dei penchent nettement à droite. Cela n'a que peu de choses à voir avec la philosophie de l'organisation, mais s'apparente davantage à une sociologie qui, de nos jours, détermine les paramètres de ce que l'on pourrait appeler son «marché».

Ces tendances sociologiques sont, dans une certaine mesure, les accidents d'un moment historique particulier, et elles pourront changer. L'Opus Dei avait un profil différent dans l'Espagne des années trente, quarante et cinquante. On la considérait alors comme une force «libéralisante», non seulement pour l'Église, mais aussi pour le milieu séculier. Alors que les termes du débat évoluent au sein du catholicisme et de la culture en général, il est possible d'imaginer un avenir dans lequel être membre de l'Opus Dei apparaîtrait encore moins «traditionnel» et plus «conservateur». L'un des défis du présent ouvrage consiste donc à trier ce qu'il est essentiel de retenir de l'Opus Dei à partir des éléments secondaires qui reflètent le bagage d'une certaine époque, soit à l'intérieur de l'Église catholique, soit dans l'ensemble du monde.

Les théories de la conspiration

Dans l'esprit de bien des gens, l'Opus Dei semble stimuler les centres d'une imagination fébrile qui voit des conspirations partout. Vous pensez peut-être que je plaisante, mais, au cours de mes recherches, j'ai eu une conversation téléphonique avec une ancienne membre de l'Opus Dei, qui avait accepté de me parler de ses expériences d'un point de vue critique. En guise de préambule, cette dame commença par me poser une question : «Votre épouse est-elle membre de l'Opus Dei?» Je ne pus m'empêcher de rire étant donné que ma femme est juive, qu'elle manifeste un comportement plutôt ambivalent envers tout ce qui concerne l'Église catholique romaine et que je peux me décrire comme un homme de gauche naturellement hostile aux principes généraux professés par l'Opus Dei. Tout au long du travail préparatoire du présent livre, ma femme s'efforça de concilier des sentiments contradictoires. D'un côté, sur le plan personnel, elle apprécia grandement nombre de membres de l'Opus Dei qu'elle rencontra et, de l'autre, elle se sentit obligée de s'opposer à eux. Je me demande encore comment quelqu'un avait pu penser que Shannon était membre de l'«Œuvre».

Le mystère s'est élucidé lorsque j'ai appris que, quelques semaines auparavant, ma femme avait envoyé un courriel à un groupe restreint d'amis, où elle décrivait certaines de ses activités à Rome. L'une de celles-ci avait pris la forme d'une petite fête organisée par un membre de l'Opus Dei pour un ami qui rentrait aux États-Unis. Shannon s'y rendit pour souhaiter bon voyage à cette personne et non pour participer à une expérience spirituelle. Cet événement anodin se retrouva consigné au hasard des caprices du cyberespace et, les ragots faisant le reste, Shannon muta en membre de l'Opus Dei, une éventualité qui, en soi, suffisait dans l'esprit des gens à saborder notre projet.

Par conséquent, je voudrais commencer par mettre les choses au clair : je ne suis pas et je n'ai jamais été membre de l'Opus Dei, et aucun membre de ma famille n'appartient à cette institution. Je ne travaille pas pour elle et n'y détiens aucun intérêt financier ou professionnel. J'ai personnellement pris en charge tous les frais concernant les recherches que j'ai entreprises pour élaborer ce livre, et qui comprennent des voyages dans huit pays (l'Espagne, l'Italie, le Pérou, le Kenya, l'Ouganda, la Russie, le Royaume-Uni et les États-Unis). Je ne suis pas un membre admiratif de l'Opus Dei, pas plus qu'un ex-membre aigri. Je suis un journaliste spécialisé dans les affaires de l'Église catholique, un homme fasciné par les rapports contradictoires qui circulent sur l'organisation et curieux de savoir où, dans toutes ces histoires, se situe la vérité. En poursuivant ces objectifs, j'ai accumulé plus de trois cents heures d'interviews, parcouru en avion des dizaines de milliers de kilomètres, me suis entretenu avec des amis et des ennemis de l'Opus Dei comme des cardinaux, des archevêques, des évêques et de simples fidèles. J'ai également consulté de la documentation sur l'Opus Dei en plusieurs langues. Je crois avoir bien compris ce qu'est l'Opus Dei, du moins aussi fidèlement que peut le faire quelqu'un situé à l'extérieur des arcanes de l'institution. Gardant à l'esprit les perceptions les plus communes du public, j'espère être bien armé pour séparer la réalité de la fiction.

Même s'il ne s'agit pas ici d'une étude dite « autorisée », l'organisation m'a néanmoins permis d'accéder à des sources réservées aux initiés, que d'autres confrères n'ont pas eu la possibilité de consulter. Lorsque la maison Doubleday m'a parlé de ce projet, connaissant la réputation d'hermétisme de l'Opus Dei, c'est non sans appréhension que j'ai immédiatement contacté son siège social à Rome. Après avoir annoncé franchement mes couleurs et avoir expliqué mon intention d'écrire un livre sur l'institution, j'ai demandé aux responsables si je pouvais compter sur leur coopération. Leur réponse a été immédiatement affirmative. J'ai donc signé mon contrat avec Doubleday et me suis mis au travail. En toute justice, je dois dire que l'Opus Dei n'a jamais failli à ses engagements de m'ouvrir ses archives. Je suis entré et sorti librement des locaux de l'organisation, et ce, aux quatre coins du monde. En outre, on m'a permis de consulter *Noticias* et *Crónica,* des publications en espagnol réservées normalement aux membres. Sur demande, on m'a permis de consulter de la correspondance privée extraite des archives de l'Opus Dei. J'ai vécu pendant cinq jours à Barcelone au Collegio Mayor Pedralbes, une résidence de l'organisation, avec l'idée d'observer quel pouvait être un «plan de vie» de l'Opus Dei pendant un tel laps de temps. (Je dois dire que, parmi d'autres facteurs, cette expérience a renforcé ma conviction qu'il me serait impossible d'être un bon membre de l'organisation.)

Je tiens à préciser que tous les membres de haut niveau dans la hiérarchie de l'Église catholique m'ont accordé des interviews, y compris les cardinaux Juan Luis Cipriani et Julián Herranz, le porte-parole du Vatican, Joaquín Navarro-Valls, ainsi que le prélat de l'institution, Mgr Javier Echevarría Rodríguez. La coopération de l'Opus Dei a été en fait si totale qu'à un certain moment un dirigeant supérieur à Rome m'a déclaré que l'organisation effectuait pour moi un véritable «strip-tease intégral».

Pourquoi l'Opus Dei se livrerait-elle à un déballage de cette sorte? Ma première impression est que ses dirigeants sont beaucoup moins secrets qu'on ne le croit et qu'ils n'ont pas eu besoin de se faire convaincre de coopérer. Bien au contraire. Ils étaient en fait empressés de me raconter leur histoire. Deuxièmement, je crois qu'ils ont estimé qu'un livre objectif donnant voix à la critique était préférable à la mythologie et aux préjugés qui obscurcissent si souvent les débats publics. Ils étaient prêts à encaisser des coups, à condition que ceux-ci ne soient pas sous la ceinture. Seront-ils dans les mêmes dispositions après avoir lu les pages qui suivent? L'avenir le dira.

Je dois ici remercier les personnes sans qui cet ouvrage n'existerait pas. Tout d'abord, le chapitre 10 n'aurait pas pu voir le jour sans le travail de Joseph Harris, l'un des meilleurs dévoreurs de chiffres de l'Église catholique. J'ai en effet engagé Joe pour m'aider à dresser le profil financier de l'Opus Dei, et il a réussi à le faire au-delà de mes espérances. Pour la première fois, ce livre offre un examen détaillé des états financiers de l'Opus Dei aux États-Unis et une estimation du profil financier de l'organisation sur le plan mondial. Deuxièmement, je tiens à remercier Marc Carroggio, du Bureau d'information de l'Opus Dei à Rome, dont le concours s'est révélé irremplaçable pour me ménager des entretiens auprès des membres de l'Opus Dei dans le monde entier. J'aimerais également remercier Sharon Clasen, un ancien membre numéraire dont l'esprit critique m'a aidé à poursuivre mes recherches sur d'autres membres et observateurs. Dianne et Tammy DiNicola, de l'Opus Dei Awareness Network (ODAN) m'ont également prêté leur concours. Je dois également exprimer ma gratitude envers Tom Robert, mon rédacteur en chef au *National Catholic Reporter,* qui a toléré mes fréquents voyages à l'extérieur de Rome et mes absences épisodiques du journal afin que je puisse mener ce projet à bien. Je remercie aussi tous mes confrères du journal qui m'ont épaulé au-delà de ce qui est descriptible. Je désire également remercier les lecteurs de la rubrique *The Word from Rome* qui, sachant que j'élaborais ce livre, m'ont bombardé de courriels au cours des douze derniers mois afin de me faire part de leurs expériences et de me fournir leur opinion sur l'Opus Dei. Même si tous leurs commentaires ne trouvent pas d'écho dans ces pages, ceux-ci m'ont tous aidé à donner le ton de ce livre, m'ont inspiré des questions, ouvert de nouvelles perspectives et, de manière imprévisible, se sont révélés utiles à maints égards. Je tiens particulièrement à remercier la centaine de membres de l'Opus Dei dans le monde, ainsi que les critiques et les observateurs neutres qui m'ont ouvert leur porte et se sont confiés à moi. Dans les circonstances les plus favorables, parler de sa vie spirituelle n'est jamais facile. Se livrer à un journaliste armé d'un magnétophone, même miniature, l'est encore moins. Toutefois, réalisant l'importance de la question, ces gens se sont ouverts et m'ont laissé entrer chez eux. Ce pouvait être ce professeur d'éthique commerciale à Barcelone, cet immigrant japonais exploitant une blanchisserie à Lima, cet expert qui se spécialise dans la libération et la déprogrammation des victimes de sectes, en Pennsylvanie. Au-delà des mots, qu'on me permette de leur exprimer ma gratitude pour leur gentillesse, leur honnêteté et leur courage. Enfin, je veux remercier ma femme Shannon, qui n'a jamais voulu que je fasse ce livre et qui a souffert abondamment au cours de sa gestation. Sans compter les déplacements, je sais combien les longues heures de travail et les interminables conversations à propos de l'Opus Dei ont pu se révéler éprouvantes pour elle. Un jour, je trouverai bien le moyen de la récompenser de ses efforts.

Ce livre constitue un essai pour faire connaître la vérité sur un sujet où l'idéologie et le monde de l'imaginaire prédominent. À mon avis, l'idéologie est la corruption de la raison et frise moralement le mensonge. Plutôt que d'adopter une approche idéologique, j'essaie d'aborder le sujet selon un point de vue façonné par l'expérience. Tout ce que je demande à mes lecteurs, c'est de laisser de côté les préjugés qu'ils peuvent entretenir sur l'Opus Dei et de comprendre ce qui suit pour en tirer leurs propres conclusions. Je tiens à préciser que ce livre ne constitue pas une apologie de l'Opus Dei pas plus qu'un ouvrage de polémique. Il ne m'appartient pas de dire si l'Opus Dei a raison ou si elle a tort, si elle est bonne ou mauvaise, ou encore si elle mérite ou non la place privilégiée qu'elle occupe dans le monde catholique. Je n'aspire qu'à fournir à mes lecteurs des outils permettant de formuler leur propre jugement. Malgré la nature polarisante de toute discussion concernant l'Opus Dei, j'espère que nous serons tous d'accord pour admettre qu'une discussion ancrée dans la réalité a de plus fortes possibilités de se révéler productive.

Le 8 décembre 2004
Fête de l'Immaculée Conception

PREMIÈRE PARTIE

L'ESSENTIEL

CHAPITRE PREMIER

UN SURVOL RAPIDE DE L'OPUS DEI

Le *Tablet* de Londres, une publication anglaise catholique bien connue, a publié récemment une série de boutades à propos des différents groupes que l'on peut trouver au sein de l'Église catholique. Voici comment l'Opus Dei se fait brocarder. Combien faut-il de membres de l'Opus Dei pour changer une ampoule électrique ? La réponse est cent. L'un des membres visse la nouvelle ampoule, tandis que les quatre-vingt-dix-neuf autres chantent à l'unisson : « Nous ne sommes pas un mouvement ! Nous ne sommes pas un mouvement ! »

Même si cette blague est un peu rosse, elle fait ressortir une vérité, soit que l'Opus Dei s'est parfois montrée plus encline à expliquer ce qu'elle n'était *pas* que ce qu'elle *était* vraiment. Escrivá a insisté fortement sur le fait que l'Opus Dei n'était pas un ordre religieux comme les Franciscains ou les Dominicains. Ses membres demeurent pleinement dans le monde et ne se cloîtrent pas. Ils trouvent Dieu dans le prosaïsme de leur vie quotidienne. Quelques années plus tard, l'Opus Dei a fait campagne pour souligner qu'elle n'était pas un mouvement laïque parce qu'elle comprenait des membres du clergé. C'est d'ailleurs ce qui confère à l'Opus Dei son caractère unique, celui d'une institution de laïcs et de prêtres qui, ensemble, hommes et femmes, partagent la même vocation, mais jouent des rôles différents. Au fil des ans, dans le cadre des structures de l'Église, l'Opus Dei a été classée comme une organisation pieuse, une société de religieux libres n'ayant pas prononcé de vœux, un institut séculier et, finalement, depuis 1982, une «prélature personnelle». À chaque stade, avant d'en arriver à une définition finale, les principaux penseurs de l'Opus Dei ont insisté sur le fait que les structures existantes, selon le Code du droit canon de 1917, l'ensemble des lois régissant l'Église catholique avant 1983 reflétaient de manière inadéquate la vraie nature de l'institution. En fait, soutenaient ses membres, un concept entièrement nouveau, un montage tel que la prélature personnelle devait être élaboré de manière à donner à l'Opus Dei la configuration juridique correspondant à sa vision et à son impulsion spirituelle.

Quelle était donc cette impulsion?

Les membres de l'Opus Dei situent la fondation de leur institution le 2 octobre 1928, lorsque Josemaría Escrivá, un jeune prêtre espagnol qui suivait une retraite dans un monastère de Madrid, eut une vision au cours de laquelle Dieu lui aurait révélé «dans son intégralité» ce qui devait plus tard devenir l'Opus Dei. De toute évidence, cette vision n'était pas vraiment «intégrale» puisqu'elle ne répondait pas à toutes les questions. Il fallut qu'Escrivá reçoive d'autres inspirations pour qu'il se décide à créer une section féminine (qui vit le jour en 1930) et pour que l'organisation fonde en son sein, en 1943, un groupe religieux qui prit le nom de Société sacerdotale de la Sainte-Croix. Dans un certain sens, insistait Escrivá, le programme de l'Opus Dei était déjà contenu dans l'expérience originale qui s'était manifestée lors de la fête des Anges gardiens, en 1928. Voici comment il décrivit plus tard l'événement : «Quarante ans se sont écoulés depuis le 2 octobre 1928, jour de la fête des saints Anges gardiens. C'est alors que le Seigneur a voulu que l'Opus Dei prenne la forme d'une mobilisation de chrétiens prêts à se sacrifier pour le bien-être de leur prochain et pour rendre divins tous les actes humains sur cette terre, sanctifier chaque tâche, chaque travail honnête, chaque occupation matérielle.»

C'est dans cet esprit qu'Escrivá et les membres de l'Opus Dei sont convaincus que leur organisation plonge ses racines dans la volonté divine. Comme Escrivá le déclara un jour : «Je n'étais pas le fondateur de l'Opus Dei. Cette œuvre a pris forme malgré moi.» Il est vrai qu'au départ Escrivá ne donna même pas de nom à son organisation. «Opus Dei», qui signifie «œuvre de Dieu» en latin, est une appellation qui a surgi spontanément à l'issue d'une conversation qu'Escrivá eut avec son confesseur. Ce dernier lui aurait demandé : «Et comment va cette œuvre de Dieu?» Voilà pourquoi les membres de l'Opus Dei la surnomment souvent l'«Œuvre».

L'idée centrale, qui fut révélée à Escrivá au cours de cette vision particulière de 1928 et dévoilée au cours des étapes subséquentes du développement de l'organisation, résidait dans la sanctification de la vie quotidienne par des laïcs vivant pleinement selon les préceptes de l'Évangile et les enseignements de l'Église. Voilà pourquoi l'un des symboles principaux de l'Opus Dei est une simple croix inscrite dans un cercle. Ce symbolisme souligne la sanctification du monde à partir de l'intérieur. L'idée maîtresse est que la sainteté n'est pas l'exclusivité de quelques athlètes de la spiritualité, mais la destinée de chaque chrétien. La sainteté ne s'adresse donc pas exclusivement ou principalement aux seuls prêtres et religieuses. Mieux : on ne doit pas forcément atteindre la sainteté par la prière et la discipline spirituelle, mais plutôt grâce aux gestes prosaïques du travail quotidien. La sainteté n'exige pas de changements dans les circonstances externes, mais un changement d'attitude en envisageant tout de façon nouvelle, à la lueur du destin surnaturel de chaque être.

C'est dans ce sens que les admirateurs d'Escrivá, dont le pape Jean-Paul II, croient que le saint espagnol anticipait cet «appel universel à la sainteté» lancé à l'occasion de Vatican II. Giovanni Benelli, feu le cardinal de Florence et bras droit du pape Paul VI, qui croisa d'ailleurs le fer avec Escrivá pendant des années, n'en affirma pas moins que ce dernier avait été pour le concile Vatican II ce qu'Ignace de Loyola, le fondateur des Jésuites, avait été pour le concile de Trente, au XVIᵉ siècle. Bref, il était le saint qui avait fait du concile un projet de vie pour l'Église.

À l'occasion d'une interview qu'il accordait en décembre 2004, le deuxième dirigeant en importance de l'Opus Dei, Mᵍʳ Fernando Ocáriz, un théologien ayant occupé depuis 1986 le poste de conseiller dans la Congrégation pour la doctrine de la foi (autrefois la Sacrée Congrégation de l'inquisition romaine et universelle), expliqua que la compréhension qu'Escrivá avait de l'« appel universel à la sainteté » comprenait deux dimensions : une subjective et une objective. Le côté subjectif est l'invitation que l'on fait à des personnes à se sanctifier, ce qui signifie que tous les gens, peu importe leur situation sociale, peuvent prétendre à la sainteté. Le côté objectif est que la réalisation de l'ensemble de la Création, ainsi que toute situation de l'expérience humaine, est un moyen pour parvenir à cette fin.

« Chaque réalité humaine, toutes les circonstances de la vie quotidienne, toutes les professions, chaque famille et chaque situation sociale sont des moyens de se sanctifier, a déclaré Mgr Ocáriz. Sans oser rêver que toute personne qui n'est pas prêtre ou religieuse puisse prétendre à la sainteté, il convient plutôt de s'imprégner du fait que les réalités de la vie peuvent créer des circonstances favorables pouvant nous conduire vers le Seigneur. »

Paraphrasant le Cantique des Cantiques, ce joyau de l'Ancien Testament, Escrivá avait consigné un jour sa pensée sous une forme lyrique. Il écrivit : « Je chercherai celui que mon cœur aime dans les rues et sur les places. Je parcourrai le monde d'un bout à l'autre, cherchant la paix de l'âme. Je la trouve dans les choses extérieures qui, pour moi, ne sont pas un obstacle. Elles sont au contraire un chemin qui me rapproche de plus en plus de Dieu et m'unit à lui. » L'idée de trouver Dieu dans les « choses extérieures », c'est-à-dire dans l'agitation de la vie quotidienne, constitue ce qu'on peut appeler l'élan principal qui anime l'Opus Dei.

Escrivá décrivit l'Opus Dei comme étant une « injection intraveineuse dans la circulation sanguine de la société ». Les membres peuvent être des médecins, des avocats, des professeurs d'université, des coiffeurs ou des conducteurs d'autobus. De l'extérieur, ils doivent ressembler à n'importe quel citoyen. Il existe d'ailleurs une anecdote célèbre pour illustrer ce point. Elle concerne les trois premiers prêtres ordonnés par l'Opus Dei, soit Alvaro del Portillo, José María Hernández de Garnica et José Luis Múzquiz. Ayant remarqué qu'aucun ne fumait, ce qui était assez rare en Espagne en 1944, Escrivá leur expliqua que l'un d'entre eux devait se sacrifier et devenir adepte du tabac sous peine de donner l'impression au public que les membres de l'Opus Dei étaient des gens qui se dissociaient du monde. Le choix tomba sur Portillo, qui succéda finalement à Escrivá. Les membres de l'Opus Dei ne devaient pas porter d'habit religieux, ne pas être cloîtrés et ne pas mener une vie hors de l'ordinaire. L'idée consistait à ne pas se retrancher du monde, mais à le racheter, à le « christianiser » en s'acquittant de toutes les tâches de la vie quotidienne avec un nouvel esprit. Escrivá résumait sa formule en ces termes : « Sanctifiez votre travail, sanctifiez-vous dans celui-ci et sanctifiez les autres par votre labeur. »

Il vaut la peine de souligner le caractère révolutionnaire de cette vision de l'Espagne dans les années trente et quarante. Telle qu'Escrivá la décrivait, l'Opus Dei n'était pas censée être une entreprise animée par le clergé. Les laïcs doivent en fait partager en toute égalité le même esprit de vocation que ce dernier. Selon le fondateur de l'organisation, le clergé joue davantage un rôle de soutien ; il est l'expert en questions spirituelles, administre les sacrements et les moyens de formation spirituelle et doctrinale. Toutefois, ce qu'on pourrait décrire comme la véritable « action » se déroule dans le monde. Seul un laïc peut décider comment une cause juridique, un article de journal peuvent être une offrande à Dieu et inciter les autres à suivre le chemin de la sanctification. L'idée était de former des gens et de les laisser aller dans le monde en leur faisant confiance et en les laissant exercer leur libre arbitre. Ce projet garantit, en principe, un engagement à assurer l'égalité entre les hommes et les femmes. Dans l'Opus Dei, les femmes reçoivent la même formation doctrinale et théologique que les hommes, y compris ceux qui veulent éventuellement se consacrer à la prêtrise. À cette époque, il s'agissait là d'une rupture avec la mentalité cléricale tradition-nelle et, en Espagne, dans certains cercles, on accusa Escrivá d'être anticlérical, voire hérétique, et on estima qu'il fallait le dénoncer au Vatican.

Au sein de l'Opus Dei, du moins selon le point de vue officiel de l'organisation, tout converge pour atteindre un objectif, qui est de former des laïcs, des hommes comme des femmes, dans la doctrine chrétienne et la spiritualité afin qu'ils puissent sanctifier le monde «de l'intérieur» en faisant appel à leur propre jugement quant aux meilleurs moyens à prendre dans leur secteur d'activité ou selon les aspects de leur vie. Officiellement, l'Opus Dei ne ressemble aucunement à quelque autre organisation avec laquelle on peut généralement entrer en contact. Il ne s'agit pas d'un groupe de pression ou d'intérêts. Elle n'a pas d'ambitions collectives de nature commerciale ou politique et pas d'ordre du jour. Escrivá surnommait son enfant une «organisation désorganisée». En effet, le siège social n'émet pas de notes de service à huit heures du matin pour fournir les directives de la journée à ses employés. L'Opus Dei est responsable de la formation, et ses membres font le reste. Dans ce milieu, on entend souvent cette formule lapidaire : «L'Opus Dei n'agit pas. Ses membres s'en chargent. »

Notons que les critiques de l'institution ne se gênent pas pour affirmer qu'il s'agit là d'un écran de fumée et que le véritable enjeu consiste à s'approprier des pouvoirs politiques, à réaliser des gains financiers et à recruter de nouveaux membres. Pour l'instant, nous nous limiterons à la manière dont l'Opus Dei organise sa vie et se décrit, du moins partiellement, quitte à passer plus tard les critiques en revue.

Devenir membre

L'Opus Dei ayant acquis une certaine notoriété, il arrive parfois que l'homme de la rue manifeste d'emblée le désir de devenir membre. En tel cas, on demande d'abord à ces postulants de se renseigner davantage sur l'organisation. Toutefois, ce n'est pas exactement ainsi que cela se déroule. Les futurs membres connaissent généralement l'Opus Dei par des relations familiales ou par les «travaux corporatifs» de l'organisation dans des écoles, des centres de jeunesse, ou encore par des activités qui ont lieu dans le cadre d'initiatives proposées par les membres, mais pas forcément commanditées par l'Opus Dei. Par exemple, il peut s'agir d'une agence de nouvelles télévisées ou d'une clinique, bref d'un lieu où il est possible de tisser des amitiés. Peu importe comment cela se passe, mais le postulant a probablement déjà assisté à une soirée commémorative, à une retraite fermée ou à quelque autre événement de l'Opus Dei bien avant de décider de « siffler » – dans l'argot de l'organisation, le mot signifie le moment choisi pour en faire partie. On traite ce choix très au sérieux, parce que adhérer à l'Opus Dei ne constitue pas un passe-temps ou un événement mondain. C'est en fait une vocation, un changement de vie significatif, comme la décision de se marier ou d'entrer dans les ordres.

On se demandera quel est l'enjeu de cette décision. Sur le plan surnaturel, la réponse est toujours que Dieu a permis à quelqu'un d'avoir la vocation de devenir membre de l'Opus Dei. Sur le plan humain, plusieurs facteurs peuvent modifier les points d'attraction initiaux. Certains souhaiteront peut-être prendre connaissance des œuvres d'Escrivá et, à ce chapitre, pour ces gens, la grande découverte demeure que leurs études ou leur travail peuvent les mener sur les chemins de la sainteté. Pour d'autres, il est possible que l'Opus Dei leur offre un environnement dans lequel un catholique convaincu, adepte de la prière, se sent soutenu. D'autres enfin seront fascinés par l'exemple des numéraires qui ont souvent la réputation d'être intelligents, dévoués, pieux, des gens qui vivent une existence cohérente appuyée sur une foi indéfectible. En d'autres termes, ils décident de « suivre le chemin » du Seigneur. Les centres de l'Opus Dei sont loin d'être des repaires de rabat-joie. Ainsi, lorsque, en septembre 2004, je rendis visite au centre universitaire Windmoor, une résidence pour garçons sise près de l'Université Notre-Dame, je surpris les membres en train de souper. Ce repas avait été précédé d'une méditation et suivi d'entretiens arrosés de quelques bières. Cette atmosphère bon enfant est communicative. Elle combine la prière et l'orthodoxie catholique à un esprit estudiantin et à la présence de gens intellectuellement stimulants.

L'Opus Dei n'étant pas un ordre religieux, ses membres ne prononcent pas de « vœux », et leur condition à l'égard de l'Église ne s'en trouve aucunement modifiée sous prétexte qu'ils adhèrent à l'organisation. Les laïcs demeurent des laïcs, mais ils s'affilient à l'Opus Dei par le truchement d'un instrument séculier typique : le contrat. Autrement dit, les membres signent une entente avec l'Opus Dei. Ils acceptent de vivre dans l'esprit de l'organisation et de soutenir ses activités apostoliques. En retour de quoi, l'Opus Dei accepte de leur donner une formation spirituelle et doctrinale.

L'engagement contractuel se lit comme suit :

Membre

Exerçant pleinement ma liberté, je déclare par les présentes avoir la ferme résolution de me consacrer à pratiquer l'apostolat avec toute mon énergie selon l'esprit et la praxis de l'Opus Dei. De cet instant jusqu'au 19 mars (année)[1] j'assume l'obligation :

Premièrement – De demeurer sous la juridiction du Prélat et des autres autorités compétentes de la Prélature de façon à me consacrer fidèlement à tout ce qui relève des objectifs spéciaux de la Prélature.

Deuxièmement – De remplir tous les devoirs d'un numéraire (d'un agrégé ou d'un surnuméraire) membre de l'Opus Dei et d'observer les normes gouvernant la prélature, ainsi que les règlements légitimes du Prélat et des autres autorités compétentes de la Prélature concernant sa direction, son esprit et son apostolat.

Représentant du Prélat

En qualité de représentant du Prélat, je déclare que, dès le moment de votre incorporation dans la Prélature et aussi longtemps que celle-ci sera en exercice, l'Opus Dei assumera envers vous les obligations suivantes :

Premièrement – Accorder la plus grande attention et apporter le plus grand soin à votre formation doctrinale, spirituelle, ascétique et apostolique et vous fournir l'attention pastorale particulière des prêtres de la Prélature.

Deuxièmement – Remplir les autres obligations à l'égard des fidèles selon les normes gouvernant la Prélature.

---

1. On verra plus loin pourquoi ce quantième et ce mois.

Tout comme l'Opus Dei, les membres demeurent libres à condition de respecter les termes de leur contrat. Du moins en théorie, les membres n'ont pas le droit de « représenter » l'Opus Dei dans le cours de leurs activités professionnelles ou d'agir au nom de leur institution. Pour sa part, l'Opus Dei ne cherche pas à les influencer au-delà de leur croissance spirituelle. Pour citer un exemple, j'aimerais parler de Luis Valls, un membre de l'Opus Dei âgé de soixante-dix-huit ans, qui a récemment démissionné de son poste de président du conseil d'administration de la Banco Popular, la troisième banque d'Espagne en importance, dont l'actif s'élève à 47,9 milliards de dollars américains. Valls, qui vit dans un centre de l'Opus Dei à Madrid, a toujours insisté sur le fait que personne dans l'Opus Dei ne lui a jamais dicté quelque stratégie bancaire que ce soit et qu'aucune des ressources de son institution financière n'a été utilisée pour servir les fins de l'Œuvre. En d'autres termes, il n'était pas un banquier de l'Opus Dei, mais un banquier qui en était membre de manière subsidiaire. Il n'hésite pas cependant à souligner que l'influence de l'institution sur sa carrière et sur sa vie a transformé celles-ci de manière prépondérante. « Sans mes convictions religieuses, je n'aurais été qu'une fripouille... » avoue-t-il.

La façon précise dont l'Opus Dei recrute ses membres est sujette à controverse, surtout que certains critiques ont prétendu que l'organisation se livrait à un recrutement sauvage et manipulateur ressemblant aux tactiques de racolage des sectes. Je me pencherai sur ces accusations dans le chapitre 14. En attendant, je me contenterai de souligner les différents stades de cette adhésion.

Le « sifflement »

Le « sifflement » signifie la rédaction d'une lettre où l'on demande de faire partie de l'Opus Dei. Cette démarche s'appelle également une « demande d'admission ». Escrivá a utilisé le terme « sifflement » parce qu'il évoquait le bruit que fait une bouilloire prête pour le thé. Cette analogie laisse entendre que le membre postulant a été suffisamment « chauffé » en participant à la vie et aux activités de l'Opus Dei pour enfin parapher un lien contractuel. Une personne peut «siffler» à l'âge de seize ans et demi, mais elle doit avoir au moins dix-huit ans pour être intégrée dans l'Opus Dei. Elle peut aussi devenir «aspirante» dès l'âge de quatorze ans et demi. Notons qu'un futur membre doit obtenir la permission du directeur de son centre local de l'Opus Dei avant d'envoyer sa demande d'admission. Des membres m'ont confié assez fréquemment qu'ils avaient dû écrire plusieurs lettres avant d'être admis.

L'admission

Cette expression traduit la courte cérémonie qui a lieu en compagnie de deux membres de l'Opus Dei, généralement un prêtre de l'institution et un directeur laïque. Le nouveau membre accepte de «vivre dans l'esprit de l'Opus Dei», et l'organisation promet de lui fournir des moyens de formation. Il s'agit-là du premier stade de l'adhésion, qui prend effet environ six mois après l'envoi de la demande. Certains postulants ont souvent été traités non officiellement comme des membres à part entière et se considéraient comme tels dès le moment où ils avaient «sifflé». La période comprise entre l'admission et l'oblature, et qui marque l'admission officielle dans l'Opus Dei, est généralement considérée comme un temps de réflexion où le nouveau membre peut expérimenter la vie qu'on mène au sein de l'organisation sans s'engager de manière définitive.

L'oblature

Elle a lieu un an et demi après le «sifflement». C'est à ce moment-là que le contrat officiel entre le membre et l'Opus Dei entre en vigueur. L'oblature marque l'incorporation officielle du membre dans l'organisation. Pour détenir ce titre, le postulant doit avoir dix-huit ans. L'engagement est renouvelé chaque année le 19 mars, fête de saint Joseph, patron des travailleurs et un patron très important pour l'Opus Dei. Bien que l'engagement pris lors de l'oblature ne soit pas permanent, il est entendu que, si quelqu'un a pris la peine de consacrer sa vie à l'Opus Dei de manière aussi officielle, cette personne doit considérer que sa démission constituerait une « question grave ». Le 19 mars de chaque année, on s'attend donc à ce que le membre renouvelle son contrat en privé, dans le cadre de ses dévotions, et qu'il informe l'institution de sa décision. S'il ne se livre pas à ce cérémonial, il cesse automatiquement de faire partie de l'organisation.

La fidélité

Ce renouvellement des vœux, qui a lieu cinq ans après l'oblature, constitue un engagement à vie, sans nul besoin de renouvellement annuel. Le membre fait dorénavant partie de la famille spirituelle de l'Opus Dei et, au cas où il désirerait démissionner à ce stade-ci, il lui faudrait écrire une lettre au prélat pour l'informer de ses intentions. En pratique, ceux qui démissionnent le font souvent sans se plier à ces formalités. On atteint le stade de la « fidélité » seulement six ans et demi après avoir « sifflé ». Étant donné qu'il faut avoir seize ans et demi pour faire cette déclaration d'intention, cela veut dire qu'il faut au moins avoir atteint vingt-trois ans pour se « fidéliser ». Il n'y a pas de limite d'âge pour le faire, et on a vu des octogénaires prêter ainsi leur serment de fidélité.

Catégories de membres

D'après les chiffres officiels fournis par le Vatican, l'Opus Dei compte 85 491 membres, dont 1850 prêtres et 83 641 laïcs. L'organisation considère ces catégories comme des membres disponibles pouvant se livrer aux activités qu'elle encourage. Il n'existe pas de distinction de vocations, pas de « degrés de sainteté ». Ces catégories sont les suivantes : surnuméraires, numéraires (avec une sous-catégorie d'adjoints), agrégés et sympathisants non membres appelés coopérateurs. Même si cette terminologie traîne de vagues relents de société secrète, elle se base sur la nomenclature espagnole des diverses catégories de professeurs, un jargon universitaire qui, de nos jours, semble un peu ésotérique, mais qui, à l'origine, avait voulu montrer la direction dans laquelle l'Opus Dei s'engageait.

Les surnuméraires

Ils représentent 70 % des membres de l'Opus Dei. Ce sont les membres les moins disponibles pour participer aux activités, généralement parce qu'ils sont mariés, ont des obligations familiales ou d'autres engagements. Signalons que personne ne force cette catégorie de membres à se marier. Ils vivent chez eux au lieu de vivre dans un centre de l'Opus Dei. Dans un couple, les conjoints peuvent tous deux être surnuméraires, mais rien ne les y oblige. Il existe une foule de cas où, dans un couple, un seul partenaire fait partie de cette catégorie. Les surnuméraires bénéficient d'une direction spirituelle qui leur est dispensée par un numéraire de l'organisation, souvent le directeur du centre le plus proche de chez eux. Généralement, ils se confessent à un prêtre de l'Opus Dei. Mais si les numéraires fascinent surtout le grand public, les membres soutiennent que la véritable « action » se déroule au niveau des surnuméraires, puisque l'objectif de l'institution n'est pas de fonder une série d'écoles ou d'œuvres de charité, mais de transformer la vie quotidienne. L'un des membres me l'a expliqué en ces termes : « Tant que vous n'aurez pas à l'esprit l'image d'une maman trimballant ses enfants dans une vieille voiture pour les conduire à leur entraînement de football, vous ne comprendrez rien à l'Opus Dei… » Les surnuméraires doivent, autant que possible, verser une contribution financière à l'Opus Dei. Un surnuméraire américain, l'auteur catholique Russell Shaw, qui a déjà travaillé pour les évêques de son pays, m'a confié qu'il versait 200 dollars par mois à l'organisation. Certains surnuméraires sont plus généreux, d'autres moins. Tout en étant membres de l'Opus Dei, les surnuméraires ne cessent pas d'être membres de leur diocèse ou de leur paroisse. De nombreux surnuméraires sont actifs en qualité de membres du Conseil, de ministres eucharistiques, de lecteurs, d'animateurs de groupes de jeunes, etc.

Les numéraires

Ils représentent environ 20 % des effectifs de l'Opus Dei qui, pour eux, est leur véritable famille. Ils prononcent des vœux de célibat et vivent dans les centres de l'organisation. Certains numéraires travaillent à plein temps pour l'institution, bien que la plupart d'entre eux aient un emploi à l'extérieur, selon leur secteur professionnel. Certains numéraires sont chirurgiens, avocats, écrivains ou personnalités de la télévision. Tout ce qu'ils gagnent en surplus de leurs besoins de base est versé au profit des activités de l'Opus Dei. Aux États-Unis, des numéraires grassement rétribués ont souvent maille à partir avec le fisc qui trouve difficile de comprendre comment une personne qui encaisse annuellement 200 000 dollars peut en verser 150 000 à l'Opus Dei. Voilà pourquoi les numéraires sont traités différemment du contribuable lambda par les inspecteurs du ministère américain du Revenu. Étant donné que les numéraires subissent une formation plus poussée en théologie et en spiritualité, ils se voient confier des rôles clés dans l'organisation. Par exemple, seul un numéraire peut diriger un centre de l'Opus Dei. Certains numéraires se rendent à Rome étudier la théologie à l'Université Santa Croce. Des numéraires de rang moindre ont la responsabilité de dispenser une formation spirituelle et doctrinale à d'autres membres de l'Opus Dei et on les appelle les *inscripti*. L'expansion géographique de l'Opus Dei repose sur les numéraires. En effet, l'ouverture d'un centre dans un nouveau pays exige la présence d'au moins deux numéraires capables de trouver un emploi, de soutenir financièrement l'établissement, d'apprendre la langue du pays et de faire décoller l'entreprise. Ce sont également les numéraires pratiquant les mortifications qui fascinent tant certains esprits. Ils se ceignent les reins du cilice, une ceinture garnie de barbelures, pendant deux heures chaque jour, sauf le dimanche et les jours de fête. Ils recourent également à la discipline, un martinet de corde dont ils se flagellent le dos une fois par semaine en récitant une prière – souvent le *Notre Père*. Étant donné les sacrifices qu'on leur demande, les numéraires sont les membres qui ont à relever les plus grands défis. La plupart des critiques rendues publiques proviennent des ex-numéraires.

Numéraires auxiliaires

Il existe une classe inférieure spéciale composée approximativement de 4000 femmes qui se dévouent à plein temps pour s'occuper des travaux domestiques dans les centres de l'Opus Dei et autres locaux de l'organisation. En d'autres termes, elles s'occupent de la cuisine, du nettoyage et de l'administration de ces établissements. Elles effectuent un travail de mères au foyer et sont perçues comme telles dans leur classe. Les membres soutiennent que cette idée a été conçue par Escrivá lui-même et qu'elle s'inspire de sa propre vie de famille. Il était d'avis que les résidences de son institution devaient avoir un aspect familial et non celui d'une collectivité bureaucratisée. Pour lui, seule la main d'une femme pouvait conférer cette particularité aux centres de l'Opus Dei. En effet, l'entretien domestique de ces derniers est considéré comme un travail professionnel à plein temps pour lequel les numéraires auxiliaires reçoivent un salaire. Dans certains cas, par exemple les centres de plus grande importance, les auxiliaires engagent d'autres femmes pour effectuer les travaux manuels, tandis que, dans les petits centres, ce sont elles qui s'en chargent. Il est courant que les auxiliaires et que les employées de maison travaillant pour elles portent un uniforme pendant qu'elles se livrent à certains travaux comme le nettoyage ou le service des repas. Certains critiques accusent l'Opus Dei d'encourager la soumission chez les femmes ainsi qu'un point de vue paternaliste sur la féminité, surtout parce que le rôle de numéraire auxiliaire est réservé au beau sexe. Les membres de l'institution rétorquent que les femmes ont des aptitudes naturelles pour tenir une maison – une qualité dont les hommes sont dépourvus – et qu'il ne s'agit pas là de discrimination. D'autre part, ils insistent sur le fait que cette situation traduit une vision du Fondateur et qu'il ne leur appartient pas de la modifier.

Les agrégés

Tout comme les numéraires, les agrégés sont des célibataires, mais leurs responsabilités familiales ou des circonstances personnelles les incitent à vivre avec leur famille ou dans des conditions plus favorables pour accomplir leur travail. La différence entre un numéraire et un agrégé est le lieu de résidence. Toutes les autres attentes et tous les autres engagements sont les mêmes. Par exemple, Moses

Muthaka, qui a vingt-huit ans, est un agrégé. Il vit à Nairobi où il est directeur adjoint de l'Informal Sector Business Institute, un centre de l'Opus Dei qui enseigne les principes de base des affaires aux Kenyans défavorisés qui travaillent dans les petits métiers de l'économie souterraine, par exemple la revente de friandises, de vêtements usagés ou d'ameublement de base. Muthaka a quatre frères, cinq sœurs, et un seul de ceux-ci est « installé » et jouit d'une source de revenus fixe. Son père est mort en 1996 et sa mère est retournée dans l'arrière-pays, c'est-à-dire dans le village dont la famille est originaire. Les jeunes frères et sœurs dépendent de Muthaka pour les questions d'alimentation, de logement et de scolarisation. Sur un autre continent, Ron Hathaway est un chirurgien américain spécialisé en pédiatrie, dans la reconstruction crânienne et faciale. Sa carrière l'a amené à Indianapolis, Indiana, où il n'existe pas de centre de l'Opus Dei. Surnuméraire au départ, il préféra devenir agrégé, parce que ce statut lui permettait d'être plus disponible pour ses malades, dont le nombre dépasse les cinq cents. Cela le libère aussi pour affronter ses supérieurs et les organismes d'assurance-maladie qui n'ont pas les intérêts de ses petits patients autant à cœur que lui. Libéré des pressions que comporte l'état de soutien de famille, il se permet de prendre davantage de risques.

Les prêtres

La prélature de l'Opus Dei compte 1850 prêtres « incardinés », c'est-à-dire sous l'autorité directe du prélat de Rome, l'évêque Javier Echevarría. Ces prêtres ont pour principale tâche d'assurer la pastorale auprès des membres de l'Opus Dei, même si certains d'entre eux ont d'autres engagements comme avoir charge de paroisse, enseigner à l'université, intervenir à l'occasion de séminaires ou encore s'occuper d'activités de l'organisation. Les prêtres de la prélature proviennent des rangs des numéraires masculins. Il existe aussi quelque deux mille autres prêtres diocésains qui appartiennent à la Société sacerdotale de la Sainte-Croix, dont je parle plus loin. On les considère également comme des membres à part entière. Ils ne travaillent pas à plein temps pour l'Opus Dei, mais pour l'ensemble du diocèse où ils se trouvent.

Les coopérateurs

Les coopérateurs ne sont pas des membres de l'Opus Dei, mais des amis de l'organisation qui lui assurent un appui grâce à leurs prières et à leur engagement dans des activités. Parfois, ils contribuent financièrement à certaines activités. Parmi les coopérateurs de l'Opus Dei, on compte non seulement des catholiques, mais aussi des chrétiens d'autres dénominations, des juifs, des musulmans, des bouddhistes, ainsi que des gens sans appartenance religieuse. L'Opus Dei est la première institution qui, dans ses statuts approuvés par le Vatican en 1950, a le droit de faire appel à des non-catholiques. D'ailleurs, les catholiques d'extrême droite ont parfois émis des critiques acerbes à l'égard de l'Opus Dei en alléguant qu'elle manquait de discernement en plaçant le catholicisme sur le même plan que les autres religions. On compte 164 000 coopérateurs de l'Opus Dei dans le monde, dont 57 % de femmes. Il existe également un plus vaste réseau d'environ 900 000 personnes qui prennent part aux réunions de l'Opus Dei et s'occupent de formation. Certaines d'entre elles deviendront plus tard des coopérateurs.

Les personnes physiques ne sont pas seules à se trouver dans cette catégorie. Il existe environ 500 communautés religieuses de femmes et d'hommes qui sont ce qu'il est convenu d'appeler des « coopérateurs institutionnels ». J'ai rendu visite, par exemple, à un groupe de carmélites à San Vicente de Cañete, au Pérou, dont la prieure, sœur María de Jesús, m'a confié que sa communauté avait décidé de devenir « coopératrice », en particulier parce que les membres de l'Opus Dei l'avaient aidée en lui procurant notamment du bois de construction sans frais. Elle m'a également signalé que les prêtres de la prélature de Yauyos, sous la direction d'un évêque de l'Opus Dei depuis 1957, s'étaient montrés très disponibles pour venir dire la messe chez elles. « En vingt-sept ans, ils n'ont jamais manqué le saint office, m'a-t-elle rapporté. Pourtant, je sais que les autres communautés éprouvaient des difficultés à ce chapitre. »

Distribution géographique

C'est en Espagne que l'on retrouve le plus grand nombre de membres de l'Opus Dei, soit 35 000, plus de 40 % des effectifs globaux. Et le plus grand nombre d'adhérents est à Madrid. Un plan d'expansion de l'organisation avait été dressé dans les années trente, mais la guerre civile espagnole l'avait compromis. Voici la liste des 61 pays dans lesquels l'Opus Dei maintient au moins un centre, avec l'année d'implantation de celui-ci.

1946	Portugal, Italie, Grande-Bretagne
1947	France et Irlande
1949	Mexique et États-Unis
1950	Chili et Argentine
1951	Colombie et Venezuela
1952	Allemagne
1953	Guatemala et Pérou
1954	Équateur
1956	Uruguay et Suisse
1957	Brésil, Autriche et Canada
1958	Japon, Kenya et Salvador
1959	Costa Rica et Pays-Bas
1962	Paraguay
1963	Australie
1964	Philippines
1965	Belgique et Nigeria
1969	Porto Rico
1978	Bolivie
1980	Congo, Côte d'Ivoire et Honduras
1981	Hongkong
1982	Singapour et Trinité-et-Tobago
1984	Suède
1985	Taïwan
1987	Finlande
1988	Cameroun et République dominicaine

1989   Macao, Nouvelle-Zélande et Pologne
1990   Hongrie et République tchèque
1992   Nicaragua
1993   Inde et Israël
1994   Lituanie
1996   Estonie, Slovaquie, Liban, Panama, Ouganda
1997   Kazakhstan
1998   Afrique du Sud
2003   Slovénie et Croatie

Les sept pays qui comprennent le plus de membres sont, en ordre décroissant : l'Espagne, le Mexique, l'Argentine, l'Italie, les États-Unis, les Philippines et la Colombie.

Le développement de l'Opus Dei dans un pays donné dépend des circonstances locales. Ainsi, la Grande-Bretagne est l'un des trois premiers pays où l'Opus Dei a eu pignon sur rue, et Escrivá a passé plus de temps à Londres que dans toute autre ville, à l'exception de Madrid et de Rome. De 1958 à 1962, il passa cinq étés en Angleterre et surnomma ce pays le « carrefour du monde ». Il aimait particulièrement le Victoria and Albert Museum, et vouait une dévotion à saint Thomas More. Ils se rendit à deux reprises à l'église anglicane de St. Dunstan pour prier sur la tombe de la famille Roper, où est inhumée la tête du saint chancelier qui paya de sa vie son opposition au divorce d'Henri VIII. En janvier 2005, la paroisse londonienne de Saint-Thomas-More fut confiée à des prêtres de l'Opus Dei. En dépit d'une présence de soixante années, l'expansion de l'institution n'a guère progressé en Angleterre. En effet, on ne dénombre guère plus de 500 membres dans ce pays et seulement une dizaine de nouveaux adhérents chaque année. Cette progression modeste est peut-être imputable aux mises en garde contre l'Opus Dei qui avaient été exprimées par feu le cardinal de Westminster, Basil Hume. Elles incitèrent peut-être d'autres prélats anglais à prendre leurs distances.

Par contre, au Pérou, l'expansion de l'Opus Dei et la dévotion populaire envers Escrivá est surprenante. On trouve 1630 membres de l'Opus Dei dans ce pays, soit 2 % des effectifs. Ils se répartissent entre 400 numéraires, 180 agrégés, 200 prêtres, 11 évêques en fonction et 2 évêques émérites (ces prélats représentent presque le tiers du chiffre total de l'épiscopat de l'Œuvre dans le monde). Cette progression est due partiellement à une décision de Pie XII de confier une prélature territoriale à l'Opus Dei en 1957 et de lui donner une forte base géographique et une infrastructure. Elle portait le nom de Yauyos. Dans cette partie du Pérou, la dévotion à Escrivá manifestée par la population rivalise avec celle que les Italiens du Sud ont pour Padre Pio. En flânant sur le marché en plein air de Cañete, on peut trouver des images pieuses d'Escrivá sur chaque éventaire et des vendeurs qui se vantent d'avoir en main l'édition préparée soit à l'occasion de la béatification du saint, soit de sa canonisation. Une compagnie de taxis porte même le nom d'Escrivá. Bien que les taxis de ce pays soient souvent d'indescriptibles guimbardes, cela n'empêche pas leurs compagnies d'afficher des raisons sociales comme Vierge Marie ou Sainte Famille. Toutefois, les habitants de la ville vous soutiendront que c'est la compagnie Escrivá qui fait les meilleures affaires. J'ai rencontré là un certain monsieur Francisco Matías Guapaya Quispe qui a une telle vénération pour Escrivá et l'Opus Dei qu'il a donné à ses trois fils aînés les noms de Jose María, d'Alvaro et de Javier en l'honneur des trois prélats de l'organisation. Ses deux filles s'appellent Dolores, en l'honneur de la mère d'Escrivá, et Carmen, en l'honneur de sa sœur. Pour ajouter une bonne mesure de catholicisme bien tempéré, le cadet de la famille s'appelle Jean-Paul.

Que font les membres ?

Les membres de l'Opus Dei disent volontiers que leur premier devoir consiste à accomplir leurs tâches quotidiennes : se rendre au travail, élever leurs enfants, payer leurs impôts et passer du temps avec leurs amis. Le véritable objectif de l'Opus Dei, disent-ils, n'est pas tant de s'engager dans des activités religieuses que de transformer ces tâches ordinaires en voies menant vers la sainteté.

Afin d'y parvenir, les membres utilisent des moyens de formation fournis par l'Opus Dei. Ces moyens sont personnels avant d'être collectifs. Ils ont pour but de permettre aux membres de bien saisir l'enseignement moral et doctrinal de l'Église et de promouvoir la sainteté latente qui réside en chacun des êtres. Chaque membre de l'Opus Dei doit dresser son «plan de vie» quotidien que l'on appelle aussi «normes». Celles-ci comprennent notamment :

- offrir sa journée à Dieu dès le matin en disant *Serviam* («Je servirai»);
- assister à la messe quotidiennement et recevoir la communion;
- dire chaque jour le rosaire;
- prier mentalement, généralement une demi-heure le matin et une demi-heure l'après-midi;
- réciter l'*Angelus* ou le *Regina Caeli* selon la liturgie de la saison;
- faire tous les jours son examen de conscience;
- méditer environ dix minutes sur des lectures traitant de spiritualité;
- lire quotidiennement pendant cinq minutes un extrait du Nouveau Testament;
- adorer le saint sacrement (souvent après le souper). Dire trois *Notre Père*, trois *Je vous salue, Marie,* trois *Credo* et faire une communion spirituelle, c'est-à-dire un acte d'union avec le Christ sans recevoir les saintes espèces;
- dire plusieurs prières en latin (*Preces catholicæ*) comprenant des invocations au Saint-Esprit, à Jésus-Christ, à la bienheureuse Vierge Marie, à saint Joseph, aux saints Anges gardiens, à saint Josemaría, le tout complété par des prières pour le Saint-Père, l'évêque du diocèse, pour l'unité entre les évangélisateurs, pour le prélat de l'Opus Dei et autres membres de l'Œuvre, ainsi que des invocations à saint Michel archange, à l'ange Gabriel, à Pierre, Paul et Jean, les saints patrons de l'institution.

D'autres pratiques religieuses de l'Opus Dei peuvent prendre les formes suivantes :

- la récitation de petites prières – qu'on appelle «aspirations» – au cours de la journée. Par exemple : «Jésus, Marie, Joseph, je vous donne mon cœur et mon âme.» Ou encore : «Jésus, je vous aime de tout mon cœur.» Pour 2005, le prélat de l'Opus Dei a suggéré aux membres de dire : «Tout, de Pierre à Jésus, par l'intercession de Marie»;
- dire trois *Je vous salue, Marie* pour préserver sa pureté et se signer avec de l'eau bénite avant de se coucher;
- pratiquer des mortifications corporelles (dont je reparlerai au chapitre 8).

Au-delà de ce programme individuel, chaque semaine, le membre participe à un «cercle», qui consiste en une sorte de cours donné par un membre (généralement un laïc, parfois un prêtre) sur certaines particularités de l'esprit qui règne au sein de l'Opus Dei et sur les pratiques de celle-ci. Un examen de conscience complète le tout. Chaque mois a lieu une soirée ou une journée de récollection qui comprend généralement de deux à trois méditations dirigées par un prêtre, un cours semblable à ceux que l'on donne dans les cercles, ainsi que des périodes de silence pour les prières personnelles. Chaque année, les surnuméraires assistent à un atelier qui dure plusieurs jours, et les numéraires à un cours annuel, généralement de trois semaines. De plus, chaque année, on organise des retraites dans le sens classique du terme. Elles peuvent durer plusieurs jours, se dérouler dans le silence et avec force méditations. Par ailleurs, chaque membre de l'Opus Dei bénéficie de l'assistance spirituelle d'un numéraire ou d'un agrégé.

Le 23 mai 2004, j'ai assisté à une récollection pour hommes qui se déroulait dans la paroisse romaine de Sant'Eugenio, administrée par le clergé de l'Opus Dei. En de telles occasions, il est coutume de se rendre à la chapelle où l'on a baissé la lumière pendant que l'officiant dit des prières préparatoires. Il prend ensuite place près d'une lampe pour consulter ses notes et annoncer le thème de la méditation. Ensuite, les participants se rassemblent dans un salon pour s'entretenir d'un sujet spirituel suggéré par l'un des membres laïques, puis ils retournent à la chapelle pour poursuivre leur méditation. Le tout prend fin par un examen de conscience. Ce matin-là, les méditations étaient dirigées par le père Martin Díaz, un Espagnol qui avait vécu à Rome pendant plus de trente ans. Le sujet du premier entretien portait sur l'eucharistie. Díaz lança à son auditoire une sorte de défi dont le thème était le suivant : « Vous ne venez pas à l'eucharistie pour recevoir, mais pour donner. » Il entendait par là que les catholiques devaient être prêts à se donner à Dieu. « À Rome, les restaurants sont toujours pleins, mais les églises souvent vides, avait-il déploré. Il n'y a parfois personne pour adorer le Christ présent dans le tabernacle... » Dans le salon, un surnuméraire évoqua le mois de mai, le mois de Marie, et il recommanda aux participants de recourir au rosaire afin d'organiser de « mini-pèlerinages » au cours dudit mois. Lors de la seconde méditation, Díaz traita de la pureté. Citant Escrivá, il rappela que « les batailles sont menées en périphérie et non au centre », ce qui signifie qu'un chrétien doit constamment lutter pour éradiquer la « moindre pensée impure ».

En septembre 2004, je participais à un atelier au Centre de conférences Shellbourne, à Valparaiso, dans l'Indiana, une municipalité située à une heure de Chicago. Ce matin-là, le groupe travaillait à partir de la septième édition du *Catéchisme de l'Opus Dei*, publié à Rome en 2003 et traduite en anglais à Londres en 2004. Ce document de 133 pages, divisé en quatre parties et comportant une série de questions et de réponses, n'est pas distribué au public et il est réservé aux seuls membres. L'édition qui m'est tombée sous la main comportait une note spécifiant qu'Escrivá avait été forcé de retirer la quatrième édition du document de la circulation à cause de « l'opposition intense et souterraine qui se manifestait contre l'Œuvre ». Tous les exemplaires étaient numérotés. En fait, ce document n'était rien d'autre qu'un survol structuré de l'histoire de l'Opus Dei et de la manière dont l'organisation se considère.

La session matinale portait sur la première question du chapitre 1, « Qu'est-ce que l'Opus Dei ? ». On pouvait lire la réponse suivante : «L'Opus Dei est une prélature personnelle qui possède ses propres statuts, qui sert l'ensemble de l'Église et fait partie de sa structure hiérarchique et pastorale.» Des explications en petits caractères suivaient. Le prêtre qui orientait les discussions fit lire des passages du *Catéchisme* à des surnuméraires qu'il interrompait de temps à autre pour soulever des questions au fur et à mesure qu'elles se présentaient. Pour illustrer l'égalité qui existe entre les prêtres et les laïcs dans l'Opus Dei, il raconta une anecdote sur Escrivá. Un jour, ce dernier arriva à une réunion ; il vit que tous les prêtres étaient assis sur des chaises tandis que les laïcs étaient assis par terre. Il s'accroupit sur le sol et lorsque quelqu'un essaya de lui donner une chaise, il refusa en déclarant qu'il n'avait pas fondé une société pour que les prêtres puissent occuper une position plus élevée que les autres membres. Il quitta ensuite la pièce, mais, lorsqu'il revint, les prêtres étaient, naturellement, assis sur le sol…

Dans l'organisation, on s'attend à ce que des numéraires qui vivent dans les centres de l'Opus Dei assistent chaque jour à des assemblées connues sous le nom de *tertulia*. Elles prennent l'aspect de réunions de famille, et on y dispense une formation théologique semblable à celle que reçoivent les séminaristes. Ils assistent aussi à des retraites qui s'allongent avec les années et dont la durée est généralement de trois semaines. Ce sont des cours doctrinaux que l'on combine parfois à des cours de langues et à d'autres activités typiques de celles que l'on peut pratiquer en vacances. En principe, on demande aussi que les numéraires se montrent «disponibles» pour s'occuper d'une foule d'activités comme donner un coup de main dans les centres de jeunesse après les heures de travail, s'occuper d'un programme de catéchèse pour les enfants ou simplement se rendre utile à l'occasion d'imprévus. Par exemple, aller chercher ou reconduire des visiteurs à l'aéroport ou aider à planifier d'autres événements. Ces activités s'appellent «responsabilités familiales».

On s'attend également à ce que tous les membres de l'Opus Dei aient des emplois. Dans les cas des mères surnuméraires, il peut s'agir de travail de maison, d'autant plus que les familles membres de l'Opus Dei peuvent compter une nombreuse progéniture. Pour certains numéraires, la tâche peut consister à travailler à plein temps ou à temps partiel pour l'Opus Dei, faire fonctionner un centre de travail apostolique ou encore servir au quartier général de l'organisation sur le plan régional, national ou mondial. On s'attend à ce que tous les membres appliquent une rigoureuse éthique professionnelle et qu'ils visent à atteindre les normes séculières les plus élevées.

Une fois tout cela accompli, du moins si on se fie aux explications fournies par l'Opus Dei, les membres sont libres de faire ce qu'ils veulent. On dit volontiers qu'il revient à chaque membre d'incorporer les enseignements doctrinaux et spirituels qu'ils reçoivent dans leur carrière professionnelle, leurs amitiés, leurs choix politiques, leurs préférences en tant que consommateurs, etc. Dans l'Opus Dei, personne ne dit aux membres comment voter. Nul prêtre de l'Opus Dei ne suggère à un surnuméraire quel poste de directeur il doit postuler dans la banque où il travaille, personne ne dit à un journaliste quoi écrire dans sa publication. Étant donné que les membres de l'Opus Dei ont tendance à se retrouver dans certaines carrières, à adopter certaines options politiques ou certains cercles culturels, ils insistent sur le fait qu'ils se regroupent et agissent davantage par affinité que par diktat administratif.

Œuvres de l'institution et initiatives indépendantes

À part ce qu'ils accomplissent strictement sur le plan individuel, les membres se réunissent parfois pour participer à des projets communautaires comme des écoles, des centres de jeunesse ou des instituts agricoles. Selon ces projets, l'Opus Dei fournira la formation doctrinale et la direction spirituelle. En tel cas, cela devient une « réalisation de l'institution », ce qui ne signifie pas que celle-ci en est propriétaire, mais qu'elle appuie les moyens de formation qu'elle fournit. Dans de nombreux cas, des personnes qui ne sont pas membres de l'Opus Dei sont engagées dans la fondation et l'administration de ces activités.

Les œuvres de l'Opus Dei comprennent :

- quinze universités comptant approximativement 80 000 étudiants. La plus importante d'entre elles est l'Université de

Navarre, à Pampelune, en Espagne, qui comprend des facultés de droit, de médecine, de philosophie et de lettres, de pharmacie, de sciences naturelles, de droit canon, de théologie, de communication et d'économie. Les plus récentes universités de l'Opus Dei sont le campus biomédical de Rome et l'Université de l'Isthme au Guatemala ;

- sept hôpitaux employant plus de 1000 médecins et 1500 infirmières soignant 300 000 patients. Cela comprend deux hôpitaux en Afrique : l'hôpital de Monkala, dans la République démocratique du Congo, et l'hôpital de la Niger Foundation, au Nigeria ;

- onze écoles de commerce avec une population étudiante de 10 000 personnes incluant l'Instituto de Estudios Superiores de la Empresa (IESE) à Barcelone, une succursale de l'Université de Navarre. Les autres comprennent l'Instituto Panamericano de Alta Direccíon de Empresa (IPADE) à Mexico et l'Instituto de Alto Estudios Empresariales (IAE) de Buenos Aires, en Argentine ;

- trente-six écoles primaires et secondaires enseignant à environ 25 000 élèves. On en compte cinq aux États-Unis : les écoles Heights (de garçons) et Oakcrest (de filles) dans la région de Washington, D.C. ; l'école Montrose (de filles) à Boston ; les écoles Northridge Prep (de garçons) et Willows (de filles) à Chicago. Les autres sont la Seido School à Nagasaki, au Japon, et la Kianda School, au Kenya ;

- quatre-vingt-dix-sept écoles techniques et professionnelles ayant une clientèle de 13 000 élèves. La plupart sont des écoles de métier pour jeunes gens et sont situées dans des quartiers défavorisés. Elles comprennent les écoles ELIS (de garçons) et SAFI (de filles) à Rome ; Junkabal, au Guatemala ; Condoray et Valle Grande au Pérou ; Punlaan, à Manille, aux Philippines ; Kinal, au Guatemala ; et Pedreira à São Paulo, au Brésil ;

- cent soixante-six résidences universitaires abritant 6000 étudiants, dont la majorité ne sont pas des membres de l'Opus Dei. Ces résidences comprennent deux espaces habitables, des bibliothèques, des salles d'étude et des services de soutien universitaire. Ils offrent également des services religieux pour ceux qui choisissent d'y participer. Ces résidences comprennent Netherhall, à Londres, Pedralbes, à Barcelone, et He Shan à Taipei (Taïwan).

Par ailleurs, il existe d'autres institutions qui ne sont pas considérées comme des œuvres de l'Opus Dei, mais où celle-ci offre de l'assistance spirituelle. Certaines de ces institutions peuvent évoluer et devenir des œuvres coopératives. Elles comprennent notamment :

- deux universités comptant approximativement 4000 étudiants ;
- une école de commerce avec 300 étudiants ;
- deux cent treize écoles primaires et secondaires comportant quelque 100 000 élèves ;
- cinquante-neuf écoles techniques et de métiers avec 16 000 élèves ;
- un nombre indéterminé de cliniques médicales, la plupart de petite taille. Parmi les plus récentes, on trouve celle d'Aq'on Jay, un dispensaire dans la zone de Tecpán, à Chimaltenango, Guatemala, un hôpital de jour fondé à l'occasion de la canonisation d'Escrivá, en 2002. La clinique emploie 20 médecins et 27 infirmières. On a également ouvert 27 pharmacies dans des zones isolées de la région.

Une note à propos des œuvres de l'institution : parfois l'Opus Dei est considérée comme une organisation « élitiste », en partie parce que certaines de ses œuvres les plus connues, comme l'école de commerce IESE à Barcelone, l'Université Strathmore de Nairobi ou encore l'école Heights à Washington, D.C., ont tendance à dispenser leur enseignement à des étudiants prometteurs et brillants. En toute justice, l'Opus Dei fait également fonctionner plusieurs œuvres qui s'occupent de personnes défavorisées ou de populations à risque, comme le Midtown Center à Chicago, qui organise des sessions d'été pour les jeunes Noirs et les jeunes hispanophones afin de leur donner les armes nécessaires pour réussir leurs études ; l'école Besana, dans la banlieue de Madrid, où les élèves sont principalement des immigrants récemment arrivés d'Amérique latine et d'Afrique du Nord ou encore l'Institut rural de Valle Grande, au Pérou, où l'on enseigne à des fermiers pauvres comment diversifier leurs récoltes et à les vendre au marché afin de pouvoir nourrir leur famille et assurer un avenir à leurs enfants. On pourrait également citer l'école maternelle Gatina, située sur une plantation de thé à l'extérieur de Nairobi. Elle ne fait pas partie des œuvres de l'Opus Dei, mais est soutenue par l'école de filles Kimba, qui est administrée par l'organisation. L'école Kimba fournit quotidiennement les services de deux enseignants, ainsi que du lait et des biscuits à des centaines d'enfants de la plantation. Ces maigres ressources peuvent parfois faire la différence entre la vie et la mort.

Dans d'autres cas, quelques membres de l'organisation, souvent en équipe avec des non-membres, lancent un projet conjoint avec lequel l'Opus Dei n'a aucun lien officiel. Ainsi, deux surnuméraires londoniens, John et Jane Philips, ont récemment uni leurs forces à celles d'une poignée de parents catholiques préoccupés d'éducation pour fonder leur propre école qu'ils ont appelée Oakwood. Cette initiative deviendra peut-être en fin de compte une œuvre de l'institution, mais, actuellement, il s'agit simplement d'une initiative privée sans relations officielles avec l'Opus Dei. Un autre exemple est celui de l'agence de télévision Rome Reports, qui se spécialise dans les nouvelles catholiques et a été lancée par un numéraire, Santiago de la Cierva, qui vivait alors à Rome. En tel cas, il serait fort douteux que l'Opus Dei fasse de cette agence une œuvre de l'institution, car l'organisation n'aime guère s'immiscer dans des activités autres que celles portant sur l'éducation ou les œuvres à caractère social. Escrivá a déclaré qu'il serait absurde de penser que l'Opus Dei puisse administrer des banques, des mines ou toute autre entreprise commerciale.

Pour les observateurs de l'extérieur, la distinction entre « œuvre de l'institution », un terme qui fait officiellement allusion à l'Opus Dei, et les projets à l'initiative des membres individuels et non rattachés à l'organisation semble relever d'un débat sur le sexe des anges. Si une institution en particulier possède un personnel largement fourni par l'Opus Dei et si elle semble refléter ce qu'il est convenu d'appeler l'« esprit de l'Œuvre », quel intérêt aurait-elle à nier qu'il s'agit de l'Opus Dei ? À part les questions fiscales et de passif susceptibles de se poser, il existe trois éléments que l'organisation veut considérer. Tout d'abord, certaines des personnes en cause dans ces initiatives peuvent fort bien ne pas être des catholiques et encore moins des membres de l'Opus Dei. Dans le cas de l'école Northridge Prep de Chicago, par exemple, l'un des fondateurs était juif et l'autre épiscopalien. Deuxièmement, l'Opus Dei ne veut pas réprimer la créativité et l'initiative en suggérant d'attendre un ordre de son quartier général pour avancer. Cela contredirait l'importance qu'Escrivá attribuait à la liberté des membres d'agir comme ils le désirent dans les questions temporelles. Troisièmement, cela compromettrait le concept de « sécularisation », ce qui signifie que les membres de l'Opus Dei dans le monde n'agissent pas comme des agents de l'Église, mais comme des citoyens ordinaires. En qualité de catholiques, ils ne sont pas censés revendiquer de privilèges spéciaux. En fait, Escrivá avait dit un jour qu'il « méprisait » les gens qui se servaient de leur titre de catholique pour obtenir des avantages commerciaux ou politiques.

Une prélature personnelle

La controverse sur l'Opus Dei a éclaté au grand jour dans le monde anglo-saxon en 1982, lorsque le pape Jean-Paul II lui a accordé le statut canonique de « prélature personnelle ». On peut envisager une prélature comme un diocèse aux pouvoirs limités, dont les frontières ne sont pas géographiques mais contractuelles. Une prélature est dirigée par un « prélat », généralement un évêque. Que l'on soit à New York ou à New Delhi, être membre d'une prélature n'exempte pas un catholique de se trouver toujours sous l'autorité de son évêque diocésain. Pour les questions auxquelles tous les catholiques doivent se soumettre, les membres de l'Opus Dei doivent en référer à leur évêque local. Ainsi, si un membre de l'Opus Dei désire faire annuler son mariage par l'Église, il doit en référer à son évêque et non au prélat de l'Opus Dei. En principe, la juridiction de la prélature concerne seulement les affaires internes de l'Opus Dei. Ses membres acceptent d'être soumis à la prélature dans les secteurs où les catholiques sont autrement libres de faire leurs propres choix.

Même si le concile Vatican II anticipait la création de prélatures personnelles en 1965 et même si le nouveau Code de droit canon, édicté en 1983, contient des dispositions juridiques pour ces prélatures dans les canons 294 à 296, à ce jour l'Opus Dei demeure l'unique « prélature personnelle » dans l'Église catholique.

Escrivá avait une formation juridique, et sa thèse, *Abaseda de Las Huelvas*, portait sur les abbesses de Las Huelvas, un cas extra-ordinaire de juridiction quasi épiscopale exercée par l'abbesse d'un célèbre couvent médiéval à Burgos, en Espagne. Escrivá fut un cas presque unique pour les fondateurs de l'Église catholique à cause de l'intérêt qu'il manifesta pour les clauses canoniques et juridiques les plus pointilleuses. L'évolution du statut juridique de l'Opus Dei est d'ailleurs une histoire épique qui remplit environ 655 pages. Il s'agit de *La Voie canonique de l'Opus Dei : histoire et défense d'un charisme*, publiée aux États-Unis par le Midwest Theological Forum, une maison affiliée à l'organisation. L'Opus Dei fut approuvée en qualité d'association religieuse en 1941 et elle fut incorporée dans la Société sacerdotale de la Sainte-Croix en 1943 avant de devenir une institution séculière en 1947 et, finalement, une prélature en 1982.

L'Opus Dei soutient que cette évolution n'avait pas pour but de rechercher des privilèges spéciaux, mais de trouver un moyen canonique de protéger la vision d'Escrivá. Voici, par exemple, un des problèmes créés par un manque de structure appropriée indiquant que bien d'autres difficultés se sont manifestées au fil des ans. Selon les termes du canon 500 du Code de droit canon de 1917, un institut séculier ne pouvait pas se composer d'hommes et de femmes, ce qui veut dire qu'en théorie l'Opus Dei aurait dû se scinder en deux entités ; le nouveau code de 1983 n'impose plus ces exigences aux prélatures personnelles.

Historiquement et psychologiquement, il est difficile de surestimer l'importance des questions du statut canonique de l'Opus Dei. Il y a beaucoup de choses que l'on ne peut comprendre sur l'organisation, dont l'insistance qu'elle met à se singulariser, les distances qu'elle garde à l'égard des ordres religieux et les mouvements laïques, l'esprit pointilleux dont elle fait preuve quant au vocabulaire canonique et les catégories ; enfin, apparemment, pour son insatiable appétit de glaner des signes d'approbation des autorités ecclésiastiques, du moins jusqu'à ce que l'on comprenne que, vue de l'intérieur, l'identité de l'Opus Dei est terriblement fragile. La crainte perpétuelle de l'organisation est de se voir absorbée pour être rendue conforme à un ou deux modèles décrits dans le droit canon, par exemple, un ordre religieux auquel on pourrait rattacher la laïcité par la bande ou une association laïque dans laquelle il n'y aurait aucune place pour les prêtres. En effet, l'idée de prêtres et de laïcs des deux sexes faisant partie d'un tout organique, partageant la même vocation et accomplissant le même travail apostolique ne fait guère partie de la tradition catholique, du moins depuis les premiers siècles de la chrétienté. Considérée de l'intérieur, l'insistance que l'on a placée sur la prélature personnelle ne visait pas l'exercice d'un pouvoir politique brut, mais avait plutôt pour but de protéger une toute jeune forme de vie.

La Société sacerdotale de la Sainte-Croix

La Société sacerdotale de la Sainte-Croix est une association destinée aux prêtres de l'Opus Dei ainsi qu'aux prêtres diocésains qui souhaitent partager leur spiritualité et leur formation doctrinale. Le canon 278 du Code de droit canon accorde aux prêtres diocésains le droit de s'affilier à des associations spirituelles de leur choix. Escrivá s'inquiétait tellement de la formation des prêtres, qu'il pensa un jour abandonner l'Opus Dei pour créer à leur intention une institution séparée. Il décida que l'on pouvait obtenir les mêmes résultats au moyen d'une « société » qui unirait les prêtres de l'Opus Dei aux prêtres diocésains aux quatre coins du monde. Ces deux groupes de religieux sont considérés comme des membres de l'Opus Dei, mais seuls les prêtres de l'Œuvre se trouvent sous la juridiction du prélat. Le terme technique est « incardination », ce qui signifie que ces prêtres se trouvent sous l'autorité canonique directe de l'Opus Dei. Les prêtres « incardinés[2] » dans la prélature de l'Opus Dei sont considérés comme des numéraires. Ceux qui le sont dans leur diocèse sont des surnuméraires ou des agrégés. Tout comme avec les laïcs de l'Opus Dei, il s'agit là de distinctions indiquant le degré de disponibilité dont les prêtres disposent pour servir l'Œuvre. Tous sont toutefois considérés comme ayant la même vocation et sont des membres à part entière de l'organisation.

Selon Escrivá, afin que les prêtres diocésains sanctifient leur travail, il est nécessaire qu'ils entretiennent d'étroites relations avec leur évêque. En tant que premier point de référence pour ses prêtres, la Société sacerdotale de la Sainte-Croix ne se considère pas comme la remplaçante de l'évêque local. En fait, il existe aussi des évêques qui appartiennent à la Société. L'archevêque John Myers, de Newark, New Jersey, est l'un de ceux-là. L'objectif principal de la Société étant de « promouvoir la sainteté chez ses membres », ces derniers peuvent atteindre ces résultats par la pratique de leurs devoirs sacerdotaux ainsi que par les enseignements spirituels et les pratiques de l'Opus Dei. Les moyens de formation des prêtres diocésains de la Société sont comparables à ceux offerts aux surnuméraires et peuvent prendre la forme de classes doctrinales ou ascétiques et de certaines journées consacrées aux récollections.

La Société a été créée en 1943 par Escrivá, en partie pour assurer la formation des prêtres qui se consacraient aux besoins pastoraux des membres avant que l'Opus Dei ait la capacité canonique d'incardiner le clergé. Les premières ordinations par l'Opus Dei ont eu lieu en 1944, et ces trois prêtres devinrent les premiers membres de la Société sacerdotale de la Sainte-Croix. Il existe aujourd'hui

---

2. « Incardiner » : Ce terme « opusien » signifiait à l'origine « adopter canoniquement ou recevoir officiellement un prêtre d'un autre diocèse ». Du latin *incardinatus,* participe passé d'*incardinare* : ordonner un prêtre dirigeant. (N.d.T.)

1850 prêtres incardinés dans la prélature, plus 2000 prêtres diocésains membres de la Société.

Les prêtres ordonnés pour l'Opus Dei viennent des rangs des numéraires et agrégés, une exigence qui a pour avantage pratique de s'assurer que personne ne pourra suspecter l'Opus Dei de «braconner» sur les terres des vocations des autres groupes. Ces prêtres deviennent automatiquement des membres de la Société dès leur ordination, et le prélat est ce qu'on appelle le «président général» de celle-ci. La loi stipule qu'il n'existe aucun supérieur, et les prêtres diocésains de la Société demeurent pleinement assujettis à leur propre évêque.

L'autorité

Le gouvernement interne de l'Opus Dei se trouve déterminé par les statuts de l'organisation. L'autorité suprême est le prélat, le successeur d'Escrivá, le «Père». Jusqu'à maintenant, l'Opus Dei a eu deux prélats : Alvaro del Portillo, élu à la mort d'Escrivá en 1975 et intronisé évêque en 1991 par le pape Jean-Paul II, et le prélat actuel, l'évêque Javier Echevarría, qui est âgé de soixante-treize ans. Élu en 1994 à la mort de Portillo, il a été intronisé évêque en 1995. Selon les statuts, la fonction de prélat est la seule qui soit accordée pour la durée de vie de son titulaire. On a assisté à une progression naturelle des successions, puisque Portillo était le plus proche collaborateur d'Escrivá, et Echevarría le secrétaire personnel du fondateur de l'Œuvre.

Pour les prêtres de l'Opus Dei, le prélat est leur évêque et ils ont la même relation avec lui qu'un prêtre diocésain aurait avec son évêque local. Chaque prêtre de l'Opus Dei qui officie en dehors de sa prélature doit toutefois recevoir l'autorisation de l'évêque du diocèse dans lequel il travaille.

Le prélat est assisté par deux conseils centraux dont chacun a son siège à Rome. Le Conseil général est l'organisme principal de la section masculine, tandis que le Conseil consultatif central oriente la section féminine. Ces deux organismes conseillent le prélat sur des questions d'intérêt commun. Actuellement, c'est un numéraire allemand, Marlies Kücking, qui dirige les destinées du Conseil consultatif central, tandis que le prélat, Mgr Echevarría, s'occupe du Conseil général. En théorie, les deux organismes sont des entités distinctes mais égales. Leur structure n'est pas différente, mais il existe une sorte de tabou qui les empêche de communiquer directement entre eux. J'ai demandé un jour à Sarah Cassidy, une numéraire anglaise et membre du Conseil consultatif central, s'il serait normal pour elle d'appeler ses homologues masculins pour discuter de questions telles que l'expansion de l'Opus Dei dans un pays donné. Sa réponse fut négative. Elle me signala que, si son organisme trouvait nécessaire de contacter les hommes, il le ferait par écrit.

En ce qui concerne l'égalité, Kücking affirme que, dans les délibérations, les femmes ont une influence égale à celle des hommes, une façon de faire qui, apparemment, remonte à l'époque d'Escrivá. En novembre 2004, lors d'une interview à la Villa Sacchetti, le siège de la section féminine, qui fait partie du même bâtiment que la Villa Tevere, mais possède sa propre entrée et des appartements séparés, il nous expliqua ce que le fondateur de l'Œuvre pensait de la question : « Il venait souvent nous trouver pour nous dire : "Le Conseil général a déclaré telle ou telle chose. Qu'en pensez-vous ?" Si nous disions le contraire, il reportait la décision à une date ultérieure et s'en remettait à nous. » Kücking m'a expliqué que, lorsque le Conseil consultatif central propose quelque chose, le prélat écoute, pose des questions, mais, en général, approuve ce qui est proposé et même s'il connaît parfaitement la réalité, dit : « Vous connaissez certainement la question mieux que moi. »

La composition des deux conseils est plus ou moins la même. Ils comprennent des membres de l'Opus Dei qui ont la responsabilité de surveiller les différents secteurs de travail apostolique (jeunes, surnuméraires et numéraires). Ils offrent aussi des plans d'étude en philosophie, en théologie et en administration. Le prélat mis à part, deux autres personnes jouent des rôles communs dans les deux conseils : le grand vicaire Ocáriz et le vicaire secrétaire, qui est actuellement le père Manuel Dacal Vidal. Les titulaires de ces deux postes doivent, en vertu des statuts, être des prêtres. Chaque conseil nomme également les délégués régionaux, ce qui signifie des responsables de chacune des « régions » de l'Opus Dei – un terme plus ou moins synonyme de « pays ». Ainsi, la France ou le Kenya sont des régions, et ainsi de suite. Les membres des deux conseils ont un mandat dont la durée est fixée à huit ans.

Le niveau régional reflète la même structure de base. On y trouve un vicaire régional, ou conseiller, qui est l'autorité suprême. Il est assisté par deux conseils, un réservé aux hommes, l'autre aux femmes. Aux États-Unis, le vicaire est le père Thomas Bohlin, dont le bureau est situé au siège de l'Opus Dei américaine, dans un immeuble de dix-sept étages de Manhattan, à l'angle de la 34e Rue et de Lexington. Dans de vastes régions comme les États-Unis, le territoire est subdivisé en « délégations », ayant la même structure de base, c'est-à-dire un vicaire et deux conseils, un pour les hommes et un pour les femmes. Les régions (ou s'il n'en existe pas dans certains pays, les délégations) sont divisées en « centres ». Selon l'*Annuario* de 2004 du Vatican, il existe 1751 centres de l'Opus Dei dans le monde. Chacun est gouverné par un directeur, un laïc assisté par un conseil local. Chaque centre doit comporter au moins un directeur et deux autres membres de l'Opus Dei. Comme les centres sont l'objet d'une ségrégation par le sexe, le besoin de deux conseils ne se fait pas sentir.

Le centre est la pierre angulaire de l'Opus Dei. Un centre n'a pas à être forcément un lieu, bien qu'habituellement il puisse s'agir d'une résidence ou d'une œuvre de l'institution. En théorie, toutefois, le centre est une unité visant à organiser les moyens de formation et à dispenser des services pastoraux aux membres de l'Opus Dei dans un secteur particulier. Avant l'ouverture d'un nouveau centre, l'Opus Dei doit obtenir la permission de l'évêque du diocèse où il doit être implanté et, selon les dispositions du droit canon, l'évêque local a le droit de rendre périodiquement visite au centre, d'inspecter les lieux de prière, le tabernacle et les confessionnaux. Si l'Œuvre doit reprendre l'administration d'une paroisse dans le diocèse, comme elle l'a fait, par exemple pour la paroisse Sainte-Marie-des-Anges, à Chicago, Sant'Eugenio à Rome ou Saint-Thomas-More à Londres, l'évêque de l'Opus Dei doit être partie à l'entente.

Le congrès général

Les « congrès généraux » de l'Opus Dei se tiennent généralement tous les huit ans. Ils réunissent les délégués représentant les pays dans lesquels l'Opus Dei exerce son ministère. On y étudie les œuvres des prélatures et on y expose les orientations proposées au prélat. Au cours du congrès, le prélat nomme de nouveaux conseils. Lorsqu'il est nécessaire de choisir un nouveau prélat, on organise alors un congrès général électif. Suivant les statuts, le prélat est choisi parmi les prêtres de la prélature que l'on juge être d'âge convenable, qui possèdent de l'ancienneté dans l'Œuvre, de l'expérience sacerdotale, etc. Son élection doit être entérinée par le pape, qui nomme alors officiellement la personnalité pressentie à ce poste. Il est intéressant de noter que ce sont les femmes participantes qui proposent les candidatures et que les hommes votent, ce qui veut dire que l'élection du dirigeant de l'Opus Dei ressemble assez à l'élection démocratique d'un évêque.

CHAPITRE 2

ESCRIVÁ

Josemaría Escrivá de Balaguer est un personnage historique fascinant et l'un des saints catholiques dont la vie a été la plus passée au crible et dont les réalisations ont soulevé maints débats. Né en 1902 dans une famille de la moyenne bourgeoisie dans la province d'Aragon, encore bébé, il fut pratiquement laissé pour mort à la suite d'une épidémie de méningite. Il récupéra miraculeusement après que sa mère l'eut conduit à Torreciudad, un lieu de pèlerinage marial proche de son domicile. Séminariste, Escrivá fut témoin des horreurs de la guerre civile. À un moment donné, il n'échappa à la mort qu'en simulant la folie et en se cachant dans un asile psychiatrique. Plus tard, avec des compagnons de route partageant ses idées, après un épuisant voyage à travers les Pyrénées, il parvint à se mettre en sécurité dans la zone contrôlée par les nationalistes. Escrivá s'installa à Rome en 1946, où il s'affaira à poursuivre une nouvelle réalité qui, soutenait-il, lui avait été inspirée par Dieu. Il vécut comme un drame le concile Vatican II et la libéralisation croissante qui se manifesta ensuite dans l'Église catholique. Il s'agissait de toute évidence d'une tendance qu'il ne prisait guère. L'obéissance au pape constituait pour lui une valeur de base, et le mot «dissidence» ne faisait pas partie de son vocabulaire. Après sa mort, en 1975, des lettres appuyant sa béatification affluèrent au Vatican de la part de 69 cardinaux, de 241 archevêques, de 987 évêques et de 41 supérieurs généraux de congrégations religieuses.

Même mort, Escrivá continuait à faire des vagues. En effet, au cours des Temps modernes, bien peu de béatifications auront soulevé autant de controverses. L'homme n'en fut pas moins béatifié en 1992 et prestement canonisé en 2002. Aujourd'hui, Escrivá est vilipendé par certains, vénéré par des millions. Lors de sa canonisation, quelque 350 000 personnes s'agglutinaient place Saint-Pierre et aux abords de celle-ci.

Même si le but du présent ouvrage est d'essayer de comprendre l'Opus Dei d'aujourd'hui, il est impossible de ne pas au moins examiner rapidement le personnage d'Escrivá, car la plus grande partie des controverses entourant l'Œuvre sont inextricablement liées aux débats entourant son père fondateur. Était-il, comme le croient les « Opusiens[1] » l'un des grands saints de l'histoire de l'Église, un maître spirituel comme Thomas a Kempis[2] ou sainte Thérèse de Lisieux ou encore un fondateur d'ordres comparable à saint Dominique ou à saint Ignace de Loyola ? Ou était-il encore, comme le pensent ses critiques, un petit dictateur boursouflé de gloriole et plein de rage à peine contenue ? Est-il aussi possible qu'il ait été tous ces personnages à la fois ? D'autres controverses ont également surgi. Escrivá avait-il un faible pour le régime fasciste du général Francisco Franco ? Le prêtre n'avait-il pas, à une certaine occasion, essayé de minimiser l'Holocauste et exprimé de l'admiration pour Hitler ? A-t-il été désillusionné par Vatican II au point de rejeter les papes qui l'ont présidé ? Existe-t-il autour de lui un culte de la personnalité servi par des thuriféraires s'acharnant à supprimer toute dissidence quant aux propos dithyrambiques que les hagiographes officiels d'Escrivá s'ingénient à diffuser ?

S'immiscer dans de tels débats se révèle souvent frustrant et désagréable pour les gens convaincus qu'Escrivá est un saint et qui

---

1. Néologisme (nom et adjectif) calqué sur Onusien – membre ou fonctionnaire de l'ONU – de plus en plus utilisé dans la presse internationale pour désigner les membres de l'Opus Dei. Ce terme aurait été popularisé par un article du *Monde diplomatique* de septembre 1995.
2. De son vrai nom, Thomas Hemerken. Moine chrétien de l'époque médiévale (1380-1471), auteur présumé de *L'Imitation de Jésus-Christ*. (N.d.T.)

ont l'impression d'être passés par là des milliers de fois au cours des dernières décennies. Pourtant, ces questions ne cessent d'être remises sur le tapis, non seulement dans la presse populaire et à l'occasion des pauses-café dans l'Église catholique, tout spécialement dans le monde anglo-saxon où Escrivá est moins connu. Tant que le public n'aura pas reçu des réponses complètes et convaincantes, les doutes persisteront sur Escrivá et sur l'institution qu'il a fondée.

L'histoire d'Escrivá

Baptisé José María Julián Mariano, Josemaría Escrivá est né le 9 janvier 1902 dans la ville de Barbastro, en Aragon. Même s'il utilisa des versions légèrement modifiées de son nom, il fixa plus tard celui-ci sous la forme de Josemaría Escrivá de Balaguer. Il avait combiné ses deux premiers prénoms pour indiquer la proximité de Joseph et de Marie.

Les Aragonais sont réputés pour être têtus, une particularité que l'on retrouve dans la fameuse histoire de la Madone du Pilier à Saragosse, la capitale régionale. La tradition veut que, lorsque saint Jacques, le frère de Jésus, s'en alla évangéliser l'Espagne, il parvînt à ses fins partout, sauf en Aragon, où les gens étaient trop obstinés pour changer de convictions. La Madone apparut alors à Jacques sur le haut d'un pilier pour l'encourager et le rassurer. C'est, dit-on, le seul endroit où, selon la tradition, Marie est apparue miraculeusement de son vivant. Les admirateurs tout comme les détracteurs d'Escrivá racontent que l'on peut retracer son hérédité aragonaise dans son franc-parler et son caractère obstiné. Un célèbre proverbe espagnol dit : « Donnez un clou à un homme d'Aragon et il va vous l'enfoncer avec sa tête. »

Aujourd'hui, la maison où Escrivá est né et a grandi, au 11, plaza Mercado à Barbastro, a été convertie en un centre féminin de l'Opus Dei. Au dernier étage de l'immeuble, une rampe de fer forgé est tout ce qu'il reste de la structure originale. En visitant cette demeure, on s'aperçoit qu'il s'agissait sans aucun doute d'une maison bourgeoise de classe moyenne faite pour la famille du marchand de textiles assez prospère qu'était le père du fondateur de l'Opus Dei, José Escrivá. Tout comme il y a plus de cent ans, cette maison donne toujours sur la place centrale de Barbastro, au beau milieu du va-et-vient d'une ville aragonaise de taille moyenne. Le soir où je m'y rendis, en juin 2004, un orphéon jouait gratuitement sur la place, ce qui ne devait pas être très différent à l'époque d'Escrivá. Des hommes et des femmes assis sur les balcons entourant ce lieu regardaient le spectacle. Curieuse coïncidence : près de la maison des Escrivá, on trouve une épicerie dont la raison sociale est San Pedro (saint Pierre). C'est un peu comme si la papauté s'était installée dans le coin depuis toujours.

José et Dolores Escrivá se sont mariés en 1898. Leur premier enfant, une fille nommée Carmen, naquit un an plus tard. Puis, Josemaría et trois autres filles – María Asunción, María Dolores et María del Rosario – vinrent s'ajouter à la famille. Les trois cadettes moururent toutes au cours des années comprises entre 1910 et 1913.

Nous l'avons vu, Josemaría tomba gravement malade. Sa mère l'amena à l'ancien sanctuaire de Notre-Dame de Torreciudad où elle demanda l'intercession de la Vierge Marie, et l'enfant survécut. Plus tard, partiellement en signe de gratitude, Escrivá dirigea la construction d'un complexe majeur au sanctuaire, ce qui en faisait le seul lieu de pèlerinage au monde administré par l'Opus Dei. (Même en ce saint lieu, une controverse s'ensuivit. Le 25 juin 1979, prétextant que l'Opus Dei encourageait les politiques antiterroristes du gouvernement espagnol, le groupe séparatiste basque ETA posa une bombe dans la chapelle de Notre-Dame de la Guadalupe.)

Entre 1913 et 1914, le commerce de textiles que José Escrivá exploitait avec deux autres hommes d'affaires espagnols connut de sérieuses difficultés, ce qui plongea la famille dans une gêne certaine. Même si la loi espagnole lui permettait de se mettre en faillite, José Escrivá insista pour régler ses créanciers et les personnes qui travaillaient pour lui, une décision qui l'enfonçait encore davantage dans la misère. La famille dut laisser aller ses serviteurs et décida de redémarrer à neuf quelque part ailleurs. En 1915, elle s'établit à Logroño, au centre de la région vinicole de La Rioja.

Le père trouva un emploi dans une autre société de textiles et relogea sa famille dans un modeste appartement, trop chaud en été et trop froid en hiver. Les Escrivá, qui avaient l'habitude de mener une vie bourgeoise à Barbastro, se retrouvaient maintenant en train de «sauver la face». Les membres de l'Opus Dei attribuent parfois leur capacité de conférer à leurs activités une ineffable élégance, même avec des moyens bon marché et des rebuts, à l'esprit combatif hérité de la famille Escrivá lors de ses années de pénurie.

Josemaría était un enfant pieux qui avait fait sa première communion à Barbastro. La famille avait pris avantage des nouveaux règlements mis en vigueur par le pape Pie X, qui avait abaissé l'âge minimum pour communier, une décision destinée à encourager une plus large réception du sacrement de l'eucharistie. Quelque part entre la Noël 1917 et l'Épiphanie 1918, Escrivá eut la première d'une série d'intuitions mystiques qui devaient se manifester tout au long de son existence. Il expliqua plus tard avoir eu la vision d'un carme pieds nus dans la neige et que cette expérience avait empli son cœur du désir de servir Dieu. Il commença à assister quotidiennement à la messe, à se confesser régulièrement et à dresser des listes de prières à dire chaque jour. Il pensa avoir la vocation pour devenir prêtre carme, mais, à la fin, estima que Dieu l'appelait ailleurs. Il pensa aussi être un prêtre diocésain, mais était torturé par un sentiment de culpabilité puisqu'en tant que fils unique ses parents allaient dépendre de son appui financier. Lorsque son jeune frère, Santiago, naquit en 1919, ses doutes s'évanouirent.

En 1920, il se retrouva à l'Université pontificale de Saragosse. Il obtint de bons résultats sur le plan personnel comme sur le plan universitaire et, en septembre 1922, fut nommé séminariste supérieur à Saragosse, où il connut le cardinal Juan Soldevila. Ainsi, lorsque ce patriarche fut abattu par un anarchiste le 4 juin 1923, Escrivá en demeura atterré. Il fut finalement ordonné prêtre le 28 mars 1925 et, deux jours plus tard, il célébrait sa première messe publique dans une chapelle de la cathédrale Notre-Dame du Pilier, où il avait passé toute une nuit en prière lorsqu'il était encore séminariste. Il décrocha ensuite une licence de droit canon et de droit civil, puis, finalement, s'installa à Madrid pour y poursuivre des études de doctorat en droit et entreprendre sa carrière ecclésiastique. Il arriva à Madrid en 1927 et devait y vivre jusqu'en 1946, sauf pendant les périodes de dérangement occasionnées par la guerre civile. Il s'installa ensuite à Rome. À Madrid, Escrivá se montra un prêtre infatigable en devenant l'aumônier d'un groupe de dévotes qui s'appelaient les Dames apostoliques, et il passa d'interminables heures à visiter pauvres et malades dans les hôpitaux et les quartiers défavorisés de la capitale espagnole. À cette époque, il était réduit à la portion congrue en vivant surtout d'aumônes qui, au taux de change de 2005, pouvaient représenter quelque trois *cents* américains par messe !

Le moment décisif de la vie d'Escrivá survint le 2 octobre 1928, à l'occasion d'une retraite qui avait lieu à la résidence des pères de Saint-Vincent-de-Paul, à Madrid, lorsqu'il entendit tinter les cloches à l'occasion de la fête des Anges gardiens. Selon Portillo, son confesseur depuis plus de vingt ans, « il eut une vision de l'Opus Dei telle que le Seigneur désirait cette institution et telle qu'elle serait pendant les siècles à venir ».

À partir de 1928, Escrivá se consacra à construire la nouvelle réalité que, selon ses convictions, Dieu lui avait révélée, même si plus tard il insistait pour dire qu'il ne tenait aucunement à être le fondateur de quoi que ce soit. Il commença à écrire des lettres décrivant l'« esprit » de cette nouvelle réalité bien avant qu'il ne s'attache une poignée d'adeptes. Le premier membre laïque de l'Opus Dei, Isidoro Zorzano, suivit Escrivá en 1930 et, aujourd'hui, l'Opus Dei instruit sa cause en béatification. En 1933, Escrivá établit son premier centre de l'Opus Dei, une résidence pour étudiants qu'il appela DYA, un sigle regroupant les initiales des facultés de droit et d'architecture en espagnol (Derecho y Arquitectura). Les membres aimaient plaisanter en disant que ces initiales signifiaient également *Dios y audacia* (« Dieu et audace »).

Lorsque la guerre civile éclata en Espagne, une fois Madrid tombée aux mains des forces anticléricales, Escrivá essaya de se cacher dans la capitale. Pendant cinq mois, il simula la folie en devenant pensionnaire d'un asile psychiatrique tenu par un ami.

Plus tard, il se réfugia au consulat du Honduras. Finalement, en compagnie de quelques pionniers de l'Opus Dei, il tenta de passer dans la zone tenue par les nationalistes. Cette aventure le mena à travers les Pyrénées jusqu'à la principauté d'Andorre. Les réfugiés réussirent ensuite à revenir en Espagne et arrivèrent à Burgos, la capitale nationaliste, dans le nord de la Castille. Après le triomphe du Caudillo Franco, Escrivá rentra à Madrid. En 1939, il publia la première édition de *Camino – Chemin –*, une collection de 999 citations de sagesse spirituelle. Ce livre devint un best-seller qui connut 125 éditions en 25 langues. Plus tard, Escrivá publia d'autres œuvres, dont : *Sillon, Forge* et *Quand le Christ passe*.

En 1946, Escrivá s'installa à Rome, ce qui signifie, comme il devait l'expliquer plus tard, que les perspectives de l'Opus Dei étaient plus larges que celles offertes par l'Espagne d'après-guerre. La première raison de cette décision était de permettre à Escrivá de suivre de près les efforts faits pour trouver un statut susceptible de préserver l'identité de son œuvre. Il s'agissait aussi d'une politique ecclésiastique habile, car Escrivá et ses adjoints se rapprochaient ainsi des centres décisionnels du Saint-Siège. Le bras droit d'Escrivá, le père Alvaro del Portillo, entreprit une carrière à la curie romaine qui devait durer des décennies avant qu'il ne succède à Escrivá à la mort de ce dernier, en 1975.

De Rome, Escrivá devait diriger l'expansion mondiale de l'Opus Dei. Au cours des années quarante, il voyagea beaucoup en Europe, préparant le terrain aux futures implantations de l'organisation. En 1948, il lança le Collège romain de la Sainte-Croix qui, en temps et lieu, devait donner naissance à une université pontificale. En 1952, il fonda en Espagne l'Université de Navarre à Pampelune, qui devait prendre de l'expansion pour devenir la pierre angulaire des « œuvres de l'institution ». La plupart du temps, Escrivá préparait les bases de ce qui devait devenir un congrès, en 1969, au cours duquel, pour la première fois, on proposa l'idée de transformer l'Opus Dei en une prélature personnelle. Au cours des dernières années de sa vie, il voyagea énormément, offrant des cours de catéchèse et faisant la promotion de son institution. Escrivá mourut le 26 juin 1975, date qui devait finalement être décrétée comme sa fête. Il fut béatifié le 17 mai 1992 et canonisé le 26 octobre 2002.

Une personnalité controversée

Escrivá est un personnage controversé et, au fil des ans, la façon d'interpréter sa vie est devenue le champ de bataille principal sur lequel s'affrontèrent les idées à propos de l'Opus Dei. Dans cette section, je passerai en revue les principaux points de litige concernant Escrivá et je tenterai de résumer l'argumentation des deux parties en cause.

La personnalité d'Escrivá

Certains détracteurs allèguent qu'Escrivá n'avait pas les vertus d'un saint. Ils prétendent que l'homme était rempli de vanité, qu'il voulait tout contrôler, qu'il était parfois paranoïde et qu'il faisait preuve d'un caractère colérique. Dans certains cas, de telles accusations ne viennent pas d'historiens révisionnistes, mais de témoins de premier plan, membres de l'Opus Dei, qui l'ont bien connu. Ces critiques sont toutefois contredites par d'autres témoins, compagnons de la première heure, des hommes d'Église de haut rang connaissant bien Escrivá, des politiciens, des gens d'affaires, des journalistes.

Miguel Fisac et Maria Angustias Moreno

Miguel Fisac est l'un de ces Opusiens de la première heure qui entreprirent le dur périple transpyrénéen d'Escrivá. Membre de l'Opus Dei de 1936 à 1955, ce pionnier n'hésite pas à décrire le fondateur de l'organisation comme un personnage fort complexe et déroutant, émettant des jugements implacables, ne disant jamais rien de bien de quelque personne que ce soit, qu'elle travaille à l'intérieur ou à l'extérieur de l'Œuvre. Cela incluait Portillo, son plus proche collaborateur. (Des défenseurs d'Escrivá remarquent toutefois qu'il existe quelques séquences filmées où il fait l'éloge de Portillo.) Fisac accuse Escrivá de s'être montré particulièrement soupçonneux à propos de quoi que ce soit qui pouvait faire de l'ombre au pouvoir qu'il exerçait sur l'esprit de l'organisation. Ainsi s'était-il irrité en constatant le succès d'un ouvrage écrit par un prêtre de l'Opus Dei, le père Jesús Urteaga, où il expliquait la spiritualité du groupe. Fisac affirme qu'Escrivá était particulièrement cinglant envers les hommes et les femmes appartenant aux communautés religieuses. Le critique souligne qu'il a lui-même été témoin de cas où des gens avaient été carrément humiliés par Escrivá. Architecte de formation, Fisac a également critiqué le fondateur de l'Œuvre pour avoir dépensé des « millions de dollars » pour la Villa Tevere, le siège social romain de l'organisation pour des choses de mauvais goût que le Fondateur jugeait « très importantes ».

María Angustias Moreno fut numéraire de 1959 à 1973. Elle a détenu des postes de direction supérieurs au sein de la section féminine de l'Opus Dei. Elle écrivit en 1976 un ouvrage sur son expérience dans l'institution – *El Opus Dei : anexo de una historia.* Dans ce livre, elle écrit que, si Escrivá est réellement un saint, on ne pourrait certes lui concéder un tel titre « en se basant sur sa simplicité et son humilité ». Elle soutient, par exemple, que lorsqu'elle œuvrait dans l'Opus Dei, de nombreux prêtres comme Alvaro del Portillo et Salvador Canals avaient acquis suffisamment de mérite et d'expérience pour mériter de recevoir le titre ecclésiastique de « monseigneur », mais du vivant d'Escrivá, lui seul se le réserva dans l'organisation. De plus, insiste María Moreno, Escrivá n'a jamais assisté aux funérailles d'un cardinal ou d'un autre dignitaire. Il ne recevait les personnes de marque qu'à la Villa Tevere, comme si ces dernières devaient venir à lui et non le contraire. María Moreno qualifiait Escrivá de personnalité « arrogante et dictatoriale ». En fait, lorsque le fondateur de l'Œuvre mourut en 1975, elle écrivit que son propre conditionnement en tant que membre de l'organisation l'avait décérébrée et abasourdie au point de s'imaginer que quelque chose d'aussi humain que la mort ne pouvait frapper celui qu'on appelait « le Père ».

María del Carmen Tapia

L'ensemble des observations les plus importantes sur Escrivá provient d'une ancienne numéraire vénézuélienne, María del Carmen

Tapia, qui, dans *Au-delà du seuil : une vie dans l'Opus Dei*, publié
en 1992, explique comment elle a été numéraire de 1948 à 1966 et
comment, pendant cinq années, elle a vécu et servi au siège social
de Rome, dans la section féminine de l'organisation. Elle arriva à
Rome en 1952 avec une autre numéraire, María-Luisa Moreno de
Vega, pour aider Escrivá à établir les premières relations entre le siège
romain et les nouveaux centres de l'Opus Dei pour les femmes dans
des pays comme l'Angleterre, l'Irlande, les États-Unis, l'Allemagne
et certains pays d'Amérique latine avant que l'administration
centrale féminine soit mise sur pied quelques mois plus tard. Elle
occupa deux postes de premier plan dans l'administration centrale
et dirigea également les Éditions de l'Opus Dei. Au cours de toutes
ces années, elle entretint des contacts quasi journaliers avec Escrivá.
Elle mentionne notamment que ce dernier possédait un caractère
tyrannique et autoritaire, et une tendance à admonester vertement
toute personne qui n'accomplissait pas son travail à la perfection.
Elle ajoute qu'elle parvenait à réprimer toute réaction parce qu'elle
avait été conditionnée pour considérer la « volonté du Père » comme
équivalente à celle du Créateur.

Pendant dix ans, María del Carmen Tapia fut directrice – c'est-
à-dire le poste le plus élevé – de la section féminine vénézuélienne
avant d'être rappelée à Rome. Au cours de sa dernière année au
Venezuela, elle raconte qu'elle fut victime d'une sérieuse campagne
d'atteinte à sa réputation et que cela finit par se savoir à Rome. Peu
après son arrivée à la Villa Sacchetti, le siège social féminin dans la Ville
éternelle, elle fut pratiquement placée en « liberté surveillée », et on épia
ses gestes pendant plusieurs mois jusqu'à ce qu'elle quitte l'organisation. Elle raconte comment on confisqua ses documents personnels
– qui ne lui furent d'ailleurs jamais rendus –, à l'exception de son
passeport, qui lui fut remis quelques heures après avoir quitté Rome.
Le dernier jour dans cette ville, elle se retrouva confrontée à Escrivá,
qui fulmina contre elle, lui lança une série d'insultes en l'accusant
d'être remplie de « mauvais esprit » et, en fin de compte, « bonne
à rien ». Elle ajoute également qu'on la menaça de la déshonorer si
jamais elle dévoilait ce qu'elle avait subi à Rome au cours de ces mois
pénibles. Ce fut la dernière fois qu'elle rencontra le « Père ».

Au cours du procès qui devait mener à la béatification d'Escrivá, en 1992, María del Carmen Tapia se porta volontaire pour témoigner, mais le tribunal ecclésiastique chargé du procès ne lui permit pas de se présenter à la barre, une décision qu'elle attribue à des renseignements regrettables et diffamatoires à son propos que certaines autorités de l'Opus Dei s'empressèrent de fournir au tribunal. Ces faits sont corroborés dans le plus grand quotidien espagnol, *El País*, qui parvint à mettre la main sur des dossiers confidentiels du tribunal madrilène, y compris celui de l'évêque Javier Echevarría, l'actuel prélat de l'Opus Dei et l'ancien secrétaire particulier d'Escrivá. Au cours d'un témoignage confidentiel sous serment, qui se déroula devant un groupe de juges, on demanda à Echevarría d'expliquer les circonstances du départ de María del Carmen Tapia de l'Opus Dei. Il se borna à mentionner que le comportement de cette personne avait été « pervers » en refusant de fournir d'autres explications.

Aujourd'hui, la victime dit que le plus difficile pour elle, ce sont les « interprétations erronées » la concernant, et qui existent toujours sous la forme d'un dossier conservé aux archives du Saint-Siège. Elle ne peut qu'espérer que l'Opus Dei se rétracte formellement et fasse disparaître les déclarations diffamatoires dont elle a été l'objet durant le procès en béatification d'Escrivá. Elle a d'ailleurs demandé à l'Opus Dei de retirer du dossier les documents diffamatoires la concernant et de corriger une fois pour toutes cette erreur judiciaire pour l'amour de la vérité et de la justice. L'ancienne directrice considère cela comme une tache pour elle et le renom de sa famille, et elle croit fermement que l'Opus Dei a le devoir moral de corriger cette iniquité.

À l'occasion de la canonisation d'Escrivá, en 2002, en réponse aux questions des journalistes, Mme Tapia répondit qu'elle se demandait si la « désinformation diffamatoire » des conseillers auxquels Escrivá faisait confiance n'avait pas influencé le « Père » de funeste manière. Au cours d'une interview avec le *Catholic News Service,* elle déclara : « À mon avis, c'est la foi, une inébranlable confiance en Dieu, qui constituait l'élément le plus pertinent de la vie de Mgr Escrivá. » Elle devait ajouter que les gens qui s'attendaient à ce qu'elle fournisse un témoignage incriminant dans le processus de béatification auraient été à la fois « surpris et déçus » par ce qu'on ne lui a pas permis de dire. Dans la dernière édition espagnole du livre de Mme Tapia, *Tras el Umbral : una vida en el Opus Dei,* paru aux Ediciones B à Barcelone en 2004, on trouve ses entretiens avec plusieurs agences de presse en relation avec la canonisation d'Escrivá. Elle y dévoile clairement sa position sur l'organisation, pardonne à ses inquisiteurs et fait preuve de compréhension pour ses anciens patrons qui lui ont tant fait de mal. Elle s'en remet au jugement de Dieu, le seul Être capable de la juger.

Julián Herranz

Les souvenirs négatifs sont contrebalancés par des amis et des compagnons de travail d'Escrivá qui insistent pour dire combien ce dernier était de bonne humeur et combien il pouvait faire preuve de compassion et de profondeur spirituelle. Le cardinal Julián Herranz, un Espagnol membre de l'Opus Dei depuis 1950, me raconta sa première rencontre avec Escrivá à Madrid. Un jeune homme, nouvellement membre de l'Opus Dei, venait tout juste de mourir et, afin d'honorer le défunt, le fondateur de l'organisation arriva au centre où Herranz vivait.

Escrivá était en proie à une angoisse très forte, comme un père ayant perdu son fils. Il demanda : « Où est-il ? Où est-il ? » Nous avions transporté le corps dans la chapelle et l'avions placé devant le tabernacle. Escrivá entra, se rendit à l'autel, s'agenouilla devant le tabernacle pendant un petit moment, puis se leva et nous conduisit dans un petit salon pour prier. Une fois rendu là, c'était une tout autre personne. Il souriait affectueusement et en était presque resplendissant. Cela me dérangea, car je venais de le voir en train de souffrir et, à cet instant, il semblait indifférent. Nous avons commencé par nous entretenir et il me dit : « C'est un jour triste, mais, en même temps, un moment joyeux. » Ce jeune homme avait beaucoup souffert parce que ses parents s'étaient opposés à sa vocation. Saint Josemaría ajouta : « Il a remporté la dernière bataille et s'est montré fidèle à la volonté de Dieu jusqu'à son dernier souffle. Toujours accepter la volonté divine. Ne jamais dire non au Seigneur est ce qui fait les grandes vies…

Je suis heureux d'avoir eu un fils tel que lui. Vous devriez être heureux de l'avoir eu comme frère. »

À cet instant, j'ai compris que cet homme était un saint. Il savait comment vivre la double dimension humaine et surnaturelle du Christ. C'était un être très humain, très proche d'un père, qui souffrait et luttait. C'était aussi un grand prêtre, un chrétien complètement configuré au Christ.

Javier Echevarría

Echevarría, qui succéda à Portillo à la tête de l'Opus Dei, avait seize ans lorsqu'il rencontra pour la première fois Escrivá alors âgé de quarante-six ans. Il se souvenait de l'«incroyable bonne humeur» du Fondateur, ainsi que de la manière dont Escrivá «prenait tout le monde au sérieux», lui en premier. Il invita le jeune homme à monter dans sa voiture pour se rendre à un centre de l'Opus Dei où Escrivá devait prononcer une allocution. Echevarría lui déclara qu'il n'avait pas envie d'y aller parce que, à chaque fois qu'il montait en voiture, il éprouvait des nausées. Il accepta quand même, mais fut malade en route et vomit sur lui-même, dans l'auto. À cette époque, dans l'Espagne cléricale d'avant Vatican II, souiller la voiture d'un évêque aurait pu avoir des répercussions négatives, et Echevarría était littéralement terrifié! Escrivá n'afficha aucun signe d'impatience ou de dégoût, se contenta d'arrêter la voiture, de prendre des serviettes en papier et d'aider le garçon à nettoyer les dégâts. Puis il poursuivit sa route comme si de rien n'était. «Cet incident m'a aidé à comprendre l'homme, disait Echevarría, pas juste le prêtre, mais l'homme…

«C'était un être d'une grande patience, estimait son successeur, ce qui ne veut pas dire qu'il ne pouvait pas se fâcher. Parfois, il était contrarié et il le montrait. Il énonçait alors les choses très clairement, mais après, disait à ses interlocuteurs : "Si j'ai utilisé un ton un peu péremptoire, pardonnez-moi. Lorsque je vous ai dit ces choses, je les considérais comme étant la vérité devant Dieu, et c'est pour cela que je me suis exprimé ainsi. Je me dois d'être sincère avec vous. Si le ton était trop sévère, oubliez cela. Je voulais simplement vous prévenir afin de bien vous faire comprendre la situation et que vous trouviez la voie de la sainteté…" »

Les observateurs de l'Opus Dei affirment qu'il existe une ligne de démarcation entre les ex-membres enclins à critiquer l'Œuvre et ceux, comme Echevarría, qui ont persévéré. Les critiques ont tendance à percevoir les réprimandes sévères d'Escrivá comme des accès de rage ou même la manifestation d'une personnalité caractérielle, tandis que les autres traduisent ces mouvements d'humeur comme étant l'évidence même de l'amour paternel et du souci que le Père se faisait pour les autres.

Autres souvenirs

Feu le cardinal Franz König, de Vienne, l'un des tenants du nouveau libéralisme de Vatican II, un prélat que l'on ne considère généralement pas comme un défenseur des mouvements conservateurs de l'Église, affirme s'être montré impressionné par Escrivá. À l'occasion d'une interview qu'il donnait en 2001, König a déclaré : « C'est à l'occasion du concile que j'ai eu l'occasion de rencontrer le bienheureux Escrivá de Balaguer. On m'avait expliqué qu'il encourageait vivement l'engagement des laïcs dans la vie quotidienne et dans le monde du travail. Il était pour une Église sans cols romains et dénuée de pompes épiscopales, une Église active, grâce à ses nombreux laïcs. À mon avis, cet homme était mû par un esprit magnanime. Nous discutions beaucoup de la situation mondiale, et j'ai rapidement pris conscience qu'en lui se trouvait l'Église vivante. Je dirais que, dans ce cas, le Saint-Esprit avait trouvé en lui un terrain humain très réceptif. »

Les louanges parviennent aussi de sources ecclésiastiques inattendues. Le cardinal Mario Maria Martini, l'ancien archevêque de Milan, que l'on considéra longtemps comme le « grand pape blanc » de l'aile libérale de l'Église pour succéder à Jean-Paul II, a déclaré pour sa part : « La fécondité spirituelle de Mgr Escrivá comporte quelque chose d'incroyable. Quelqu'un qui parle et écrit comme il le fait manifeste envers lui et les autres une sainteté sincère et authentique. »

Escrivá était également un ami intime de l'archevêque Oscar Romero, du Salvador, considéré aujourd'hui comme un martyr et un champion de la théologie de la libération. Le 12 juillet 1975, à la mort d'Escrivá, Romero écrivit à Paul VI pour lui demander « au nom de la plus grande gloire de Dieu et du bien-être des âmes » que l'on fasse en sorte d'instruire la cause de la béatification d'Escrivá. Romero tint à exprimer sa profonde gratitude envers les prêtres de l'Opus Dei auxquels il avait confié, avec d'excellents résultats et une grande satisfaction, la direction spirituelle de sa propre vie ainsi que celle de ses prêtres. « Mgr Escrivá, que j'ai connu personnellement, a-t-il dit, était capable d'entrer en communication permanente avec le Seigneur avec grande humanité. Il est clair que c'était un homme de Dieu. Son comportement était plein de délicatesse, d'affection, et il faisait toujours montre de bonne humeur. » Les historiens ne manquent toutefois pas de faire remarquer que cette lettre a été écrite avant le meurtre du père Rutilio Grande, un événement qui « radicalisa » Romero et le conduisit à prendre ses distances avec les points de vue les plus conservateurs de l'Église.

Escrivá attirait des réactions positives, même à l'extérieur des cercles catholiques. Le psychiatre viennois Viktor Frankl, un survivant de l'Holocauste et auteur de *Découvrir un sens à sa vie,* se rendit un jour à Rome et s'entretint avec Escrivá. Il résuma ses impressions en ces termes : « Si l'on me demandait ce qui est particulièrement fascinant dans sa personnalité, c'est, avant tout, la réconfortante sérénité qui émane de lui et qui illumine toute la conversation. Ensuite, il y a le rythme incroyable avec lequel sa pensée circule et, finalement, sa surprenante capacité d'entrer immédiatement en contact avec ses interlocuteurs. De toute évidence, Mgr Escrivá vit totalement dans l'instant présent, il s'ouvre et se donne complètement à lui. »

Que faut-il conclure de ces impressions contradictoires ? Lorsque je me suis rendu dans sa ville natale de Barbastro, j'ai demandé aux citoyens comment ils percevaient ce fils de leur ville. Beaucoup me déclarèrent fièrement qu'Escrivá était un Aragonais typique : brusque, s'exprimant sans détour, têtu, fier, mais aussi chaleureux, rempli de compassion et de jovialité, ne s'apitoyant pas sur son sort et ne doutant pas de lui-même. Si tel était l'homme, il est possible que les traits de caractère que ses concitoyens ont décrits puissent cohabiter dans la même âme. Ainsi que l'a expliqué l'auteur catholique Robert Royal en faisant, en 1998, la recension du livre de Mᵐᵉ Tapia, certaines des critiques à l'égard d'Escrivá semblent tenir pour acquis que les véritables saints devraient être des personnes sans failles, et ce, malgré tout ce qu'on peut lire dans l'histoire des saints, de Pierre et de Paul jusqu'à nos jours.

Le nom d'Escrivá

On a accusé Escrivá de faire preuve de vanité à cause de deux changements qu'il a fait subir à son nom d'origine. Première-ment, Escrivá mettait souvent en valeur la rallonge à particule « de Balaguer », qu'il justifiait par des origines familiales attestées dans cette ville de Catalogne. Fisac prétend qu'Escrivá souffrait d'un complexe d'infériorité vis-à-vis de la noblesse espagnole et que tout cela n'était qu'une tentative de s'élever artificiellement dans l'échelle sociale.

En 1934, Escrivá avait été nommé recteur de la Real Patronato de Santa Isabel, une fondation royale qui comprenait une école tenue par les sœurs de l'Assomption de Marie et un couvent de sœurs augustines. À l'exception de certaines périodes durant la guerre civile, il occupa ce poste jusqu'à son installation à Rome, en 1946. Cela lui donnait, entre autres, une bonne raison canonique de demeurer à Madrid, et ce, bien qu'il ait été ordonné dans le diocèse de Saragosse. Fisac nota que, dès qu'Escrivá fut présenté à un groupe de nobles, ces gens titrés lui demandèrent s'il était apparenté aux Escrivá de Romaní, une famille d'aristocrates bien connue. Lorsqu'il répondit que non, les nobles réagirent de manière plutôt négative, ce qui lui laissa une mauvaise impression. Fisac déclara que c'était la raison pour laquelle Escrivá insistait tant sur le titre « de Balaguer ».

Un autre incident se produisit lorsque Escrivá demanda au ministère de la Justice de lui redonner un titre de noblesse mineur dont sa famille avait bénéficié au temps de l'archiduc d'Autriche, en

1718 : celui de marquis de Peralta. Selon les recherches généalogiques, un parent de la branche maternelle d'Escrivá avait servi l'archiduc en qualité de ministre de la Guerre et de la Justice. Le 24 juillet 1968, le ministère de la Justice accepta sa requête. Certains critiques d'Escrivá ont suggéré qu'il avait des raisons politiques pour revendiquer ce titre. En 1968, Franco se préparait à nommer le prince Juan Carlos comme son successeur, et certains pensent qu'Escrivá aspirait à détenir un poste dans le gouvernement. Il pensait que sa notoriété et que son titre de noblesse feraient de lui un choix idéal. On a également suggéré que l'Opus Dei avait l'intention de s'approprier les Chevaliers de Malte, une prestigieuse organisation hospitalière catholique remontant au Moyen Âge, dont la constitution exigeait que le Grand Maître fût un célibataire de noble lignée. En fait, aucun de ces deux projets ne se concrétisa.

Il ne fait aucun doute qu'Escrivá entretenait une certaine affection pour la noblesse espagnole et la famille royale. Son biographe officiel, l'Opusien Andrés Vásquez de Prada, a écrit que José, le père d'Escrivá avait toujours manifesté une grande loyauté envers la Couronne. Pourtant, les défenseurs du Fondateur font valoir qu'en 1965, lorsque certains de ses adjoints ont appris qu'il avait le droit de porter deux titres de noblesse (marquis de Peralta et baron de Saint-Philippe), il ne profita pas de ce privilège. Portillo, son bras droit, fit remarquer à Escrivá qu'en qualité de fils aîné de la famille, aux termes de la loi espagnole, il pouvait se prévaloir de ces titres. S'il trouvait quelque avantage à les transférer à son plus jeune frère, Santiago, il lui était loisible de le faire. Selon Vásquez de Prada, Escrivá consulta largement des membres de la hiérarchie espagnole avant de faire la demande. Il consulta également la curie romaine, notamment les cardinaux Angelo Dell'Acqua, évêque auxiliaire de Rome ; Angelo Antoniutti, préfet de la Congrégation pour les religieux ; Arcadio Larraona Saralegui, préfet de la Congrégation des rites, ainsi que Paolo Marella, président du Secrétariat pour les non-chrétiens. Selon Vásquez de Prada, Larraona était fortement en faveur de l'idée. Il insistait sur le fait qu'Escrivá n'avait pas seulement le droit, mais le devoir de revendiquer son titre. Larraona soulignait qu'Escrivá avait toujours enseigné aux membres de l'Opus Dei qu'ils devaient exercer leurs droits de citoyens. Escrivá n'utilisa jamais le titre et le passa à son frère par décision judiciaire en date du 22 juin 1972.

Escrivá et Franco

L'Opus Dei ayant connu sa croissance la plus significative de la fin de la guerre civile espagnole à la mort du fondateur de l'Œuvre, en 1975, une période recouvrant la dictature du général Francisco Franco, l'attitude d'Escrivá envers l'autocrate de Madrid a longtemps été un sujet de controverses. Certains ont laissé entendre qu'Escrivá était carrément profranquiste, très proche du Caudillo et que, par conséquent, l'Opus Dei était imprégnée d'un esprit fasciste. Cette affinité avec le régime du grand ami de Mussolini et d'Hitler fut régulièrement évoquée dans les médias. Par exemple, le *Village Voice* affirmait en 2004 qu'Escrivá était « un partisan de Franco ». En 2003, le *U.S. News and Worlds Report* remarquait : « Le pape Jean-Paul II a canonisé ce prêtre l'an dernier malgré les objections voulant qu'il existe des liens entre Escrivá et le régime totalitaire du général Francisco Franco. » Pour sa part, le *Chicago Tribune* écrivait en 2003 : « Lorsque le général Franco remporta la guerre, Escrivá rallia son mouvement au régime autoritaire franquiste avec plusieurs Opusiens détenant des postes clés dans son gouvernement. Malgré cela, à l'heure actuelle, les dirigeants de l'Opus Dei minimisent le fait qu'Escrivá soutenait activement le Caudillo. »

Il ne s'agit pas seulement là d'un jugement de la presse populaire. Mary Vincent, maître de conférences en histoire à l'Université de Sheffield, en Angleterre, dans un mémoire sur le catholicisme politique au Royaume-Uni au XXe siècle écrit : « De toutes les institutions catholiques, l'Opus Dei était l'une de celles qui étaient les plus étroitement associées au régime de Franco. Les Opusiens demeuraient fidèles à un régime qu'ils trouvaient indubitablement convivial. »

Avant de revenir à Escrivá, il convient de noter que, dans le contexte de la guerre civile espagnole, au cours de laquelle les forces anticléricales républicaines massacrèrent 13 évêques,

4000 prêtres diocésains, 2000 religieux, 300 religieuses, pratiquement chaque strate de l'Église catholique locale ne pouvait pas manquer d'être profranquiste. Les critiques contre Franco venaient d'autres pays. Ainsi, le penseur néo-thomiste Jacques Maritain soutenait que la théorie de la « juste guerre » ne pouvait aucunement justifier les bombardements sauvages de civils par la légion Condor. Des écrivains catholiques français comme François Mauriac et Georges Bernanos se montrèrent également peu tendres à l'endroit de ce régime totalitaire. Pourtant, en Espagne, presque la totalité des catholiques soutenaient le Caudillo. Comme le note John Hooper dans *The New Spaniards*[3] (*Les Nouveaux Espagnols*) : « Les prélats espagnols bénissaient les troupes de Franco avant qu'elles ne montent en ligne. Sur des photos, on voit même certains d'entre eux faisant le salut fasciste… » Le jour de sa victoire, Franco reçut un télégramme de félicitations du pape Pie XII. Franco fut en quelque sorte intronisé caudillo, c'est-à-dire leader, par le cardinal Isidro Gomá y Tomás, et le dictateur déposa son épée aux pieds du Christ de Lépante.

Dans un tel contexte, le fait qu'Escrivá ait pu rencontrer le dictateur sans avoir eu l'idée de contester son autorité n'a rien de surprenant. Toutefois, au cours des interventions publiques d'Escrivá, on ne trouve aucune preuve qu'il ait loué ou critiqué le régime fasciste.

Ce silence s'applique également aux derniers stades du régime, lorsque les catholiques espagnols furent passés de l'appui presque inconditionnel à l'opposition. Dans les années soixante et soixante-dix, comme le note Hooper, on vit arriver l'époque des *curas rojos* ou « prêtres rouges ». Des curés contestataires exploitaient les privilèges dont bénéficiait l'Église catholique de manière à permettre des grèves et des *sit-in* dans des propriétés de celle-ci et en l'alignant avec le mouvement prodémocratique. Dans le Pays basque, où le nationalisme espagnol de Franco s'était toujours heurté au séparatisme, on dut construire une prison spéciale pour prêtres à Zamora. En 1972, le pape Paul VI nomma un « évêque rouge »

---

3. Penguin Books, 1987.

comme auxiliaire dans une banlieue ouvrière de Madrid. Il s'agissait de Mgr Alberto Iniesta Jiménez, signe que le pape appuyait ce nouvel esprit de contestation.

Lorsque le cardinal Vincente Enrique Tarancón, un ami de Paul VI, fut élu président de la Conférence des évêques en 1971, cet événement indiqua que, là aussi, les choses évoluaient. Plus modéré qu'Iniesta, Tarancón n'en appuyait pas moins une transition démocratique et pluraliste. Durant ces changements, Escrivá insista pour que l'Opus Dei demeure ce qu'on pourrait appeler en termes diplomatiques « non alignée ». Au cours des années trente et quarante, lorsque, dans l'Espagne catholique, le sentiment général était profranquiste, le silence que gardait Escrivá fut souvent interprété comme un signe de libéralisme caché. Dans les années soixante et soixante-dix, alors que l'opinion des catholiques avait évolué, le même mutisme fut interprété comme sympathique au conservatisme franquiste.

En ce qui concerne les relations personnelles entre Escrivá et Franco, les documents indiquent que les deux hommes se connaissaient, mais qu'on ne pouvait pas les qualifier d'« amis ». On retrouve seulement la trace de trois rencontres entre les deux hommes : une en 1946, lorsque Escrivá fut choisi par la Conférence des évêques espagnols afin de prêcher à l'occasion d'une retraite fermée organisée pour Franco et sa femme. Chaque année, un prêtre espagnol était choisi pour cet événement religieux ; les exercices spirituels se déroulèrent dans le palais du Pardo du 7 au 12 avril 1946 et furent conduits par Mgr Leopoldo Eijo y Garay, évêque de Madrid. La deuxième fois, ce fut en 1953, lorsqu'un membre antifranquiste de l'Opus Dei, Rafael Calvo Serer, fut l'objet d'une diffamation dans la presse espagnole et qu'Escrivá demanda audience à Franco pour le défendre. La troisième rencontre eut lieu en 1962, au cours de négociations avec le gouvernement espagnol pour la reconnaissance civile des titres décernés par l'Université de Navarre à Pampelune, un établissement administré par l'Opus Dei.

Au-delà de ces rencontres, après s'être établi à Rome en 1946, chaque fois qu'il rentrait en Espagne, Escrivá se faisait un devoir d'annoncer à Franco sa présence sur le territoire national. Ces notes, reproduites dans la biographie de Vásquez de Prada, sont courtoises mais formelles.

La présomption d'une implication profranquiste de la part d'Escrivá et de l'Opus Dei est ancrée dans le fait qu'en 1957 trois membres de l'organisation firent partie du gouvernement Franco. Alberto Ullastres Calvo, un professeur d'histoire économique à l'Université de Madrid, devint ministre du Commerce; Laureano López Rodó fut nommé secrétaire à la technologie au Département d'État (et plus tard ministre sans portefeuille et commissaire au plan de développement économique); Mariano Navarro Rubio, directeur exécutif de la Banco Popular, fut appelé au Conseil du trésor. En 1962, un autre membre de l'Opus Dei, Gregorio López Bravo Castro, occupa le poste de ministre de l'Industrie. Dans *Spain : Dictatorship to Democracy* (*De la dictature à la démocratie en Espagne*), Raymond Carr et Juan Pablo Fusi décrivent ces ministres opusiens comme des « partisans d'une expansion capitaliste rapide et de la "neutralisation" de la politique grâce à la prospérité ».

L'Opus Dei n'est pas la seule organisation catholique en Espagne dont des membres ont servi le régime franquiste. Le président de l'Action catholique, Alberto Martin Artajo, fut nommé ministre des Affaires étrangères en juillet 1945. Avant d'accepter le poste, il reçut la bénédiction officielle des évêques espagnols. Pourtant, parmi les cent seize ministres nommés par Franco dans les onze gouvernements qui se succédèrent de 1939 à 1975, seulement huit d'entre eux étaient membres de l'Opus Dei. L'un de ces huit hommes politiques mourut trois mois après sa nomination, et quatre autres ne furent en fonction que l'espace d'un mandat. De plus, les ministres de l'Opus Dei étaient considérés comme faisant partie de l'aile « technocratique » du régime du Caudillo, et certains historiens leur accordent le crédit d'avoir instauré des réformes économiques ayant permis à l'Espagne de prendre sa place dans le monde moderne.

On trouvait également des membres de l'Opus Dei dans l'opposition antifranquiste. Rafael Calvo Serer, numéraire de l'organisation et personnalité littéraire influente, était monarchiste libéral. En 1953, il fut expulsé du Conseil supérieur de la recherche scientifique pour avoir publié à Paris un article où il critiquait le gouvernement de Franco. En 1966, on le retrouve éditeur du journal *Madrid,* jusqu'à la fermeture de ce dernier par la censure fasciste. Il dut répondre à une série de poursuites judiciaires menées par les tribunaux franquistes et fut obligé de s'exiler à Paris. Revenu en Espagne, il s'allia au secrétaire du Parti communiste espagnol pour fonder la Junta Democrática, un parti qui se proposait d'ouvrir la voie à la transition démocratique devant suivre la dictature. Antonio Fontán, un autre membre de l'Opus Dei, était collaborateur de Calvo Serer au *Madrid.* Finalement, des hommes de main profranquistes firent sauter les locaux de ce journal. Manuel Fernández Areal, un numéraire de l'Opus Dei, fut emprisonné sous Franco pour avoir critiqué le régime dans le *Diario Regional* de Valladolid.

L'abbé Pere Pascual, prêtre de l'Opus Dei, était numéraire laïque dans les années soixante lorsqu'il fonda une union clandestine de journalistes qui essayaient d'inciter le régime autoritaire à effectuer des réformes. Pascual fut impliqué dans l'une des manifestations sérieuses contre le régime, à Barcelone. Elle portait le nom de *caputxinada* et avait eu lieu dans une confrérie de pères capucins à Sarriá, aux environs de Barcelone, entre le 9 et le 11 mars 1966. L'affaire commença par la réunion clandestine d'une nouvelle association étudiante, mise sur pied pour faire concurrence à l'association étudiante officielle, acoquinée avec la Phalange[4]. Cette association rassemblait des gens de divers partis politiques, y compris le Centre gauche et le Parti communiste, toujours dans la clandestinité. Une heure après le début de la réunion, le 9 mars, la police franquiste fit irruption sur les lieux, demanda les papiers des présents et exigea que tout le monde quitte le prieuré. Près de deux cents participants choisirent de rester. Ils poursuivirent leurs exposés, participèrent aux ateliers et aux débats. Pendant plus de quarante-huit heures, ils furent les hôtes des capucins. Lorsque ce rassemblement prit fin, Pascual, qui faisait partie des organisateurs,

---

4.   Parti nationaliste d'extrême droite fondé en 1933 par José Antonio Primo de Rivera et récupéré par le franquisme. (N.d.T.)

fut accusé devant un tribunal espagnol, et on l'empêcha de publier. Deux autres membres de l'Opus Dei, Robert Espí et Francesco Brosa, participèrent à la *caputxinada,* un événement qui fit parler de lui en Espagne en incarnant symboliquement une forme de contestation culturelle non violente.

En guise de note à ce qui a été dit précédemment, le seul cardinal, archevêque ou évêque à jamais avoir été emprisonné sous Franco fut Julián Herranz, qui, à l'époque, n'était qu'un jeune numéraire de l'Opus Dei encore étudiant. Il avait pris part à un acte de désobéissance civile de portée mineure en barbouillant sur un mur de Madrid le slogan suivant : «Nous voulons une révolution agraire en Andalousie.» Le père de Herranz avait été médecin dans cette province et le futur prélat s'était sensibilisé aux questions de réforme et de justice agraire dans sa région. La police fasciste arrêta les jeunes en pensant qu'il s'agissait de communistes. On les retint toute une nuit en prison, mais on les relâcha lorsque, au cours de la fouille, on découvrit un rosaire dans les poches de Herranz. Selon la police, il s'agissait là d'une preuve formelle qu'il n'était pas communiste. En parlant de cet incident, l'ecclésiastique a déjà dit qu'il avait apprécié cette contestation d'un pouvoir par trop lisse et par trop à droite.

Cette activité politique était connue d'Escrivá. Selon les personnes engagées dans ces actes de contestation politique, le fondateur de l'organisation n'intervenait jamais auprès des membres qui servaient dans le gouvernement Franco ou qui manifestaient contre celui-ci. Insistant sur le fait que, tant qu'ils appliquaient les enseignements de l'Église catholique, les membres de l'Opus Dei devaient être libres de faire comme bon leur semblait en matière de politique séculière.

On a, peut-être, un aperçu de l'attitude d'Escrivá à l'égard de Franco dans une lettre qu'il envoya au pape Paul VI en 1964 et qui fut publiée dans le magazine *Famiglia Cristiana* en 1992. Escrivá y expliquait comment il avait mis en garde les évêques espagnols en ces termes : «Si la révolution devait éclater, il serait très difficile d'y mettre un terme. [Il faisait allusion à un soulèvement violent contre Franco.] Par conséquent, si je m'en réfère à l'Écriture sainte, je dis : "Ne pensez pas qu'un seul bouc émissaire [sous-entendu : l'Opus Dei] suffira ; vous serez tous des boucs émissaires." On pourrait faire une collection des nombreux panégyriques que les évêques ont présentés publiquement au régime. C'est une chose que l'on ne peut me reprocher, quoique je reconnaisse que Franco est un bon chrétien. »

Escrivá poursuit en disant qu'il pense important de préparer une évolution du régime politique espagnol de manière à éviter toute menace d'anarchie et de communisme pouvant se révéler catastrophique pour l'Église. Il est d'avis qu'un parti catholique espagnol unique ne serait pas souhaitable pour la bonne raison que, même s'il se révélait utile pour l'Église au début, il finirait par utiliser cette dernière pour parvenir à ses fins. Celle-ci se trouverait alors dans l'impossibilité de se libérer de ses liens politiques et devrait subir une sorte de « chantage moral ». À son avis, l'Église doit se maintenir « au-dessus de tous les groupes et de tous les partis ».

L'impression que l'on retire de ces réflexions est qu'Escrivá s'est efforcé de maintenir sa neutralité en regard du régime franquiste, même si, en privé, il manifestait de la sympathie pour un chef d'État qui, dans son optique, tentait d'être un bon chrétien. On ne peut donc l'accuser d'être profranquiste, du moins pas plus que la majorité des catholiques espagnols d'alors, qui appuyaient implicitement le Caudillo. D'ailleurs, nous l'avons vu, bien des membres de l'Opus Dei étaient actifs dans les mouvements opposés à Franco. Par contre, on peut être certain d'une chose : Escrivá n'était certainement pas un adversaire du dictateur. Son souci principal était de maintenir la stabilité de la société espagnole de manière à tenir en échec les mouvements radicaux susceptibles de faire resurgir les horreurs de la guerre civile. Escrivá n'essaya pas non plus de dicter des solutions politiques aux membres de son institution, pas plus qu'aux autorités espagnoles.

Escrivá et Vatican II

Plusieurs critiques de l'Opus Dei ont accusé Escrivá d'avoir été désillusionné par le concile Vatican II à cause de la libéralisation qui s'ensuivit pour le catholicisme romain. On dit aussi qu'il était en colère contre les deux papes de ce concile, Jean XXIII (1958-1963) et Paul VI (1963-1978). John Roche, membre de l'Opus Dei de 1959 à 1973, a écrit qu'il avait entendu Escrivá dire qu'il ne croyait plus ni aux papes ni aux évêques et qu'il s'en remettait seulement « à Notre Seigneur Jésus-Christ ». Il aurait également laissé entendre que le démon se manifestait aux plus hauts échelons de la hiérarchie ecclésiastique. Un ancien Opusien, le père Vladimir Felzmann, un Britannique d'origine tchèque, n'a pas hésité à déclarer qu'Escrivá était si dégoûté des réformes liturgiques de Vatican II qu'il avait eu l'idée de placer l'Opus Dei au service de l'Église orthodoxe, du moins jusqu'à ce qu'il découvre que les lieux de culte et que les congrégations de cette religion étaient beaucoup trop restreints pour l'envergure de l'Œuvre.

Pour de nombreux membres de l'Opus Dei, il s'agit là d'accusations envers Escrivá plutôt difficiles à comprendre étant donné l'insistance que le Fondateur manifestait pour anticiper l'« appel universel à la sainteté » mis en avant par le concile. D'ailleurs, Escrivá affirmait que la sainteté n'était pas exclusivement le domaine d'une élite religieuse, et ce, plusieurs années avant que Vatican II n'en fasse officiellement un enseignement de l'Église. Lors d'une allocution prononcée devant des étudiants d'une université rattachée à l'Opus Dei, le 19 août 1979, à sa résidence d'été de Castel Gandolfo, le pape Jean-Paul II avait déclaré que la vision d'Escrivá « anticipait cette théologie de la laïcité qui caractérisait l'Église durant le concile et la période postconciliaire ».

Disons qu'au moins officiellement Escrivá ne s'opposait pas à Vatican II pendant le déroulement du concile. Deux prêtres de l'Opus Dei, Portillo et Herranz, travaillaient dans l'une des commissions conciliaires qui préparaient les documents adoptés par Vatican II. Ils faisaient partie de la Commission sur la discipline du clergé, qui préparait le décret *Presbyterorum Ordinis* sur la vie des prêtres et leur ministère. Portillo fut également secrétaire durant la phase précédant la Commission préparatoire sur la laïcité et fut conseiller dans plusieurs commissions au cours des quatre années où le conseil siégea. Ses livres, *Les Fidèles et la Laïcité dans l'Église* (1969) et *De la prêtrise* (1970) sont largement le fruit de cette expérience. Portillo et Herranz poursuivirent d'ailleurs ce travail avec l'appui d'Escrivá, qui en avait pleine connaissance.

De plus, peu importe ce qu'Escrivá aurait bien pu dire dans des moments de frustration, il semble fort improbable qu'il ait jamais eu l'idée de rompre avec le pape. En fait, la fidélité à la papauté est l'une des constantes de l'Opus Dei. Dans une récente biographie d'Escrivá, le journaliste italien Andrea Tornielli cite le cardinal Giovanni Cheli, ancien chef du Conseil pontifical pour les besoins pastoraux des migrants et des réfugiés, qui s'était entretenu avec Escrivá peu avant la mort du pape Jean XXIII. Mgr Cheli a raconté comment la conversation en était venue à spéculer sur la personnalité possible du prochain pape et comment Escrivá l'avait interrompu pour réitérer son indéfectible appui au Saint-Siège en ces termes : « Même si l'homme qui sera élu pape devait venir d'une tribu de sauvages et qu'il soit affublé d'anneaux dans le nez et les oreilles, je me jetterai immédiatement à ses pieds et lui dirai que, dans son entité, l'Œuvre demeure indiscutablement à son service. » À une autre occasion, en 1969, le secrétaire d'État du pape Paul VI, le cardinal français Jean Villot, informa Escrivá que ce qu'il avait écrit à propos des instituts séculiers n'avait pas eu l'heur de plaire au pape. La réponse d'Escrivá fut claire : « Votre Éminence, dites au Saint-Père qu'en ce qui me concerne, je ne suis ni Luther ni Savonarole[5]. J'accepte de tout cœur les décisions du souverain pontife et je vais lui écrire un mot pour lui réitérer ma volonté de m'en remettre entièrement à lui et de demeurer à la disposition de l'Église. »

Au cours des stades ultérieurs du pontificat de Paul VI, on assista à des brouilles entre Escrivá et certains des conseillers principaux du pape, dont Mgr Giovanni Benelli, qui devait devenir le cardinal-archevêque de Florence et un des principaux candidats à la succession du souverain pontife. Toutefois, ces différends avaient peu de choses à voir avec les questions doctrinales. Une partie du

---

5. Jérôme Savonarole (1452-1498) : prédicateur italien intégriste qui, après avoir connu une certaine vogue, se mêla de politique et fut exécuté. (N.d.T.)

problème résidait dans le fait que Benelli souhaitait mettre sur pied en Espagne un parti politique ressemblant à la Démocratie chrétienne italienne. Escrivá refusa d'engager l'Opus Dei dans cette voie en faisant valoir – je l'ai mentionné précédemment – qu'un unique parti catholique ne serait peut-être pas une bonne idée pour l'Église et, de plus, qu'il ne pourrait pas dicter le choix politique de ses membres. Benelli considéra cette prise de position comme un signe de déloyauté et, pendant quelque temps, les relations entre l'Opus Dei et le Vatican furent plutôt froides. Plusieurs demandes d'audiences auprès de Paul VI émanant d'Escrivá restèrent lettre morte, et on ne constata aucun progrès dans le changement du statut canonique de l'Opus Dei.

Il est certain qu'Escrivá fut perturbé par la période post-conciliaire, qui se caractérisa par une baisse des vocations, de nombreuses résistances à l'enseignement papal et la manifestation d'un esprit d'avant-garde dans le rituel et la pratique religieuse. En 1974, Escrivá déclara à un journaliste chilien : « La mère de Dieu pleure et souffre. Toutes les plaies de Jésus se sont rouvertes. Vous savez – hélas ! ce n'est pas un secret – que l'Église est très perturbée et qu'il y a beaucoup de propagande hérétique dans l'Église de Dieu. Il y a beaucoup de personnes qui font scandale, des gens qui devraient nous éclairer et conforter nos certitudes, raffermir notre foi, mais qui, au lieu de cela, sèment le doute ; des personnes qui devraient nous renforcer et qui, à la place, encouragent la faiblesse ; des personnes qui devraient nous insuffler des valeurs, mais qui leur substituent la peur. »

Comme le font remarquer ses défenseurs, Escrivá n'était pas le seul à parvenir à de telles conclusions. Le pape Paul VI en personne parlait des dérangements de la période postconciliaire. « Les fumerolles de Satan ont pénétré dans le temple de Dieu par certaines fissures… » disait-il. Lorsqu'il était conseiller officiel de Jean-Paul II, l'actuel pape Benoît XVI décrivait la période postconciliaire comme conduisant vers un déclin accéléré de l'Église. « Je suis convaincu que les dommages que nous avons subis au cours de ces vingt années sont dus non point au "vrai" concile, mais au déferlement de forces polémiques et centrifuges latentes qui se sont manifestées au sein de l'Église. À l'extérieur de celle-ci, on peut imputer ces déprédations à la confrontation avec la révolution culturelle occidentale, c'est-à-dire le succès de la classe moyenne supérieure, et l'avènement de la nouvelle "bourgeoisie tertiaire", avec son idéologie libérale-radicale hyperindividualiste, rationaliste et hédoniste… »

Les catholiques libéraux considèrent souvent de tels sentiments comme indicatifs d'un manque de nerfs. Peu importent les mérites de ce diagnostic, il ne semble pas plus s'appliquer à Escrivá qu'à un vaste segment de l'opinion publique catholique de type conservatrice.

La qualité de la pensée d'Escrivá

Certains critiques trouvent que l'enseignement spirituel d'Escrivá manque d'originalité et que ses mérites ont été montés en épingle grâce à une sorte de « culte de la personnalité » qui a pris corps dans l'Opus Dei autour du « Père ». Cette critique tend toutefois à viser *Chemin*, l'ouvrage le plus connu du Fondateur.

Mais il ne s'agit pas là du sentiment d'ex-membres ou de critiques libéraux. Hans Urs von Balthasar, le théologien suisse devenu une référence pour l'aile conservatrice de l'Église, écrivit en 1963 qu'il se dégageait de *Chemin* une spiritualité insuffisante pour soutenir une organisation religieuse multinationale. En 1979, lorsque Balthasar répondit à un journal suisse qui l'avait cité à propos des réserves exprimées envers *Chemin,* le prélat déclara qu'elle ne constituait pas une attaque de l'Opus Dei *tout court*[6].

En 1984, la télévision suisse germanophone interviewa Balthasar chez lui à Bâle, et un journaliste lui rappela qu'il avait un jour décrit *Chemin* comme étant « un petit manuel pour boy-scouts évolués ». Le théologien lui répondit : « Je persiste et signe encore aujourd'hui. »

Balthasar n'est pas le seul à exprimer cette opinion. Kenneth Woodward, qui fut pendant plusieurs années le chef de la chronique religieuse de *Newsweek,* nota dans son livre *Making Saints* (*La*

---

6.   En français dans le texte.

Fabrication des saints) : « On ne peut pas dire qu'Escrivá était un esprit exceptionnel. Il était peu original, souvent banal. Parfois, il pouvait inspirer, mais était exempt d'une vision vraiment nouvelle. » Un critique littéraire français dénonça même *Chemin* comme étant « une vision vulgaire, égotiste et médiocre ».

Pourtant, *Chemin* ne s'est pas vendu à quatre millions et demi d'exemplaires dans le monde entier par pur hasard et sans avoir d'admirateurs. Thomas Merton, le moine cistercien et auteur populaire de livres de spiritualité, a dit de *Chemin* que sa simplicité permettrait à ce livre de faire beaucoup de bien et qu'il était un véritable véhicule pour le message de l'Évangile. Le 25 juillet 1978, Albino Luciani, qui était alors cardinal de Venise et qui devait plus tard devenir Jean-Paul Ier, fit l'éloge de l'auteur de *Chemin* en ces termes : « Ce prêtre révolutionnaire, qui n'hésite pas à sauter par-dessus les barrières traditionnelles, parvient à proposer des objectifs mystiques, même aux gens mariés. »

Des lecteurs sympathiques à Escrivá disent que *Chemin* est une collection de notes et d'idées jetées en hâte sur le papier pour inspirer de jeunes Espagnols aux prises avec une terrible guerre civile et que, par conséquent, cet ouvrage ne représente pas la forme de pensée la plus mûre de l'auteur. Selon eux, pour avoir une meilleure idée, mieux vaudrait consulter le dernier livre du Père, c'est-à-dire *Quand le Christ passe,* ainsi qu'une homélie intitulée *Aimer le monde passionnément,* prononcée sur le campus de l'Université de Navarre le 8 octobre 1967 et publiée dans une édition de 1974 sous le titre *Entretiens avec Mgr Escrivá de Balaguer,* qui contient également des transcriptions d'interviews que le fondateur de l'Opus Dei a accordées à plusieurs organes d'information.

Jetons un coup d'œil sur des extraits d'*Aimer le monde passionnément.*

> *Vous devez réaliser plus clairement que jamais que Dieu vous appelle pour le servir au fil des activités ordinaires, séculières et civiles de l'existence humaine. Il nous attend chaque jour : au laboratoire, sur le théâtre des opérations, dans les baraquements de l'armée, du haut de la chaire à l'université, dans l'usine,*

dans l'atelier, dans les champs, au foyer, dans l'ensemble du fabuleux panorama du monde du travail. Comprenez bien cela : il existe quelque chose de saint, de divin qui se dissimule dans les situations les plus ordinaires. À chacun de vous de découvrir cette dimension.

J'ai souvent dit aux étudiants d'université et aux travailleurs qui étaient avec moi dans les années trente qu'il leur fallait apprendre comment matérialiser leur vie spirituelle. Je tenais à les mettre en garde contre la tentation, si commune alors, tout comme de nos jours, de mener une sorte de double vie. D'un côté, une vie intérieure, une vie en rapport avec Dieu et, de l'autre, quelque chose de séparé et de distinct : une vie professionnelle, sociale et familiale faite de petites réalités terre à terre.

Non, mes enfants, nous ne pouvons pas mener une double vie. Si nous voulons être chrétiens, nous ne pouvons pas nous comporter en schizophrènes. Il n'y a qu'une vie, faite de chair et d'esprit, et c'est cette vie qui, dans le corps et dans l'âme, doit devenir sainte et comblée de présence divine. Dans les choses les plus visibles et les plus matérielles, nous découvrons le Dieu invisible.

La véritable approche chrétienne, qui annonce la résurrection de toute chair, s'est toujours logiquement opposée à la « désincarnation » sans crainte de se faire juger comme matérialiste. Nous pouvons donc parler à juste titre d'un matérialisme chrétien, qui s'oppose avec assurance à ces matérialismes aveugles à l'Esprit.

En lisant ces lignes, il est plus facile de comprendre pourquoi de dynamiques jeunes intellectuels tels que Raimundo Panikkar ont pu être fascinés par les écrits d'Escrivá. Panikkar faisait partie de l'état-major de l'Opus Dei au cours des premières années du mouvement, et il est devenu un porte-parole de l'avant-garde théologique catholique, tout spécialement sur les questions de pluralisme religieux.

Ocáriz, le vicaire général de l'Opus Dei et probablement le théologien le plus accompli du groupe, a déclaré en réponse à une question qu'à son avis Escrivá pourrait un jour être déclaré docteur de l'Église, c'est-à-dire un saint connu comme possédant une profondeur et une orthodoxie peu ordinaires. « Je pense que sa contribution originale est comparable à celle des autres docteurs de l'Église, mais la question d'une telle distinction dépend de bien d'autres facteurs, entre autres de savoir si elle est arrivée à point nommé, car cela est imprévisible », a commenté Ocáriz. Il existe actuellement 33 docteurs de l'Église reconnus, le plus récent étant sainte Thérèse de Lisieux, morte en 1897.

Jutta Burggraf, une numéraire de l'Opus Dei qui enseigne la théologie à l'Université de Navarre, concède que la théologie n'est pas le point fort d'Escrivá. Comparant le Père à Balthasar, qui fonda la Communauté de Saint-Jean à Bâle et qui, de l'avis de cette universitaire, était avant tout un théologien et ensuite un fondateur, on peut dire qu'Escrivá était d'abord un fondateur et non un théologien.

Escrivá et Hitler

Dans une interview en date du 13 janvier 1992, parue dans le magazine *Newsweek,* un ex-membre de l'Opus Dei, le père Vladimir Felzmann, prétend qu'Escrivá lui a confié un jour qu'Hitler avait été « maltraité » par l'opinion publique mondiale, parce qu'il n'aurait jamais pu exterminer six millions de juifs, « tout au plus quatre millions ». Selon Felzmann, Escrivá fit ce commentaire alors qu'ils étaient seuls, à l'extérieur de l'Aula Magna du Collège romain de l'Opus Dei, pendant l'entracte d'un film sur la guerre. Des porte-parole de l'Opus Dei s'inscrivent en faux en affirmant qu'il est impossible qu'Escrivá ait pu faire une telle remarque.

Dans une déclaration du 11 janvier 1992, Felzmann précisait qu'il n'insinuait pas qu'Escrivá fût antisémite, mais que le saint agissait ainsi parce qu'il exécrait le communisme. On dit également qu'Escrivá était prohitlérien et proallemand. On lui attribue en effet une autre phrase, du même acabit que la précédente : « Hitler contre les Slaves, Hitler contre les juifs, c'est Hitler contre le communisme. »

Dans certains milieux, malgré le démenti de Felzmann, de telles rumeurs ont terni la réputation d'Escrivá en lui imposant l'étiquette d'antisémite. Ainsi, le *Jerusalem Post* du 20 octobre 2003, dans un éditorial sur la béatification en instance d'Anne Catherine Emmerich, une religieuse allemande du XIXe siècle dont les visions formèrent la base du scénario du film *La Passion du Christ* de Mel Gibson, soutient qu'elle fait partie de la plus récente série de saints antisémites. Ce journal cite dans sa liste le fondateur de l'Opus Dei, Josemaría Escrivá de Balaguer, le pape Pie IX, le prêtre polonais Maximilian Kolbe et Alojzije Stepinac, l'archevêque de Zagreb qui, dans les années quarante, appuyait un régime pronazi en Croatie.

L'un des documentaires qui décrirait le mieux l'attitude d'Escrivá envers le peuple juif – et que les porte-parole de l'Opus Dei citèrent fréquemment – est une bande vidéo datée du 14 février 1975, enregistrée à l'occasion d'une réunion au Venezuela. Un membre de l'auditoire se leva et cela donna le court dialogue que voici :

INTERVENANT : Mon père, je suis juif…

ESCRIVÁ : J'aime beaucoup les juifs parce que j'aime Jésus à la folie et qu'il est juif. Je ne dis pas « qu'il était », mais qu'il est. *Jesus Christus eri et hodie ipse et in sæculi*. Jésus continue à vivre, et il est juif comme vous. De plus, le deuxième amour de ma vie est également une juive. Il s'agit de la Bienheureuse Vierge Marie. Voilà pourquoi je considère les juifs avec tant d'affection…

INTERVENANT : Mon père, vous avez répondu à ma question.

Plusieurs sources juives témoignent de cette affinité d'Escrivá pour le judaïsme. Ainsi, Angel Kreiman, l'ancien rabbin en chef du Chili et vice-président du Conseil mondial des synagogues, a déclaré en 2002 lors d'un congrès qui avait lieu à Rome : « Plusieurs des concepts de Josemaría Escrivá rappellent la tradition talmudique et révèlent sa profonde affection pour le peuple juif. […] Ses enseignements qui se rapprochent le plus du judaïsme sont la vocation de l'homme à servir Dieu par un travail créatif et à améliorer chaque jour la Création grâce à la perfection de son ouvrage. » Kreiman, qui perdit sa femme en 1994 au cours d'un attentat contre le local d'un service social juif en Argentine, a ajouté : « Les membres de l'Opus Dei, dès le début de mes études religieuses, m'ont aidé à persévérer dans ma vocation, et j'ai pu aussi constater qu'ils le faisaient pour d'autres rabbins, et je leur en suis profondément reconnaissant. » Le rabbin espagnol Hassan Benasayag a écrit pour sa part : « L'idée que le fondateur de l'Opus Dei ait pu entretenir des sympathies nazies ou antisémites est absolument fantaisiste. »

En effet, il n'existe pratiquement pas d'indices pouvant laisser entendre que, de nos jours, la moindre trace d'antisémitisme puisse persister dans l'Opus Dei. L'ambassadeur d'Israël auprès du Saint-Siège, Oded Ben Hur, m'a mentionné que ses rapports personnels avec l'Opus Dei se sont toujours révélés positifs et qu'il n'a jamais détecté le moindre signe d'antisémitisme dans cette organisation. Ben Hur entretient d'excellentes relations avec l'Opus Dei à Rome. En fait, ma première rencontre avec l'évêque Javier Echevarría, le prélat actuel de l'Opus Dei, eut lieu à l'occasion d'un déjeuner à la résidence de Ben Hur à Rome.

Felzmann a lancé une nouvelle accusation en 1992, qui fut reprise en 2002, voulant qu'en 1941 une cinquantaine de membres masculins de l'Opus Dei se soient portés volontaires pour faire partie de la « Division Bleue » espagnole, qui se proposait d'aller se battre aux côtés des Allemands contre les Soviétiques. L'historien espagnol Alfredo Méndiz, lui-même membre de l'institution, répondit à Felzmann que beaucoup de jeunes catholiques espagnols – et non seulement des Opusiens – s'étaient portés volontaires pour lutter contre les bolchevistes. Certains membres de l'organisation s'inscrivirent en effet, mais, en fait, personne ne se retrouva sur le front de l'Est. Dans tous les cas, signalait Méndiz, ce qui poussait les Espagnols à se sentir solidaires de la Division Bleue n'était pas tant l'antisémitisme ou une affection quelconque pour le fou sanguinaire qui dirigeait l'Allemagne, mais le désir de se battre contre Staline qui, pour eux, était alors considéré comme l'ennemi de la religion.

Finalement, il est une ironie du sort qui vaut la peine d'être notée : c'est que l'extrême droite a parfois accusé Escrivá et l'Opus Dei d'être « crypto-judaïques ». En 1942, un professeur de droit associé à la Phalange a relevé que certains membres de l'Opus Dei avaient fondé une société appelée SOCOIN, acronyme de Sociedad de Colaboración Intelectual. Ce fanatique avait décidé que la signification de ce terme provenait de l'hébreu rabbinique *socaim*, qui désigne une certaine secte de meurtriers. Il laissait entendre que l'Opus Dei « n'était rien d'autre qu'une secte juive de francs-maçons » ou rien de moins qu'une secte juive rattachée à la franc-maçonnerie. En 1994, une maison d'édition colombienne, les Publications Orion, lancèrent un livre intitulé *Opus Judei,* qui se proposait de « dévoiler la face cachée du judaïsme dans l'Opus Dei ». Ce pamphlet prétend que les idées juives secrètes qui parcouraient l'Espagne au XXe siècle avaient réussi à s'infiltrer dans l'Opus Dei et qu'une grande partie du symbolisme de l'organisation, ainsi que son vocabulaire, proviennent de la tradition mystique de la kabbale. On y laisse également entendre qu'il existe des liens entre les opérations financières de l'Opus Dei et le « judaïsme international ».

Le personnage

Peu importent les positions qu'Escrivá pouvait avoir adoptées sur la politique espagnole ou sur Vatican II, il ne s'agissait pas là des caractéristiques qui lui permirent de faire salle comble dans le monde et de vendre des dizaines de millions d'exemplaires de *Chemin,* ou qui engendrèrent la dévotion dont il fit l'objet après sa mort. Jusqu'à un certain point, on pourrait attribuer de tels phénomènes aux politiques de marketing efficaces de l'Opus Dei, mais ce serait accorder trop d'importance à l'organisation. Comme toute équipe de commercialisation, en fin de compte, elle ne pouvait être meilleure que le produit dont elle faisait la promotion. Il faut convenir qu'il existait chez ce prêtre quelque chose capable de remuer l'âme des hommes, voire de foules entières lors de sa béatification et de sa canonisation. Ce nombre de fidèles dépassait très largement le nombre d'Opusiens. Nul besoin de considérer Escrivá comme un saint pour se rendre compte qu'il existait chez lui un élément indubitablement charismatique.

Heureusement, nous ne sommes pas limités à de vagues conjectures, car Escrivá fut suffisamment filmé pour que l'on ait une idée générale de ce que fut sa personnalité. Il n'était certes pas médiatique à la manière de Mère Teresa, par exemple, mais ce qui n'était pas le cas pour des figures comme saint François d'Assise ou saint Ignace de Loyola, on peut au moins voir Escrivá prêcher et enseigner dans une foule de situations au fil des ans. Ces films sont disponibles dans une série intitulée *Rencontres avec saint Josemaría Escrivá*.

La première impression que l'on ressent en regardant Escrivá « en direct » est un sentiment d'effervescence et de sens aigu de l'humour. Il blague, fait des mimiques, arpente la scène et, généralement, laisse son auditoire tordu de rire après avoir répondu aux questions de la foule. Cet aspect contraste singulièrement avec l'image publique de l'Opus Dei et de son fondateur. Si nous nous fions à ces prises de vues, il en ressort comme une personne souriante et chaleureuse. Rien de torturé ou de stressé chez lui. Deuxièmement, Escrivá joue constamment sur un ton positif. Chaque fois qu'il a l'occasion de polémiquer ou de critiquer un courant dans la culture de l'Église, il félicite la personne qui pose la question et change de sujet. Ainsi, il peut lui dire : « Je sais que vous êtes une bonne mère… » ou encore : « Je sais que vous vous occupez bien de votre kiosque à journaux et que vous offrez votre travail au Seigneur… » En fin de compte, sa préférence est claire pour ce qui est personnel plutôt que structurel. Si on lui pose des questions sur des problèmes sociaux préoccupants, Escrivá passe le plus clair de son temps à parler de spiritualité individuelle, de besoin de conversion personnelle et de sainteté. Peut-être que, instinctivement, il savait donner l'impression de s'adresser individuellement à chaque personne, même dans une salle bondée.

Ainsi, le 26 juin 1974, alors qu'Escrivá s'adressait à une assemblée à Buenos Aires, il répondit de bonne grâce à la question d'un récent converti à l'islam qui, en riant, lui assura que les trois femmes qui se trouvaient près de lui étaient son épouse et ses deux filles et non point son «harem». Escrivá félicita l'homme pour sa sincérité et ajouta qu'il aimait beaucoup les musulmans. Puis il fit remarquer qu'il existait deux éditions de *Chemin* en langue arabe. «Cela veut dire que les musulmans peuvent m'avoir en poche», ajouta-t-il. Ensuite, son interlocuteur lui demanda ce que l'Opus Dei comptait faire à propos de la vague de saleté qui envahissait notre culture populaire occidentale sous forme de promiscuité sexuelle, de pornographie, etc. Escrivá lui donna le conseil suivant : «Premièrement, soyez un bon mari pour votre femme et un bon père pour vos filles. Prenez soin de votre vie intérieure d'abord et pensez aux autres questions par la suite. »

Un autre homme lui demanda conseil sur un problème pratique. Il entraînait une équipe de jeunes footballeurs, mais sa femme se plaignait, car il passait trop de temps à l'extérieur de chez lui. Devait-il abandonner le sport? Escrivá sourit et plaisanta : « Non, répondit-il, continuez à être entraîneur, mais laissez quelquefois votre femme arbitrer! » Puis, reprenant son sérieux, il ajouta : «Je pense que, si votre femme avait la parole à cet instant, elle dirait qu'elle tient à vous voir poursuivre vos activités sportives, car vous ne prenez pas seulement soin du corps de ces garçons, mais de leur âme aussi. Cela dit, ne vous dispensez pas d'être un bon mari. » Une femme en fauteuil roulant lui demanda ce que les personnes handicapées pouvaient faire pour l'Opus Dei. Escrivá lui répondit : «Premièrement, je dois vous dire que je vous envie. Vous n'êtes pas paralysée, absolument pas. Vous avez en fait une vie intérieure très active. » Il l'encouragea ensuite à offrir ses souffrances à Dieu pour que les prêtres soient bons, qu'ils puissent bien célébrer les sacrements et purifier leur cœur.

Le 11 février 1975, alors qu'il s'adressait en plein air à une foule de Caracas, au Venezuela, une femme se leva pour lui dire qu'elle avait à charge un enfant lourdement handicapé et qu'elle était en contact avec des parents ayant des enfants dans un état similaire. Escrivá commença par la féliciter. Devant son interlocutrice surprise, il ajouta : «Oui, je vous félicite parce que ce qui peut vous sembler un fardeau est pour vous un grand honneur. Dieu envoie de tels enfants aux familles qui possèdent une énorme capacité d'amour. »

Il l'encouragea à rester en contact avec des associations spécialisées et à obtenir toute l'aide possible, mais de ne jamais cesser d'être fière du privilège que Dieu lui avait accordé.

Un homme se leva pour raconter qu'il était catholique, mais que sa mère était presbytérienne. Que pouvait-il faire pour lui montrer que la foi catholique était vraiment la voie de la vérité ? Escrivá lui répondit : « Montrez-vous d'abord bon fils, bon époux et, pour le reste, soyez patient. » Il ajouta qu'il prierait pour la mère de cet homme. « Serait-elle offensée si vous lui demandiez de prier pour moi ? » demanda-t-il à son interlocuteur qui lui indiqua qu'il n'avait pas d'objections. Escrivá reprit : « Alors, demandez-lui cela, voulez-vous ? » Un autre intervenant expliqua au Fondateur que, depuis une semaine, il désirait lui poser une question, mais que, maintenant qu'il était là, tout ce qu'il voulait, c'était lui donner l'accolade. Escrivá lui fit signe de monter sur la scène où les deux hommes s'étreignirent. Comme l'intervenant n'en finissait plus, le Père parvint tout de même à se dégager et déclara à la blague qu'il se sentait comme s'il avait donné l'accolade à tous les Vénézuéliens !

De telles situations n'exigeaient certes pas de profondes réflexions théologiques, mais plutôt un esprit pastoral de terrain qu'Escrivá maîtrisait avec efficacité. Il était capable de se montrer ferme, mais ne faisait aucun compromis sur la morale catholique. Un jour, au Venezuela, une femme l'interrogea sur la notion de pureté. Il ne mâcha pas ses mots et répondit : « Non, les gens ne doivent pas avoir de relations sexuelles prémaritales ou extra-maritales et ils doivent demeurer avec leur conjoint jusqu'à ce que mort s'ensuive. Point final. » Pourtant, même lorsqu'il tenait ce genre de propos, on n'y décelait pas les malédictions utilisées par certains prédicateurs ou encore chez les prophètes d'une imminente fin du monde. Les critiques ne manquent pas cependant de signaler que, si le visage public d'Escrivá pouvait se montrer souriant, il pouvait être beaucoup plus sombre dans le privé. De toute manière, en qualité de personnage public, on pouvait dire que le Père était un être animé, passionné et optimiste, une combinaison de qualités qui expliquait l'attirance que les foules avaient pour lui.

Résumé

Il est possible que le problème le plus compliqué pour évaluer Escrivá réside dans le fait que les réactions le concernant doivent passer par un ou plusieurs filtres. Les observateurs interprètent sa vie selon les normes des jugements qu'ils émettent sur l'Opus Dei, l'Église catholique et les vicissitudes ayant suivi Vatican II ou encore l'histoire politique de l'Europe au xxᵉ siècle. Aucun de ces éléments ne nous est très utile pour effectuer une évaluation honnête de l'homme. Parfois, les prises de position entourant Escrivá sont si extrêmes de tous côtés qu'il est difficile de n'avoir ne serait-ce qu'un aperçu de sa véritable personne.

Ses défenseurs peuvent d'ailleurs lui causer plus de tort que de bien. Emportés par leur passion de bien faire, certains Opusiens peuvent faire en sorte qu'Escrivá soit toujours le plus intelligent, le plus grand, le plus saint des hommes, quelqu'un ayant un don exceptionnel de clairvoyance. À Rome, j'ai entendu, par exemple, un certain nombre de théologiens grincer des dents lorsqu'on leur racontait qu'avant l'arrivée d'Escrivá, donc au xxᵉ siècle, personne n'avait jamais pensé que les laïcs pouvaient rechercher une vocation de sainteté. « D'accord, mais que dites-vous de saint François de Sales ou de saint Alphonse de Liguori ? » répondent ces spécialistes. Et que dire aussi de saint François d'Assise, qui fonda l'ordre des Franciscains – un mouvement laïque – alors qu'il n'était même pas prêtre ? Il accepta finalement de se faire ordonner diacre. Faute de quoi, le Vatican ne lui aurait pas donné l'autorisation de diriger sa communauté. Il conviendrait aussi d'évoquer la figure de sainte Angèle Merici qui, au xviᵉ siècle, en Italie, eut l'idée de créer une association de femmes consacrées à Dieu, mais qui vivaient et exerçaient leur apostolat dans le monde profane sans porter l'habit et sans vivre en communauté[7]. Et n'oublions pas de mentionner le jésuite Pierre-Joseph Picot de Clorivière qui, en pleine Révolution française, fonda de nouvelles sociétés de laïcs des deux sexes dont

---

7. Cette « non-communauté » en devint finalement une : celle des Ursulines. (N.d.T.)

le rôle était d'être « religieux devant Dieu, mais non devant les hommes[8] ». Même si l'Opus Dei possède une structure différente et une vision différente, n'y a-t-il pas là certains précédents ?

Rendons justice à certains membres de l'Opus Dei qui reconnaissent l'impératif d'adopter une attitude plus mature envers le fondateur de l'Œuvre. Un prêtre américain m'a fait remarquer que l'organisation devait transcender l'idée que tout devrait demeurer semblable à ce qu'Escrivá a décrété. Selon ce prêtre, tout ce que le Fondateur a pensé ou dit ne mène pas forcément à Dieu. En Angleterre, un numéraire m'a laissé entendre qu'il espérait voir quelqu'un écrire une nouvelle biographie d'Escrivá dans une optique tenant compte des inévitables imperfections du personnage. « Si l'on s'en tient à ce qui existe actuellement sur le sujet, on est en droit de se demander si tout cela n'est pas trop beau pour être vrai », a conclu cet Opusien.

D'un autre côté, il y a peu de doutes que, dans leur acharnement à noircir le prestige de l'Opus Dei, certains observateurs sont portés à diaboliser les moindres épisodes apparemment anodins de la vie d'Escrivá, comme son dépoussiérage d'un petit titre de noblesse en 1968, de façon à le faire passer à son frère en 1972.

Lorsqu'on tente de faire le tri dans les différentes descriptions d'Escrivá, lorsqu'on passe en revue les accusations et les contre-accusations dont il est l'objet, on a l'impression de se retrouver en face d'une personnalité complexe et singulière. Au mieux, Escrivá pouvait se montrer chaleureux, rempli de compassion, de vie et de gaieté, quelqu'un faisant preuve de profondeur sur les questions de spiritualité. Sans compter qu'il était également un prêtre dévoué et infatigable. Au pire, il était porté à être colérique et, parfois, à faire montre de dérision envers ceux avec lesquels il n'était pas d'accord, y compris les plus hauts dirigeants de l'Église. Pourtant, il n'est écrit nulle part que les saints doivent être parfaits, et l'on possède la preuve que, malgré ses imperfections, Escrivá a changé les gens en leur transmettant l'idée qu'ils étaient aimés de Dieu et appelés à poursuivre l'établissement de son règne sur terre.

---

8. Les sociétés du Cœur de Marie et du Cœur de Jésus. (N.d.T.)

Comme Escrivá lui-même l'a écrit dans *Quand le Christ passe* :
«Ne nous leurrons pas. Au cours de notre vie, nous trouverons
la force et la victoire, mais aussi le découragement et la défaite.
Cela s'est toujours avéré au cours du pèlerinage terrestre des
chrétiens, même pour ceux que nous vénérons sur les autels. Ne
vous souvenez-vous pas de Pierre, d'Augustin et de François ? Je
n'ai jamais aimé ces biographes de saints qui, avec naïveté, mais
un manque flagrant de doctrine, nous présentent les réalisations de
ces êtres vénérables comme si ces derniers avaient été touchés par
la grâce dès leur naissance. Non, les véritables vies des héros de la
chrétienté ressemblent aux nôtres : ils se sont battus et ont gagné ;
ils se sont encore battus et ont perdu, puis, repentis, sont rentrés
dans le rang. »

DEUXIÈME PARTIE

L'OPUS DEI
VUE DE L'INTÉRIEUR

CHAPITRE 3

LA SANCTIFICATION
DU TRAVAIL

Walter et Norma Nakasone sont les descendants d'immigrants japonais installés au Pérou. Ils ont tous deux grandi dans des familles qui se sont converties au catholicisme lors de leur arrivée en Amérique latine. Walter a trente-huit ans et appartient à la troisième génération de Nippons vivant en sol péruvien. Norma, qui a trente-neuf ans, appartient à la seconde génération. Ils ont trois enfants : Naoki, Naohiko et Naoyuki, respectivement âgés de onze, huit et quatre ans.

En 2000, Walter et Norma sont devenus surnuméraires de l'Opus Dei, avec laquelle ils sont entrés en contact pour la première fois alors qu'ils étudiaient à l'Université de Lima. Norma a été la première à suivre les activités de l'Opus Dei alors que Walter, plus sceptique, disait ne pas vouloir « perdre son identité ». Tous deux décidèrent finalement que l'Opus Dei leur offrait une intéressante solution de formation spirituelle. Aujourd'hui, Walter exploite une petite laverie du nom de Real dans le quartier ouvrier de Rimac, à Lima. En juin 2004, à l'occasion d'une interview avec le couple, dans leur appartement situé au-dessus de leur commerce, je demandais à Walter de m'expliquer ce que signifiait pour lui la « sanctification du travail », le concept peut-être le plus important parmi les préoccupations de l'Opus Dei.

« Avant de faire partie de l'Opus Dei, m'expliqua-t-il, lorsque je nettoyais les chemises dans la laverie de mon père, je laissais souvent passer de petites taches, surtout si elles se trouvaient à l'intérieur du col ou en tout autre endroit difficile à atteindre. C'était trop de travail et je me disais que si le client n'était pas content, je pouvais toujours prétexter que, je ne les avais pas vues. Depuis que j'ai adhéré à l'Opus Dei, je prends les choses beaucoup plus au sérieux. J'essaie d'enlever les plus petites taches. Je réalise maintenant que je ne me contente pas de nettoyer la chemise pour le client mais pour Dieu.» Disons que ce commerçant représente un exemple de probité professionnelle assez extraordinaire parmi les laveries dont les propriétaires font partie de l'Opus Dei!

Dans ce témoignage, Nakasone exprimait l'une des idées maîtresses d'Escrivá voulant que chaque ouvrage, même le plus humble, puisse être finalement accompli pour la gloire de Dieu. Les Opusiens aiment raconter l'histoire d'Escrivá qui emmenait ses premiers disciples au sommet de la cathédrale de Burgos, la capitale de la zone nationaliste durant la guerre civile. Il leur demandait alors de regarder les pierres finement ciselées au sommet de l'édifice et leur faisait remarquer que ces exquises œuvres d'art étaient absolument invisibles à partir du sol. De plus, une vaste majorité des visiteurs ignorait leur existence. Escrivá expliquait que les bâtisseurs d'alors avaient compris avant la lettre l'esprit de l'Opus Dei et que leurs sculptures, aussi discrètes fussent-elles, avaient été conçues pour que Dieu les voie.

Le concept de sanctification du travail était au cœur du message d'Escrivá et il constitue pratiquement l'une des «directives primordiales» qui régissent l'organisation. Escrivá compare le pupitre de l'employé de bureau, le comptoir du détaillant ou la chaufferie de la laverie de Nakasone à l'autel où l'on célèbre la messe, bref, des endroits où le Christ est présent, des lieux qui sont tous, chacun à leur manière, des éléments de la rédemption humaine. Élargissant cette métaphore, Escrivá enseignait que, par le sacrement du baptême, les chrétiens se trouvent consacrés «prêtres de leur propre existence». Tout comme le prêtre offre à Dieu le pain et le vin à la messe, chaque chrétien peut présenter et offrir son travail quotidien au Créateur.

La Genèse dit que l'homme gagnera son pain à la sueur de son front (Gn 3, 19). Rejetant la notion théologique médiévale selon laquelle le travail est une conséquence du péché originel et une forme de punition, Escrivá pense que c'est le côté ennuyeux du labeur qui est une conséquence du péché, parce qu'en soi le travail est noble et que c'est par lui que la personne humaine s'accomplit et participe à la création divine. De plus, le lieu de travail est un bon endroit pour rencontrer Dieu. Comme l'a déjà dit le fondateur de l'Opus Dei : « Toute personne qui pense que l'on peut préparer notre vie surnaturelle en tournant le dos au travail ne comprendrait pas vraiment notre vocation. En fait, pour nous, le travail est un moyen spécifique d'atteindre la sainteté. Le travail ne devrait pas causer d'interruption dans la prière, un peu comme les battements de cœur n'interrompent pas l'attention que nous accordons à nos diverses activités. »

Voilà pourquoi saint Joseph est un personnage clé pour l'Opus Dei. Joseph le charpentier est le patron des travailleurs. À Nazareth, il enseigna à Jésus comment travailler. Comme nous l'avons vu, le 19 mars de chaque année, en l'honneur de saint Joseph, dont c'est la fête, les membres doivent renouveler leur contrat avec l'Opus Dei. Selon Escrivá, Jésus n'a pas commencé à racheter le monde avec le Sermon sur la Montagne ou lors de son entrée triomphale à Jérusalem. Il a passé trente ans à travailler ardemment et discrètement dans l'atelier de Joseph et, pendant ce temps, il transformait et rachetait déjà la réalité. « Les disciples du Christ sont appelés à apprécier et à sanctifier le travail ordinaire du monde, tout comme leur maître l'a fait », disait Escrivá. D'où cette exhortation répétée du fondateur de l'Œuvre : « On doit sanctifier le travail, se sanctifier dans celui-ci et, à travers lui, sanctifier les autres. »

Ce point de vue plaît aux gens qui prennent leur travail au sérieux, même dans les contextes les plus surprenants. Ainsi, l'ancien entraîneur de l'équipe italienne de football, Giovanni Trappatoni, déclarait en janvier 1999 : « Josemaría Escrivá a enseigné à de nombreux athlètes que les efforts qu'ils déploient à l'entraînement ou dans la compétition, l'esprit de corps qu'ils manifestent dans leur équipe, le respect de leurs adversaires, leur humilité dans la victoire et leur équanimité dans la défaite sont des moyens d'atteindre Dieu et de servir les autres.» Trappatoni est coopérateur de l'Opus Dei.

Vicaire général de l'Opus Dei et théologien accompli, Mgr Fernando Ocáriz rappelle que la sanctification du travail, telle que comprise par Escrivá, consiste à «faire de son travail une véritable offrande à Dieu». Pour ce prélat, cela implique deux choses. Premièrement : «bien accomplir notre ouvrage, parce que si nous estimons vraiment qu'il s'agit là d'une offrande au Créateur, il serait absurde de ne pas bien le faire». Deuxièmement : «avoir la ferme intention de chercher à servir Dieu et les autres au moyen de ce labeur particulier». Selon Ocáriz, on évolue là sur une sorte de champ de bataille, parce qu'il y aura toujours l'égoïsme, l'orgueil, etc., qui entreront invariablement en ligne de compte dans le comportement humain, mais c'est toutefois la nature de la voie spirituelle avec laquelle l'Opus Dei doit composer.

L'insistance mise sur le travail séculier pour en faire la scène du drame du salut permet également d'expliquer pourquoi Escrivá résistait avec tant d'acharnement à l'idée de faire un ordre religieux de l'Opus Dei. Même si les Opusiens appliquent souvent le célèbre mot d'ordre des Bénédictins, *ora et labora* («prière et travail»), la vie religieuse implique un certain degré de retranchement du monde quotidien, c'est-à-dire séculier. Escrivá avait la ferme conviction qu'au contraire les membres de l'Opus Dei devaient pleinement s'intégrer dans le monde.

Escrivá insistait sur le fait qu'une partie de l'«esprit du travail» se composait d'excellence, non seulement d'un point de vue spirituel, mais selon les plus hauts critères de l'évaluation professionnelle. La démarche de l'Opus Dei, telle que son fondateur la décrivait, était «de bien faire son travail en y appliquant toute la perfection humainement possible et en remplissant au maximum ses obligations sociales et professionnelles». L'idée derrière tout cela est que vous ne pouvez pas offrir votre travail à Dieu s'il est bâclé. L'insistance que l'on peut mettre à faire un travail sérieux, selon des critères objectifs, a été déjà exprimée de manière piquante par le philosophe catholique français Étienne Gilson en 1949, dans la remarque suivante : « On nous dit que c'est la foi qui a érigé les cathédrales du Moyen Âge. Je suis d'accord, mais la géométrie a également eu son mot à dire… »

Si l'on envisage les choses de cette façon, on découvre que la plupart des membres de l'Opus Dei pratiquent une solide éthique du travail et un grand respect pour la compétence, partout où ils se trouvent. Escrivá aimait à dire : « À quoi bon me raconter qu'un tel est un bon fils, un bon chrétien, s'il est un mauvais cordonnier ? S'il ne fait rien pour bien apprendre son métier, s'il n'y accorde pas toute son attention, il sera dans l'impossibilité de le sanctifier et de l'offrir à Notre Seigneur. La sanctification du travail ordinaire est en quelque sorte la charnière de la véritable spiritualité. »

Au départ, l'idée de trouver Dieu et de se sanctifier en pratiquant ses activités professionnelles a incité bien des personnes à devenir membres de l'Opus Dei. Ainsi Russell Shaw, écrivain catholique bien connu aux États-Unis, qui a servi les évêques américains comme secrétaire aux affaires publiques et qui, en plus, est surnuméraire de l'Opus Dei, signale que c'est cet aspect qui avait d'abord piqué sa curiosité. « J'ai trouvé qu'il y avait quelque chose de peu commun dans la notion d'un groupe de laïcs catholiques de haut niveau professionnel accomplissant leur tâche avec sérieux et travaillant avec application selon une orientation spirituelle. L'idée m'a accroché. »

Applications

Mariá José Font est une avocate espagnole membre d'un cabinet juridique de Barcelone comprenant six associés. Elle est également architecte. Sa spécialité est le droit commercial appliqué aux entreprises de construction et, à ce titre, elle traite avec certaines des plus importantes sociétés d'Espagne et travaille de dix à douze heures par jour dans un contexte où les pressions sont nombreuses. Jeune étudiante, elle a fait un passage de trois mois à Harvard avant de prendre la décision de consacrer sa vie à l'Opus Dei et de devenir numéraire. Au cours du printemps 2004, lors d'une interview à son bureau, je lui ai demandé ce que les mots «sanctification du travail» signifiaient dans le cadre de ses fonctions de conseillère juridique.

«Lorsqu'une personne se trouve en état de grâce, vit en présence de Dieu et lui offre son travail, les effets positifs se trouvent multipliés, explique-t-elle. Je ne travaille pas simplement pour dégager la surface de mon bureau. J'offre aussi ce que je suis en train de faire au Créateur pour la paix en Irak, par exemple, ou pour que la situation au Congo s'améliore, ou encore pour que le président des États-Unis prenne de bonnes décisions à propos de l'avortement ou de toute autre question qu'il doit traiter cette journée-là.» En d'autres termes, insiste l'avocate, son travail devient une prière et, dans ce sens, acquiert une valeur de niveau spirituel au-delà de ses conséquences spirituelles immédiates.

De toute évidence, explique-t-elle, la sanctification du travail signifie également qu'elle s'efforce de satisfaire aux critères les plus élevés de sa profession, ce qui, parmi d'autres avantages, facilite ses rapports avec les autres associés de la maison, tous de sexe masculin. «Je n'ai aucun problème avec eux, précise-t-elle, même si, à plus d'un titre, il s'agit encore d'un secteur dominé par les hommes. Lorsque j'ai quelque chose à dire, ils m'écoutent, et cela est principalement dû au fait que je suis compétente dans mon travail.»

Pour Diane Lechner, surnuméraire de la région de Chicago, mariée et mère de sept enfants, le cadre pratique de la sanctification de son travail se trouve dans son statut de mère au foyer. Détentrice d'une licence en orthophonie et d'une maîtrise en audiologie, elle savait pertinemment qu'elle allait devoir rester à la maison lorsqu'elle aurait des enfants. «Au début, l'ajustement n'a pas été facile, dit-elle. Comme bien des jeunes mères au foyer, j'hésitais beaucoup à mettre ma carrière en veilleuse.» C'est vers cette époque qu'elle a connu l'Opus Dei. «J'ai aimé l'idée de pouvoir offrir à Dieu, comme une prière, mon travail de mère, confirme-t-elle.

«En effet, l'Opus Dei valorise la maternité et le mariage, poursuit-elle. J'ai trouvé beaucoup d'appuis et j'ai pu partager nombre de choses avec les autres mamans. Pour moi, être mère est le travail le plus difficile et le plus gratifiant que l'on puisse trouver sur cette terre. Personne d'autre ne pourrait être une bonne mère pour mes enfants. Saint Josemaría dit que le travail de toutes les femmes, que ce soit à la maison ou au bureau, est important et j'ai la conviction que c'est exact.» Elle croit que le concept de sanctification lui permettra d'envisager les tâches les plus banales sous un nouvel éclairage. «Nettoyer la salle de bains pour la famille peut sembler prosaïque, dit-elle, mais le travail n'est jamais perdu. Rien ne peut détruire un travail qui prend la forme d'une prière, parce qu'alors vous acquérez un mérite qui s'inscrit dans un continuum d'éternité.»

Elle raconte comment, une fois ses enfants élevés, elle est devenue vendeuse dans un grand magasin réputé. Là, elle s'est encore efforcée d'appliquer le concept de sanctification du travail, non seulement en accomplissant ce dernier de façon impeccable, mais en tentant d'avoir une influence positive sur ses collègues et de sanctifier son entourage par des actes ponctuels. Elle recourt, par exemple, à de simples trucs, comme faire de petites croix à l'aide de trombones qu'elle pose sur la caisse enregistreuse. Elle peut ainsi voir ce signe toute la journée et faire mentalement de petites prières. Ainsi consacre-t-elle la moindre de ses tâches, comme enregistrer une vente ou regarnir un rayon.

Jim Burbidge, un surnuméraire, est un conducteur d'autobus londonien qui travaille sur la ligne 213, de Sutton à Kingston, dans la partie sud de la capitale. Vers la fin novembre 2004, je suis passé chez lui et l'ai rencontré en compagnie de sa femme Theresa et de deux de ses cinq enfants : Anne Marie, qui fréquente maintenant l'université, et Dominic, toujours au secondaire. Jim et Theresa sont tous deux membres de l'Opus Dei et essaient de faire de leurs enfants de bons catholiques. Dominic, qui m'a reçu en blazer et cravate club d'une école privée anglaise, s'est révélé un fervent jeune homme rempli de certitudes sur la théologie et sur la vie spirituelle. Jim avait toutefois une définition plus simple de la sanctification du travail appliquée à sa tâche quotidienne. «J'essaie de rendre le trajet le plus agréable possible pour les gens. Je m'assure que mon autobus est propre, que tout est en ordre et j'essaie d'accueillir mes passagers avec un sourire», explique-t-il en sachant très bien qu'aller au travail et en revenir est souvent pénible. Burbidge dit également prier pour ses passagers et demander à Dieu d'exaucer la volonté de toutes les personnes à bord.

Il dit également essayer de montrer l'exemple à ses collègues en étant bon compagnon de travail et, lorsque c'est possible, de leur faire partager sa foi. Il m'a confié avoir parfois invité certains de ses camarades à participer à des activités de l'Opus Dei, sans toutefois parvenir à en faire des membres de l'Œuvre. Il souligne qu'au fond cela n'est pas important. Ce qui l'est est d'aider ses semblables à devenir meilleurs et, si les circonstances s'y prêtent, à être de bons chrétiens.

Fidelis Kalonga, bibliothécaire à l'Université Strathmore de Nairobi, au Kenya, est un surnuméraire qui jauge sa sanctification du travail en termes de relations humaines. « Cela me permet d'adopter une attitude positive, explique-t-il. À la fin de la journée, je dois pouvoir me dire que j'ai fait de mon mieux. Je ne le fais pas seulement pour moi. Parfois, les étudiants me poussent à bout, mais je sais qu'il faut rester calme, ne pas me laisser abattre, garder la tête froide et accepter les choses telles qu'elles arrivent, parce que ceci est un service que l'on rend à Dieu. Tous ces étudiants turbulents sont en fait des occasions que Dieu nous a données pour nous sanctifier. Je n'offre pas seulement mes propres intentions, mais celles des étudiants dont je suis responsable. »

Helen Royals enseigne depuis un an dans une école de filles affiliée à l'Opus Dei : Oakcrest School, dans la banlieue de Washington. Elle n'est pas membre de l'organisation, bien que son père et sa mère aient été surnuméraires. Elle m'a raconté comment elle avait entendu parler de la « sanctification du travail » depuis qu'elle était bébé et avait une réponse très simple lorsqu'on lui demandait ce que cela signifiait pour elle. « Par exemple, je déteste enseigner le latin », m'a-t-elle expliqué au cours de son interview à Oakcrest en novembre 2004, mais, à titre d'enseignante débutante, elle hérita de ce cours qu'elle considérait comme une corvée. « J'aurais mieux aimé enseigner autre chose, comme l'histoire, la littérature, n'importe quoi sauf le latin, mais si j'étais arrivée en classe dans de telles dispositions, les enfants l'auraient remarqué, et j'ai entre quarante et cinquante minutes par jour à consacrer à cette matière. Il faut que les élèves me voient sourire, me voient prendre mon travail à cœur et donner le meilleur de moi-même. L'idée de sanctification du travail m'aide à prendre ce dernier comme un moyen de gagner mon ciel et, lorsque je me souviens de cela, je suis en mesure d'investir 150 % de mon énergie dans ce que je fais. »

John Hunt, ancien directeur d'une succursale bancaire de la région de Chicago, est aujourd'hui surnuméraire et directeur d'une association à but non lucratif ayant pour nom Alliance for Character Education. Cet organisme s'efforce de faire dans les écoles la promotion d'une instruction reposant sur des valeurs bien établies, une sorte d'« alphabétisation morale ». Hunt raconte qu'il est entré pour la première fois en contact avec l'Opus Dei, un beau soir, à l'occasion d'un buffet qui se tenait au Northview Study Center à Chicago, une rencontre à laquelle son patron lui avait demandé d'assister. Hunt souligne que l'idée de sanctifier son travail de cadre l'a inspiré. Cela signifie avant tout prendre un intérêt personnel pour les clients avec lesquels il traitait.

« L'Opus Dei encourage l'idée d'amitié avec les gens et vous fait comprendre qu'on peut influencer la vie de quelqu'un à condition que la personne fasse preuve d'ouverture d'esprit et qu'elle soit disposée à vivre sa foi à un degré plus élevé, m'a expliqué Hunt. J'étais réellement attiré par l'idée de mener mes relations commerciales à un niveau plus poussé. Ce que l'Opus Dei m'a permis, c'est de mieux m'engager avec mes clients, de m'entretenir d'abord avec eux de choses superficielles, puis d'aller plus loin en leur exprimant mon intérêt pour leur vie de famille pour ensuite parler éventuellement de choses concernant l'esprit et la foi. Au fil des ans, j'ai rencontré bien des gens dans les milieux commerciaux et les affaires publiques, et il est certain que les amitiés que j'y ai tissées sont plus profondes et plus fortes grâce à ce que j'ai appris dans l'organisation au chapitre de la sanctification du travail. »

Les défis à relever

Si le concept de sanctification de la tâche quotidienne est considéré par les membres de l'Opus Dei comme une ressource précieuse dans leur activité professionnelle et un élément leur permettant d'atteindre un degré de succès qu'ils considéreraient autrement comme impossible, leur affiliation à l'organisation peut aussi engendrer des difficultés pratiques. D'abord, un climat d'intrigue et de méfiance entoure l'Opus Dei, tout spécialement depuis l'affaire Robert Hanssen[1] et la publication de *Da Vinci Code* de Dan Brown. Appartenir à l'Œuvre peut donc parfois créer certaines frictions.

Souligner cette appartenance peut provoquer des signes d'exaspération chez certains membres de l'Opus Dei puisqu'ils ont tendance à considérer cette affiliation comme relevant de leur vie spirituelle qui, bien sûr, n'a rien à voir avec leur capacité d'accomplir leur travail. Par exemple, le porte-parole du Vatican et numéraire Joaquín Navarro-Valls est un psychiatre dûment diplômé en plus d'être un correspondant aguerri pour ABC, un grand quotidien laïque de son pays, l'Espagne. En qualité de porte-parole officiel du pape Jean-Paul II et, maintenant, de Benoît XVI, Navarro fait preuve d'une imperturbabilité légendaire en ne se laissant pas affecter par les attaques les plus virulentes contre l'Église catholique ou la papauté, mais il perd parfois patience lorsqu'on évoque son appartenance à l'Opus Dei.

Alors que j'interviewais Navarro-Valls en préparant le présent ouvrage et que je lui demandais si le fait d'être membre de l'Opus Dei lui avait causé quelque problème, il me répondit d'un air grincheux : « Qu'est-ce que cela peut bien faire ? » Plus tard, il me rappela et

---

1. Rappelons qu'il s'agit d'un agent du contre-espionnage au FBI qui collabora avec les Soviétiques pendant plus de quinze ans et causa des dommages considérables à son gouvernement. Il était membre de l'Opus Dei, sa famille était exemplaire et assistait régulièrement à la messe. Son confesseur, le révérend Robert P. Bucciaroli, était l'ancien dirigeant de l'Œuvre aux États-Unis. Hanssen commença à trahir son pays en 1979. En 2001, il fut condamné à la prison à perpétuité sans possibilité de libération conditionnelle. (N.d.T.)

me dit : «Écoute un peu, John. C'est comme si je te demandais si tu avais des difficultés à écrire des articles sur le Vatican parce que ta femme est juive. Quelle différence cela fait-il? Je ne vois pas le rapport qu'il y a entre ce fait et la manière de bien faire ton travail... Qu'est-ce qu'on en a à faire après tout?

«J'ai été correspondant à l'étranger. En Égypte, en Israël, en Grèce, poursuivit-il. Inévitablement, il me fallait écrire sur l'islam, sur le judaïsme, sur la religion orthodoxe. Aucune personnalité politique ou religieuse ne s'est inquiétée ou n'a même fait preuve de curiosité quant à mes convictions personnelles. Ils ne se souciaient que de l'exactitude et de l'impartialité avec lesquelles je traitais la nouvelle. Lorsque j'ai été médecin dans un hôpital pendant quatorze ans, c'était la même chose. Les clients ne se préoccupaient que des soins médicaux que je leur dispensais, et j'essayais de faire de mon mieux.»

On comprendra facilement qu'à leur travail les membres de l'Opus Dei tiennent à être considérés non comme des Opusiens, mais comme des professionnels de qui on est en droit d'attendre des services de qualité semblable à ceux de leurs pairs. Pourtant, en pratique, la vie ne se déroule pas toujours de cette façon, tout spécialement lorsqu'on fait partie d'un mouvement possédant une mystique comme celle de l'Opus Dei. Vu que les membres n'affichent pas leur appartenance à l'Œuvre, au travail, ils peuvent parfois faire l'objet d'insinuations. Leurs collègues peuvent leur demander discrètement si oui ou non ils appartiennent à cette mystérieuse organisation. Ensuite, le membre doit négocier afin de savoir quels sont les circonstances et le moment appropriés pour «sortir du placard», car annoncer à la cantonade que l'on est membre de l'Opus Dei risque d'engendrer plus de soucis qu'autre chose. L'une des questions particulièrement délicates pour les numéraires est leur engagement à demeurer célibataires, surtout que, dans les bureaux et sur les campus, les activités sociales ne manquent pas. Savoir quand jouer la «carte du célibat» peut se révéler une question difficile à résoudre.

Pour les membres qui travaillent pour l'Église catholique ou dans son entourage, les controverses ecclésiastiques entourant l'Opus Dei peuvent engendrer des complications particulières. Le cas de Russell Shaw est peut-être typique. Il s'est joint à l'Opus Dei en 1979 alors qu'il faisait partie du personnel de la Conférence américaine des évêques. Il nous raconte comment ses collègues ont réagi.

« À cette époque, le secrétaire général de la Conférence des évêques était Mgr Thomas Kelly, un de mes amis intimes avec lequel je m'entendais très bien. Kelly avait coutume de dépouiller chaque jour le courrier avec les employés les plus anciens. En compagnie des secrétaires généraux, de son propre secrétaire, de moi-même et d'une ou deux autres personnes, Kelly commençait sa journée à examiner le courrier afin de voir les questions que nous devions traiter cette journée-là.

« Après l'un de ces rituels, Kelly me fit signe pour me demander de rester après le départ des autres et j'obtempérai. Je me souviens qu'il s'approcha de moi et me dit d'un air embarrassé : "Je déteste d'avoir à vous demander cela, mais des gens prétendent que vous êtes membre de l'Opus Dei…" Il s'attendait peut-être à une dénégation de ma part lorsque je lui répondis : "En fait, je ne suis pas encore techniquement membre, mais j'ai bon espoir de le devenir très prochainement." Je lui expliquai ensuite ma condition dans l'organisation, et il accepta mes explications de bonne grâce. Une fois les choses mises au point, il se montra aimable et d'une parfaite urbanité.

« À la Conférence des évêques, je ne me rappelle pas avoir réentendu parler de la chose, par Kelly ou par qui que ce soit, mais je ne pouvais m'empêcher de penser que d'autres personnes dans cette association savaient que j'étais membre, et que tous n'étaient pas enthousiasmés à cette idée. D'ailleurs, je me demande encore comment j'ai pu être étiqueté en tant que membre de l'Opus Dei. Je ne faisais rien de mystérieux comme pratiquer la glossolalie ou avoir le don de lévitation. J'avais bien commencé à me rendre à la messe quotidiennement, mais bien d'autres fidèles n'appartenant pas à l'Œuvre y assistaient aussi. À ce jour, je ne sais pas encore ce que j'ai fait qui a pu inciter quelqu'un à aller voir Kelly pour lui dire : "Shaw est membre de l'Opus Dei." Peut-être que je n'aurai cette réponse que dans l'autre monde…»

Être membre de l'Opus Dei n'a pas ruiné la carrière de Shaw, loin de là. Après avoir bien servi les évêques, il devint porte-parole officiel des Chevaliers de Colomb, puis un auteur et un conférencier bien connu. Cependant, son affiliation à l'Opus Dei a engendré une source de tensions supplémentaires, entre autres, à cause de critiques sur l'organisation parues dans la presse et qui plaçaient Shaw sur la sellette. Ce fut le cas d'un article de feu Peter Hebblethwaite, journaliste au *National Catholic Reporter*, qui a laissé entendre un jour que Shaw était impliqué dans une manœuvre en coulisse survenue entre un cardinal romain et le grand dirigeant des Chevaliers de Colomb pour faire interdire la section sur la régulation des naissances parue dans *Humanæ Vitæ*, l'encyclique de Paul VI, une missive portant le sceau de l'infaillibilité papale. C'est en riant de bon cœur que Shaw rejeta une telle idée. Ce genre d'insinuation tombe davantage dans la catégorie des choses agaçantes plutôt que réellement dérangeantes, mais cela indique que la poursuite de l'excellence dans le domaine séculier peut comporter des inconvénients assez lourds pour les membres de l'Opus Dei.

Une autre difficulté que les Opusiens doivent affronter – du moins selon certains démissionnaires – sont les critères d'excellence qui, parfois, peuvent être fixés trop haut, particulièrement pour les numéraires. En effet, les attentes et les réalisations qu'on leur impose font partie des facteurs qui en ont poussé plus d'un à démissionner. Sharon Clasen, par exemple, s'est installée au Baybridge Center à Boston en 1981 alors qu'elle était élève de première année au Boston College. En mai 1982, à l'âge de dix-huit ans, elle devint surnuméraire dans l'Opus Dei, une option qu'on lui avait conseillée étant donné qu'elle s'était convertie au catholicisme. Trois ans plus tard, en 1985, elle devint numéraire et s'établit dans un centre d'études de l'Opus Dei réservé aux femmes, le centre Brimfield, situé à Newton, au Massachusetts. Une fois là, on lui signifia qu'elle devait poursuivre ses études universitaires à temps plein au Boston College, assister le soir aux classes de formation de l'Opus Dei et demeurer « disponible » au centre pour donner des coups de main, le cas échéant, et aider lors des nombreux événements sociaux qu'on y organisait.

Lors d'une interview qu'elle m'accordait en mai 2004, Sharon Clasen s'est vidé le cœur. « Peu importe si le lendemain vous devez subir un examen des plus exigeants. On vous susurrera que votre "famille" est autrement plus importante et que "Dieu vous donnera la grâce de réussir votre examen". Ensuite les gens prient le Saint-Esprit, lui font des neuvaines. Afin d'inspirer les étudiantes dans leur sommeil, on les encourage à écrire de petites prières sur des fiches qu'elles doivent glisser sous leur oreiller. En ce qui me concerne, tout cela n'a jamais fonctionné… » À la fin, elle se sentait « épuisée et vidée de toute énergie », incapable de faire face à des attentes qu'elle jugeait inhumaines. Sharon Clasen a d'autres griefs à formuler contre l'Opus Dei, mais ce sont les exigences physiques et psychologiques qu'on lui imposait qui l'ont décidée à tout envoyer promener.

Alors que je faisais des recherches pour ce livre, j'ai vécu à Barcelone quelques jours dans une résidence de l'Opus Dei pour étudiants, le Collegio Mayor Pedralbes. Étant donné les horaires particuliers à la culture espagnole (il n'est pas rare de souper à vingt-deux heures et d'avoir une réunion mondaine à minuit), j'étais peut-être porté à trouver l'expérience épuisante. Hormis cela, j'ai été frappé par la quantité de tâches que l'on imposait aux numéraires : occuper un emploi à plein temps, participer aux activités organisées par la résidence, être tout simplement disponible pour toute rencontre ou tout autre événement social. De plus, l'Opus Dei s'attendait ostensiblement à ce que les numéraires non seulement se débrouillent pour pouvoir concilier toutes ces occupations, mais qu'ils réussissent à toutes les accomplir à la perfection. Les numéraires avec qui je me suis entretenu semblaient épanouis et satisfaits, mais j'ai également pu constater comment une jeune personne attirée par l'idéalisme et les défis pouvait, après une période d'essai, s'effondrer et se déstructurer. Un numéraire américain m'a résumé la situation en une formule lapidaire : « Cela ne s'adresse pas aux petites natures. »

Un « calvinisme catholique » ?

Malgré les soucis que l'appartenance à l'Opus Dei peuvent produire en matière de relations entre collègues et l'épuisement professionnel que peuvent causer les attentes aux termes desquelles on vise des objectifs très élevés, la véritable difficulté engendrée par le concept de sanctification du travail réside certainement au niveau intellectuel. Le danger est que cette « sanctification du travail », accompagnée de l'insistance permanente à faire exécuter les choses parfaitement, débouche sur une sorte de culte de la réussite, d'obsession de l'œuvre accomplie ayant pour objectif de prouver que la personne possède bien cette « intention correcte » dont parle Mgr Ocáriz et d'autres dirigeants de l'Opus Dei.

L'accent que l'on place sur l'excellence du travail séculier est l'une des raisons pour lesquelles, au fil des années, on a accusé l'Opus Dei de se montrer « élitiste », une forme de spiritualité qui ne manque pas d'attirer les technocrates. Ainsi, il ne faut pas s'étonner si l'Opus Dei administre l'une des meilleures écoles de commerce européennes, l'Instituto de Estudios Superiores de la Empresa (IESE), qui se trouve à Barcelone. Il y a dans l'Opus Dei quelque chose de commercial à cause de ses objectifs axés sur les résultats. Certains critiques ont même dit que l'Opus Dei était une version catholique du calvinisme. Selon la doctrine calviniste, l'individu montre qu'il est béni de Dieu en exposant ses réussites et la prospérité matérielle qui en découle.

Même les observateurs sympathiques envers l'Œuvre semblent ressentir la même impression. C'est le cas de Mgr Joseph Obunga, le secrétaire général de la Conférence épiscopale de l'Ouganda. L'Opus Dei a pris pied dans ce pays en 1996, et la première impression que des gens tels que Mgr Obunga ont eue, c'est qu'il s'agissait d'une institution « élitiste ».

Le 11 septembre 2004, dans son bureau de Kampala, ce prélat, qui n'est pas membre de l'Opus Dei, m'a confié : « C'est du moins ce que j'ai remarqué. Si vous demandez à un passant : "Qu'est-ce que l'Opus Dei ?" il ne vous répondra pas et ne saura peut-être même pas de quoi vous parlez. Lorsque l'Opus Dei est arrivée ici, elle s'est d'abord installée près de l'Université Makerere, avec les professeurs. Maintenant, ses membres travaillent parmi les députés, les ministres du gouvernement, les gens de la haute société. Mais si l'on demande aujourd'hui à un chrétien ou à un catholique ordinaire ce qu'est l'Opus Dei, il n'en saura toujours rien. » Mgr Joseph Obunga reconnaît toutefois que l'Opus Dei effectue un excellent travail dans les milieux ougandais privilégiés et il s'en réjouit. En effet, si l'institution s'intègre harmonieusement aux gens de la collectivité dorée, il ne faut pas négliger le fait qu'elle est également bien placée pour effectuer des changements. « Bref, l'Œuvre fait un très bon travail auprès de cette classe de personnes », conclut l'évêque.

De telles réactions restent cependant sur le cœur de la plupart des Opusiens. Des porte-parole de l'organisation font remarquer que des coiffeurs, des conducteurs d'autobus, des chauffeurs de taxi et des mécaniciens sont également membres de l'Opus Dei, sans parler des immigrants japonais qui exploitent des laveries au Pérou. Comme me l'a mentionné Nuria Chinchilla, une surnuméraire de Barcelone : « Je connais un numéraire dont la mère était femme de ménage et le père ouvrier d'usine, mais ces gens ne passent jamais aux nouvelles, et c'est pour cela que nous sommes coincés par cette réputation d'élitistes. »

Pour sa part, Mgr Ocáriz rétorque que la comparaison avec le calvinisme est fausse par principe.

« Selon la pensée calviniste, dit-il, la perfection dans le travail, la réussite dans les entreprises humaines, sont des qualités considérées comme des signes annonciateurs de notre prédestination. Dans l'Œuvre, ce n'est pas du tout le cas. Escrivá a demandé de nous pénétrer de l'idée selon laquelle, si nous accomplissons bien notre tâche et si nous l'offrons à Dieu pour aider les autres, même si objectivement ce travail ne donne que de piètres résultats, pour Dieu il est aussi valable que s'il avait abouti à une réussite éclatante. En d'autres termes, s'il est souhaitable d'avoir l'excellence pour objectif, cela n'est pas le but ultime de notre existence. Nous recherchons la réussite, non comme un triomphe personnel, mais comme une façon de servir autrui. » Mgr Ocáriz ajoute que cette approche tient compte de l'« égale importance de tout travail », que l'on soit balayeur ou président des États-Unis. Certes, voilà une attitude très éloignée de la pensée calviniste.

Le prélat de l'Opus Dei, l'évêque Javier Echevarría, déclarait lors d'une interview en décembre 2004 que, étant donné la situation économique mondiale, nombre de membres de l'organisation étaient sans travail. « D'un point de vue extérieur, cela pourrait être considéré comme un échec. Cependant, si ces personnes font de leur mieux pour offrir leurs actions à Dieu, elles vivent alors dans l'esprit de l'Opus Dei », a-t-il souligné.

Dans la même foulée, il serait hypocrite d'affirmer qu'il n'existe pas au sein de l'Opus Dei de fortes pressions pour réussir dans la mesure du possible au plan matériel, ne serait-ce que parce que l'on considère l'excellence professionnelle comme un bon outil d'évangélisation. Si vous vous attirez le respect de vos collègues pour des questions professionnelles, ils seront – du moins en théorie – plus enclins à vous prêter l'oreille sur des questions de foi. Voici comment Dominique Le Torneau, membre de l'Œuvre, décrit la situation dans un ouvrage paru en 1984 et intitulé tout simplement *L'Opus Dei* : « Pour gagner, une personne doit prendre à cœur la nécessité d'accomplir son devoir aussi bien que les meilleurs de ses compagnons et, si possible, mieux qu'eux. »

Un numéraire italien explique en ces termes le risque spirituel pour les membres de l'Opus Dei de s'efforcer d'être « meilleur que les meilleurs » : « Le danger ne réside pas tant dans le fait d'aimer profondément la réussite matérielle, à la manière des calvinistes, ou de penser qu'il faut nous distinguer pour prouver que nous sommes d'heureux élus du Seigneur, explique-t-il. Le véritable danger est que nous risquons de prendre le moyen pour la finalité. Vous pouvez, bien sûr, vous prendre au jeu et accomplir votre travail à la perfection, parce que c'est ce que le Père attend de vous. Dans ces dispositions, vous ne penserez qu'à votre travail à chaque instant de la journée. Votre cœur et votre esprit seront envahis par cette idée et vous oublierez la raison véritable pour laquelle vous faites tout cela. Dans l'Œuvre, bien faire les choses est important, mais tous ces efforts doivent avant tout tendre vers un objectif : sanctifier le monde. Le défi est de s'en souvenir. »

CHAPITRE 4

DES CONTEMPLATIFS
AU MILIEU DU MONDE

Au cours de la dernière année, je me suis souvent retrouvé pendant de longues périodes avec des membres de l'Opus Dei. Ainsi, le 9 juillet 2004, je parcourais les Andes en compagnie du père Clemente Ortega, curé de la paroisse Saint-Jean-Baptiste de Matucana-Huarochiri, dans la ville de Matucana, située dans le diocèse de Chosica-Huayacan, à deux heures de route de Lima. Le père Ortega, qui a cinquante-deux ans, officie également dans vingt-quatre paroisses plus petites dans des régions montagneuses isolées. Certaines de ces agglomérations ne sont qu'à 70 km de la capitale à vol d'oiseau, mais il faut parfois entre quatre et cinq heures de Jeep pour y accéder par d'étroites pistes. Les ouailles de notre curé peuvent s'estimer heureuses de recevoir sa visite toutes les trois semaines, car ce prêtre de terrain se rend dans les montagnes plus souvent que ses semblables. En effet, certaines communautés chrétiennes des Andes ne voient un prêtre au mieux que tous les deux mois.

Ortega est membre de la Société sacerdotale de la Sainte-Croix, mais son presbytère ne donne aucune impression d'élitisme opusien. Tout d'abord, il ne faut pas chercher l'eau courante. Si vous tenez à faire votre toilette le soir, il vous faudra monter des seaux d'eau dans votre chambre. D'autre part, avec son téléphone rudimentaire, le prêtre ne peut appeler à l'étranger. Oubliez les téléphones portables : les ondes émises à Lima ne se rendent pas dans ces régions montagneuses. Un matin, je me suis vu forcé de ramasser toute la petite monnaie disponible pour appeler Rome d'un téléphone public afin de donner à mon journal les corrections que je désirais apporter à ma chronique.

Alors que je parcourais ces montagnes en voiture par d'impossibles pistes qualifiées de routes dans cette région du monde, je remarquais au bord du chemin de petits oratoires fleuris. Pensant qu'il s'agissait d'une manifestation particulière de la foi péruvienne, j'en parlai au père Ortega qui s'empressa de rectifier. «Non, il s'agit simplement d'endroits où des gens sont morts dans des accidents de voiture», précisa-t-il. Voilà qui était loin d'être rassurant alors que nous étions en train de négocier des virages sans visibilité à des vitesses qui me semblaient supersoniques. (En vérité, nous avions pris toute une matinée pour parcourir 145 km…)

J'étais perdu dans mes pensées, lorsque le père Ortega sortit un chapelet de sa poche et annonça qu'il était temps de prier. Les deux autres numéraires qui voyageaient avec nous prirent également leur rosaire et, priant à haute voix pour couvrir le grondement du 4×4, le père Ortega se chargea de nous initier aux mystères joyeux de cette dévotion mariale.

La frousse en moins, j'ai eu l'occasion de vivre des expériences similaires en voiture, de Barcelone à Barbastro, en Espagne; de Lima à Cañete, au Pérou ou encore, en Ouganda, du centre-ville de Nairobi jusqu'à l'aéroport, où je devais prendre l'avion pour Kampala. À un moment donné, alors que nous parlions politique ou sport, la conversation s'arrêtait et, la minute suivante, nous lisions quelque texte d'Escrivá, puis prenions le temps de méditer. Il s'agit là d'un type d'occupation que les membres de l'Opus Dei appellent «pratiquer la contemplation au milieu du monde». Ils n'ont point besoin de se retrancher dans une thébaïde religieuse pour prier. Ils peuvent le faire au beau milieu d'un environnement quotidien, là où ils travaillent, jouent et vivent. Dans ce sens, la prière devient une extension de la vie de tous les jours.

Le principe de la contemplation au milieu du monde va beaucoup plus loin que le fait de prier dans une voiture plutôt que dans une chapelle. L'idée de base est que toute la vie est une longue prière où l'on ne doit pas compartimenter ce qui est « religieux » et ce qui est « séculier ». Dans ce sens, adorer et louer Dieu ne veut pas dire qu'il faille forcément accomplir un acte spécifiquement « religieux » même si, nous l'avons vu, les membres de l'Opus Dei suivent quotidiennement un programme détaillé où prime l'observance religieuse. Ces moyens visent une finalité : au cours d'une journée affairée, chaque acte, aussi ordinaire soit-il, doit comporter une dimension contemplative.

Maria Gallo Riofrio, une Péruvienne de vingt-deux ans vivant dans une résidence universitaire de l'Opus Dei au Pérou, mais qui n'est pas membre, nous a résumé cet esprit lors d'une conversation à Lima, à l'extérieur de l'école Ricardo Bentin pour enfants mentalement handicapés. C'est là qu'elle travaille en compagnie d'autres Opusiens. « Ces enfants ont des problèmes que les intervenants de l'Opus Dei tentent de régler. Pour eux, enseigner à ces élèves est aussi important que d'aller à l'église. En fait, ce n'est pas très différent d'une église, car c'est aussi de la prière. »

Suzan Kimani, une adolescente de quinze ans, sûre d'elle-même, très mûre pour son âge, n'hésiterait pas à prendre la parole devant un tribunal ou un conseil d'administration. Élève à l'école Kianda de Nairobi, un établissement affilié à l'Opus Dei, elle n'est pas membre de l'organisation. Elle m'a décrit l'intégration très étroite des activités scolaires à la vie quotidienne, telle qu'elle l'a vécue dans son école. « Ailleurs, on sépare ce qui se passe en classe de ce qui se passe à l'extérieur, assure-t-elle. Ici, la vie c'est la vie. On peut parler au professeur des problèmes que l'on connaît à la maison ou avec ses amis. Dans un tas d'endroits, les gens peuvent souffrir en classe et le prof n'en saura rien. Ici, ils vous connaissent à fond et vous manifestent un intérêt naturel en tant qu'élève et en tant que personne. »

Entre autres, si on le vit convenablement, cet esprit devrait assurer, virtuellement sans heurts, la transition entre des contextes spécifiquement « religieux » et le monde séculier. Un membre de l'Opus Dei n'est pas censé être un type de personne à l'église ou dans un centre et une autre personne chez les courtiers en valeurs mobilières, dans l'atelier ou dans le salon de coiffure. La transition de l'un à l'autre devrait se faire sans effort ou, pour utiliser l'expression la plus courante à l'intérieur de l'Opus Dei, «tout naturellement». On devrait considérer tous les aspects d'une vie avec le même esprit de vénération et de contemplation et ainsi éviter un genre de schizophrénie morale et spirituelle. Dans le jargon de l'organisation, cela s'appelle l'«unité de vie».

L'Opus Dei considère cette unité de vie comme la découverte d'une sorte de lentille à travers laquelle l'existence d'une personne peut être envisagée dans son intégralité. Les membres vous expliquent que l'unité de vie est ce qui transforme une série de mouvements aléatoires et isolés, le long chapelet des heures, des jours et des années qui tissent une existence en une unité significative, en une œuvre d'art. En mettant en pratique l'esprit de l'Opus Dei, on transforme une multitude de pas différents et de mouvements contradictoires en une sorte de ballet, si bien qu'à un moment donné on réalise n'être toujours qu'une même et unique personne. Dans des contextes religieux, faisant référence à leurs prières et à leur pratique de la piété, parfois les gens parlent de leur «vie spirituelle», mais, dans l'Opus Dei, la «vie spirituelle» doit inclure le travail, les amitiés, la vie sociale, la famille, bref, tout ce qui compose l'existence. Naturellement, tout cela est censé avoir une influence sur la façon dont les membres de l'Opus Dei agissent. En fin de compte, la «vie spirituelle» n'est, plus ou moins, rien d'autre que le quotidien. On ne peut déroger à ce principe. Aucun aspect de la vie n'échappe aux desseins de Dieu.

L'une des conséquences d'être «contemplatif dans le monde», du moins dans le sens où l'entend l'organisation, est que l'aspect «religieux» tend à se fondre dans chaque geste. Ainsi, l'une de nos expériences les plus «religieuses» peut se vivre au bureau, sur le terrain de jeu, dans la cuisine, dans la rue, dans la chambre à coucher ou à l'hôpital. Escrivá a déjà dit que sa cellule monastique se trouvait dans la rue, ce qui signifie qu'un membre de l'Opus Dei doit aussi facilement sortir de l'église qu'il y entre, et cela, pour s'unir à Dieu.

Finalement, l'«unité de vie» conduit à adopter l'habitude de prendre au sérieux tout ce que l'on fait, qu'il s'agisse d'une affaire impliquant des milliards de dollars, un texte législatif pouvant avoir d'énormes répercussions sociales ou simplement sortir les ordures. Tout comme on ne devrait pas compartimenter ses instincts moraux ou ses convictions doctrinales, on ne devrait jamais oublier que, même si une tâche nous semble moins importante qu'une autre, nous sommes en fin de compte au service de Dieu. En d'autres termes, nous ne devrions pas rechercher l'excellence dans certains aspects de notre vie et tolérer la médiocrité dans d'autres pour la raison que, d'un point de vue personnel, ils semblent avoir moins d'importance. Tout cela plonge ses racines dans les aspects les plus simples de la vie quotidienne. Il est plutôt rare de rencontrer un membre de l'Opus Dei affichant une tenue négligée. Dans l'organisation, on accorde énormément d'attention à ce qu'on appelle généralement les «petites choses», autrement dit les petites corvées journalières qui, du point de vue de l'éternité, ont une signification importante. Un sage proverbe s'applique particulièrement aux membres de l'Opus Dei : «Tout ce qui mérite d'être fait mérite d'être bien fait.»

Lorsque l'on vit selon de tels préceptes, être contemplatif dans le monde signifie qu'on ne sait jamais quand la prière cesse et quand le reste de la vie commence. Pour en revenir au père Clemente, disons que, dans son optique, notre périple sur les pistes andines ne représentait pas un déplacement ponctué de moments de prière. Pour lui, l'ensemble de ce voyage était une prière en soi, qu'à certains moments nous exprimions en récitant notre rosaire.

Applications

Katie Doyle est une élève de terminale de dix-sept ans à l'école de filles Oakcrest, un établissement affilié à l'Opus Dei et situé à McLean, Virginie, en banlieue de Washington. Oakcrest est installée dans une vaste propriété achetée à la Bible Church de McLean, une institution évangélique prospère. Aujourd'hui, cette école comprend 230 élèves de niveau secondaire, et 70 % des jeunes filles sont catholiques. Katie Doyle est une personne très dynamique et d'apparence avantageuse. Excellente élève, elle prépare son entrée à l'Université de Virginie. Elle participe aux activités théâtrales de son école, se moque gentiment de celui qu'elle surnomme son «copain» (il s'agit en fait du concierge de la maison) et, lorsqu'elle discute avec ses amies, Lily Nelson et Meaghan Hadley, respectivement âgées de dix-sept et de seize ans, son débit est celui d'une mitrailleuse. Katie taquine les numéraires qui enseignent à Oakcrest en leur posant des questions sur l'Opus Dei parce que, selon elle, il s'agit là d'un bon moyen de «créer une diversion». Elle m'explique qu'elle n'est pas pressée de terminer l'interview, car il lui faut de toute manière retourner en classe. Toutefois, lorsque je lui ai demandé si Oakcrest avait influencé sa vie, elle est devenue plus posée et a choisi plus soigneusement ses mots.

«En dernière année, dans les cours de philo, nous avons étudié Aristote qui dit que l'homme est un animal raisonnable. Altérer volontairement sa raison est une chose sérieuse qui nous transforme pratiquement en sous-hommes. Cela m'a frappée, car j'avais toujours l'impression que prendre une cuite n'était pas bien, mais je n'avais jamais été capable de l'expliquer à mes amis qui m'auraient certainement rétorqué : "Et pourquoi pas?" Je pense que c'est en partie le genre de leçon que l'on retient à Oakcrest. On y comprend mieux pourquoi toutes les décisions de votre vie, même les plus ordinaires, comme celles que l'on peut prendre un samedi soir, sont importantes.»

Katie Doyle, qui n'est pas membre de l'Opus Dei et qui n'a pas l'intention de le devenir à court terme, m'a certifié qu'elle n'avait pas peur de perdre sa foi dans une grande université laïque, l'an prochain. «Je suis à l'aise d'être catholique. Je sais ce que l'Église enseigne et je suis d'accord avec elle. Le fait de fréquenter un établissement catholique ou non ne fait aucune différence, car je peux être aussi "religieuse" à l'Université de Virginie qu'ailleurs, et les défis qu'il me faut relever pour essayer de vivre ma foi sont les mêmes.»

L'idée que l'on retrouve dans le récit de cette jeune fille est que la vie devrait être «d'un seul tenant» et qu'une personne demeure toujours la même, qu'elle se trouve dans un milieu explicitement « catholique » comme Oakcrest ou dans un grand complexe laïque comme l'Université de Virginie.

Alexandre Havard, numéraire de l'Opus Dei, est directeur du Centre de formation européen, une institution affiliée à l'Opus Dei, située à Helsinki. Il m'a expliqué ce que signifiait dans la culture finlandaise le fait d'être un « contemplatif dans le monde ».

« Peut-être est-ce parce que lorsqu'on se rend au sauna avec un ami, on ne le laisse pas sortir avant de lui avoir posé quelques questions sur sa vie et sur sa foi, commence-t-il, et qu'on ne laisse pas la conversation dériver sur des banalités comme la qualité de la neige. » Havard me fait cependant remarquer en blaguant qu'aborder ce genre de sujet au sauna ne s'inscrit guère dans la tradition finlandaise : « Il existe, en effet, une règle voulant que, si l'on parle de religion au sauna, cela puisse avoir un effet déplorable sur la santé ! »

Redevenu sérieux, Havard a déclaré que la méditation au beau milieu d'une journée de travail constitue un tonique pour la plupart des Finlandais. « Ce sont des travailleurs sérieux qui mettent en pratique ce qu'ils prônent, dit-il. Il s'agit donc là d'un bon point de départ pour la méditation, car celle-ci, dans le monde, signifie d'abord qu'on fait bien son travail. Cependant, il ne s'agit que d'un début, et bien des Finlandais s'arrêtent là. Ils confondent ce qu'on appelle l'"éthique du travail", fondée sur des choses extérieures, avec la bonté, qui est toujours transformationnelle. Les Finlandais aiment parler de leur éthique du travail et ils en sont très fiers, mais ils ont besoin de méditation et, lorsqu'ils la découvrent, ils adorent cela. »

Dans ce sens, soutient Havard, le concept d'unité de vie et l'intégration de la méditation au travail montrent un sérieux manque d'éthique chez beaucoup de Finlandais. « Ce qu'il y a de plus problématique avec l'"éthique du travail", c'est le concept en soi. Cela laisse entendre qu'à l'extérieur du travail existe une autre sorte d'éthique, d'autres normes avec des contenus différents. En fait, vous trouverez peut-être des Finlandais qui insisteront sur l'"éthique du travail", mais qui, en même temps, boiront comme des trous tous les vendredis, divorceront et abandonneront leurs enfants tout en étant persuadés d'être des gens moraux, parce qu'ils paient leurs factures et respectent leurs engagements professionnels.

« La méditation est ce qui assure l'unité de vie, poursuit Havard. Les femmes et les hommes contemplatifs ne remplissent pas de rôle différent au cours d'une journée, par exemple le rôle d'un professionnel, d'un mari, d'une épouse, d'un père ou d'une amie. L'âme contemplative recherche Dieu partout : au travail, dans sa famille, dans ses amitiés, ses passe-temps et même dans la solitude. Une "éthique du travail" peut mener à une double vie et à l'hypocrisie, alors que la méditation nous conduit vers l'unité de vie et à la sincérité.

« Par conséquent, être contemplatif dans un contexte finlandais signifie aller au-delà des règles et découvrir que Dieu peut vous transformer au moyen de vos occupations professionnelles, reprend Havard. Voilà certes une idée à laquelle Luther aurait résisté, mais bien des Finlandais modernes, même les gens profondément religieux sont loin d'être luthériens[1]. Leur expérience personnelle leur apprend que Dieu n'agit pas de l'extérieur mais de l'intérieur. Je connais un pasteur protestant à Tornio, une agglomération située à environ un millier de kilomètres au nord d'Helsinki, à la frontière de la Suède et de la Laponie, qui achète une cinquantaine de livres de Josemaría Escrivá chaque mois pour ses paroissiens, car ces derniers apprécient beaucoup les textes du fondateur de l'Opus Dei. Chaque mois, une trentaine de luthériens s'assemblent avec le pasteur pour discuter des enseignements de saint Josemaría. L'aspect "méditation" est quelque chose qui les rend fous, au sens le plus positif du terme. »

Pablo Cardona, numéraire espagnol de quarante ans, détenteur d'un diplôme de troisième cycle en administration et étudiant en physique, dirige un programme d'éthique commerciale à l'Instituto

---

1. Selon les statistiques de l'Église évangélique luthérienne en date du 31 décembre 2003, les luthériens représentent 84,1 % de la population finlandaise. (N.d.T.)

de Estudios Superiores de la Empresa (IESE), la prestigieuse école de commerce de Barcelone. Il travaille avec des sociétés internationales comme la Deutsche Bank, Microsoft et Motorola afin qu'elles répercutent la manière dont les principes de base de la moralité peuvent s'appliquer aux pratiques commerciales.

« Ma façon de comprendre le travail s'inscrit dans ma façon de comprendre la personne humaine, m'a confié Cardona en mai 2004 au cours d'une interview dans la salle où il tenait son séminaire. Quelle est la valeur d'une personne? Comment doit-on traiter les gens? Quelle mission l'entreprise se donne-t-elle dans la société? Je ne peux dissocier ma façon de vivre ma foi chrétienne de la manière dont je considère les entreprises. Voilà pourquoi je travaille depuis des années avec des conglomérats et que j'essaie de les aider à accomplir leur mission et à concrétiser leurs engagements avec les différentes parties prenantes et pas seulement avec leurs actionnaires.

« Dans le monde des affaires, la maximisation des bénéfices a tendance à attirer toute l'attention, souligne Cardona. Voilà pourquoi, depuis les trois ou quatre dernières années, j'ai montré aux chefs de file du monde des affaires ce qu'une approche plus holistique pourrait signifier. Grâce à ma façon de regarder le monde et ce que signifient les gens et les entreprises dans la société, j'essaie de trouver ce qui ne fonctionne pas à cause de l'incohérence de base entre les valeurs humaines et l'attitude dominante qui prévaut dans la gestion des entreprises. Lorsqu'on en parle à des directeurs généraux, ce n'est pas qu'ils refusent d'essayer, c'est qu'ils ne savent pas quoi faire. Aussi ai-je mis au point un système de gestion qui débute avec une mission, et ce, jusqu'aux échelons inférieurs. Je n'explique pas comment se servir d'un ordinateur portable ou d'un Palm Pilot, mais je parle des priorités de la vie. Lorsque vous approfondissez la question, que votre point de vue prend un tour anthropologique, c'est alors que vous pouvez progresser.

« Cela revient à vous situer en tant qu'être humain, à voir avec qui vous traitez, ajoute-t-il. Bref, tout cela tourne autour de ce qu'Escrivá appelait l'unité de vie. [...] L'Opus Dei n'agit jamais en tant que structure. L'Œuvre s'adressera à leur cœur et dira : "D'accord, mais au rang que vous occupez dans votre profession, comment, grâce à votre foi chrétienne, pouvez-vous influencer les gens ? Que signifie pour vous et les personnes de votre entourage le fait d'être enfant de Dieu, que le Christ ait ressuscité ?" La même chose s'applique à tout le monde, que vous soyez professeur, ici, dans cette grande école de commerce, ou que vous soyez simple quidam... »

Matthew Odada est professeur d'études est-africaines à l'Université Makarere à Kampala, Ouganda. En 1996, il a suivi les séances de recueillement et les cours de formation depuis l'ouverture du centre situé près de l'université. Bien qu'il ne soit pas membre de l'Opus Dei, il m'a raconté qu'en septembre 2004 il faisait partie d'un cercle de quelque quarante coopérateurs de la région de Kampala. Il s'agit d'un homme au verbe sobre, qui réfléchit longuement avant de répondre aux questions. Il croit que la manière avec laquelle Escrivá insistait sur son concept d'unité de vie est peut-être la contribution la plus précieuse que l'Opus Dei ait pu faire à la société africaine d'aujourd'hui.

« L'obstacle central à l'établissement d'un ordre civil et politique décent en Afrique est la corruption, remarque-t-il. Trop d'Africains s'imaginent que verser des bakchichs et siphonner les ressources naturelles pour leur bénéfice personnel ou celui de leurs petits copains ou de leur tribu est acceptable. En réalité, les Africains sont en général des gens très moraux, très portés sur la collectivité et sur la famille, mais trop d'entre nous établissent un net distinguo entre la moralité privée et la conduite publique. Ces gens n'ont aucun sens de ce que signifie appliquer l'éthique à la politique, aux affaires ou à quoi que ce soit. Dans un tel contexte, je pense que l'Opus Dei a une contribution à apporter. Elle pourrait concourir à former une nouvelle génération de leaders africains sachant ce que signifie faire intervenir son intégrité personnelle dans les rôles publics. » Odada dit souhaiter la bienvenue à l'Opus Dei en Ouganda et il espère que l'Œuvre prendra de l'expansion en Afrique. Il souhaite aussi que ce message soit largement diffusé et que personne ne puisse le « compartimenter » afin que ce qui est religieux devienne distinct de la manière dont les dirigeants font fonctionner leurs affaires, leur bureau ou leur gouvernement. L'idée n'est pas de transformer chaque homme d'affaires et chaque politicien ougandais en un « contemplatif » dans le sens religieux du terme, mais de les aider à réaliser l'importance de l'« unité de vie », peu importe le système moral qu'ils favorisent.

Précédemment, on aura remarqué qu'une partie de l'« unité de vie », comme l'Opus Dei l'envisage, consiste à traiter chaque tâche, aussi insignifiante soit-elle, avec le plus grand sérieux. Pour illustrer cette attention envers les « petites choses », rendons-nous au Centre de conférences Shellbourne, situé à une heure de Chicago, plus précisément à Valparaiso, Indiana. Le personnel se compose de cinq numéraires de l'Opus Dei et de huit numéraires auxiliaires. L'été, environ treize collégiennes travaillent au centre à temps partiel. Construit en 1960, celui-ci a été doté d'une nouvelle aile en 1986. On y organise des retraites encadrées par des prêtres et des laïcs de l'Opus Dei. La clientèle se compose presque intégralement de membres de l'Opus Dei, et environ sept cents de ces personnes passent chaque année par ce centre, dont le budget d'exploitation se situe aux alentours d'un million de dollars. On y célèbre la messe dans au moins une des quatre chapelles de la propriété, et l'on expose en permanence le saint sacrement pendant la journée. On peut aussi se confesser facilement selon un horaire défini.

Lors de ma visite à Shellbourne, en septembre 2004, Lali Sánchez Aldana, la directrice, m'a fait les honneurs des lieux. Tandis que nous parcourions les cuisines et les buanderies, cette administratrice me précisa qu'il existait un local spécial réservé aux objets utilisés pendant la messe. C'est ainsi que je découvris une petite cuisine réservée à la fabrication des hosties, où certaines de celles-ci étaient emballées et expédiées à d'autres paroisses catholiques. J'ai également vu une buanderie réservée exclusivement au lavage et au repassage des linges sacrés utilisés dans les quatre chapelles. « Lorsque les prêtres célèbrent la messe ici, ils nous disent toujours combien les nappes d'autel sont impeccables et bien amidonnées, me fait remarquer cette dame. Les chapelles sont toujours propres, en ordre et les fleurs sont fraîchement coupées. »

Certaines personnes trouveront peut-être ce genre de détails fastidieux, sinon ce que la théologie catholique appelait autrefois « scrupuleux », un terme indiquant que l'on suivait la règle de manière excessive en doutant constamment d'être en état de grâce. Pourtant, si l'on regarde le tout selon le point de vue de l'unité de vie, tout se tient. Si quelqu'un croit véritablement que le Christ est présent dans le sacrifice de la messe, on est obligé de la célébrer parfaitement, en prêtant une attention particulière aux moindres détails, comme l'état du retable. Le tout prend alors une signification transcendantale.

Voilà pourquoi, dans un tel état d'esprit, les installations de l'Opus Dei paraissent si soignées et s'attirent tant de félicitations de la part des gens. Par exemple, lorsque j'ai visité le séminaire diocésain de Cañete, dans la prélature territoriale de Yauyos, au Pérou, mon attention a immédiatement été attirée par l'éclat brillant du plancher. En Espagne, lorsque je me trouvais à Torreciudad, un lieu de pèlerinage marial, j'ai rencontré Manolo Fernández Gómez, auxiliaire de l'Opus Dei et ancien communiste. Celui-ci m'a raconté comment, lorsqu'il s'était rendu pour la première fois à l'Université de Navarre à Pampelune, il avait été frappé par la propreté des cendriers. « On aurait pu manger dedans ! » a-t-il dit. Il faut dire que les installations de l'Opus Dei sont généralement bien équipées, ce qui leur donne une apparence de richesse. Pour être honnête, je dois admettre que c'est parfois exact, mais je dois tout de même préciser que, le plus souvent, c'est parce que les membres de l'Opus Dei savent tirer le meilleur parti des moyens limités dont ils disposent.

Prenons un autre exemple d'unité de vie. Xavi Casajuana est un surnuméraire de trente et un ans qui vit à Sabadell, une ville industrielle à une trentaine de minutes de Barcelone. Il travaille comme technicien en électronique dans une usine qui fabrique des moteurs électriques. Il nous décrit sa façon de considérer le travail. « Je suis toujours heureux, dit-il. Les gens ne comprennent pas pourquoi je souris toujours le lundi matin, à sept heures. Pour moi, lundi ou vendredi, c'est du pareil au même. Nous avons dans cette ville une station de radio dont l'animateur ne cesse de répéter : "Ouf !

Nous voilà enfin vendredi!" Je n'aime pas ça. Pourquoi ne dit-il pas : "Enfin, c'est lundi! Enfin, c'est jeudi!" Je m'arrange pour être heureux tous les jours de la semaine et pas seulement le vendredi. Après tout, ne suis-je pas censé être la même personne chaque jour de la semaine?» Il s'agit là d'une manière d'expliquer l'unité de vie : on devrait faire chaque jour preuve d'équanimité, parce que chaque jour nous fournit l'occasion d'offrir notre vie comme une louange au Créateur.

Finalement, un prêtre américain de l'Opus Dei, le père John Wauck, qui enseigne à la Faculté de communications à l'Université Santa Croce de l'Opus Dei à Rome, explique l'une des conséquences de l'unité de vie telle qu'il la conçoit. «Ne pas recourir à des termes dits "religieux" pour parler de spiritualité est une caractéristique des membres de l'Opus Dei, qu'ils soient prêtres ou laïcs. Lorsque la conversation prend un ton "religieux", on ne constate pas de changement notable. Plus communément, je dirais que nous n'apprécions guère le prêchi-prêcha. Nous n'avons qu'une manière de nous exprimer pour parler à Dieu comme aux hommes, et c'est une voix normale, celle de tous les jours. Il s'agit de la même personne, de la même voix, du même cœur.»

Les défis à relever

On peut dire qu'à un certain niveau le danger associé à l'«unité de vie» est que les membres de l'Opus Dei ne baissent jamais leur garde. Cela peut se traduire par une attitude obsessionnelle, compulsive, envers les moindres détails de l'existence, une insistance impitoyable pour que les choses soient simplement «par-fai-tes». En toute honnêteté, voilà qui peut présenter un plus grand danger dans les cultures de type anglo-saxon que dans celles de type méditerranéen où l'Opus Dei est plus présente. Par exemple, en Italie, les centres de l'Opus Dei pratiquent la *bella figura*, qui est une manière de «sauver la face», mais les Opusiens italiens ont également cette capacité de hausser les épaules de manière fataliste pour indiquer instinctivement le moment où les règles et les systèmes doivent laisser le pas aux réalités de la subjectivité humaine. Ils insistent très réellement sur l'«unité de vie», mais d'une façon très italienne, dépourvue de fanatisme. Escrivá a d'ailleurs réussi à cerner cette idée lorsqu'il a dit que le chrétien ne devait pas être un «collectionneur névrotique de rapports de bonne conduite».

Peut-être qu'un défi plus profond est de maintenir l'esprit consistant à se montrer «contemplatifs au milieu du monde», tandis que l'Opus Dei grandit et se développe institutionnellement et, bien que par inadvertance, offre à ses membres de plus grands moyens de s'engager dans des activités de l'organisation plutôt que de se retrouver «au milieu du monde». Par exemple, je me suis entretenu avec un surnuméraire de Pampelune qui enseigne à l'Université de Navarre. Il m'a confié qu'il appréciait son travail et ses collègues, cependant, de manière paradoxale il considérait son environnement contraire aux intentions originales d'Escrivá. «Ici, vous vivez dans une bulle, a-t-il déclaré. Vous travaillez dans l'atmosphère opusienne, fréquentez des membres de l'Œuvre, assistez à la messe dans des centres de l'Opus Dei et envoyez vos enfants dans des écoles de l'institution. Où est donc le "monde" dans tout ça?»

D'accord, Pampelune est un cas unique. Dans aucun pays sur terre on ne peut se retrouver dans un endroit aussi résolument opusien. D'accord, étant donné l'engagement de l'Opus Dei pour se séculariser, il n'existe pas nécessairement d'opposition à se trouver dans une institution de l'Œuvre et, par la même occasion, à vivre «au milieu du monde». Une entreprise ouverte et engagée dans la culture ne constitue pas un refuge. Pourtant, il est de plus en plus possible pour les familles de l'Opus Dei d'envoyer leurs enfants, de la maternelle à l'université, dans des écoles de l'Œuvre, de passer leurs loisirs à participer à des activités de l'organisation et de se faire des amis grâce au réseau informel de cette dernière. Ils peuvent lire les livres des auteurs opusiens publiés par les éditeurs de l'Opus Dei, mais le risque est de se retrouver dans un «ghetto virtuel».

Des critiques ont depuis longtemps déclaré que c'est là où le bât blesse : d'un côté, l'Opus Dei parle de sécularisation et de spiritualité laïque, mais, d'un autre côté, certains de ses membres vivent dans un isolement rappelant certaines formes de vie religieuse préconciliaires. De telles accusations n'ont pas grand sens lorsqu'on regarde des gens comme Greg Burke, un numéraire américain qui est le correspondant à Rome de Fox News, ou encore Ana Royo, une surnuméraire rencontrée à Barbastro, qui est hôtesse de l'air pour une compagnie aérienne espagnole. En effet, les activités professionnelles de ces personnes les conduisent chaque jour à travers le monde. On ne peut toutefois nier que l'on attend des membres de l'Opus Dei qu'ils soient bien intégrés dans le monde, mais qu'ils n'en fassent cependant pas intégralement partie. C'est partiellement la raison pour laquelle, par exemple, les numéraires n'assistent que très rarement à des séances de cinéma ou à des manifestations sportives. Par conséquent, le défi réside dans une certaine distanciation pour demeurer critique, sans pour cela rejeter le tissu social où se déroule normalement la vie.

On accuse également l'Opus Dei d'imposer des modes de vie dans les installations qu'elle gère, comme les résidences universitaires, qui ne semblent pas être précisément «séculières». Par exemple, l'ex-numéraire américain, Dennis Dubro, avait été choisi par l'Opus Dei pour aider à administrer une résidence universitaire au Warrane College à Sydney, en Australie. Il s'agit d'un établissement réservé aux hommes où même les visiteurs masculins ne pouvaient se rendre au-delà du rez-de-chaussée. «Les dirigeants m'ont répété pendant quatre ans que nous pratiquions une spiritualité laïque et c'est ce que je disais à tout le monde. Et voilà maintenant que cette résidence universitaire se transformait en cloître…»

La plupart des membres de l'Opus Dei répondent qu'il n'y a pas de risque réel de se désengager de la sécularité et que personne dans l'organisation ne se trouve cloîtré dans un monastère ou un ermitage. Pourtant, au plan psychologique, certaines personnes sont précisément attirées par l'Opus Dei, parce que l'institution offre une solution de rechange à la pensée dominante dans le grand public et, dans une certaine mesure, dans l'Église catholique. On peut, bien sûr, être tenté de prendre l'Opus Dei comme un refuge, un havre de grâce où l'on jette l'ancre plutôt que de «s'engager profondément», comme le recommandait souvent le pape Jean-Paul II.

Prenons l'exemple de Becket Gremmels, un étudiant de vingt-deux ans à l'Université Notre-Dame. Il m'a raconté comment, à l'école secondaire, on se moquait de sa piété en le traitant de grenouille de bénitier. Rendu à l'université, il souhaitait trouver un environnement où il n'aurait pas à se montrer moins pratiquant et moins fervent. Il essaya l'université franciscaine de Steubenville, dans l'Ohio, un établissement qui a la réputation d'avoir un environnement catholique assez conservateur, mais il trouva que trop de gens se contentaient de « suivre le mouvement ». Il découvrit enfin ce qu'il cherchait à Windmoor, un centre de l'Opus Dei près du campus de Notre-Dame. Quand il parviendra à ses études de troisième cycle, Becket compte devenir numéraire. En soi, il n'y a rien de négatif dans le fait que l'Opus Dei offre à des catholiques comme Gremmels une atmosphère rassurante. Le seul risque est que de tels catholiques puissent considérer l'organisation comme une sorte de thébaïde où se cacher d'un monde qui ne les comprend pas, plutôt que comme un moyen de voir ce monde sous un nouvel éclairage afin de le transformer.

Le défi consiste à se souvenir qu'être contemplatif, c'est-à-dire porté sur la prière et centré sur sa spiritualité, ne constitue que 50 % du combat et non spécifiquement la moitié de la tâche de l'Opus Dei. L'esprit de l'Œuvre veut que l'on vive ces qualités dans le quotidien, que l'on ne construise pas une série d'enclaves réelles ou virtuelles. La pierre de touche doit être ce qui est dit dans l'Évangile à propos de la Transfiguration, lorsque Pierre, Jacques et Jean se rendirent sur la montagne avec Jésus et furent témoins de sa gloire. Pierre voulait planter des tentes pour rester avec Jésus, mais telle ne devait pas être la destinée de ces apôtres. Leur destin était de suivre le Christ dans la rue, avec toute la détresse et la sordidité qu'on y trouve, mais aussi avec tout son potentiel de rédemption. Et c'est également là qu'on s'attend à retrouver les membres de l'Opus Dei.

CHAPITRE 5

LA LIBERTÉ CHRÉTIENNE

Llúis Foix est un journaliste espagnol bien connu qui travaille et vit à Barcelone. Il est la vedette de trois émissions de télévision et de trois émissions de radio et chroniqueur dans le journal laïque de centre gauche *Vanguardia*, où l'on retrouve également sa signature dans les articles généraux et les pages sportives. Il a pratiqué bien des formes de journalisme dans son pays : rédacteur en chef, rédacteur en chef adjoint et, pendant quatre ans, correspondant à Washington. C'est également un auxiliaire de l'Opus Dei depuis 1961. Il vit avec sa mère qui est aveugle et souffre de la maladie d'Alzheimer.

En d'autres mots, Foix représente le membre idéal pour l'Opus Dei : un membre sérieux, dynamique, favorablement connu, engagé dans la vie publique, une personne qui incarne l'esprit de la « sanctification du travail ». On serait donc porté à croire que, étant donné l'influence et le renom de Foix, la direction de l'Opus Dei maintiendrait des contacts étroits avec lui afin de coordonner ses efforts pour réaliser des projets communs et assurer la cohérence du « message » transmis.

En réalité, après avoir été membre de l'Opus Dei pendant quarante ans, ce journaliste attend toujours que quelqu'un se manifeste dans l'Œuvre pour lui dire ce qu'il pense de tel ou tel article ou de tel commentaire qu'il a pu faire à la télévision.

« Mais ça ne vient jamais », m'a-t-il déclaré à contrecœur. Je dis bien « à contrecœur », parce qu'en dépit du fait qu'il s'agit d'une personnalité très publique, Foix n'aime guère parler de ce qu'il considère comme étant sa vie privée. Je précise qu'en fait personne dans l'Opus Dei ne lui parle de son journalisme ou de ses positions politiques. Il sourit et trouve au fond que c'est aussi bien ainsi, car, au cours des six dernières années, il a voté plutôt à gauche au lieu d'appuyer le Parti populaire conservateur de l'ancien premier ministre José Maria Aznar. D'ailleurs, dans la presse espagnole, ce politicien a généralement la réputation d'être un chouchou de l'Opus Dei. Foix m'explique que ce n'est pas tant son amour de la gauche qui le motive que la déception que la droite lui a causée. Il s'empresse de me faire remarquer que personne dans l'Opus Dei n'a jamais tenté d'influencer son choix.

« Les gens ont tendance à penser que l'Opus Dei est un mouvement politique, social, économique. Balivernes que tout cela ! Ce n'est pas le cas, du moins pour ce que j'en connais. Les membres considèrent les autres comme des personnes et essaient de les aider dans leur vie spirituelle afin de mieux les comprendre en tant qu'êtres humains. C'est tout ce que j'ai pu constater. Jamais un directeur de l'Opus Dei ne m'a demandé quoi que ce soit, par exemple ce que je pensais de telle ou telle question, de tel politicien. En qualité de membre de l'Opus Dei, on me laisse une totale liberté. »

Foix tenait à mettre les choses au point. « Vous savez, nous ne sommes pas des robots. Seulement des gens normaux. Ainsi, il y a des jours où je n'ai pas envie de travailler. Lorsque je croise une jolie femme dans la rue, j'éprouve les mêmes sentiments que vous. Le samedi, je me rends dans mon village natal pour m'occuper des oliviers et des vignes que mon père m'a légués à sa mort. Bref, je mène une vie normale et non une vie sous la férule de quelqu'un. »

Dans un sens, il est assez curieux que l'Opus Dei ait la réputation d'exercer sur ses membres un contrôle comparable à celui d'une secte pour la bonne raison qu'à la base il n'existe aucun autre groupe dans l'Église catholique qui insiste autant sur la liberté d'action que l'Opus Dei. Cette dernière insiste également sur la responsabilité personnelle que cette liberté sous-entend.

L'idée de base est la suivante : hormis la direction spirituelle et la formation doctrinale, on peut dire que l'Opus Dei n'a pas d'«ordre du jour». Ses membres sont parfaitement libres d'agir comme bon leur semble et de prendre pleinement leurs responsabilités dans les choix qu'ils font. Il ne s'agit pas là d'une entente que l'Opus Dei aurait décidée de son propre chef, mais d'une politique édictée par le Vatican depuis le décret de 1982 pris par la Congrégation des évêques. Celle-ci avait alors institué l'Opus Dei comme une prélature personnelle. L'article se lisait comme suit : «Dans les limites de la foi et de la morale catholiques, et selon les exigences de la discipline de l'Église, les fidèles laïques qui relèvent de la prélature jouissent de la même liberté que les autres catholiques et que les autres citoyens. Par conséquent, la prélature n'est responsable des activités professionnelles, sociales, politiques ou économiques d'aucun de ses membres.»

Dans l'exercice de leurs fonctions en qualité de professeurs, d'avocats ou de balayeurs, les membres de l'Opus Dei, du moins en théorie, sont responsables envers leurs supérieurs dans leur milieu de travail, mais jamais envers les directeurs ou le clergé de l'institution. De plus, l'Opus Dei n'est jamais censée profiter de la situation sociale de ses membres pour obtenir quelque faveur que ce soit au sein de l'Église ou dans le domaine séculier. «L'Opus Dei est une entreprise apostolique, a écrit Escrivá. Elle s'intéresse exclusivement aux âmes. Notre moralité ne nous permet pas de nous conduire comme un groupe d'entraide ou une société de mutualité.» Voilà aussi ce que l'Opus Dei entend par la «liberté de ses membres». Ces derniers doivent demeurer libres de résister à toute velléité que l'organisation aurait de prendre avantage d'eux.

Nul sujet concernant la vie interne de l'Opus Dei n'a été traité avec plus d'attention par Escrivá que la liberté de ses membres. Il a d'ailleurs abordé ce thème des dizaines de fois dans ses écrits et a réitéré ses positions avec une insistance que l'on ne trouve que rarement dans ses œuvres.

Par exemple, Escrivá écrivait : «Si nous tenons à conserver notre sainte liberté, il n'est aucunement question que l'Opus Dei puisse

jouer quelque sorte de rôle politique dans la vie d'un pays. Dans
l'Opus Dei, tous les points de vue et les approches permises par la
conscience chrétienne auront toujours leur place, mais, à ce chapitre,
il est impossible à nos directeurs d'exercer leur influence.» Escrivá
tournait en ridicule ce qu'il appelait la mentalité des partis uniques
se réclamant d'une pseudo-spiritualité. Il avait également coutume
de dire : «Dieu veut que nous le servions librement – *ubi autem
Spiritus Domini, ibi libertas* – ce qui veut dire : "Où se trouve l'esprit
du Seigneur se trouve la liberté." Un apostolat qui ne respecterait
pas la liberté de conscience serait certainement injuste.»

Dans cet ordre d'idées, il est possible que la plus célèbre
remarque ait été consignée dans une directive qu'Escrivá avait
préparée pour les administrateurs de l'Opus Dei, où il les invitait
à encourager les membres à être conscients de leur propre liberté.
«Si les directeurs devaient imposer des critères spécifiques dans
les affaires temporelles, disait-il, les membres qui ne sont pas de
cet avis se rebelleraient aussitôt – et à juste titre. J'aurais alors le
pénible devoir de bénir et de louer ceux qui refuseraient fermement
d'obtempérer, et de corriger avec une sainte indignation les
directeurs désirant exercer une autorité qu'ils ne pourront jamais
avoir.» Escrivá concluait : «La liberté personnelle et la responsabilité constituent les meilleures garanties de l'objectif surnaturel
de l'Œuvre de Dieu.»

Mgr Alvaro del Portillo, le successeur d'Escrivá, a confié un
jour au biographe Peter Berglar que le Fondateur ne faisait jamais
de commentaires politiques en public parce qu'il tenait à respecter
la liberté des membres de l'Opus Dei, car si le «Père» avait pris
position, de fortes pressions morales se seraient exercées sur tous afin
qu'ils s'alignent sur lui. Sa détermination à transcender les divisions
politiques était profonde. Par exemple, pendant la guerre civile
d'Espagne, il encourageait les jeunes avec lesquels il était en contact à
jouer au football dans des équipes dont les membres adoptaient des
positions politiques divergentes. Ainsi n'y avait-il jamais de bataille
de «Noirs» contre les «Rouges». Cela ne s'appliquait pas seulement
à la politique, mais aussi aux affaires et à tout autre secteur sujet

à la compétitivité. Bref, Escrivá a toujours insisté pour que l'Opus Dei demeure neutre.

Au sein de l'institution, il est parfaitement entendu que le rôle des prêtres et des directeurs laïques consiste à conseiller les membres à propos de leur vie spirituelle et à leur communiquer des connaissances sur la doctrine de l'Église catholique. Point final. On conseille aux prêtres de se garder de faire des commentaires politiques susceptibles de s'aliéner les personnes qui se confient à eux. La direction de l'organisation n'est pas censée poser de questions sur les choix personnels des membres ou sur leurs activités professionnelles. Un jeune étudiant actif dans l'Opus Dei avait un jour fait remarquer à Escrivá que personne ne lui avait posé de questions sur ses allégeances politiques, ce à quoi Escrivá avait répondu : « Au lieu de cela, attendez-vous à ce que l'on vous pose d'autres "questions embarrassantes". Ils vous demanderont si vous priez, si vous utilisez votre temps à bon escient, si vous pensez à faire plaisir à vos parents, si vous étudiez bien, car, pour un étudiant, étudier constitue un sérieux devoir d'état. »

Les membres que j'ai rencontrés m'ont généralement confirmé que c'est ainsi que les choses fonctionnaient, et j'ai pu vérifier ce fait à plusieurs reprises aux quatre coins du monde. Ils m'ont tous certifié qu'au sein de l'organisation personne ne leur demandait comment ils votaient, quelle approche ils privilégiaient dans leur travail ou comment ils géraient leurs finances personnelles.

Applications

Le député péruvien Rafael Rey est conservateur. On le considère généralement comme un opposant d'Alejandro Toledo, le président du Pérou, un homme de centre gauche. À une certaine époque, Rey s'était allié à Alberto Fujimori, dont on se souvient comme d'une sorte de despote. Rey est également un numéraire de l'Opus Dei. Ses déclarations politiques sont souvent tonitruantes, et bien des Péruviens sont persuadés qu'elles sont concoctées en étroite collaboration avec Mgr Juan Luis Cipriani, le cardinal de Lima, également membre de l'Opus Dei. À l'occasion de l'interview qu'il m'accordait dans ses bureaux de Lima, Rey m'a déclaré : « Personne ne m'a jamais parlé de politique dans l'Opus Dei. Ils m'ont parlé de formation spirituelle de la personne, de Dieu, de religion et de formation doctrinale. Ils mettent tout en œuvre pour que je me conduise de façon morale, en accord avec les enseignements du christianisme. C'est tout…

« Aucun responsable de l'Opus Dei ne m'a jamais demandé d'intervenir dans une question politique, précise Rey. Dans les centres de l'Opus Dei, nous ne parlons pas de politique, du moins pas dans un sens raisonneur, dit-il. Je connais beaucoup de gens qui, dans l'organisation, pensent différemment de moi. » En guise d'exemple, Rey nous mentionne un autre politicien péruvien, Rodrigo Franco Montes, qui, avant sa mort en 1987, causée par le mouvement terroriste du Sentier lumineux, était membre du parti de centre-gauche de l'ancien président Alan García. Montes avait aussi été numéraire du milieu des années soixante-dix au début des années quatre-vingt. Il démissionna pour se marier, mais demeura en bons termes avec l'Opus Dei. S'opposant fortement au mouvement de García, il se disputa à ce propos avec Montes à maintes reprises. Rey et Montes, qui vivaient dans le même centre de l'Opus Dei, ne discutaient jamais de politique en ces lieux. « Le Fondateur nous recommande de respecter la liberté des autres et nous prenons donc cela au sérieux », fait remarquer Rey.

Il ajoute que les avantages qu'il obtient de l'Opus Dei sont d'un tout autre ordre. « J'ai un caractère autoritaire, dit-il, et ceux qui détiennent le pouvoir me détestent. J'ai donc besoin d'aide pour me montrer patient et comprendre les autres. Je dois pardonner, reconnaître mes erreurs et mes défauts, et faire preuve de compassion. Voilà le genre de choses dont je discute avec les gens de l'Opus Dei, pas de mes opinions politiques. »

Les membres nous confirment qu'il en va de même avec le monde des affaires. Rafael López Aliaga est cadre supérieur chez Perurail à Lima et président d'une société du nom de Peruval Corp. S.A. Agrégé de l'Opus Dei, il prend soin de ses parents et de son frère qui souffre d'une maladie mentale exigeant d'onéreux soins médicaux.

López a grandi à Chiclayo, une ville de province. Il fit la connaissance de l'Opus Dei dans la dernière année de ses études secondaires, après s'être classé au premier rang des candidats aux études universitaires – des résultats qui lui valurent l'honneur des gazettes locales. C'est alors qu'un numéraire de dix-sept ans, sorti de nulle part, vint à l'usine de son père lui demander d'assister à un événement qui se déroulait à Piura, à cinq heures de la capitale. Même si López avait été impressionné par le dynamisme du jeune homme et était curieux d'en savoir plus long sur l'Opus Dei, il n'accepta pas l'invitation, car il avait lu un article accusant l'organisation d'être une sorte de pieuvre[1]. Finalement, il s'inscrivit à l'université de l'Opus Dei à Piura, surtout parce que l'université laïque était fermée pour cause de grève. Il se mit à lire les œuvres d'Escrivá et, après avoir passé un an à Piura, se mit à « siffler ».

López répète que jamais personne n'a essayé d'influencer sa carrière commerciale ou ne lui a demandé d'accorder un traitement de faveur à d'autres membres de l'Opus Dei. En réalité, il souligne qu'être affilié à l'organisation lui a causé un certain tort dans son travail, car, depuis vingt ans, tous les soirs, il consacre jusqu'à quatre heures à donner un coup de main au Sama, un centre de l'Opus Dei situé à Lima, où l'on offre des cours et des programmes de formation aux jeunes gens. Il dirige des colloques sur des questions de moralité, préside des « cercles ou réunions hebdomadaires pour des surnuméraires et des coopérateurs, organise des événements sportifs pour les garçons qui fréquentent le centre et donne gratuitement des cours de troisième cycle à des étudiants. Cela comprend un symposium annuel de neuf jours, destiné aux meilleurs étudiants péruviens. À ces cours s'ajoutent certains éléments du « plan de vie » de l'Opus Dei, où l'on invite les participants à assister quotidiennement à la messe, où l'on organise des séances de méditation, etc.

---

1. Jeu de mots plaisant. Pieuvre = *octopus* en latin et en anglais. Voilà pourquoi les détracteurs de l'institution appellent souvent celle-ci *Octopus Dei*, « Pieuvre de Dieu » au lieu d'« Œuvre de Dieu ». (N.d.T.)

« Ce qui est le plus frappant dans l'Opus Dei, c'est la priorité accordée aux questions spirituelles, m'explique López. Cette institution m'a permis d'être un cadre faisant preuve de plus de rectitude morale et d'honnêteté, de traiter mes employés et mes collègues comme des êtres humains et non comme de simples rouages de la machine. On m'a laissé libre de mon cheminement de carrière, libre de prendre des décisions sur des questions d'investissements et de recrutement de personnel ou concernant tout autre problème concomitant. Il est presque impensable que quiconque dans l'Opus Dei puisse influencer mes choix à ce chapitre. »

Pour prendre un exemple américain, je citerai celui de Doug Hinderer, un surnuméraire de l'Opus Dei qui est premier vice-président des ressources humaines dans l'Association nationale des agents immobiliers à Chicago. Son épouse Shirley et lui ont neuf enfants, ce qui n'est pas rare chez les membres de l'Œuvre où l'on favorise les familles nombreuses. Les garçons fréquentent Northridge Prep et les filles The Willows, deux établissements administrés par l'organisation. Hinderer dit volontiers que sa femme et lui aimeraient avoir davantage d'enfants, mais que, jusqu'à maintenant, ils n'ont pas eu la chance de pouvoir agrandir la famille. Le couple s'est consolé en adoptant un chien.

Hinderer insiste pour faire remarquer que personne dans l'Opus Dei ne l'a jamais conseillé sur son orientation de carrière même si, théoriquement, en passant du monde des affaires rentables à celui des occupations à but non lucratif, ses capacités de contribuer financièrement à la caisse de l'Œuvre en subissaient les conséquences. Il rappelle que les conversations qu'il a pu avoir avec le clergé ou les directeurs laïques de l'Opus Dei ne portaient que sur des questions de spiritualité.

« Même en confession, ils ne m'ont pas facilité les choses, et je respecte cela, remarque-t-il. Un prêtre m'a même dit un jour : "Ne me racontez pas de conneries !" Je fus très surpris d'entendre un religieux s'exprimer de cette façon, mais c'était ainsi, et il avait parfaitement raison. Voilà le genre de choses qui se passent dans l'Opus Dei... »

Cela ne veut pas dire qu'à l'occasion certains membres de l'organisation n'ont pas utilisé cette dernière comme une sorte de réseau de relations politiques ou d'affaires de manière à faire avancer leur carrière ou à atteindre tout autre objectif. Les gens qui connaissent l'Opus Dei savent toutefois que ce genre d'activités attire assez rapidement le mécontentement de ceux qui ont à cœur le concept de liberté. Prenons Andrew Reed. Il n'est pas membre de l'organisation. C'est le directeur du cours moyen à l'école de garçons The Heights, en banlieue de Washington, D.C. Il m'a rapporté la conversation qu'il avait eue en décembre 2004 avec un surnuméraire qui l'avait pris à part et lui avait recommandé d'adhérer à l'Opus Dei pour la raison que ce geste serait « bon pour sa carrière ». Reed me fit remarquer que cette personne avait finalement quitté l'Opus Dei en ce qu'il est convenu d'appeler de très mauvais termes. « Je crois qu'il n'avait pas vraiment compris de quoi il s'agissait », conclut Reed.

Les limites de la liberté

Toute cette rhétorique de la liberté peut sembler compliquée pour les profanes, car on a l'impression que l'Opus Dei agit comme une force monolithique dans les affaires ecclésiastiques comme séculières. Dans les questions d'Église, par exemple, Mgr Fernando Ocáriz, le grand vicaire de l'organisation, qui est aussi conseiller auprès de la Congrégation pour la doctrine de la foi, fut l'un des principaux auteurs d'un document publié en 2001 sous le titre *Dominus Iesus*, qui réaffirme la supériorité du catholicisme romain sur toutes les autres religions. Nul membre de l'Opus Dei, du moins publiquement, ne joua de rôle important dans la critique généralisée dont ce document fut l'objet. Des membres importants de l'Opus Dei, comme Russell Shaw ou le père John McCloskey, sont considérés comme appartenant à la droite catholique (ce qui ne veut pas dire qu'au sein de l'organisation ces personnes ou d'autres soient toutes d'accord sur tous les points). Il serait toutefois difficile de citer un seul membre de l'Opus Dei ayant une influence décisive sur la gauche catholique, du moins au cours des débats intra-muros de l'Église. Les deux seuls cardinaux opusiens qui existent, le cardinal Juan Luis Cipriani, de Lima, et le cardinal Julián Herranz, du Conseil pontifical pour l'interprétation des textes législatifs, bien qu'étant des personnalités différentes, peuvent être classés dans l'aile conservatrice du collège des cardinaux. Sur le plan de la politique séculière, il n'existe que peu de membres engagés dans des mouvements de gauche dans le monde, et le centre de gravité se situe nettement à droite.

Si l'on tient compte de ce que l'Opus Dei nous dit à propos de la liberté, comment est-ce possible? Le premier défi auquel l'organisation doit faire face, du moins dans ce débat, consiste à fournir une réponse crédible à cette interrogation.

Une partie de la réponse est sociologique. L'Opus Dei a le don d'attirer un certain genre de personnes et, en général, bien que des exceptions puissent se produire, des personnes pouvant être considérées comme «conservatrices» sur les questions ecclésiastiques comme politiques. Nul n'a donc besoin d'un comité central organisateur ou d'ordres tombant de haut. Il existe déjà un consensus général chez ces gens pour savoir quelles sont les questions importantes, les causes qui comptent et les moyens les mieux adaptés pour les faire avancer. Lorsque les membres sont «lâchés dans la nature» pour travailler à la transformation du monde séculier, ceux qui ont choisi de s'engager en politique ou dans les affaires publiques finiront toujours par pencher dans la même direction sans avoir à recourir à l'Opus Dei pour leur dicter des choix ou tenter de les influencer.

Deuxièmement, dans l'Opus Dei, il existe des limites très nettes à la liberté de pensée qui sont partie intégrante de l'enseignement de l'Église catholique. Dans une homélie intitulée «La liberté, un cadeau de Dieu», Escrivá expose le problème en ces termes : «Repoussez la déception de ceux qui veulent s'apaiser en criant de manière pathétique "Liberté! Liberté!" Ce cri masque souvent un tragique esclavage, parce que les choix fondés sur l'erreur ne libèrent pas. Il n'y a que le Christ qui nous libère, car il est la Voie, la Vérité, la Vie.» Les membres de l'Opus Dei ne se considèrent pas libres d'adopter des positions qui s'opposent à la foi et à la morale de l'Église. Vous ne trouverez pas, par exemple, un membre de l'organisation s'opposant aux enseignements de l'Église sur la régulation des naissances et l'avortement. Semblablement, ce même membre se gardera de soutenir que Dieu n'existe pas et que le Christ n'était qu'un simple prêcheur itinérant. Et ce n'est pas parce que les membres de l'institution se voient forcés d'adopter de telles positions ou qu'ils craignent de subir quelque traitement inquisitorial s'ils émettent ou publient des idées peu conformes à l'orthodoxie de l'Œuvre. C'est tout simplement que les personnes qui décident de devenir membres de l'Opus Dei sont généralement d'accord avec l'« équipe » en ce qui concerne l'enseignement de l'Église. De plus, ils sont attirés par l'organisation parce qu'il s'agit d'un endroit où ils ne seront pas en butte au scepticisme auquel ils doivent souvent s'attendre à faire face dans le monde séculier et même dans certains cercles catholiques.

Peut-être que la meilleure façon d'illustrer ce point se trouve dans la réponse que m'a faite Katie Doyle, de l'école Oakcrest, lorsque je lui ai demandé si elle pensait qu'un membre de l'Opus Dei pouvait se considérer « libre » de remettre en question les positions de l'Église sur le contrôle des naissances. « Si vous décidez de faire partie de l'Opus Dei, vous n'êtes certainement pas le genre de personne qui n'approuve que la moitié de ce que l'Église enseigne. Vous êtes déjà un catholique d'assez stricte observance… » a-t-elle répondu.

Une usine du fondamentalisme ?

En aparté, disons que la réponse de Katie Doyle fait ressortir un aspect de l'Opus Dei que l'on n'apprécie guère et que c'est sous ce rapport que se pose la question de la « liberté ». Vue de l'extérieur, l'Opus Dei présente souvent une image compacte de loyauté papale et d'adhérence à une lecture conservatrice de la doctrine catholique. Dans certains milieux, on a tendance à tenir pour acquis que l'Opus Dei est une « fabrique de fondamentalisme » agissant sur des esprits impressionnables et les faisant passer par une filière étroite.

Il existe sans aucun doute des gens qui se joignent à l'Opus Dei sans manifester de penchant intellectuel particulier et qui, après avoir subi la formation officielle de l'institution et s'être entretenus avec des membres, se retrouvent avec des idées conservatrices. D'un autre côté, il est fort probable que des gens, par avance conservateurs, se sentent attirés par l'organisation. En tel cas, selon des observateurs, la fréquentation de l'Œuvre raffermit leurs convictions. Mais l'insistance que l'on place constamment sur la notion de « liberté » tendra à les rendre plus tolérants envers ceux et celles dont les opinions sont contraires aux leurs. Même s'ils demeurent inflexibles, ils auront tendance à juger moins facilement les autres et à se montrer plus charitables. Par ailleurs, dans les limites du Catéchisme de l'Église catholique, existe une pluralité étonnante d'écoles de pensée et de démarches intellectuelles.

Après avoir étudié dans deux universités pontificales, Pia de Solenni, une laïque américaine qui travaille au Conseil de recherche sur la famille à Washington et qui n'est pas membre de l'Œuvre, a rédigé sa thèse de doctorat sur l'Université Santa Croce de Rome, administrée par l'Opus Dei. Voici ce qu'elle a observé : « Je suis d'accord. On peut dire que Santa Croce est un établissement conservateur, mais une fois sur place, vous vous apercevez qu'on y trouve des thomistes, des phénoménologues, des néo-platoniciens. Il est vraiment intéressant de constater qu'autant de courants de pensée peuvent cohabiter dans le même établissement. C'est remarquable, je pense, car je n'ai jamais vu cela ailleurs. Ils ne manquent pas de s'accrocher à l'occasion de conférences ou dans les revues spécialisées, mais c'est ce que vous êtes censé faire lorsque vous vous intéressez un tant soit peu à la vie intellectuelle. »

Pour prendre un exemple, à la fin de 2004 et au début de 2005, le monde était une fois de plus divisé sur le débat portant sur les ravages du sida et le port du préservatif masculin. À la Conférence des évêques espagnols on avait suggéré que les condoms puissent faire partie d'une stratégie pour lutter contre le VIH. Curieusement, les deux secteurs d'opinion qui semblèrent les plus aveuglés par cette bombe furent les catholiques d'extrême droite et les médias séculiers. Pour des raisons différentes, les deux groupes associaient l'Église à une condamnation irréversible et absolue des préservatifs. Bien des moralistes catholiques et bien des têtes dirigeantes au Vatican auraient tendance à penser que, dans le cas où une situation ou une conduite immorales risquerait de se concrétiser de toute façon, l'utilisation d'un préservatif pour prévenir la transmission du sida pourrait être envisagée comme un « moindre mal ».

La voix qui formula cette opinion n'était nulle autre que celle de Mgr Angel Rodríguez Luño, un prêtre de l'Opus Dei, professeur à l'Université Santa Croce de Rome et conseiller pour la Congrégation pour la doctrine de la foi. « Le problème est qu'à chaque fois que nous tentons de fournir une réponse nuancée, nous voyons des journaux qui titrent : "Le Vatican approuve les préservatifs !" a déclaré Mgr Luño au *Washington Post* le 23 janvier 2005, mais la question est plus compliquée que cela. D'un point de vue moral, nous ne pouvons encourager la contraception, par exemple en déclarant devant une classe d'adolescents de seize ans qu'ils devraient utiliser des préservatifs. Mais si nous avons affaire à quelqu'un ou si nous nous trouvons devant une situation où des personnes vont clairement agir de manière dangereuse, par exemple lorsqu'une prostituée a la ferme intention de poursuivre ses activités, quelqu'un peut dire : "Stop ! Mais si vous n'avez toujours pas l'intention d'arrêter, faites au moins cela…" » Avoir des relations sexuelles hors des liens du mariage contrevient déjà au sixième commandement, fait remarquer Mgr Luño. Des relations non protégées dans les mêmes conditions risquent aussi de contrevenir au cinquième commandement, qui nous ordonne de ne pas tuer. En fait, Mgr Rodríguez Luño fait une distinction entre le principe et la casuistique, cette partie de la théologie qui s'occupe des cas de conscience et permet d'appliquer les principes à des cas particuliers. L'évêque savait aussi pertinemment que ni le pape ni aucun organisme du Vatican n'avait jamais évoqué la question spécifique consistant à savoir si, dans un contexte de sida, le préservatif pouvait se justifier en tant que moindre mal. Il s'agissait là d'un argument subtil qui eut le don de surprendre et de consterner les conservateurs.

Constater sur un certain temps le genre de pluralisme que De Solenni décrit et que Mgr Rodríguez Luño illustre a généralement pour effet d'«arrondir les angles» chez des gens dont, au départ, le point de vue est assez rigide. En d'autres termes, on peut assez souvent argumenter qu'au lieu de créer des fondamentalistes, l'Opus Dei finira par les convertir. Si cela fonctionnait ainsi, nous serions en plein dans l'optique d'Escrivá qui, en 1965, mentionnait dans une lettre vouloir que les membres de l'Opus Dei fassent preuve de largesse d'esprit. «On doit toujours reconnaître ce qui est bon chez les autres, ne jamais nous laisser enserrer dans l'optique étroite d'une clique, mais nous afficher comme des hommes et des femmes au cœur ouvert et universel.»

Des modèles différents

À un niveau plus profond, la raison pour laquelle le monde extérieur s'efforce de prendre au sérieux ce que l'Opus Dei peut avoir à dire sur la liberté, c'est qu'à l'issue des conversations il ressort souvent deux différents modèles de liberté. Dans la plupart des courants de pensée séculiers, la liberté est comprise en des termes que les philosophes appellent «volontaristes», un qualificatif faisant allusion à l'attitude de quelqu'un qui pense pouvoir soumettre le réel à sa volonté. Quelqu'un est «libre» lorsqu'il n'existe pas de contraintes externes à sa liberté d'action, lorsqu'il peut, en réalité, faire ce que bon lui semble. Dans ce sens, si quelqu'un ne peut pas prendre position en faveur du contrôle des naissances tout en faisant partie de l'Opus Dei, cette personne n'est pas pleinement «libre».

Au sein de l'Opus Dei, ce que l'on entend fréquemment par «liberté» constitue quelque chose de différent. On y favorise volontiers une ancienne démarche aristotélicienne et thomiste selon laquelle la liberté n'est pas forcément bonne en soi. La liberté dépend de la vérité. Ainsi, la personne réellement libre ne fait pas vraiment ce qu'elle veut, mais agit selon les desseins de Dieu afin de permettre aux humains de véritablement s'épanouir. Si l'on veut faire appel à un vieux cliché, disons que l'alcoolique n'est pas «libre» parce qu'il prend un verre lorsqu'il en ressent le besoin. Il ne sera libre que lorsqu'il arrêtera de boire, même si ce n'est pas précisément ce qu'il souhaite à cet instant précis.

Dans une homélie sur la liberté, Escrivá écrivait :

Voyez-vous, la liberté ne prend sa véritable signification que lorsqu'elle est mise au service de la vérité qui nous rachète; lorsqu'elle s'applique à la recherche de l'amour infini de Dieu, libératrice de toute forme d'esclavage. Chaque jour qui passe accroît mon désir de célébrer aux quatre vents ce trésor inépuisable de la chrétienté : la glorieuse liberté des enfants de Dieu. C'est essentiellement ce que signifie l'expression «bonne volonté»; elle nous incite à rechercher le bien après l'avoir distingué du mal. [...] Mais il y a des gens qui ne comprennent toujours pas. Ils se révoltent contre le Créateur dans une rébellion triste, mesquine, impotente et répètent aveuglément cette plainte que l'on retrouve dans les Psaumes : «Brisons les chaînes de notre servitude, libérons-nous de leur pénible labeur.» Ces gens s'esquivent devant les difficultés de la tâche journalière qu'ils devraient accomplir dans un silence héroïque et avec naturel, sans ostentation et sans se plaindre. Ils n'ont pas encore réalisé que, même lorsque la volonté de Dieu semble douloureuse et ses impératifs mutilants, cela coïncide parfaitement avec notre liberté, celle que l'on ne trouve exclusivement que dans Dieu et dans ses projets.

Pour s'exprimer comme un Opusien italien de mes connaissances : «*Abbiamo libertà, si, ma libertà dentro un impegno.*» («Nous avons la liberté, certes, mais la liberté dans un engagement.»)

S'il existe de l'incompréhension quant à la «liberté» dans l'Opus Dei, la raison n'est pas tant que les critiques racontent des histoires et que l'Opus Dei dit la vérité ou vice-versa, c'est que les deux parties utilisent le même terme – «liberté» –, mais qu'elles lui donnent une signification différente. Bien sûr, le modèle aristotélicien ou thomiste n'est pas seulement le concept de liberté de l'Opus Dei, mais une notion au cœur d'une réflexion catholique beaucoup plus traditionnelle. Pourtant, bien que l'Opus Dei ait tendance à faire figure d'exemple typique pour les gens de l'extérieur qui se font un point d'honneur de comprendre son fonctionnement, le fardeau de la preuve retombera sur elle de manière disproportionnée afin que l'organisation trouve des moyens d'expliquer à une culture dont les points de départ sont très différents ce qu'elle entend par liberté.

CHAPITRE 6

LA FILIATION DIVINE

L'une des anecdotes relatives aux débuts de l'Opus Dei a trait à un parcours en tramway qu'Escrivá fit à Madrid en 1931, trois ans seulement après la vision qu'il avait eue le fameux jour de la fête des saints Anges gardiens, une date que l'on peut considérer comme celle de la naissance de l'institution. Ce jour-là, Escrivá était en train de lire son journal lorsque, soudainement, il fut envahi par une illumination divine si irrésistible qu'il ne put s'empêcher de crier : «*Abba*! Père! Père!» *Abba* est un mot araméen, la langue dans laquelle Jésus s'exprimait, que l'on pourrait littéralement traduire par «papa». Entre parenthèses, c'est l'un des rares mots non traduits par les auteurs du Nouveau Testament qui, généralement, écrivaient en grec.

Inutile de dire que les passagers du tram furent surpris par ces éclats de voix, mais cela ne dérangea pas le prêtre qui décrivit ce qu'il ressentait à cet instant comme une impérieuse prise de conscience, un sentiment d'appartenir à la descendance directe de Dieu, ce qu'en langage religieux on appelle une filiation divine. L'idée est qu'en nous créant Dieu fit de nous ses créatures, mais qu'en nous rachetant par l'intermédiaire de Jésus sur la croix, il fit de nous ses filles et ses fils adoptifs. Cela signifie que nous sommes donc directement des «enfants de Dieu», avec tout l'amour et la tendresse que cette relation sous-entend.

Dans l'Opus Dei, on trouve particulièrement significatif que cette révélation ait pu avoir lieu non dans un monastère ou une cathédrale, mais dans un tramway bondé de gens vaquant à leurs occupations habituelles. Cet événement souligne le fait qu'une telle révélation a eu lieu dans le monde pour faire ressortir la vérité à propos de ce dernier. Ainsi qu'Escrivá devait le consigner plus tard dans ses écrits : « La rue ne nous empêche pas d'avoir un dialogue contemplatif avec Dieu, car, pour nous, aussi agité soit-il, le monde est précisément l'endroit où nous prions. »

Pour Escrivá, cette sensation d'être un enfant chéri de Dieu constitue un concept de base, une idée en fait si importante qu'un jour, au cours d'une méditation (une réflexion sur un texte des Évangiles), entendant un jeune prêtre dire que les fondations spiri-tuelles d'un membre de l'Opus Dei étaient l'humilité, le Fondateur l'interrompit et s'exclama : « Non, mon fils, c'est la filiation divine ! » Plus tard, Escrivá reformula cette remarque en ces termes : si la sécularisation et la sanctification sont les structures de l'Opus Dei, la filiation divine en constitue les fondations. Dans la biographie d'Escrivá de Peter Berglar, on découvre que le Père passait de longues heures devant la statue de l'enfant Jésus au couvent Sainte-Isabelle de Madrid, où il était aumônier. Il méditait alors sur son état d'enfant de Dieu, comme le Christ l'était lui-même.

À un certain niveau, le concept de filiation devrait conférer à ceux qui le prennent au sérieux une remarquable sérénité, leur donner confiance et les animer d'un sentiment de fierté. Et si nous sommes tous descendants d'Adam, nous sommes avant tout les enfants de Dieu, ce qui veut dire qu'en fin de compte tout est destiné à finir pour le mieux. Escrivá a écrit : « Cherchez le réconfort dans la filiation divine. Dieu est votre refuge, un havre où vous pourrez jeter l'ancre, peu importe ce qui perturbe la surface des eaux de votre vie. » Un numéraire américain de l'Opus Dei m'a expliqué que, si nous devions traduire le concept de filiation divine d'Escrivá dans le langage des jeunes d'aujourd'hui, abreuvés de cinéma, nous l'exprimerions en des termes tels que ceux-ci : « Hé ! mec, t'en fais pas. Rien ne peut merder. Sais-tu seulement qui est mon père ? »

Au cours d'une interview en décembre 2004, Mgr Fernando Ocáriz, grand vicaire de l'Opus Dei, expliquait comment il concevait la filiation divine.

« Cette idée devrait constituer une vérité pour tous les chrétiens, car elle n'est pas spécifique à l'Opus Dei, a-t-il commencé. Elle est spécifique pour la bonne raison que saint Josemaría nous a incités à faire de ce concept le centre de notre conscience chrétienne. Que signifie donc cette idée ? Fondamentalement, que nous devrions mener une vie de prières perpétuelles et non de prières à des moments déterminés. Cette idée favorise une sorte d'instinct surnaturel nous permettant de nous adresser à Dieu, de lui demander de nous aider, de le remercier de ses bienfaits et de lui demander pardon pour nos péchés et nos faiblesses avec sérénité et confiance. L'esprit de filiation comprend une confiance dans le Seigneur, ce qui veut dire que nous ne considérons pas le Très-Haut avec "crainte", dans le sens négatif du terme, et pas selon l'inébranlable concept biblique de "crainte du Seigneur", qui signifie respect et affection, mais avec la "crainte" d'offenser Celui que nous aimons. Dans la vie spirituelle, cela nous donne un climat de sérénité, de calme, de confiance. »

Mgr Ocáriz soutient que le concept de filiation divine a également des conséquences sur la manière dont le travail est effectué. « Peu importent les circonstances, dit-il. Cela nous pousse à considérer notre travail comme quelque chose de très personnel. C'est le message de notre Fondateur. Même pour l'employé d'une grande société où l'ouvrage est distribué par de tierces personnes (et, dans ce cas, l'opération peut demeurer très anonyme), en fin de compte, la tâche qui lui est confiée demeure toujours la sienne, parce que ce travailleur accomplit les choses de Dieu. D'un point de vue humain, il n'est le patron de personne et ne décide pas lui-même de ce qu'il doit accomplir. Pourtant, c'est son travail, parce que, finalement, c'est le travail de Dieu. »

Mgr Ocáriz a tenu à préciser une implication finale : « À la lumière de nos propres limites et de nos propres échecs, l'idée de filiation divine comprend également une conversion. La filiation divine crée un climat de retour au Seigneur avec confiance et spontanéité. D'un point de vue dogmatique, il ne s'agit pas d'idées originales, mais le fait de les mettre en pratique au cœur de la chrétienté constitue la partie la plus difficile. »

Escrivá lui-même, dans ses écrits et lors de ses sermons a semblé définir cinq conséquences principales du concept de filiation divine.

- Primo. Être fils ou fille de Dieu signifie que chaque chrétien est, dans un certain sens, *ipse Christus*, ou le « Christ en personne ». Par conséquent, tout ce qu'entreprend un chrétien contribuera donc à la rédemption du monde. Comme nous l'avons vu, pour Escrivá ceci ne fait pas seulement allusion au drame de la Semaine sainte, mais aussi à ces longues années que Jésus a passées dans l'atelier de Joseph. Lorsque, par exemple, le Christ fabriquait une table, cet acte faisait également partie de la rédemption de toute réalité créée. Entre autres, on peut en déduire que ce qu'il créait était de toute évidence un excellent meuble. Cela suppose une attention méticuleuse aux détails. Dans la perspective de la filiation divine, même les tâches les plus ordinaires, les plus prosaïques prennent une signification transcendante.

- Secundo. Être enfant de Dieu a aussi des conséquences sur le plan de l'éthique. Si un chrétien est un autre Christ, cela implique l'obligation de se conduire de manière morale. Jean-Paul II appelait cela l'« anthropologie chrétienne ». Dès que vous réalisez ce qu'est véritablement la vie humaine, c'est-à-dire qu'elle vous fait fils ou fille de Dieu, cela transmet à votre vie une dignité qui, entre autres, établit les limites de ce que vous pouvez faire de votre existence. C'est ainsi que l'avortement, le clonage ou l'euthanasie sont moralement inacceptables, non parce que l'Église l'a décidé ou que ces actes peuvent avoir des conséquences négatives, mais parce qu'ils impliquent un manque de conscience par rapport à la dignité intrinsèque de la vie. De manière plus fondamentale, chaque interaction avec une autre personne constitue une rencontre avec un enfant de Dieu. Par conséquent, on doit traiter les autres avec respect et compassion.

- Tertio. La filiation divine déborde sur ce que l'Opus Dei appelle l'apostolat, ce qui, à une époque moins obnubilée par la rectitude politique, était connu sous le nom de «prosély-tisme». Chaque être humain étant fils de Dieu, étant un autre Christ, on se rend davantage compte des enjeux en cause; on vit pleinement ce que l'on est et l'on ne s'en porte que mieux. «Gagner des âmes» pour le Christ, pour l'Église et, si possible, pour l'Opus Dei, représente donc une priorité.

- Quarto. Prendre conscience de notre filiation divine devrait produire le bonheur, une vie véritablement satisfaisante reposant sur une évaluation réaliste de la condition humaine plutôt que sur une euphorie momentanée. «Notre route est une route de joie, d'amour fidèle au service de Dieu, a écrit Escrivá. Notre joie n'est pas le rayonnement chaleureux d'un sourire candide traduisant une sorte de bien-être. Ses racines sont plus profondes. […] La joie est la conséquence normale de la filiation divine : ne savons-nous pas que nous sommes aimés de Dieu notre Père, qui nous accueille, nous aide et nous pardonne toujours?» C'est pour cette raison que ceux qui visitent les centres de l'Opus Dei sont généralement frappés par la gaieté et la joie qui se dégage de ces lieux. Nombre de personnes trouvent cela impressionnant et communicatif, mais les critiques rétorquent qu'il s'agit proba-blement d'une gaieté de commande, pour la façade.

- Quinto. Escrivá a établi le lien entre le concept de filiation divine et une réalité plus profonde, celle de la Croix. Il eut cette réflexion sur son «illumination» de 1931 : «Seigneur, vous avez fait en sorte qu'il me soit donné de comprendre que porter la croix signifiait trouver la joie et le bonheur. Avec une plus grande clarté que jamais, je suis en mesure de percevoir que la croix signifie que je m'assimile au Christ, que je suis le Christ, un fils de Dieu.» Ce lien entre la filiation divine et la croix du Christ était fondamental pour Escrivá. Si, aux termes de quelque mystérieux dessein, nous sommes d'autres Christ, d'autres fils et filles de Dieu, nous sommes donc également destinés au calvaire. Escrivá disait à ce propos :

Pour l'amour de Dieu, purifiez vos intentions dans votre travail en portant avec joie votre croix quotidienne. Je l'ai répété mille fois, car je crois que ces idées doivent demeurer gravées dans le cœur des chrétiens. Nous ne nous limitons pas à tolérer l'adversité. Nous nous engageons à l'aimer, tout comme nous aimons les souffrances morales et physiques. Nous les offrons à Dieu en réparation de nos péchés personnels et de ceux du genre humain, et je puis vous assurer que la douleur ne vous broiera pas. En tel cas, on ne porte pas n'importe quelle croix; on découvre la croix du Christ, avec la consolation de savoir que c'est le Rédempteur qui s'offre pour en supporter le fardeau.

Dans ce sens, Escrivá suggérait même que chaque chrétien était en quelque sorte un « corédempteur », ce qui signifie que chaque chrétien coopère et participe à l'œuvre de rédemption du monde par le Christ. Escrivá a résumé cette réalité dans *Chemin de croix*. « Dieu est mon père, même s'il m'envoie des souffrances. Il m'aime tendrement alors même qu'il me blesse. Jésus souffre pour accomplir la Volonté du Père. [...] Et moi qui veux aussi accomplir la très sainte volonté de Dieu en marchant sur les traces du Maître, pourrais-je me plaindre si je rencontre la souffrance comme compagne de route ? Elle sera le meilleur signe de ma divine filiation puisqu'il me traite comme son divin Fils. »

Applications

J'ai rencontré Manuel Jesus Saavedra, cinquante-quatre ans, dans son salon de coiffure pour hommes dans le centre-ville de Lima. Saavedra, originaire des plateaux andins au nord du pays, a été coiffeur dans la marine péruvienne pendant seize ans avant de s'installer à son compte. Il n'est pas membre de l'Opus Dei, mais, depuis 2002, il s'est montré un coopérateur enthousiaste. Par contre, un de ses fils est membre de l'organisation. Au-dessus du miroir, devant son fauteuil de barbier, on trouve une photo d'Escrivá que ses clients peuvent regarder pendant qu'il leur coupe les cheveux. Il me fait remarquer que ce portrait lui donne souvent l'occasion d'avoir de très intéressantes conversations sur des questions de foi et de spiritualité.

J'ai demandé à Saavedra ce que la filiation divine signifiait pour lui.

« Elle m'enseigne à aimer les gens, parce que ce sont des enfants de Dieu, a-t-il répondu. Avec moi, le client ne reçoit pas qu'une vingtaine de minutes de mon temps et une bonne coupe de cheveux. J'essaie aussi de lui consacrer quinze ou vingt minutes afin de lui parler, de le découvrir un peu, de lui faire partager ma vision du monde. Lorsque j'ai commencé à agir ainsi, je pensais que les gens ne voulaient pas parler de Dieu, mais j'ai appris que c'était le contraire et qu'ils y tiennent vraiment. Je n'essaie pas de convertir qui que ce soit. J'espère seulement que certaines choses les feront réfléchir. »

Saavedra mentionne que certains clients se montrent très critiques en voyant la photo d'Escrivá dans son salon. Au Pérou, l'Opus Dei a souvent été l'objet de vives controverses, particulièrement lorsque l'opinion publique l'associa au cardinal de Lima, Juan Luis Cipriani, et au politicien Rafael Rey, deux conservateurs au verbe haut, à propos desquels les opinions sont très partagées. « Je suis heureux que l'on me fasse part de ces choses, me dit Saavedra, parce que cela me donne l'occasion de répondre. » Son salon étant installé dans un quartier ouvrier peuplé surtout d'indigènes parlant le quechua, il entend souvent dire que l'Opus Dei est réservée aux Blancs, aux riches et aux gens aux cheveux blonds. Il leur répond alors qu'il a un fils à la peau aussi sombre que lui, qui vit dans un quartier défavorisé, mais qui n'en est pas moins membre de l'Œuvre. Revenant à la filiation divine, notre coiffeur me rappelle que nous sommes tous des enfants de Dieu et qu'il faut aimer tout le monde.

Il me souligne que le concept consistant à considérer son travail comme un moyen de racheter le monde est des plus importants pour lui et sa famille, car ses fils sont également coiffeurs. « Je veux mourir les ciseaux à la main », conclut-il.

Marlies Kücking dirige le Conseil consultatif central, l'organisme de l'Opus Dei qui administre la section féminine de l'Œuvre. On peut dire que Marlies est la femme la plus haut placée dans la structure hiérarchique. Elle vit à Rome depuis 1964 et a vu beaucoup d'eau couler sous les ponts du Tibre. Ainsi, elle a occupé le poste de préfète des études en 1965. C'est à elle que María del Carmen Tapia, qui travaillait à la Villa Sacchetti et qui, plus tard, fut directrice régionale pour les femmes au Venezuela, faisait ses «confidences» (c'est-à-dire des séances hebdomadaires d'orientation spirituelle par les directeurs) lorsqu'elle fut rappelée à Rome. Ces événements furent le prélude au départ de María del Carmen Tapia en 1966, après huit mois d'un traitement que la réprouvée n'avait pas hésité à qualifier d'«assignation à résidence». Mme Carmen Tapia se rappelle d'ailleurs que Marlies Kücking l'avait accusée à cette occasion de faire preuve d'un «orgueil exacerbé».

J'ai donc interviewé l'influente Marlies Kücking le 25 novembre 2004, jour de l'Action de grâces aux États-Unis, mais jour comme un autre en Europe. Cette administratrice, une Allemande, m'a raconté comment elle avait découvert l'Opus Dei au cours d'un voyage universitaire qu'elle avait entrepris dans la Ville éternelle en 1954. Une jeune femme appartenant à la section féminine qui résidait à la Villa Sacchetti, le siège social où Marlies a aujourd'hui ses bureaux, lui expliqua comment il était possible de trouver Dieu au milieu du monde. Élevée dans une famille catholique assez traditionaliste, elle fut bouleversée par cette idée. «Pour prier, je pensais qu'il fallait se trouver dans une église ou dans une procession… Mais prier dans la rue? Cette idée ne me quitta pas.» Marlies Kücking «siffla» donc à dix-huit ans. Elle n'en parla pas à sa mère, mais sa famille réalisa que «quelque chose avait changé» dans son comportement lorsqu'elle commença à aller à la messe tous les jours et cessa de fréquenter les cinémas et les festivités habituelles de la jeunesse. Ses parents s'inquiétèrent d'autant plus qu'à l'époque, en Allemagne, les jeunes gens n'étaient pas majeurs avant vingt et un ans, ce qui, en théorie, permettait à la famille de la faire attendre trois ans avant qu'elle n'adhère à son nouveau genre de vie. En octobre 1956, ils se rendirent chez un sympathique prêtre de l'Opus Dei qui se contenta de s'enquérir de sa quête intérieure.

Le siège social de Rome demanda à Marlies et à deux autres numéraires allemandes d'ouvrir un centre. Elles découvrirent à

Cologne un immeuble en ruine qui avait été endommagé pendant la guerre. Quatre ou cinq familles l'avaient squatté et comme elles n'avaient jamais nettoyé, leurs conditions de vie étaient absolument sordides. Lorsque les gens parlent de la « richesse » de l'Opus Dei, Marlies évoque ces images du passé. Au départ, deux numéraires vivaient au centre, une Mexicaine et elle-même, et leurs problèmes économiques étaient des plus sérieux. Elle se souvient qu'un certain samedi elle n'avait aucune idée d'où allait venir la nourriture des prochains jours, mais, grâce à un heureux concours de circonstances, les choses finirent par s'arranger. Elle m'expliqua que cette expérience lui enseigna ce que la filiation divine signifiait véritablement, soit un complet abandon à la Providence et une pleine confiance en Dieu.

Pour cette femme, la filiation divine est à la base de tout, dans l'Opus Dei comme dans sa spiritualité personnelle.

« Nous sommes les fils et les filles de Dieu, non seulement lorsque nous prions, mais lorsque nous plaisantons, prenons du bon temps, mangeons, bref à chaque instant de notre vie, constate-t-elle. De toute évidence, cela nous donne des forces, nous ouvre de nouvelles perspectives, nous prépare à accepter ce que Dieu décide de nous envoyer. Selon l'"esprit de l'Œuvre", nous devons accepter chaque épreuve dans la joie. Afin de vivre en digne fille de Dieu, il me faut aussi vivre dans ce monde et je dois faire en sorte que ce dernier se rapproche du Créateur. Non seulement cette idée m'encourage-t-elle à travailler, mais elle m'incite à faire de mon mieux, parce que chaque tâche comporte à l'arrière-plan cet objectif immense et éternel. »

Au chapitre 3, je vous ai brièvement présenté Diane Lechner, une surnuméraire de la région de Chicago, mère de sept enfants, soit quatre garçons et trois filles. Jusqu'à ce que sa progéniture ait acquis une certaine autonomie, elle était ce qu'il est convenu d'appeler une mère au foyer. Elle m'a expliqué comment, avec sept enfants remuants dans une maison, elle avait eu du mal à se ménager du temps pour la spiritualité. Après avoir réfléchi sur ce qu'Escrivá avait écrit sur la filiation divine, elle a décidé que Dieu aurait toujours priorité. Cela l'encourage à se ménager des plages de prières et de méditation selon les « normes » faisant partie des devoirs quotidiens de tous les membres de l'Opus Dei. Elle a découvert ainsi que, lorsqu'elle appliquait cette méthode, ses autres tâches de mère trouvaient automatiquement leur place. « Si j'avais donné priorité aux couches, je n'aurais jamais pu me conformer aux normes, dit-elle, mais si je me livrais à de saintes lectures et priais en premier, toutes les pièces du puzzle s'emboîtaient. »

Edna Kavanagh nous donne un aperçu de la manière dont les membres de l'Opus Dei appliquent le concept de « filiation divine » pour rejoindre autrui et faire ce qu'on appelle de l'apostolat. Edna est une citoyenne du monde. L'un de ses grands-pères est anglais, l'autre espagnol, et ses parents se sont rencontrés en Argentine, à Buenos Aires, où elle est née. Elle a émigré en Europe en 1959 après s'être rendue à Amsterdam comme membre de l'équipe féminine argentine de hockey sur gazon, qui participait cette année-là au Championnat du monde. Son équipe ne remporta qu'un match, mais s'amusa beaucoup, et Edna se fixa au pays des tulipes pour devenir finalement une femme d'affaires redoutable dans une maison d'import-export. Elle prit la nationalité néerlandaise en 1967.

Elle entendit parler de l'Opus Dei aux Pays-Bas lorsqu'un des membres de l'organisation lui demanda de prononcer quelques allocutions devant des groupes de femmes appartenant à des professions libérales. Elle venait alors de se voir décerner le titre de Femme d'affaires de l'année 1984. L'insistance de l'Opus Dei sur la sanctification du travail lui plaisait d'autant plus qu'elle était catholique pratiquante et une professionnelle estimée. Elle devint donc finalement surnuméraire. Je l'ai rencontrée en mai 2004 au centre de pèlerinage de Torreciudad, en Espagne, où elle participait à un atelier annuel de surnuméraires féminines.

À l'époque où Edna Kavanagh devint membre de l'Opus Dei, vers les années soixante-dix et quatre-vingt, la communauté catholique néerlandaise était considérée comme très libérale et l'organisation était source de controverses. « Quand j'abordais le sujet, je remarquais que les gens étaient moins ouverts et qu'ils attendaient l'occasion de me dire quelque chose ou de me poser une question de nature presque toujours insidieuse.» Ayant étudié le droit et possédant un profond sens de la justice, elle estimait ces attaques contre l'Opus Dei non fondées. Par exemple, on lui demanda pourquoi elle tenait tant à prier chaque jour alors qu'il lui aurait été plus facile d'entrer chez les Carmélites. Une telle éventualité aurait d'ailleurs été plus facilement acceptée par ses amies catholiques. Pourtant, cette femme d'affaires persévéra dans l'Opus Dei, car elle pensait toujours être capable d'harmoniser son travail professionnel avec la pratique de sa spiritualité.

Par contre, l'idée d'«apostolat», qui consiste à répandre la foi en recrutant des adeptes, se révéla plus difficile. Edna soutient que sa compréhension de la filiation divine est ce qui lui a permis de persévérer.

« Je pensais qu'il serait très difficile de faire de l'apostolat avec des particuliers, précise-t-elle. C'est une chose que de se lever et de prononcer une allocution sur quelque sujet relatif à la foi, mais beaucoup plus difficile de parler aux gens, de s'ouvrir à eux, de leur exposer votre vie intérieure afin qu'ils puissent – du moins l'espérez-vous – reconnaître qu'ils sont enfants de Dieu.» Selon de nombreux membres de l'Opus Dei, c'est dans cet aspect prosélyte que se trouve la signification profonde du mot apostolat, un terme lié à l'amitié personnelle et à la sincérité. Si quelqu'un essaie de vivre comme un enfant de Dieu dans le sens où l'Opus Dei l'entend, pendant que l'amitié prend forme, l'occasion se présentera naturellement de partager ce que cette identité suppose.

« Soudainement, vous prenez conscience que si vous demeurez disponible pour ce que Dieu exige de vous, il vous facilite la démarche, remarque Edna. Il place des gens sur votre route. Je pensais devoir seulement frapper à une porte et dire : "Coucou, me voilà !" ou quelque chose de ce genre. En fait, les occasions se présentent simplement au fil de vos rencontres professionnelles, de vos amitiés, pour aider les gens à voir qu'ils sont vraiment sous l'éclairage de l'amour divin. C'était relativement neuf et cela a pris des dimensions considérables. Maintenant que je suis à la retraite, je passe mon temps à pratiquer l'apostolat en groupe, en famille, un peu partout dans le pays. »

Le père Soichiro Nitta, le vicaire régional de l'Opus Dei au Japon, m'a raconté lors d'un déjeuner dans une trattoria de Rome qu'il pensait que le concept de filiation divine est peut-être la contribution la plus importante de l'Opus Dei à la culture japonaise.

« Après la Seconde Guerre mondiale, la figure du père a disparu de la famille japonaise, explique-t-il. Le père représentait le personnage de forte autorité qui, en plus d'être un parent, était quelqu'un qui vous aimait envers et contre tout. Les concepts d'autorité et d'amour inconditionnel se trouvaient donc intimement mêlés. Après la guerre, on assista cependant à une vive réaction contre l'autoritarisme et toute manifestation susceptible de rappeler l'ancien régime. L'idée d'égalité faisait son chemin.

« Le concept du père aimant, dictant ses commandements et s'attendant à ce qu'on lui obéisse – en d'autres termes le concept chrétien de la paternité de Dieu –, est très difficile à comprendre pour les Japonais. L'Opus Dei a donc quelque chose à offrir avec cette idée, si centrale dans l'œuvre de saint Josemaría. Peut-être pouvons-nous contribuer non seulement à la spiritualité de notre peuple, mais aussi à la santé de la famille japonaise, qui n'est pas en très bon état. »

En passant, disons que Soichiro Nitta est l'un des neuf prêtres japonais de l'Opus Dei en terre nippone. Il précise que, s'il n'existe pas véritablement de version vraiment « japonaise » de l'organisation, puisque les idées de cette dernière sont universelles, il existe au moins une coutume qui n'est pas respectée dans les centres de l'Opus Dei de son pays, soit porter des chaussures dans la maison. « Je trouve cela difficile à Rome, dit ce prêtre. Chaque fois que je rentre dans ma chambre à la Villa Tevere, la première chose que je fais est de les ôter... »

Les défis à relever

Escrivá a défini deux conséquences, en quelque sorte concurrentes, relevant de la filiation divine : 1) le respect de tous les êtres humains, peu importe qui ils sont ou ce qu'ils pensent, car nous sommes tous des enfants de Dieu ; 2) un désir apostolique permettant, dans l'optique de la foi catholique romaine, d'aider les gens afin que ceux-ci répondent de manière plus délibérée à ce que l'on est en droit d'attendre de leur dignité. Cette situation crée un équilibre précaire entre accepter les gens tels qu'ils sont et les guider vers ce qu'ils pourraient être. En soi, cette tension n'est pas unique à l'Opus Dei et, de bien des manières, cela fait partie de la dynamique de toute amitié, un aller-retour entre l'amour inconditionnel que l'on porte à ses amis et l'encouragement qu'on leur prodigue afin qu'ils puissent s'épanouir dans la mesure de leurs possibilités. La véritable amitié oscille entre ces deux pôles : aimer quelqu'un « tel qu'il est » et l'aimer « tel qu'il pourrait être ».

Étant donné les passions profondes suscitées par la vocation religieuse, maintenir un tel équilibre constitue toutefois un défi particulier pour les membres de l'Opus Dei, tout particulièrement les dirigeants et autres responsables de la direction spirituelle. Si l'on peut offrir une combinaison harmonieuse entre l'acceptation et le défi, le cœur d'une personne peut s'enflammer et découvrir de nouvelles perspectives, comme l'amour et le service de son prochain. Si l'opération n'est pas menée convenablement, le psychisme de la personne risque d'en être ébranlé et il peut en résulter du ressentiment. La plupart des critiques émises par d'ex-membres de l'Opus Dei reviennent à dire que, en forçant les gens à atteindre ce qu'on croit être leur potentiel, les directeurs font parfois peu de cas de la personnalité réelle des aspirants. Une fois de plus, il ne s'agit pas là d'un problème unique à l'Opus Dei. Tout parent, tout amoureux, tout ami doit lutter contre cet antagonisme. Dans l'Opus Dei, l'engagement est cependant si profond que les gens sont d'autant plus sensibles à ce type de phénomène. L'astuce consiste à maintenir un équilibre entre le fait de considérer les êtres humains à la lueur de leur destinée surnaturelle, d'avoir le désir de les voir progresser spirituellement et moralement et de les accepter tels qu'ils sont, avec toute la tolérance, la patience et le respect de la liberté des autres qu'exige la nature humaine.

C'est dans cet esprit que Carlo di Marchi, un Italien grand patron de l'Opus Dei dans les interventions auprès de la jeunesse, n'hésite pas à déclarer : «Dans ce domaine, l'une des obligations [...] est de découvrir un équilibre entre l'humain et l'enthousiasme surnaturel de quelqu'un qui connaît déjà les desseins de Dieu le concernant et respecte l'humanité pour ce qu'elle représente à long terme. Chaque personne vit à son rythme et Jésus s'adapte à l'allure de chacun, comme il l'a fait avec ses disciples à Emmaüs. Au-delà de ces considérations, dans un certain sens, tout ce que quelqu'un peut faire est de donner le bon exemple, d'encourager les gens et d'essayer de ne pas brusquer indûment les choses.»

À un autre niveau, peut-être que le plus sérieux défi lancé par la filiation divine est la façon dont les membres s'identifient à Jésus en croix. Comme Escrivá l'a mentionné à maintes reprises, lorsqu'un chrétien ou une chrétienne s'identifie comme étant *ipse Christus* – le Christ en personne –, c'est-à-dire comme quelqu'un possédant la qualité d'enfant de Dieu, cela signifie qu'il faut faire sienne la destinée qui fut celle du Christ : être incompris, persécuté, condamné à souffrir. Il est indéniable que cette idée plonge profondément ses racines dans la spiritualité chrétienne et qu'elle demeure inattaquable jusqu'à maintenant. Poussée à l'extrême, elle peut toutefois se transformer en un désir de souffrances, une sorte de célébration de la douleur «pour le plaisir». Les critiques de l'Opus Dei ont longtemps insisté sur le fait qu'Escrivá en personne était allé trop loin dans cette démarche, tout spécialement au cours de ses pratiques spirituelles. Cette accusation reste à prouver, mais, même au niveau conceptuel, on peut comprendre comment une identification avec la croix du Christ peut porter en elle un tel potentiel.

Il existe un autre risque : celui que les chrétiens acceptent un peu trop joyeusement la douleur et l'injustice comme faisant partie d'un destin inéluctable. Sur un plan personnel, une telle perspective ne semble guère présenter de sérieux problème pour la plupart des

membres de l'Opus Dei. Étant donné l'insistance avec laquelle l'Œuvre
tient à ce que ses membres soient des citoyens comme les autres, la
plupart de ceux-ci sont prêts à faire valoir leurs droits lorsqu'ils sont
traités injustement. Soulignons aussi qu'au plan historique l'organisation s'est montrée hésitante ou peu encline à s'engager dans un
débat public avec ses critiques. Par ailleurs, à l'intérieur, ce silence
a été justifié par l'acceptation de la croix. On rappelle que, dans
l'Évangile selon saint Matthieu, Jésus a dit : «Heureux êtes-vous si
l'on vous insulte, si l'on vous persécute et si l'on vous calomnie de
toutes manières à cause de moi. Soyez dans la joie et l'allégresse, car
votre récompense sera grande dans les cieux : c'est bien ainsi que l'on
a persécuté les prophètes, vos devanciers[1].»

Le risque réside dans le fait que cette lecture spiritualisée de la
critique peut en quelque sorte devenir, pour l'opinion publique, une
rationalisation de l'indifférence, une attitude blasée dans laquelle
on se dit que, de toute façon, «ils ne nous comprendront jamais»,
une prise de position renforçant des réactions instinctives de mise
sur la défensive et de disposition peu favorable à s'engager dans une
conversation substantielle. Je développerai d'ailleurs ce point plus
loin. Les membres de l'Opus Dei se félicitent de ne pas répondre
de manière agressive à la curiosité du public. Ils citent souvent le
Fondateur, comme s'il s'agissait là de la plus noble voie spirituelle.
En fait, cela peut constituer parfois une excuse pour faire preuve
d'inertie, de manque d'inspiration ou même de refus de s'expliquer
face au monde extérieur. En outre, comme les porte-parole de
l'organisation le répètent constamment, l'Opus Dei n'est pas une
entité autonome, mais une partie intégrante de l'Église catholique.
En permettant aux malentendus et à l'opposition de couver sous
la cendre, les effets négatifs ne s'exercent pas seulement sur l'organisation, mais entièrement sur l'Église, dont le rôle est de soutenir
et de défendre l'Opus Dei. Il est certain que plusieurs membres
comprennent pertinemment cette réalité et que l'organisation a
acquis au cours des dernières décennies de sérieuses capacités – sans
compter un désir sincère – de répondre aux critiques et de s'expliquer

---

1. Mt 5, 11-12.

publiquement. Pourtant, le risque inhérent à la manière dont elle conçoit sa filiation divine et dont elle « spiritualise » les questions et les doutes provenant du monde extérieur comme faisant partie de ce qu'elle entend par la « croix », lui fournit une excuse toute faite pour ignorer toute critique, même potentiellement bien fondée.

Finalement, cette même identification à la croix peut engendrer une certaine hésitation à s'opposer à l'injustice. Si la souffrance joue un rôle positif dans la vie spirituelle, quelle est l'utilité de travailler à des réformes susceptibles de l'éliminer ? Dans le monde de tous les jours, la plupart des membres de l'Opus Dei ne semblent pas être captifs d'une telle inactivité. Ils se trouvent engagés dans une lutte contre la pauvreté, la maladie, le racisme et travaillent dans le monde entier pour la justice. Ainsi, l'Université Strathmore, administrée par l'Opus Dei au Kenya, a été la première institution de haut savoir à être intégrée en Afrique occidentale. Le Midtown Center de Chicago fournit aux jeunes Noirs et aux hispanophones des outils pour les aider à réussir en classe, et j'ai rencontré un certain nombre de diplômés de ce programme qui lui attribuent une grande partie de leur réussite professionnelle et personnelle. De tels exemples sont nombreux. Pourtant, la question consistant à savoir exactement ce qu'« accepter la croix » signifie au juste demeure un éternel sujet de réflexion. Pour les membres de l'Opus Dei comme pour tout le monde, trouver l'équilibre dans l'acceptation des souffrances lorsqu'elles se présentent et le refus de celles-ci lorsque c'est possible constitue un perpétuel défi.

TROISIÈME PARTIE

INTERROGATIONS
À PROPOS DE L'OPUS DEI

AVANT-PROPOS

Cette partie traite des questions que l'on se pose le plus fréquemment à propos de l'Opus Dei, et les admirateurs de l'organisation jugeront certainement que cette attention est excessive. Dans les chapitres qui suivent, les sujets controversés portent sur le secret, le rôle des femmes, l'argent, le pouvoir, le recrutement des nouveaux membres, l'obéissance, les mortifications. Ces interrogations ne sont pas nouvelles, car certaines datent déjà des années quarante, et les membres de l'institution y ont souvent répondu. Bien des sympathisants prétendront que tout a été dit et seront étonnés du traitement approfondi que je réserve à ces questions. D'autres soutiendront que consacrer autant d'espace à des sujets controversés risque de ternir le message spirituel de l'Opus Dei en se concentrant sur des choses qui, au mieux, sont secondaires à l'esprit de l'Œuvre et même, dans certains cas, sans aucun rapport avec le sujet.

Je comprends la lassitude de ces gens, mais, dans l'opinion publique, ces questions sont toujours bien présentes. Lorsqu'on leur en donne l'occasion, des hommes et des femmes ordinaires, catholiques ou pas, n'hésitent pas à demander, par exemple : « Est-ce qu'il existe dans l'Opus Dei de la ségrégation entre hommes et femmes et si oui, pourquoi ? L'Opus Dei a-t-elle renfloué la Banque du Vatican ? Les membres se flagellent-ils et si oui, pourquoi ? L'Opus Dei est-elle une société secrète ? Est-ce un mouvement politique de droite ? L'organisation cherche-t-elle à recruter des jeunes gens impressionnables ? Comme le font souvent valoir des membres de l'organisation, il n'est pas impossible que de telles questions fassent les choux gras de la presse à sensation ou des critiques prêchant pour leur saint. Le hic réside dans le fait que, tant que les observateurs impartiaux n'auront pas l'impression d'avoir obtenu toute la vérité sur ces points en litige, il leur sera difficile de fixer leur attention sur le message spirituel que l'Opus Dei veut faire passer. D'autre part, il ne s'agit pas seulement d'une question de malveillance ou de curiosité malsaine. Au fond de ces controverses, on découvre des questions légitimes sur la manière dont l'Opus Dei conduit ses affaires, et cela exige de sérieuses réponses. Dans toute discussion sur l'Opus Dei, le problème n'est pas que l'on s'interroge sur l'organisation, mais que les réponses qui sont fournies sont souvent fondées – de part et d'autre – sur des rumeurs, des mythes et de la désinformation.

Dans les chapitres qui suivent, la difficulté a été de décortiquer chacun des sujets les plus controversés se rapportant à l'Opus Dei pour y découvrir suffisamment d'information et de mises en contexte permettant d'en avoir une idée claire. L'objectif ne consiste pas simplement à mettre fin aux dissensions (il revient au lecteur de juger), mais de fournir les meilleurs outils pour mener cette tâche à bien.

Bien des courants de pensée alimentent ces dissensions. Les plus forts ont pour point de départ d'anciens membres et ont commencé à se manifester en Espagne dans les années soixante et soixante-dix. D'autres sont apparus en 2004 et proviennent des quatre coins du monde. Dans plusieurs cas, dans les chapitres qui suivent, des témoignages critiques comme ceux d'Alberto Moncada, de María del Carmen Tapia, de John Roche, de Tammy DiNicola, de Sharon Clasen et de Dennis Dubro seront comparés aux pratiques, aux politiques et aux expériences du présent. L'Opus Dei fait remarquer à juste titre que, dans les critiques émises par ces personnes, on ne raconte pas tout, que de nombreux ex-membres demeurent en bons termes avec l'organisation et donnent une tout autre version de leur expérience. Dans certains cas, prétend l'organisation, des histoires épouvantables, telles que celles racontées par Moncada ou DiNicola, ne reflètent que de mauvais choix faits par des individus et non la véritable nature de l'Opus Dei.

Tout bien considéré, il est important de remarquer que, si le témoignage des critiques est difficilement conciliable avec la présente réalité décrite par ceux qui appartiennent à l'Opus Dei, cela ne signifie pas que ces critiques sont dans l'erreur ou qu'ils font preuve de malhonnêteté. Il est possible qu'ils décrivent leur expérience avec exactitude, mais à une époque et en un lieu donnés, car, depuis lors, l'Opus Dei a changé. Elle le concède d'ailleurs. Par exemple, une évolution s'est produite dans le cas du « tri » du courrier des numéraires, qui était chose courante dans les centres de l'organisation, mais qui est tombé en désuétude à l'époque des téléphones portables et des courriels.

On peut d'ailleurs soutenir que, du moins dans certains cas, les remarques d'anciens membres ont joué un rôle positif dans l'évolution de l'Opus Dei. Ils ont permis de mettre le doigt sur certains problèmes exigeant qu'on leur porte attention. Andrew Sloane, porte-parole anglais de l'Opus Dei, a admis cette réalité lorsque je l'ai rencontré en décembre 2004. Il a évoqué le cas de l'Opus Dei Awareness Network (ODAN), un réseau de vigilance qui lui avait permis d'ouvrir les yeux et de repérer les secteurs de l'Opus Dei où il y avait peut-être des correctifs à apporter. Comme me l'a fait remarquer un collaborateur et collègue de mes amis, dans ce sens, les critiques ont peut-être fonctionné comme ces canaris que l'on descendait autrefois dans les mines pour détecter les gaz délétères. Elles ont permis d'alerter l'institution de toute dérive dans sa pensée ou dans l'application de cette dernière. Cela ne signifie pas que la moindre critique provenant d'ex-membres soit justifiée, mais seulement que les organisations, tout comme les êtres humains qui les composent, ont davantage à apprendre de leurs erreurs que de leurs réussites, davantage de ceux qui les critiquent que de ceux qui les louangent. C'est un fait attesté durant les soixante-dix-sept années d'existence de l'Opus Dei. En toute impartialité, il faut admettre qu'il y a des endroits où l'Opus Dei ne ressemble guère au portrait qu'en font les critiques, ce qui ne signifie aucunement d'ailleurs que ceux-ci ne sont pas crédibles. En fait, dans certains cas, ils ont davantage aidé l'Opus Dei qu'on ne pourrait l'imaginer.

CHAPITRE 7

LE SECRET

LexisNexis[1] possède la banque de données la plus fournie sur les journaux, les magazines et les agences de presse en langue anglaise. Lorsqu'on y effectue une recherche en utilisant les mots «Opus Dei» et «secret», rien qu'entre les années 2000 et 2004, on retrouve 575 inscriptions, ce qui nous donne une entrée tous les deux jours et demi. Aussi ne faut-il pas s'étonner que, dans le grand public, on puisse avoir l'impression que l'organisation est «secrète». Et encore! Nous n'avons affaire ici qu'aux médias anglophones. Si nous devions pousser notre enquête dans les médias en langue française, espagnole, allemande, italienne, néerlandaise ou portugaise (LexisNexis possède, du moins pour le moment, moins de documentation dans ces secteurs linguistiques), on pourrait dire qu'il ne se passe pas une journée sans que quelqu'un, quelque part dans le monde, ait qualifié l'Opus Dei d'«organisation secrète». Il me semble nécessaire d'insister pour signaler que l'institution se trouve aux prises avec une image plutôt curieuse...

Le phénomène n'est pas nouveau. Le premier article de fond sur l'Opus Dei dans un grand magazine de langue anglaise a paru dans le *Time* du 18 mars 1957 lorsque trois membres de l'organisation sont devenus ministres dans le gouvernement du dictateur espagnol

---

1. Service d'information professionnelle, notamment dans les secteurs juridique et de diffusion de la presse et de l'information. (N.d.T.)

Francisco Franco. Dans cet article, on qualifiait les Opusiens de « francs-maçons blancs », une allusion au goût de l'Opus Dei pour le secret. En lisant cet article, on s'aperçoit, non sans ironie, que les temps ont bien changé dans d'autres domaines puisqu'on y mentionne que, dans la politique espagnole, on classait alors l'Opus Dei comme ayant des « tendances libérales ».

Ce ne sont pas seulement les journalistes et les ténors des médias qui pensent que l'Opus Dei est une société secrète. Ce genre de caractérisation pourrait être, au pire, rejeté comme de la malveillance ou du sensationnalisme, mais de telles impressions se manifestent également au sein de l'Église catholique ! Les premières controverses sur l'Opus Dei datent des rivalités intestines qui se sont manifestées dans l'Église depuis les années trente et le début des années quarante. On accusait alors l'organisation d'avoir le comportement d'une société secrète et des pratiques s'apparentant à celles des sectes. De telles accusations nous semblent aujourd'hui pour le moins bizarres. On en trouve une description dans le deuxième tome de la biographie d'Escrivá par Vásquez de Prada.

La « Maçonnerie blanche »

À la fin des années trente, des membres de l'Opus Dei à Madrid relevèrent que les jeunes gens qui avaient semblé s'enthousiasmer pour le message d'Escrivá hésitaient maintenant à assister aux réunions des cercles de l'institution. Ils se renseignèrent et découvrirent que certaines rumeurs faisaient état de singularités. Selon celles-ci, certaines chapelles étaient décorées de symboles maçonniques et cabalistiques, les hosties que l'on distribuait pour la communion avaient un goût étrange et, lorsqu'ils s'agenouillaient à l'occasion d'un rituel insolite, les membres de l'Opus Dei mettaient leurs mains derrière leur dos. D'autre part, des membres se faisaient crucifier volontairement sur de grandes croix de bois et de curieuses lueurs apparaissaient dans la chapelle de l'Opus Dei pendant qu'Escrivá faisait semblant de léviter en hypnotisant son auditoire. Vers cette même époque, un jésuite charismatique fort populaire, le père Ángel Carillo de Albornoz accusa publiquement l'Opus Dei d'être rien de moins qu'une « société secrète et hérétique dans la mouvance maçonnique ».

Ces rumeurs se répercutèrent aux plus hauts niveaux de la société espagnole. En juillet 1941, un tribunal civil instauré par Franco – le Tribunal pour la répression de la maçonnerie – ouvrit une enquête officielle sur l'Opus Dei en se basant sur des accusations voulant qu'il s'agisse là d'une « filiale maçonnique reliée à des sectes juives ». L'affaire n'eut pas de suites. En 1942, les services d'information de la Phalange publièrent le *Rapport confidentiel sur la société secrète Opus Dei* en l'accusant de « s'opposer aux projets de l'État espagnol ». Vers cette époque, le gouverneur civil de Barcelone, Antonio Correa Veglison, ouvrit une enquête. Ce magistrat convoqua un membre de l'Opus Dei, Alphonso Balcells, et lui demanda ce qui se passait derrière les portes closes de l'institution. Selon les souvenirs de Balcells, Veglison aurait déclaré qu'il savait que l'Opus Dei était une secte d'*alumbrados* (*illuminati*) ou, du moins, « quelque chose de ce genre ». À Valence, la police locale dépêcha une jeune femme, María Teresa Llopis, pour prendre part à un ensemble d'exercices spirituels conseillés par Escrivá. Cette personne déclara plus tard que la police lui avait demandé de découvrir s'il existait des « passages secrets » sous le centre de l'Opus Dei ainsi que des symboles maçonniques. Dans certaines villes d'Espagne, on fit des autodafés de piles de *Chemin*, le livre à succès du Fondateur.

Les rumeurs relatives à l'Opus Dei débordèrent des milieux ecclésiastiques espagnols jusqu'aux tribunaux et aboutirent finalement à Rome. Le 3 juillet 1942, le général des Jésuites, le père Vladimir Ledochowski, un Polonais, envoya un rapport sur l'Opus Dei au Vatican dans lequel il soutenait que, même si *Chemin* reflétait de « saines valeurs doctrinales chrétiennes », un tel livre était destiné aux « non-initiés ». Il ajoutait qu'au sein de l'Opus Dei on décelait « des traces d'une tendance secrète à dominer le monde à l'aide d'une sorte de franc-maçonnerie chrétienne ». Les historiens noteront, non sans ironie, que des accusations similaires avaient déjà circulé à propos des Jésuites et de groupes réputés de l'Église catholique, comme les Templiers qui, tout comme l'Opus Dei d'ailleurs, avaient pris de l'importance en Aragon, dans les Pyrénées et dans le midi de la France.

Plus tard, en 1948, le vicaire général du diocèse de Madrid informa Escrivá qu'il avait été dénoncé au Saint-Office (aujourd'hui la Congrégation pour la doctrine de la foi). Dans son journal intime, Escrivá enregistra sa réaction : « J'en suis heureux ! Seuls le Bien et la Lumière peuvent me venir du pape et de Rome ! » Parfois même, le Vatican semblait errer dans les ténèbres quant aux pouvoirs occultes de l'Opus Dei. En janvier 1971, le secrétaire d'État de Paul VI, le cardinal français Jean Villot, demanda à Escrivá la liste de tous les membres de l'Opus Dei travaillant au Vatican. Même si Mgr Villot ne donna pas de raisons pour cette demande, cette dernière laissait entendre qu'une « infiltration » opusienne avait peut-être eu lieu dans la Ville éternelle… Il faut préciser qu'Escrivá s'empressa de fournir l'information désirée.

À la suite de ces démêlés intra-ecclésiastiques, l'Opus Dei se retrouva au cœur de controverses séculières. En 1986, le Parlement italien lança une enquête sur l'organisation dans le cadre d'un plus large débat national sur le rôle qu'avaient joué en coulisse des sociétés secrètes comme la tristement célèbre loge maçonnique P2. L'enquête était menée par Oscar Luigi Scalfaro, un fervent catholique qui devait devenir plus tard président du pays. Huit mois plus tard, le Rapport Scalfaro permit de blanchir l'Opus Dei. On y concluait : « Dans les faits comme au plan juridique, l'Opus Dei ne peut être considérée comme une société secrète. » Scalfaro ajoutait : « En Italie, le vicariat de l'Opus Dei a son quartier général au 6 de la Via Alberti di Giussano, tandis qu'à Rome il administre un bureau d'information dont l'adresse est inscrite dans cet instrument de travail très public qu'est l'annuaire téléphonique… »

Pourtant, deux ans plus tard, les choses tournèrent différemment dans une affaire qui se retrouva devant le Tribunal fédéral de Lausanne, en Suisse. Elle mettait en cause un litige entre un établissement d'enseignement affilié à l'Opus Dei et un journal helvète. Le tribunal avait décidé que l'Opus Dei était une « organisation secrète » qui opérait « sous le manteau ». Dans une affaire similaire, un autre tribunal avait pris le parti du groupe affilié à l'Opus Dei. En janvier 1996, une commission parlementaire française a dressé une liste de 172 « sectes » ou religions dangereuses en France, et l'Opus Dei en faisait partie. Ces résultats attirèrent des protestations de la part des évêques français et italiens. Le Vatican se garda de tout commentaire, mais, deux mois plus tard, Jean-Paul II donna le nom d'Escrivá à une église paroissiale de Rome.

La question du secret appréhendé ne fait pas seulement partie du passé de l'organisation ; il demeure très vivant de nos jours. Alors que je me trouvais à Washington, D.C., voilà quelques mois, pour y donner une conférence, j'ai rencontré un archevêque américain venu y assister. Au fil de la conversation, je lui mentionnai que j'étais en train d'écrire un livre sur l'Opus Dei. Il se hâta de me répondre que la réputation qu'avait l'organisation de se livrer à des activités par trop secrètes le dérangeait. « Russell Shaw, par exemple, est-il prêt à admettre qu'il est membre de l'Opus Dei ? » me demanda-t-il. En fait, comme je l'ai mentionné dans le chapitre 3, Shaw, qui est surnuméraire, ne se gêne pas pour confirmer son appartenance à l'organisation. Il va même jusqu'à dévoiler de bonne grâce combien d'argent il donne chaque mois à l'Opus Dei. Lors d'une interview au Centre d'information catholique de Washington, Shaw me fournit ce chiffre avant même que j'aie eu la possibilité de le lui demander. Tout cela pour en revenir à la remarque du prélat susmentionné qui montre bien de quel côté souffle le vent.

Le regretté cardinal Basil Hume, de Westminster, en Angleterre, était un bénédictin que l'on considérait comme l'un des esprits religieux les plus éclairés de son temps. Cela ne l'empêchait pas d'être préoccupé par cette question. En 1981, il émit une série de suggestions concernant les activités de l'Opus Dei dans son diocèse. Elles proposaient que les membres aient au moins dix-huit ans, que les parents soient prévenus lorsque les jeunes adhéraient à l'Opus Dei et que ces derniers puissent conserver leur liberté de s'en dissocier et de choisir leur directeur spirituel à l'extérieur de l'institution. De plus, les commanditaires des activités de l'Opus Dei devaient être clairement désignés. Ce dernier point avait pour objectif de répondre aux plaintes voulant que les installations opusiennes portaient des appellations aussi anonymes que Baytree ou Netherhall et qu'il n'était pas clair qu'elles appartenaient à l'institution.

Même si le cardinal Hume avait écrit que ces suggestions « ne devaient pas être considérées comme des critiques remettant en question l'intégrité des membres de l'Opus Dei ou encore leur zèle à promouvoir leur apostolat », ses inquiétudes n'en persistaient pas moins. Au cours d'un échange de lettres non publiées, Mgr John Gran, évêque d'Oslo à cette époque, écrivit ce qui suit à Hume, le 7 septembre 1983 : « La situation est telle que l'Opus Dei est en train de faire tache d'huile vers le nord et d'implanter des cellules dans les diocèses scandinaves. Lors d'une assemblée plénière que nous préparons, nous tenterons de définir une politique commune concernant l'Opus Dei. L'idée consiste à voir si nous devons repousser cette "attaque". J'aimerais beaucoup avoir votre opinion (qui demeurera confidentielle) sur la prélature en question, son *modus operandi* et sa finalité. Tout conseil que vous pourrez nous donner sera accepté avec gratitude. » Le 12 septembre 1983, Mgr Hume répondit en conseillant à son homologue de se souvenir des suggestions établies à Westminster. Selon ses propres termes, elles « reflétaient des expériences que nous avons vécues ». Il suggéra également à Mgr Gran d'obtenir une copie des statuts de l'Opus Dei. L'organisation a pris pied en Suède en 1984, mais, à ce jour, n'a pas ouvert de centre en Norvège ou au Danemark.

Dans une autre lettre non publiée, on trouve la réponse de Mgr Hume à une enquête privée du cardinal Stephen Kim Sou-hwan, alors prélat de Séoul, en Corée du Sud, qui lui demandait s'il devait permettre à l'Opus Dei de prendre pied dans son diocèse. Cette réponse se lit comme suit : « Je sais que l'Opus Dei comprend d'excellentes personnes et qu'elle fait du bon travail, mais, strictement entre nous, je ferai toujours preuve de prudence à leur égard. Je n'aime pas les cachotteries qui accompagnent leurs activités et j'ai des doutes quant aux pressions qu'ils peuvent à l'occasion exercer sur les jeunes. Dussiez-vous les accepter dans votre diocèse, je vous conseillerais donc de leur mettre clairement cartes sur table. »

Mgr Kim a pris sa retraite en avril 1998 et, à ce jour, l'Opus Dei ne s'est pas implantée en Corée du Sud. On trouve cependant des coopérateurs dans ce pays, et des membres de Hongkong viennent leur rendre visite.

Même les évêques sympathiques envers l'Opus Dei partagent parfois ces réticences. L'évêque auxiliaire Joseph Perry, l'un des rares prélats afro-américains à faire partie de la Conférence des évêques de son pays, a fait ses études à l'Université Marquette à Milwaukee, au Wisconsin, et fréquentait régulièrement un centre de l'Opus Dei dans le quartier ouest de la ville. En septembre 2004, il me précisa que, sans être membre de l'Œuvre, il rencontrait tous les mois à l'université un prêtre appartenant à l'organisation et qu'il assistait à des rencontres de celle-ci. Avant de connaître l'Opus Dei, il avait l'impression, comme bien des gens, que cette institution était « élitiste », mais il ajoute que ses contacts personnels avec elle se sont toujours révélés « parfaitement positifs ». Depuis son arrivée à Chicago, Mgr Perry a participé à des soirées de récollection et de liturgie dans la paroisse Sainte-Marie-des-Anges, administrée par l'Opus Dei. Il prie régulièrement avec le vicaire de l'Œuvre à Chicago, le père Peter Armenio qui, entre parenthèses, est l'aumônier des Bears de Chicago[2]. « L'Opus Dei aide la laïcité et les prêtres à faire le pont entre la vie quotidienne et notre salut, explique Mgr Perry. J'aime à penser que je suis le genre d'évêque qui ne se cantonne pas dans une option. L'Opus Dei est là, elle existe. Reste à voir les personnes intéressées à en faire partie, mais ce ne sera pas au goût de tout le monde. »

Pourtant, Mgr Perry est d'avis qu'il serait bon pour l'Opus Dei de collaborer davantage avec le clergé local afin de diminuer la réputation d'élitisme et de mystère de l'Œuvre. « Il faut qu'ils fournissent une réponse à ces questions », conclut-il.

Au chapitre 5, j'ai relevé combien il était ironique que l'Opus Dei ait une réputation de répression interne puisque Escrivá a maintes fois insisté sur l'importance de la liberté. Dans le même ordre d'idées, les gens de l'extérieur sont souvent époustouflés de découvrir que, en dépit des mystérieuses pratiques dont on accusait

---

2. Franchise de la Ligue nationale de football américain fondée en 1919.

son institution, Escrivá répétait avec véhémence qu'il ne devait strictement y avoir rien de « secret » dans l'Opus Dei. Dans une interview qui apparaît dans *Entretiens avec Monseigneur Escrivá*, on lui demandait par exemple ce qu'il pensait des rumeurs selon lesquelles l'Œuvre était une société secrète. Voici ce qu'il répondit alors :

> *Les membres de l'Œuvre exècrent le secret parce que ce sont des fidèles courants, des gens strictement identiques aux autres : en devenant membre de l'Opus Dei, ils ne changent pas d'état. Il leur répugnerait de porter une affiche dans le dos disant : « Constatez que je me suis engagé au service de Dieu. » Ceci ne serait ni laïque ni séculier. Mais ceux qui connaissent et qui fréquentent les membres de l'Opus Dei savent qu'ils font partie de l'Œuvre, même s'ils ne le proclament pas, parce qu'ils ne le dissimulent pas non plus.*

Appartenance

Dans *The New Spaniards* (*Les Nouveaux Espagnols*), l'auteur John Hooper explique les raisons fondamentales qui, selon lui, font que de nombreuses personnes ont l'impression que l'Opus Dei est une société secrète.

> *Les Jésuites, pour prendre l'exemple de leurs ennemis les plus implacables, sont sans contredit en mesure d'exercer une influence énorme en coulisse. Mais, par exemple, il est improbable que vous appreniez un beau jour que le rédacteur en chef d'une publication financière dans laquelle vous écrivez, ou encore le président du conseil d'administration de la société d'ingénierie avec laquelle vous négociez est également membre de la Société de Jésus. [...] Avec l'Opus Dei, vous ne vous y attendez pas, mais vous pouvez fort bien découvrir – surtout en Espagne – qu'une personne avec qui vous travaillez, un supérieur, un subordonné, ne rentre pas le soir retrouver ses enfants, son conjoint ou sa conjointe, ses colocataires, mais réintègre une communauté dans laquelle on respecte de longues périodes de silence, que cette personne porte deux heures par jour un cilice, une ceinture hérissée de barbelures*

que l'on porte sur la peau nue autour des reins afin qu'on ne puisse pas la voir, pas plus que les blessures qu'elle s'inflige. Qu'une fois par semaine votre collègue se flagelle les fesses avec une discipline, un fouet à cinq lanières, pendant la récitation du Salve Regina.

Les détails croustillants mis à part (ils ne s'appliquent qu'aux célibataires de l'organisation, soit 30 % des effectifs), l'impression générale que Hooper nous en donne est convenable. Pour bien des gens, ce qui est déroutant dans l'Opus Dei, ce ne sont pas tant les croyances de ses adhérents ou ce qu'ils font que le fait que l'on ne sait jamais qui est membre ou pas. La plupart des Opusiens sont des laïcs dans le monde séculier et, de l'extérieur, rien ne permet de les distinguer des autres. Ils ne portent pas de vêtements spéciaux, ne se rasent pas la tête ou ne marchent pas pieds nus en demandant l'aumône. Ils ne portent pas d'insignes sur leur veste et n'affichent pas leurs convictions sur des autocollants de pare-chocs. Estimant que leur appartenance à l'organisation est une affaire privée relevant de la spiritualité, les membres de l'Opus Dei ne la mentionnent pas dans leur curriculum vitæ. Si leurs amis savent qu'ils font partie de l'Œuvre, leurs collègues et connaissances ne sont probablement pas au courant. Ce n'est pas le cas des numéraires vivants dans des centres de l'Opus Dei comme dans une famille. En tel cas, leur rôle est davantage « public » et, lorsqu'on l'interroge à ce propos, l'Opus Dei confirme volontiers leur adhésion. En revanche, les surnuméraires sont laissés libres de la dévoiler ou non. À titre d'institution, l'Opus Dei ne confirmera ni n'infirmera spontanément l'appartenance de qui que ce soit.

Cette situation a donné lieu à des théories compliquées sur la manière de repérer un membre de l'Opus Dei, surtout en Espagne, le pays où il y a le plus de possibilités de retrouver des Opusiens au hasard des rencontres sociales. L'une des théories les plus courantes est que les membres portent de l'eau de toilette Atkinson, une marque qu'Escrivá utilisait. Alors que je me trouvais à Madrid, Robert Duncan, surnuméraire porte-parole de la compagnie du gaz locale m'a rapporté qu'il y a moyen de reconnaître les hommes d'affaires appartenant à l'Opus Dei grâce au bouton qui manque sur une de leurs manches de veste. Une autre légende du genre veut que, pour se montrer solidaires de la confrérie, les membres fument des cigarettes Ducados, faites de tabac fort. Sans que les membres réfutent ces allégations, certains d'entre eux ne nient pas qu'ils peuvent fort bien fumer, porter de l'eau de toilette ou perdre un bouton…

Parmi ces indices, il en est un, plus plausible, permettant de reconnaître un membre de l'Opus Dei au fait qu'il garde chez lui la statuette d'un âne, un symbole que l'on retrouve d'ailleurs dans les centres de l'organisation. Cet animal représente celui qui transportait le Christ lors de son arrivée à Jérusalem. Escrivá se comparait lui-même à l'âne en répétant que son travail consistait à porter le Christ pour que les gens le voient bien et ensuite à s'effacer. Il existe aussi un mot de passe très opusien. Lorsque deux membres se rencontrent, l'un salue son vis-à-vis par le mot *Pax* et son interlocuteur doit lui répondre *in æternum*. Cette reconnaissance n'est pas infaillible, puisqu'elle suppose que les deux personnes appartiennent à l'organisation, ce qui n'est évidemment pas toujours le cas. De plus, les Opusiens ont tendance à être discrets et, de préférence, ils échangent leur salut lorsque des non-initiés ne se trouvent pas dans les parages. Il m'a fallu attendre six mois avant d'être témoin d'un tel échange. Me trouvant en Espagne dans un restaurant situé sur la route nationale entre Barbastro et Torreciudad, un membre de l'Opus Dei entendit la conversation qui se déroulait à notre table et salua d'un *Pax!* l'Opusien qui était avec nous.

Discrétion oblige

Étant donné le ridicule d'une situation où il faut constamment jouer aux devinettes du genre : « En est-il ou n'en est-il pas ? Appartient-elle à ce truc ? », on se demandera pourquoi les membres de l'Opus Dei ne sont pas plus enclins à dévoiler leur affiliation en portant un insigne ou l'inscrivant sur leur carte de visite. Pourquoi pas, en effet ?

Tout d'abord, il existe une tradition opusienne dite de « discrétion » voulant que l'on ne fasse pas connaître son appartenance de manière trop ostensible. D'un côté, cette attitude est un moyen de préserver le caractère séculier et laïque de l'Opus Dei. Si les membres s'affichaient trop ouvertement, cela violerait l'esprit de « sécularité » en les distinguant du commun des mortels. En effet, les Opusiens ne sont pas censés agir comme les membres d'un ordre religieux.

L'une des raisons supplémentaires, du moins sur les lieux de travail, est que « se vanter » d'appartenir à l'Opus Dei peut être interprété comme la tentation de profiter de sa situation de membre pour se ménager quelque avantage moral ou professionnel, ce qui, pour Escrivá, était une hérésie. En effet, pour lui, nul n'avait le droit de représenter l'organisation dans les questions séculières. Tous les membres devaient être capables de se tenir debout sans se dissimuler sous l'« étiquette » opusienne.

Escrivá a également insisté pour que son institution pratique ce qu'elle appelle l'« humilité collective », ce qui signifie qu'elle cherche à se faire aussi discrète que possible. Ce fait a été consigné dans les *Constitutions* de l'organisation en 1950. On y lit : « L'Opus Dei déclare pratiquer l'humilité collective. Par conséquent, [...] ses membres ne doivent utiliser aucun insigne distinctif et faire preuve de prudence lorsqu'ils parlent de l'Œuvre aux gens qui n'en font pas partie. Notre manière d'agir doit être empreinte de simplicité et ne pas attirer l'attention. D'autre part, l'Opus Dei ne participe d'ordinaire pas à des événements de nature sociale et ne s'y fait pas représenter. » Ces mesures avaient été prises afin que l'organisation ne devienne pas un groupe d'intérêts et que ses membres puissent se sentir libres dans leurs relations sociales.

Finalement, en raison de la loi canonique de l'institution, il existe une raison historique. De 1947 à 1982, selon le droit canon, l'Opus Dei était considérée comme une « institution séculière », ce qui veut dire qu'on la traitait comme un prolongement de la vie religieuse. L'une des autres complications résidait dans le fait qu'en 1950 le Vatican avait décidé que les membres des institutions séculières ne pouvaient s'engager dans les affaires. En d'autres termes, les surnuméraires faisant carrière dans le commerce ou l'industrie contrevenaient techniquement aux lois de l'Église. Jusqu'à ce que l'on puisse éclaircir la situation, Escrivá ainsi que d'autres dirigeants de l'Opus Dei décidèrent que la discrétion s'imposait.

Aujourd'hui, certains porte-parole font valoir que cette tendance à confondre l'Opus Dei avec les ordres religieux est la première cause, selon eux, de la réputation de mystère qui l'entoure. Le père Tom Bohlin, vicaire régional et l'un des dirigeants principaux de l'organisation aux États-Unis, me l'a expliqué lors de notre rencontre, en octobre 2004. Je lui avais alors demandé s'il y avait quelque avantage à ce que l'Opus Dei s'entoure de mystère. « Absolument pas, a-t-il répondu. Je pense qu'il s'agit de comprendre ce que nous sommes, quels sont nos objectifs et ce que nous faisons. Les gens nous approchent avec certaines idées préconçues, ce qui est compréhensible lorsqu'on connaît le milieu clérical et l'histoire des ordres religieux. »

Selon des porte-parole de l'Opus Dei, Escrivá révisa ses positions sur la discrétion lorsque l'organisation s'implanta de plus en plus. À un certain point, au cours des années soixante, Escrivá déclara qu'il avait effacé le mot « discrétion » de son vocabulaire. Dans une lettre adressée à tous les membres de l'Opus Dei, en date du 21 novembre 1966, Escrivá a écrit : « La fausse idée que certaines personnes se font du mot "discrétion" m'a fait sourire un instant. Ces gens n'ont pas compris que nous sommes semblables à tous les citoyens. En fait, nous ne sommes pas différents d'eux. Nous sommes leurs égaux. Certains pensent que nous vivons dans un monde de fiction [...] parce que nous ne nous promenons pas avec des pancartes ou des bannières à l'effigie du Christ. D'autres raisonnent comme ils le faisaient il y a quarante ans, lorsque la discrétion (qui ne pouvait pas être plus "indiscrète") nous incita à soutenir le poids de l'Œuvre en gestation, comme une mère protège la nouvelle créature qu'elle porte en elle. Où est-il, ce prétendu secret que l'on claironne ? Et maintenant ? dira-t-on. Je ne veux plus entendre parler de discrétion. Mieux vaut dire les choses avec naturel. »

Évolution

Les *Constitutions* de l'Opus Dei sont ces lois de l'Église promulguées en 1950 par le Vatican et régissant la vie intérieure de l'institution. Lorsqu'on les compare avec les *Statuts* de 1982, actuellement en vigueur, on peut constater l'évidence de cette évolution. Le document de 1950 ordonne de s'adresser « avec grande prudence » aux gens de l'extérieur et, dans le cas des numéraires et des surnuméraires, de « maintenir un silence discret en ce qui concerne les noms des autres membres ». On souligne que cette mise en garde s'applique tout spécialement aux nouveaux membres comme à ceux qui ont démissionné. Pour ce qui est peut-être la disposition la plus controversée, on stipule que, avant de révéler leur appartenance à l'Opus Dei, les membres devraient recevoir l'autorisation de leur directeur. Pourtant, ces mêmes *Constitutions* mentionnent également que l'Opus Dei et beaucoup de ses membres ont intérêt à être connus publiquement, car leurs activités doivent toujours se dérouler en conformité avec le droit civil, et ses membres toujours éviter « le mystère et les activités occultes ». Le motif de la discrétion, souligne-t-on, est de l'ordre de l'humilité et de l'efficacité d'un travail apostolique bien compris.

Les *Statuts* de 1982, qui ont remplacé les *Constitutions* de 1950, interdisent le « secret et toute activité clandestine » et insistent sur le fait que les membres agissent avec naturel, « mais sans dissimuler appartenir à la prélature ». Les prêtres de l'Opus Dei doivent « se comporter, toujours et partout avec le plus grand naturel parmi leurs frères religieux, ne jamais prendre des airs mystérieux, car ils n'ont rien à dissimuler sur eux méritant d'être caché ». Afin de respecter le désir d'Escrivá d'effacer le mot « discrétion », ce dernier ne figure pas dans les textes. Les dispositions existant en 1950 et ordonnant aux membres de demander l'autorisation de l'un de leurs directeurs avant de révéler leur appartenance à l'Opus Dei ont été abrogées.

Selon mon expérience, j'ai demandé à des centaines de personnes au cours de la dernière année si elles étaient membres de l'Opus Dei et je n'ai jamais trouvé quiconque n'ayant pas été prêt à répondre de bonne grâce. Je dois toutefois signaler qu'à l'extérieur du monde anglo-saxon certains membres ont été surpris par la façon directe dont j'abordais la question. Ce livre lui-même est la meilleure preuve de l'ouverture d'esprit de ces personnes puisque j'y cite, presque toujours par leur nom, une centaine de membres de l'Opus Dei et que je précise leur fonction au sein du groupe (numéraire, surnuméraire, etc.). Il est facile de comparer une telle ouverture à ce qui s'est passé en 2004, lorsque Tim Russert, journaliste pour une chaîne de télévision américaine, avait demandé au président George W. Bush s'il avait appartenu à la société secrète Skull and Bones quand il fréquentait l'Université Yale. Bush avait déclaré ne pas pouvoir répondre. Lorsqu'un journaliste posa la même question à un porte-parole du sénateur John Kerry, qu'on soupçonne d'avoir également appartenu à cette société estudiantine pour gens très riches, la réponse fut : « Désolé, John Kerry n'a absolument rien à dire… »

Pourquoi ne pas publier une liste ?

Les raisons que j'ai fournies ci-dessus peuvent expliquer pourquoi des membres individuels ont hésité à faire connaître leur appartenance à l'Opus Dei. Mais que dire de la pratique commune aux associations ? Pourquoi l'Opus Dei ne publierait-elle pas un annuaire de ses membres de façon à ce qu'on puisse savoir qui en fait partie ou non ?

David Gallagher, numéraire et administrateur de l'Opus Dei aux États-Unis, nous fournit son point de vue : « Les gens qui adhèrent à l'Opus Dei le font strictement pour des questions de spiritualité et ne s'attendent pas à ce que leur qualité de membre devienne un élément de nouvelle, rappelle-t-il. Ils en parlent, bien sûr, à leur famille et à leurs amis. Quant aux dirigeants de l'Œuvre, ils respectent la vie privée de leurs membres ainsi que leur droit d'informer quiconque de leur appartenance. Ils s'en gardent cependant d'en parler publiquement, à la presse ou autrement. Si nous désirons intelligemment pouvoir refuser de confirmer que quelqu'un est membre de l'organisation, il est également nécessaire de pouvoir refuser de nier que les autres n'en font pas partie. »

Voilà pour la réponse officielle des Opusiens. Mais il y a un autre élément de l'histoire, presque incroyable, et c'est que l'Opus Dei ne possède pas de liste générale de ses membres dans le monde ! Comme je l'ai mentionné au premier chapitre du présent ouvrage, pour être numéraire, les postulants doivent écrire une lettre au prélat de Rome (ces lettres sont archivées à la Villa Tevere). D'autre part, ceux et celles qui postulent pour être surnuméraires s'adressent au vicaire régional. Chaque année, l'Opus Dei soumet au Vatican les données de base concernant ses membres. La Villa Tevere demande alors à chaque région de lui fournir le nombre de ses surnuméraires, mais les noms de ces derniers ne sont pas divulgués. On peut donc dire qu'il n'existe pas de liste générale des membres de l'Opus Dei. De plus, si l'on se base sur les différentes façons dont les régions classent leurs documents, il serait certainement très compliqué d'en dresser une. On peut toujours faire valoir que l'Opus Dei devrait effectuer un meilleur travail administratif et garder trace de ses membres, mais la difficulté ne réside pas dans le fait qu'elle refuse de divulguer une liste, mais que cette liste est simplement inexistante.

Soyons justes : les choses ont bien changé dans la manière dont les dirigeants de l'Opus Dei s'occupent des questions d'appartenance à l'institution. Alors que ses porte-parole ne font officiellement aucun commentaire pour confirmer ou infirmer que telle ou telle personne est membre, ils sont souvent prêts à nous le faire savoir de manière non officielle, surtout s'il s'agit d'une personne en vue. Ainsi, malgré les allégations des médias disant le contraire, je n'ai eu aucun mal à apprendre que Louis Freeh, l'ancien directeur du FBI, pas plus qu'Antonin Scalia, juge à la Cour suprême des États-Unis, ne sont pas membres de l'Opus Dei. J'ai appris, par contre, que John, le frère de Louis Freeh, a été surnuméraire de l'organisation, qu'il a démissionné plus tard et que ses enfants ont fréquenté The Heights, le collège de garçons de l'Opus Dei, en banlieue de Washington, D.C. Par ailleurs, Clarence Thomas et Mel Gibson, réputés membres de l'Opus Dei selon la presse américaine, n'appartiennent pas à l'organisation, pas plus que le ténor journalistique Robert Novak. Dans le même ordre d'idées, au Pérou, un certain E. Wong, le fondateur de l'une des plus grandes chaînes de supermarchés, avait la réputation d'être membre de l'Opus Dei parce que apparemment, en 1999, lors de la messe inaugurale du cardinal Juan Luis Cipriani, qui est Opusien, certaines personnes du service d'ordre portaient des gilets publicitaires mentionnant le nom de cette célébrité de la mercatique péruvienne. Je n'ai eu aucun mal pour que l'on me certifie que ce monsieur n'avait rien à voir avec l'Opus Dei.

De plus, il est difficile de faire valoir que, dans une société démocratique qui reconnaît le libre droit d'association, l'Opus Dei soit obligée de divulguer à tout venant la liste de ses membres. Oscar Luigi Scalfaro, qui mena l'enquête parlementaire sur l'Opus Dei en 1986 en Italie, a souligné avec véhémence que le fait de ne pas publier la liste de ses membres ne faisait pas de l'Opus Dei une « société secrète ». Il a fait remarquer que, après le règne fasciste de Mussolini, la loi italienne avait été modifiée de manière à ce que l'État ne puisse plus forcer les organisations à divulguer la liste de leurs adhérents, ce qui était conforme à la démocratie et au respect des droits de la personne. « Aux termes de la constitution italienne et de la loi en vigueur, nul ne peut exiger que, de manière à prouver qu'elle est licite et transparente, une association soit forcée de faire connaître à l'extérieur l'identité de ses membres, précise Scalfaro. L'interdiction du secret ne signifie pas l'obligation de tout rendre public. »

La pénétration des marchés récalcitrants

L'anonymat des membres de l'Opus Dei peut créer certains problèmes dans les sociétés occidentales qui s'attendent à un niveau élevé de transparence, mais cette caractéristique peut représenter un avantage dans les cultures où les missionnaires religieux habituels ont difficulté à prendre pied. En qualité de laïcs et de citoyens ordinaires, des membres de l'Opus Dei peuvent s'établir dans des pays comme la Chine, la Corée du Nord ou l'Arabie saoudite, où le prosélytisme chrétien est interdit ou fortement découragé. Grâce à eux, l'Église catholique aurait donc la possibilité de pénétrer ce qu'il serait convenu d'appeler des « marchés récalcitrants ».

C'est ce que faisaient remarquer le 23 avril 1979 le père Alvaro del Portillo et le père Javier Echevarría, tous deux de l'Opus Dei, au cardinal Sebastiano Baggio, alors préfet de la Congrégation des évêques. Ce dernier résumait alors les arguments militant en faveur de la transformation de l'Opus Dei en prélature personnelle.

Après avoir passé en revue certains points délicats du droit canon, Portillo et Echevarría écrivirent ce qui suit : « Hormis l'apostolat de pénétration qui, à travers les occasions créées par des activités professionnelles normales (nous parlons de cours spécialisés, d'échanges culturels, de rencontres internationales et de congrès, d'invitations pour experts en économie, de la présence de techniciens et d'enseignants, etc.), peut être développé dans les pays sous des régimes totalitaires, antichrétiens, athées ou marqués par un nationalisme exacerbé, l'activité de religieux, de missionnaires et même la présence organisée de l'Église en tant qu'institution est rendue difficile et souvent impossible, *de jure* ou *de facto*. »

Cette capacité de l'Opus Dei à pénétrer des endroits où les religions traditionnelles ne sont pas les bienvenues a également des applications dans notre Occident sécularisé. Portillo et Echevarría écrivirent en 1979 : « La transformation de l'Opus Dei d'une institution séculière à une prélature personnelle [...] offrirait au Saint-Siège la possibilité d'utiliser avec une plus grande efficacité une unité mobile de prêtres et de laïcs bien préparés, pouvant être présents n'importe où avec un ferment catholique et spirituel de vie chrétienne, et par-dessus tout dans des contextes sociaux et des activités professionnelles où il n'est souvent pas facile de se montrer efficace avec les moyens habituels dont dispose l'Église. »

Carl Schmidt, un vieux numéraire américain de l'Opus Dei, a raconté qu'il avait été approché pour prendre la parole dans une résidence de jésuites au début des années soixante et que l'un des prêtres présents avait reconnu ce potentiel.

« Après cette allocution, pendant la période réservée aux questions, j'ai relevé deux réactions typiques, note Schmidt. L'une d'elles venait d'un vieux jésuite, qui me déclara quelque chose comme : "J'ai travaillé pour trente-cinq confréries de la Société de Jésus et la question que nous nous posions constamment était de savoir ce qu'une spiritualité laïque signifiait. Je crois que nous avons ici la réponse…" L'autre venait d'un jésuite plus jeune qui déclarait : "C'est évident, mes amis. Ce que nous n'aimons pas dans l'Opus Dei, c'est que ces gens peuvent se rendre là où cela nous est impossible. Pendant quatre cents ans, nous avons été en première ligne, mais maintenant ils ont ouvert un nouveau front où nous ne pouvons pas nous rendre…"»

Schmidt, qui connaît la longue histoire des tensions entre les Jésuites et l'Opus Dei, sourit en racontant cette anecdote. Il se contenta de répondre à son interlocuteur : «C'est vous qui l'avez dit, père, pas moi…»

Un point de comparaison

L'Opus Dei n'est pas l'unique groupement catholique à faire preuve de discrétion à propos de ses membres. Comme point de comparaison, prenons l'Istituto Secolare Missionarie della Regalità ou Missionnaires de la Royauté du Christ, institut séculier composé de 3000 femmes présentes dans 53 pays. La communauté a été fondée en 1919 à Assise, en Italie, par le père Agostino Gemelli et Armida Barelli, une laïque italienne engagée dans l'Action catholique.

Les membres des Missionnaires de la Royauté du Christ font vœu de célibat et de chasteté et se réunissent périodiquement pour des périodes de formation dans la tradition franciscaine, mais ne vivent pas en communauté. Elles demeurent des laïques travaillant dans divers environnements professionnels et sociaux et cherchent à promouvoir un idéal : celui de suivre le Christ en vivant dans le monde séculier. La communauté a été approuvée par le Vatican en 1948. Les membres sont autonomes dans leurs choix professionnels et politiques. Ils sont responsables de leur propre subsistance, mais on attend d'eux qu'ils établissent un budget annuel et consacrent un maximum de leurs revenus aux «priorités de l'Évangile», généralement à des fins charitables.

Les membres ne portent pas de vêtements particuliers ni de symboles religieux. Selon une description de leurs normes, fournie par la section italienne, il est impératif «de maintenir un devoir de réserve concernant le choix de leur vocation et leur appartenance à l'institution». Autrement dit, on ne parle pas de ces choses avec les non-initiés. L'idée derrière ce mutisme est de protéger la sécularité de leur mode de vie et de ne pas permettre de se distinguer des autres laïcs dans le quotidien. Historiquement, cette « réserve » a également permis à des membres d'institutions séculières de vivre et de travailler en passant inaperçus dans des environnements hostiles à l'Église.

Les similitudes avec l'Opus Dei sont manifestes, bien que les Missionnaires de la Royauté du Christ ressemblent davantage à une communauté religieuse. L'Opus Dei comme les Missionnaires de la Royauté du Christ faisaient partie de deux mouvements nés au début du xx⁰ siècle pour tenter de combler la faille qui s'agrandissait entre l'Église catholique et le monde séculier. Afin de réaliser cet objectif, bien des groupes ont pris la décision de se montrer très discrets sur ce qu'ils étaient et sur ce qu'ils faisaient afin d'avoir l'air d'« être comme tout le monde ». La création d'instituts séculiers par le pape Pie XII, en 1947, avait pour but de donner à ces groupes une voix dans l'Église.

Mary Lou Carr a étudié le cas des instituts séculiers et décrit le phénomène de « réserve » de ces groupes dans un exposé qu'elle a soumis au Collège Notre-Dame à Manchester, New Hampshire, en 1988. En voici un extrait.

> *Un autre groupe de femmes et d'hommes consacrés qui ne portent pas d'habits religieux ou de signe extérieur de leur consécration sont membres d'instituts séculiers. Leur consécration et leur engagement ne sont rien de moins que ceux de sœurs et de frères religieux, mais on ne sait pas grand-chose d'eux. L'une des raisons pour lesquelles ces institutions ne sont pas bien connues est le principe dit « de réserve » ou de discrétion qu'ils appliquent. Aux termes de ce principe, le membre fait preuve de la plus grande prudence afin de ne pas divulguer publiquement son appartenance. Dans sa mise en application la plus stricte, le membre se garde de dévoiler sa qualité à toute personne extérieure à l'institution. L'objectif est de lui permettre de jouir d'une plus grande liberté pour interagir dans le monde séculier. La mission des institutions séculières est d'amener le Christ au grand public, de changer le monde de l'intérieur, d'être le levain caché du monde.*

La Conférence américaine des institutions séculières explique la coutume de « réserve » en ces termes : « L'habitude consistant à passer son appartenance sous silence et à faire preuve de discrétion est mise en pratique par environ la moitié des membres des institutions séculières. Certains membres laïques ne mentionnent pas leur consécration dans une institution à d'autres gens ou groupes de la société parce qu'ils ne veulent pas être mis à l'écart. Cependant, on s'attend à ce que les membres soient connus de leurs évêques et d'autres dirigeants de l'Église. »

Les Missionnaires de la Royauté du Christ poussent la « discrétion » plus loin que ne le fait aujourd'hui l'Opus Dei. Lorsque j'ai contacté l'institution pour demander une interview, on m'a invité à poser des questions par courrier électronique, même si son siège social se trouve près de mon bureau de Rome.

Aujourd'hui, il existe approximativement vingt-sept institutions séculières aux États-Unis, onze de juridiction diocésaine et seize de juridiction pontificale. Elle comprennent, entre autres, la Communauté de Saint-Jean, fondée en Suisse par Hans Urs von Balthasar, The Crusaders of Saint Mary (Croisés de Sainte-Marie), les Missionnaires de l'Immaculée du père Kolbe. Dans le monde, on trouve plus de 200 institutions séculières comprenant 60 000 membres, dont plus de 80 % sont des femmes. La plupart des catholiques n'en ont probablement jamais entendu parler, en grande partie à cause de leur sacro-saint devoir de « réserve ». Les membres disent que cette réserve n'a pas pour objectif de leur conférer une aura de mystère, mais de défléchir en quelque sorte la gloire divine et, pour eux, d'être capables de jouer le rôle de « levain » dans la société. Si l'Opus Dei peut être considérée comme « secrète » parce qu'elle ne révèle pas à tout venant le nom de ses membres, on peut donc considérer qu'elle se trouve en bonne compagnie.

En parler ou non avec la famille

Une chose préoccupe particulièrement l'Opus Dei : l'idée d'avoir ou non à dissimuler à la famille des membres que ceux-ci appartiennent à l'organisation. Personne ne peut contester qu'au cours des années cette dissimulation a pu se produire. Ainsi Matthew Collins, un programmeur en informatique et analyste de systèmes qui a travaillé pendant des années pour une foule d'organisations médicales, a été surnuméraire de l'Opus Dei pendant près de vingt-sept ans. Toujours en très bons termes avec l'organisation et maintenant coopérateur, Collins a créé un site Web où l'on trouve sous forme de questions et de réponses ce qu'il pense de ses expériences dans l'Opus Dei. Voici son opinion sur les moyens d'annoncer aux membres de sa famille la décision d'adhérer à l'organisation.

> *L'une des plus fréquentes critiques adressées à l'Œuvre est que l'on conseille parfois aux membres potentiels, tout spécialement aux numéraires, de s'abstenir pendant un certain temps de dévoiler à leur famille qu'ils ont adhéré à l'Opus Dei ou qu'ils s'apprêtent à le faire. Lorsque je suis entré dans l'organisation, on m'avait demandé de ne rien dire et on le demande encore à d'autres. Franchement, je ne sais pas pourquoi et je trouve cela toujours aussi bizarre. Pourtant, pour replacer ceci dans un contexte convenable, je pense qu'il peut être utile de se rappeler que, durant les premières années du développement de l'Opus Dei en Espagne, des gens attaquaient méchamment l'institution sans jamais vraiment comprendre ce que saint Josemaría essayait de faire.*

Les mises en garde du genre de celles que les membres lui adressaient sont de notoriété publique. John Roche fut numéraire de 1959 à 1973 jusqu'à ce que ses relations avec l'Œuvre tournent au vinaigre. Lorsqu'il claqua la porte, il aida le *London Times* à publier des révélations sur ce qu'il considérait comme des abus et des excès de la part de l'Opus Dei. L'une de ses objections est que les membres de l'Opus Dei étaient encouragés à dissimuler à leurs familles qu'ils avaient l'intention de se joindre à l'organisation. Un autre exemple nous vient de Tammy DiNicola, une Américaine ancienne numéraire de l'Opus Dei pendant deux ans et demi et qui a quitté l'organisation en 1990. DiNicola et sa mère Dianne ont fondé l'Opus Dei Awareness Network (ODAN), un réseau de vigilance qui scrute l'organisation et anime un site Web grâce aux témoignages d'anciens membres. Au cours d'une interview qu'elle m'accordait en mai 2004, Dianne m'a raconté ce qui suit : « Lorsque Tammy est entrée au Boston College, elle se comportait normalement la plupart du temps, puis, soudainement, elle a semblé subir un changement de personnalité qui s'est étalé sur une période de trois ans. Elle se détachait de plus en plus de nous. J'ai appris qu'elle avait adhéré à l'Opus Dei sans nous en parler. Cela ne lui ressemblait pas... »

Collins a également raison lorsqu'il souligne qu'historiquement, en Espagne, beaucoup de parents se sont opposés très tôt à ce que leurs enfants deviennent membres d'une institution religieuse. Pour s'en convaincre, il suffit de consulter le volume 2 de la biographie d'Escrivá par Vásquez de Prada. Par exemple, ce dernier cite une lettre de 1941 écrite par l'ami d'un des membres de l'organisation, Rafa Escolá, dont la famille s'opposait à ce qu'il devienne membre de l'Opus Dei. L'ami cite Escolá en ces termes : « À la maison, ma mère et mes cinq frères me considéraient comme un hérétique en perdition. Toute la journée, ils me fixaient et analysaient le moindre de mes mouvements. Tout ce que je faisais leur paraissait suspect. Si j'avais l'air triste, ils me disaient : "C'est naturel, tu es piteux parce que tu sais fort bien que tu te trouves sur une mauvaise pente..." Si j'étais joyeux et détendu, ils se faisaient encore davantage de souci. "Il n'y a plus rien d'autre à faire, disaient-ils. Le mal a implanté ses racines en lui et, maintenant, c'est un hérétique invétéré." Ma mère ne pouvait me parler sans se mettre à pleurer. Entre nous s'érigeait une barrière de glace... » De telles histoires pourraient se multiplier des centaines de fois dans toute l'Espagne.

Le ressentiment de parents s'opposant à une relation religieuse se manifeste ailleurs que dans le cas de postulants de l'Opus Dei. Certains des grands saints de l'histoire de l'Église ont dû surmonter l'opposition de leur famille. Ainsi, les parents et les frères de saint Thomas d'Aquin étaient si opposés à son entrée chez les Dominicains qu'ils le séquestrèrent dans une forteresse pendant presque deux ans et qu'ils lui envoyèrent même une femme pour le faire changer d'idée. On raconte que le saint prit un brandon dans la cheminée et en menaça l'intruse. En fin de compte, il devint membre de l'ordre des Frères prêcheurs et se révéla un grand dominicain et l'un des théologiens catholiques les plus réputés de tous les temps. Le problème est parfois que les parents et les autres membres de la famille tentent de contrarier les vocations de leurs enfants et, comme on le dit souvent dans l'Opus Dei, il peut exister de bonnes raisons de conseiller aux membres de choisir le bon moment et le bon endroit pour dévoiler leurs intentions.

Aujourd'hui, un jeune intéressé à entrer dans l'Opus Dei peut devenir « aspirant » à quatorze ans et demi. Selon Carlo Cavazzoli, un numéraire argentin employé au siège social de l'institution à Rome, on demande aux aspirants de dire aux parents ce qu'ils font, car l'opinion de ces derniers est cruciale à ce stade du choix de leur orientation. Selon Cavazzoli les directeurs s'entretiennent fréquemment avec les parents.

Les responsables de l'Opus Dei chargés d'accepter les postulants disent qu'aujourd'hui ils hésiteraient beaucoup à conseiller à quelqu'un de dissimuler sa décision à sa famille. Alvaro de Vicente, numéraire et directeur de l'école The Heights, en banlieue de Washington, m'a confié en décembre 2004 que, si un jeune homme de moins de dix-huit ans l'approchait pour devenir membre de l'organisation, il contacterait les parents du postulant et discuterait avec eux de cette éventualité. S'ils s'opposaient à ce que leur fils se joigne à l'Opus Dei, il proposerait au jeune homme en question d'attendre d'avoir dix-huit ans pour « siffler », acte que l'on peut faire également dès l'âge de seize ans et demi. « S'il a la vocation à seize ans et demi, il l'aura toujours à dix-huit ans », m'a confirmé Vicente. Passé dix-huit ans, le jeune homme est un adulte qui ne peut être forcé de dévoiler quoi que ce soit, mais, m'a confirmé ce directeur compréhensif : « Je conseillerais fortement que la famille soit tout de même mise au courant. »

Tous les numéraires ne sont pas nécessairement aussi catégoriques et certains soutiendront qu'une personne pourra, à l'occasion, avoir de bonnes raisons pour ne pas divulguer son choix d'emblée. Que l'on appelle cela une culture du secret ou faire preuve de bon jugement afin d'entretenir une vocation encore fragile demeure une question d'opinion.

Les statuts secrets de l'Opus Dei

Le père James Martin, jésuite jeune et affable, possède un sens très élevé de ses devoirs de prêtre. Peu après l'attaque terroriste du 11 septembre 2001 à New York, il se précipita vers les tours du World Trade Center pour y exercer son ministère. De ses expériences avec la police, les pompiers et les sauveteurs, il a tiré un livre intitulé *Searching for God at Ground Zero* (*Où était Dieu à « Ground Zero »?*) publié en 2002 chez Shed and Ward. Le père Martin, rédacteur estimé et versé dans la spiritualité, collabore fréquemment à *America,* le magazine des jésuites états-uniens.

Au milieu des années quatre-vingt-dix, il manifesta de la curiosité pour l'Opus Dei et se porta volontaire pour faire un article dans *America.* Ironie de la chose, il déclara que cet intérêt avait été provoqué par des critiques, à son avis exagérées, formulées contre l'Opus Dei, y compris celles que les Jésuites ne se privaient pas de colporter. En fin de compte, malgré ses efforts pour se montrer impartial et pour représenter adéquatement les positions de l'Œuvre, son article du 25 février 1995 fut largement considéré comme une critique.

Alors que nous déjeunions à New York au printemps de 2004, le père Martin me déclara qu'il avait abordé le sujet avec une grande ouverture d'esprit, mais qu'il était resté perplexe, puis ulcéré par ce qu'il considérait être les « cachotteries » des responsables de l'Opus Dei qu'il avait interrogés. La goutte qui fit déborder le vase survint lorsqu'il demanda de voir la traduction des *Statuts,* c'est-à-dire de la loi approuvée par le Vatican et qui régit l'Opus Dei.

« Je les ai appelés et leur ai dit : "Je veux vraiment vous comprendre. Pourquoi ne me faites-vous pas parvenir un exemplaire de vos constitutions ?" Ils ont alors répondu que c'était impossible et je l'ai noté dans mon article. Lorsque j'ai demandé pourquoi, la réponse a été : "Eh bien, ce document appartient à l'Église." Ils ont ajouté que le droit canon les empêchait de me soumettre ce document. » Dans son article, le père Martin a cité des avocats spécialisés qui lui ont certifié que le droit canon n'interdisait pas une telle chose. Tout cela le porta à déduire que ce refus était un genre d'échappatoire pour éviter que les *Statuts* tombent sous l'œil du public.

«Ce genre de conneries a commencé à me tomber nettement sur les nerfs», m'a dit le père Martin sans s'empêtrer dans le protocole.

Ce curé de choc n'est pas le seul à en déduire que l'Opus Dei se livre en quelque sorte à des tours de passe-passe avec ses *Statuts*. L'Opus Dei Awareness Network soutient sur son site Web que «ces statuts ont été gardés sous le boisseau d'une "discrétion" proche de celle des sociétés secrètes pendant de longues années». Toute recherche rapide sur le Web fournira pourtant des centaines de références sur les «statuts secrets» de l'Opus Dei. Opuslibros, un site espagnol critique de l'Opus Dei, met deux volumes en vente dont le titre est, comme par hasard, *Les Statuts secrets de l'Opus Dei*.

En vérité et quoi que les porte-parole de l'Opus Dei aient pu raconter au père Martin, les *Statuts* avaient déjà été publiés en entier au moment de la parution de son article. L'édition de 1982 des *Statuts*, actuellement en vigueur, apparaît dans les annexes du livre *The Canonical Path of Opus Dei* (*La Voie canonique de l'Opus Dei*). Ils ont été publiés en 1994, en langue anglaise seulement, par deux maisons d'édition affiliées à l'organisation, Scepter Publishing et Midwest Theological Forum. L'édition espagnole originale est parue en 1989. Le jeu complet des *Statuts* de 1982 y est inclus, ainsi que des extraits de l'édition de 1950, bien qu'en latin dans les deux cas. De plus, le magazine *Tiempo* a publié en 1986 une traduction en espagnol des *Statuts*.

Le problème avec ces *Statuts* n'est pas tant leur disponibilité que la langue dans laquelle on peut les consulter. L'Opus Dei n'a jamais fourni de traduction du latin véritablement homologuée. Lorsque des journalistes ou d'autres observateurs demandent à voir un exemplaire des *Statuts*, le mieux qu'un porte-parole de l'Œuvre puisse faire est de leur montrer le texte en latin. Or, étant donné l'état des études latines de nos jours, cela revient à ne rien leur donner, ce qui n'aide guère les choses et peut sembler comme un moyen d'éluder la question. L'Opus Dei Awarenesss Network a fait paraître une traduction des *Statuts* de 1982 sur son site Web.

L'un des arguments souvent invoqués par l'Opus Dei pour justifier le manque de traduction officielle (évoqué par le père Martin) est le suivant : étant donné qu'il s'agit d'un document sanctionné par le Vatican, c'est au Saint-Siège d'en autoriser les traductions. Il est toutefois douteux que le Vatican en fasse une affaire d'État si, d'aventure, quelqu'un décidait de traduire les *Statuts* en une multiplicité de langues.

La logique plus profonde derrière tout cela, du moins de l'avis de certaines personnes bien placées dans l'Opus Dei, c'est qu'il existe des problèmes de terminologie qui n'ont pas encore été réglés par le droit canonique. Par exemple, la relation entre un membre et l'Opus Dei doit-elle être qualifiée de « contrat » ou d'« entente » ?

En espagnol, le mot « contrat » possède un sens presque exclusivement commercial, et plusieurs spécialistes du droit canon pensent qu'il ne décrit pas convenablement la nature d'un lien avec l'Église. Dans le même ordre d'idées, les personnes qui appartiennent à l'Opus Dei sont-elles des « membres » ou font-elles partie des « fidèles » ? Ces jours-ci, le terme favori dans l'organisation semble être « fidèles », car il reflète le fait que l'Œuvre fait partie de la structure hiérarchique ordinaire de l'Église. Il existe toujours un débat canonique afin de savoir si les laïcs de l'institution peuvent vraiment être décrits comme des « membres » dans le plein sens du terme. Selon des responsables, les hésitations entourant la traduction visent principalement à permettre à la conversation canonique de mûrir et de ne pas utiliser à la hâte des termes qui, plus tard, pourraient se révéler problématiques et entraîner l'Opus Dei vers une configuration canonique incompatible avec son propre entendement.

En même temps, de nombreux membres de l'Opus Dei ne peuvent que déplorer qu'après vingt-quatre ans aucune traduction officielle des *Statuts* n'ait encore été produite. En réalité, si l'on consulte la traduction non officielle en anglais réalisée par l'ODAN ou encore celle en espagnol des *Statuts* de 1950 sur le site d'Opuslibros, il ne semble pas qu'on puisse trouver quoi que ce soit d'abominable dans ces versions non encore approuvées par le Saint-Siège. Il ne s'agit principalement que d'un survol des structures administratives de l'Œuvre, des procédures à suivre pour en devenir membre, des relations entre les différentes composantes de l'institution précédemment décrites dans le premier chapitre de ce livre, ainsi que de brefs commentaires sur la spiritualité. Du point de vue des relations publiques, la plupart des *Statuts* reflètent bien l'organisation puisqu'ils insistent sur les notions d'humilité et de simplicité et, comme nous l'avons déjà vu, interdisent le secret. Aux yeux de maints observateurs, en refusant de publier une traduction officielle de ses *Statuts*, l'Opus Dei manque une bonne occasion d'améliorer son image publique.

Autres documents

Si les *Statuts* ne semblent être qu'un secret de polichinelle, l'Œuvre possède d'autres documents que l'on peut considérer comme confidentiels. Il s'agit du *Catéchisme de l'Opus Dei*, qui en est à sa septième édition. Il existe aussi un document appelé le *Vade-mecum*, un ensemble de réflexions consignées par les directeurs des centres de l'Opus Dei et autres composantes de l'Œuvre sur les expériences vécues à l'occasion des essais de mise en route de divers programmes, initiatives et systèmes organisationnels. Un exemplaire de cet ouvrage se trouve dans chaque centre de l'Opus Dei et il est mis à jour périodiquement de façon à ce que ses membres puissent profiter de l'expérience des autres. Réservés exclusivement aux membres, on trouve aussi deux magazines, *Crónica*, pour les hommes, et *Noticias*, pour les femmes. Les deux sont publiés en espagnol, la «langue officielle» de l'Opus Dei.

Les bonnes raisons pour que ces documents demeurent confidentiels ne manquent pas. Dans le cas du *Catéchisme*, on fait remarquer qu'il est réservé à la formation des membres et que son application est strictement interne à l'Opus Dei. De plus, il ne s'agit pas d'un document qui se suffit à lui-même, mais de l'amorce d'un entretien éventuel avec un prêtre ou un numéraire. En dehors de ce contexte, il pourrait être mal compris. De plus, certains responsables de l'Œuvre n'aimeraient guère qu'un livre intitulé *Catéchisme de l'Opus Dei* circule librement, ce qui pourrait donner l'impression que l'organisation possède un système doctrinal indépendant de celui de l'Église catholique.

Quant au *Vade-mecum* (son nom technique est *Expériences d'un gouvernement local*), il s'agit d'une collection de textes constamment mise à jour, contenant des rapports d'initiatives ayant été prises dans différentes parties du monde ; on y trouve l'analyse des raisons de leurs réussites et de leurs échecs. L'objectif est de tirer, à partir de l'expérience des autres, des leçons d'application générale ayant valeur d'exemples pour les autres membres de l'Opus Dei, tout spécialement les directeurs des centres. Dans ce sens, le *Vade-mecum* est analogue à ces rapports d'étapes à usage interne utilisés par les services gouvernementaux et les grandes entreprises.

Mis à part le concept d'« humilité collective », aux termes duquel l'Opus Dei n'est pas censée avoir ses propres publications, l'argument invoqué pour réduire la diffusion de *Crónica* et de *Noticias* exclusivement aux membres est que ces publications ont été lancées comme un moyen de faire connaître les lettres qu'Escrivá recevait régulièrement des Opusiens, d'abord des différentes régions de la péninsule ibérique, ensuite du monde entier. Ces publications existent pour informer les membres des réalisations et du déroulement de la vie de leurs semblables. Dans ce sens, ces magazines sont un peu comme ces albums de coupures de journaux ou de souvenirs, où l'on accumule anecdotes et expériences vécues. La coutume veut que les membres ne soient désignés que par leur prénom, en partie pour protéger leur vie privée, en partie pour conserver cet esprit d'humilité, clé de voûte de l'Opus Dei. L'idée générale est de souligner que l'Œuvre est une famille ayant des ramifications internationales et de partager avec elle les bons moments comme les aléas de son apostolat.

De 1938 à 1954, ce genre de communication se composait principalement d'un échange de lettres entre Escrivá et les membres de l'Opus Dei. Plus tard, on adopta une formule tenant davantage du journal. Au début de 1954, la structure de base pour l'élaboration de chaque numéro suivait cet ordre : les faveurs de Notre Père, en clair les petits et grands miracles attribués à l'intervention de saint Josemaría ; les nouvelles des différents apostolats de l'Opus Dei ; les notes de Rome ; enfin les lectures spirituelles et les commentaires sur les événements de l'actualité.

Les « faveurs » tiennent parfois du miracle, mais dans un sens assez large. Par exemple, quelqu'un ayant un cœur endurci vis-à-vis de Dieu et de l'Église catholique a vu la lumière après avoir lu *Chemin* et s'est remis à pratiquer. Parfois, ces rapports font allusion à des miracles plus terre à terre. Par exemple, en 1985, un membre écrivit dans *Crónica* qu'au cours d'un long voyage le radiateur de sa voiture sauta. Après qu'il eut invoqué Escrivá, le moteur maintint jusqu'à bon port une température normale comme si le radiateur n'avait jamais subi d'avaries.

Des critiques accusent ces journaux de servir à réécrire l'histoire de l'Opus Dei. María del Carmen Tapia avait remarqué que des membres de l'Opus Dei remplaçaient les anciens textes ou changeaient certaines de leurs parties dans les *Noticias*, particulièrement lorsque certaines personnes dont les photos apparaissaient ou dont on commentait l'action ne faisaient plus partie de l'organisation. On envoyait alors des pages corrigées aux directeurs. María del Carmen Tapia explique que ces derniers avaient ordre de détruire les anciennes pages et de les remplacer par les nouvelles. Selon elle, en agissant ainsi, l'existence de ceux que l'on veut oublier se trouve à tout jamais effacée. Des membres de l'Œuvre rétorquent que, par exemple, il y a tout de même moyen de retrouver des photos de Raimundo Panikkar, l'un des pionniers oubliés de l'Œuvre, dans de vieux numéros de *Crónica*.

Peu importent les raisons invoquées, l'Opus Dei a beau jeu d'affirmer que *Noticias* et *Crónica* sont des collections d'expériences et de souvenirs personnels de ses membres et que, par conséquent, ils appartiennent à la « famille » et qu'on serait malavisé de les diffuser dans le grand public. On fait également remarquer que les autres communautés religieuses ont également leurs publications internes. Pour les curieux qui veulent s'informer de ce qui se passe dans l'Opus Dei, cette dernière publie deux fois par an sur Internet le site de discussions Romana, proposé en trois langues : anglais, italien et espagnol. Lancé en 1985, Romana présente des documents du Saint-Siège, des nouvelles se rapportant à la diffusion du message d'Escrivá, des informations sur les activités de l'Opus Dei, les noms de tous les directeurs des centres et des leaders nationaux, les postes diocésains confiés à des prêtres de la prélature et des détails sur des initiatives entreprises par des membres.

Le « secret » entourant ces publications n'est pas très étanche. Au cours des recherches que j'ai effectuées pour écrire ce livre, j'ai pu consulter des exemplaires de toutes ces revues. Comme je l'ai mentionné au début de cet ouvrage, j'ai pu assister à un cours de formation des surnuméraires au Centre de conférences Shellbourne à Valparaiso, Indiana, en septembre 2004, où des membres discutaient du premier chapitre du *Catéchisme de l'Opus Dei*. On me prêta un exemplaire de ce document que j'ai pu consulter à loisir. En ce qui concerne le *Vade-mecum, Noticias* et *Crónica*, on m'a permis d'en feuilleter des exemplaires au Bureau d'information de l'Opus Dei à Rome, non loin de la Piazza Farnese et de l'Université Santa Croce. Marc Carroggio, numéraire romain chargé des relations avec la presse, m'a raconté comment après avoir demandé à ses supérieurs la permission de me laisser consulter chaque publication, on la lui avait accordée sans problème. Il est bien entendu qu'un préposé de l'organisation a sélectionné ce qu'il m'était permis de voir, mais les exemplaires couvraient un certain nombre d'années et ne semblaient pas avoir été choisis pour refléter une certaine image de l'Œuvre. On ne m'a pas permis d'apporter ces publications à mon bureau, mais on m'a accordé tout le temps nécessaire pour les consulter et pour prendre toutes les notes que je voulais. De plus, Carroggio m'a également soumis des exemples de lettres qu'Escrivá recevait à l'époque de la fondation de *Noticias* et de *Crónica*. À la Villa Tevere, je suis également entré dans la petite pièce où l'on produisait ces magazines.

En toute honnêteté, je n'ai rien vu de sensationnel ou de détonnant. Dans une société moderne où la transparence a priorité sur la confidentialité, tout débat sur le bien-fondé de ce type de publication et la volonté de l'Opus Dei de les publier n'est pas près de cesser de faire couler de l'encre.

Pourquoi ne pas simplement l'appeler « Centre de l'Opus Dei » ?

Comme je l'évoquais dans le premier chapitre, il existe, du moins de manière informelle, au moins trois catégories d'activités de l'Opus Dei que l'on pourrait représenter par des cercles concentriques. Dans le cercle intérieur se trouvent les « centres » de l'institution, là où vivent des membres de l'Opus Dei, où la formation spirituelle et doctrinale est offerte et où les activités de l'organisation dans une région donnée se trouvent coordonnées. Dans le second cercle se trouvent les « œuvres de l'institution », comme les écoles, les activités de services sociaux, où l'Opus Dei s'occupe de la vie spirituelle. Dans le dernier cercle, il y a les activités dans lesquelles les membres s'engagent, parfois avec leurs homologues, parfois sans eux, mais qui, en général, reflètent les valeurs de l'Œuvre sans que celle-ci joue de rôle officiel. Un exemple est Lux Vide, une maison de productions télévisuelles, dont le fondateur et directeur général est un surnuméraire. Dans les trois cas, l'Opus Dei n'est pas le « propriétaire » de l'activité ou de ses installations. Ces entités sont constituées en sociétés selon les dispositions prévues par le Code civil et comportent leur propre conseil d'administration. Avec les années, des critiques allèguent qu'en tous les cas les liens que ces activités peuvent avoir avec l'Opus Dei sont soit minimisés, soit occultés, autrement dit « secrets ».

Même en ce qui concerne les activités se déroulant dans les deux premiers cercles, où il existe un lien formel avec l'Opus Dei, dans la plupart des cas il n'existe que peu d'indications externes visibles de celui-ci. Le siège social mondial de l'Opus Dei s'appelle la Villa Tevere et non, par exemple, le « Centre Josemaría Escrivá » ou toute autre désignation du genre. Le siège social américain se trouve à Manhattan, à l'angle de la 34e Rue et de Lexington, mais il est connu sous le nom de Murray Hill Place. Les établissements d'enseignement de l'Opus Dei ne portent pas de nom comme « Portillo Prep » ou « Zorzano Academy », mais plutôt des appellations génériques comme The Heights, Oakcrest et Northridge Prep. Étant donné la banalité de celles-ci, certaines personnes font remarquer qu'il est possible d'assister à des événements qui se déroulent dans des centres de l'Opus Dei sans se douter que l'on se trouve dans un établissement administré par l'Œuvre. En 1995, alors que le père Martin travaillait à son article pour *America*, il en est venu à la conclusion que l'Opus Dei s'arrangeait pour voler «hors du faisceau de détection des radars» pour attirer les gens dans son champ d'influence avant qu'ils ne puissent s'en apercevoir.

Le père Martin décrit en ces termes l'expérience typique d'un étudiant de premier cycle peu méfiant.

«Quelqu'un vient trouver le jeune homme et lui dit: "Aimerais-tu assister à une réunion vraiment intéressante? J'appartiens à un groupement catholique." Évidemment, tout cela demeure très vague et on ne lui raconte jamais de quoi il s'agit. Il rencontre donc des catholiques instruits, bien éduqués, parlant d'abondance de leur foi. L'invité assiste à la messe et revient une ou deux fois dans ce lieu, qui porte un nom banal, comme le Centre des Chênes, et tout le monde fait preuve de gentillesse avec lui. Les aspirants Opusiens sont recrutés dans les paroisses, à l'occasion de messes pour la jeunesse et d'autres manifestations du même genre ou encore sur les campus. On approche ces jeunes avec les meilleures intentions du monde et on les encourage à venir jusqu'à ce qu'ils réalisent au bout d'un moment que le lieu de réunion est animé par l'Opus Dei…»

Vu de l'intérieur, l'habitude de donner des noms très ordinaires, souvent dérivés de noms de rues ou de quartiers, fait partie de la «sécularité» si chère à l'Opus Dei. En tant que laïcs dans le monde, les Opusiens ne tiennent pas à imiter les ordres religieux en créant des îlots de vie ecclésiastique portant le nom de saints ou de dévotions. De plus, les membres de l'Opus Dei à qui j'ai parlé trouvent difficile à croire que quelqu'un puisse visiter un de ces centres et ignorer qu'il a quelque rapport avec l'organisation étant donné l'omniprésence de portraits du Fondateur et la documentation opusienne qui traîne un peu partout.

Pourtant, les membres de l'Opus Dei peuvent parfois être éberlués par la façon dont le concept de «sécularité» est poussé loin. Russell Shaw nous en donne un exemple. « Je me souviens de la première fois, en 2002, où je suis allé, dans l'édifice du siège de New York où l'on m'avait invité pour discuter de la planification des relations publiques pendant la canonisation prochaine de Mgr Escrivá, commence-t-il. Nous étions en train de discuter et, après avoir écouté une foule de propos de nature plutôt abstraite, j'ai finalement dit : "Vous savez, il y a une chose que nous pourrions faire et c'est installer un panneau sur la porte d'entrée où l'on pourrait lire qu'il s'agit du siège social américain de l'Opus Dei…" » Ce commentaire provoqua d'abord l'hilarité, puis, lorsque l'assistance s'aperçut qu'il était sérieux, on fit le silence.

En fait, Shaw semblait avoir marqué des points, du moins sur cette question puisqu'il existe maintenant un petit panneau à l'extérieur du bâtiment qui désigne celui-ci comme abritant les bureaux américains de l'Opus Dei. On peut y lire : PRÉLATURE DE L'OPUS DEI POUR LES ÉTATS-UNIS – BUREAU DU VICAIRE.

Shaw trouve des plus frustrantes cette répugnance typique à l'Opus Dei de communiquer le moindre renseignement. « Ce sont des choses anodines, simples, que nous n'avons aucune raison de cacher… Pourtant, je découvre souvent que mon institution bien-aimée refuse de les dévoiler… » conclut-il.

Finalement, en ce qui concerne les activités lancées par des Opusiens, mais n'entrant pas dans le cadre des organismes de l'Œuvre, comme l'agence de nouvelles Rome Reports TV, la situation se complique d'autant. Comme de telles entreprises n'entretiennent pas de liens officiels avec l'Opus Dei, il est rare qu'elle avoue leur discrète affiliation. Ainsi, sur le site Web de Rome Reports TV, on ne verra jamais que le fondateur et directeur de la maison, Santiago de la Cierva, est membre de l'Opus Dei et que le reste du personnel (pas entièrement cependant) est Opusien bon teint. Du point de vue de l'Œuvre, on rétorque : « Où est le problème ? Si trois ou quatre membres des Elks[3] décident de monter une affaire, en

---

3. Association américaine fondée en 1868 et organisée en loges. Elle s'occupe, entre autres, de projets philanthropiques. Existe au Canada sous l'appellation « Les Élans ». (N.d.T.)

font-ils toute une histoire ? Si un président du conseil d'administration diplômé de la Harvard Business School s'entoure de directeurs
anciens élèves de cette école, est-il nécessaire de l'annoncer dans la
brochure publicitaire de son entreprise ? » De bien des manières, il
est difficile de prendre cette logique en défaut. La différence avec
l'Opus Dei vient du climat de mysticisme dans lequel elle baigne
plutôt que d'une raisonnable exigence de transparence.

Avec le temps...

Au chapitre du mystère perpétuel que semble entretenir l'Opus
Dei, il y a un point sur lequel bien des gens s'accordent : avec le
temps, l'organisation est davantage portée à satisfaire la curiosité
publique. Aujourd'hui, les numéraires du Bureau d'information de
l'Opus Dei à Rome (Giuseppe Corigliano, Juan Manuel Mora et
Marc Carroggio) sont reconnus par la plupart des reporters en poste
à Rome comme des gens qui réagissent rapidement et, d'une certaine
manière, mieux que les porte-parole de bien d'autres organisations
de l'Église catholique. L'Opus Dei émet un document annuel appelé
« Données instructives », où l'on trouve des informations pertinentes.
Il existe en outre des sites Web, des CD, des DVD et une cargaison
de documentation écrite. Pour ce qui est du désir d'ouverture de
l'organisation, il suffit de se reporter à mon introduction. Avant la
mise en route de ce livre, l'Opus Dei m'avait promis de coopérer, et
je dois dire qu'elle a respecté sa parole. Nulle question n'est restée
sans réponse. Dans certains cas, la réponse pouvait être « Nous ne
savons pas », mais je n'ai jamais eu l'impression qu'on cherchait à se
défiler. Il y a des données de base, comme la fameuse liste générale
de ses membres que, pour des raisons qui la regardent, l'Opus Dei
s'abstient de dresser. Dans certains cas, je n'ai pu vraiment vérifier
l'identité d'un membre de l'organisation, mais cela relevait de la
personne en cause et non des agents d'information.

Selon ceux qui ont suivi le développement de l'Opus Dei, on
assiste actuellement à une plus grande ouverture de l'institution
sur le monde et on l'apprécie grandement. Un numéraire, Alfonso
Sánchez Tabernero, doyen de la Faculté de communications de

l'Université de Navarre à Pampelune, m'a exposé la situation au cours d'une interview en juin 2004. « Au début, nous ne fournissions guère d'explications. Le Fondateur avait coutume de dire : "Nous ne tenons pas à acquérir du prestige, à être bien connus, à avoir une cohorte de gens qui ne disent que des choses gentilles à notre propos." Dans la vie quotidienne, c'était plutôt : "Ne parlons jamais, jamais de nous…" Mais les temps changent. Je pense que nous nous exprimons publiquement davantage, que nous nous ouvrons davantage au monde. Nous devons poursuivre dans cette direction, car, autrement, les gens deviendraient méfiants. En Espagne, la couverture médiatique de l'Opus Dei a beaucoup laissé à désirer au cours des années, mais je pense que cela a évolué. »

Si nous voulons ouvrir une fenêtre sur ces changements, il faut lire un article du magazine *America* en date du 1er avril 1961, dans lequel le père jésuite Thurston N. Davis nous livre l'un des meilleurs textes jamais publiés sur l'Opus Dei dans la presse catholique. Le père Davis présente un personnage qu'il nous décrit comme un « porte-parole subalterne » de l'Opus Dei. Ce personnage avait notamment déclaré : « L'Opus Dei n'a aucunement l'intention d'établir quoi que ce soit qui puisse ressembler à cette institution américaine que l'on appelle un bureau d'information… » Peu importe qui était ce « porte-parole subalterne », mais il avait certainement la vue courte, car aujourd'hui l'Opus Dei possède un bureau d'information à Rome et dans la plupart des pays où elle est établie, y compris aux États-Unis.

Sur un plan plus global, la réaction féroce du public à la béatification d'Escrivá en 1992 s'est sensiblement atténuée lors de sa canonisation en 2002. Ce contraste est peut-être dû à l'usure du sujet, mais, à l'Opus Dei, il reflète dans une certaine mesure une manière beaucoup plus habile de traiter l'information. Ces signes annoncent une transparence accrue de l'organisation et, chez cette dernière, la capacité de pouvoir de mieux en mieux parler d'elle-même.

Juan Manuel Mora, qui dirige le Bureau d'information de l'Opus Dei à Rome, pense que l'Œuvre a fait beaucoup de chemin, mais qu'il lui en reste encore beaucoup à parcourir.

En janvier 2005, il me faisait remarquer : « Je fais ce travail depuis 1991. J'ai commencé avec Mgr Portillo et cela se poursuit maintenant avec Mgr Echevarría. Je peux dire que, au cours de toutes ces années, pas un jour ne s'est passé sans que l'un ou l'autre m'ait demandé de faire davantage et de faire mieux. Cela s'avère dans des situations extraordinaires, comme lors d'une canonisation ou d'un congrès général, tout comme dans les circonstances prosaïques de la vie quotidienne. [...] La consigne la plus fréquente qui m'ait été donnée par Portillo ou Echevarría est de faire constamment preuve d'humilité. Ils m'ont souvent fait remarquer que, dans nos communications, nous confondions souvent les objectifs de l'Opus Dei avec nos propres mérites et que nous utilisions un langage qui pouvait paraître arrogant. Dire, par exemple, que les fidèles de l'Opus Dei sanctifient leur travail est incorrect. Nous essayons de sanctifier notre travail, avec de grands efforts, mais aussi en commettant des erreurs et des gaffes. Nous n'avons aucunement la prétention d'être meilleurs que qui que ce soit et, en fait, nous ne sommes pas meilleurs que les autres.

« Nous avons beaucoup appris de la béatification, surtout de nos erreurs et de nos omissions, poursuit Mora. Nous nous sommes retrouvés mal préparés face à un événement d'une grande envergure et avons payé les conséquences d'une carence de communications. Depuis, nous pensons avoir progressé, mais il y a encore bien des choses à améliorer. Notre stratégie communicationnelle est basée sur le principe du professionnalisme. Les communications sont un secteur qui a ses exigences et il importe d'y répondre sérieusement. L'esprit de sanctification de l'Opus Dei nous aide en ce sens. La communication institutionnelle professionnelle exige, entre autres, que l'on exerce une grande attention, non seulement au plan du contenu, mais de l'attitude à adopter, de l'ouverture d'esprit, de l'accessibilité à l'information, de la sincérité du message.

« Nous savons pertinemment que, dans ce domaine, on ne peut travailler à crédit. La confiance est quelque chose que nous acquérons par des actes et il nous faut la mériter », conclut Mora.

CHAPITRE 8

LES MORTIFICATIONS

Parmi les sujets de fascination entourant actuellement l'Opus Dei, du moins dans les milieux anglo-saxons, rien ne retient plus l'attention que la «mortification de la chair», c'est-à-dire la douleur qu'on s'inflige pour mater nos pulsions sexuelles et nous unir aux chrétiens dans les souffrances du Christ. Dans *Da Vinci Code*, le roman de Dan Brown où l'auteur fait jouer un rôle prépondérant à une Opus Dei parfaitement mythique, on assiste dans les premières pages du livre à une scène des plus dramatiques. En voici un extrait.

> *À moins de deux kilomètres de là, Silas, le colosse albinos, franchissait en boitant la porte cochère de la luxueuse résidence en briques de la rue La Bruyère. Le cilice qu'il portait autour de la cuisse lui écorchait la peau, mais son âme chantait la joie de servir Dieu.*
>
> *La souffrance est salutaire...*
>
> *Il ferma les persiennes, se dévêtit et s'agenouilla au centre de la chambre. Baissant les yeux, il examina le cilice toujours serré autour de sa cuisse. Tous les véritables disciples de la Voie portaient cette lanière de crin hérissée d'aiguillons métalliques qui éraflent la peau à chaque pas, pour perpétuer le souvenir des souffrances du Christ et combattre les désirs de la chair.*
>
> *Silas l'avait déjà portée plus longtemps que les deux heures quotidiennes réglementaires, mais aujourd'hui était une journée*

particulière. Il resserra la boucle d'un cran, gémit en sentant les aiguillons s'enfoncer dans sa chair et, poussant un long soupir, savoura les délices de la souffrance purificatrice.

La souffrance est salutaire, répéta-t-il inlassablement, suivant l'exemple du père Josemaría Escrivá, Maître de tous les maîtres. Il était certes mort en 1975, mais sa sagesse était toujours vivante et plusieurs milliers de disciples à travers le monde répétaient à voix basse ses paroles quand, agenouillés sur le sol, ils s'adonnaient au rituel sacré de la « mortification corporelle ».

Silas porta ensuite son attention sur une corde pleine de gros nœuds, enroulée soigneusement près de lui sur le sol. Incapable d'attendre plus longtemps la purification si ardemment désirée, Silas fit une courte prière, saisit l'un des bouts de la corde, ferma les yeux et commença à s'en fouetter alternativement les deux épaules. Il sentit les nœuds mordre dans son dos. Il répéta son geste, se cinglant sans relâche.

Castigo corpus meum. *Je punis mon corps.*

Jusqu'à ce qu'il sente les gouttes de sang couler le long de son dos.

À la manière de ces livres apparus en quantité industrielle en réaction à la publication de *Da Vinci Code*, on pourrait prendre le temps de décortiquer ce qui cloche dans la scène qui vient d'être décrite. Au départ, les membres de l'Opus Dei déclarent qu'il s'agit là d'une grossière exagération de ce qui est, en fait, une expérience brève et relativement bénigne. Voici quelques incongruités relevées dans le texte.

D'abord, tous les « véritables disciples » de l'Opus Dei ne portent pas le cilice. Seulement les célibataires. Les membres appellent leur leader le Père et non le Maître. En parlant de l'organisation, les membres parlent de l'Œuvre et non de la Voie. L'instrument utilisé pour se flageller n'est pas « une corde pleine de gros nœuds », mais une espèce de petit martinet de cordage appelé « discipline ». On ne prononce pas de courte prière avant de se flageller, mais on se flagelle pendant les deux minutes nécessaires à la récitation d'un *Notre Père* ou d'un *Je vous salue, Marie*. Par ailleurs, le cilice ne comporte ni boucle ni courroie. Nous pourrions continuer longtemps, mais ce ne serait plus drôle, tant il existe dans les foules une soif inextinguible d'images sensationnalistes telles que celles présentées dans le roman de Brown.

Cette fascination ne se confine pas au best-seller issu de l'imagination de l'auteur. La presse *people* publie maintes histoires croustillantes sur les macérations au sein de l'Opus Dei. Un article abondamment illustré sur l'Œuvre, publié en décembre 2003 dans le *Gentleman's Quarterly* s'intitule, par exemple, «Merci, Seigneur. Puis-je en recevoir un autre?». En introduction, on peut lire : «Alors que la controverse fait rage sur le film *La Passion du Christ* de Mel Gibson et que le pape s'étiole, une nouvelle espèce de catholicisme de droite prend de l'ampleur. Parmi les sectes les plus puissantes se trouve l'Opus Dei, la société secrète au centre du best-seller *Da Vinci Code*. Pourquoi tant d'Américains influents adoptent-ils ces idées et qu'en est-il au juste de la flagellation?» La page suivante, en quadrichromie, a suffisamment l'air d'une photographie authentique pour tromper quelqu'un qui ne relève pas dans le crédit accordé à son auteur qu'il s'agit en fait d'une «illustration photographique». On peut y voir un homme d'âge moyen, de toute évidence un prêtre, dont les vêtements sont disposés sur une table et sur une chaise. Presque nu, ceint d'un pagne blanc, il se flagelle férocement avec un fouet à manche de bois qu'il tient de la main droite. Sa bouche est déformée par la douleur et, pour ajouter une touche pathétique, on peut voir un chapelet dans sa main gauche. Comme dans la description fournie par Dan Brown, sa jambe gauche est entourée d'un cilice, une chaîne de métal pleine de barbillons tournés vers la peau. Le sang coule abondamment le long du membre.

En toute équité, je dois avouer que l'article qui suit, signé par Craig Offman, un pigiste, n'est pas aussi sensationnaliste qu'on pourrait le croire. Même si l'auteur a tendance à favoriser les détracteurs de l'Opus Dei, il n'en cite pas moins un membre de l'Œuvre, le père John McCloskey, pour défendre celle-ci. Offman me cite aussi vers la fin de son article en me qualifiant d'«observateur neutre». De plus, il relève à juste titre que, «dans le monde anglo-saxon,

l'Opus Dei est devenue le paratonnerre des guerres culturelles qui
font rage au sein de l'Église». Malgré ces réserves, rien que par le
titre et les illustrations, on éprouve une sensation de malaise fort
bien orchestrée par ceux dont le talent est de piéger les lecteurs par
des éléments comme le secret, la religion et les souffrances que l'on
s'inflige sciemment.

Cela n'a pas toujours été ainsi.

Si nous retournons à la fin des années trente et au début des
années quarante, lorsque les controverses commencèrent en Espagne
autour de l'Opus Dei, Escrivá et ses quelques disciples furent accusés
de presque tous les péchés d'Israël : d'hérésie, de perturbation de
la vie religieuse, de pratiques bizarres, de rituels cabalistiques et
maçonniques. On les accusait même d'avoir creusé des souterrains
sous les centres de l'Opus Dei pour pouvoir y ourdir des complots.
Curieusement, la seule chose dont les Espagnols d'alors n'accusèrent
pas l'Opus Dei fut la pratique de la mortification de la chair, car
elle faisait tellement partie de la spiritualité de cette époque que
cela aurait équivalu à s'opposer à ce que les membres de l'Opus
Dei récitent leur rosaire. Par exemple, les «haires», de grossiers
vêtements de poils de chèvre ou de crin, parfois doublés de petites
pointes et qu'on portait à même la peau en guise de sous-vêtements
ou de corsets par esprit de pénitence, faisaient partie du répertoire de
la spiritualité de bien des catholiques, y compris de grands saints et
de grands théologiens. Selon son secrétaire, Paul VI a porté une haire
jusqu'à sa mort. Lorsque le célèbre théologien suisse Hans Urs von
Balthasar mourut en 1988, l'un de ses proches collaborateurs trouva
une haire dans sa penderie. Au début du xxᵉ siècle, alors que l'Opus
Dei prenait forme, chez les Chartreux et chez les Carmélites, la haire
faisait partie de la règle. D'autres ordres recouraient au *flagellum*
ou fouet. Ils basaient partiellement ce rituel sur un texte de saint
Pierre Damien[1] qui, au xIᵉ siècle, faisait l'éloge de l'autoflagellation
en tant que forme admirable de discipline spirituelle.

---

1. Évêque d'Ostie et docteur de l'Église (1007-1072).

Pour en revenir au présent ouvrage, les membres de l'Opus Dei comparent parfois le cilice au rosaire, mais font cependant remarquer qu'ils n'ont inventé ni l'un ni l'autre. Il est possible que les deux pratiques soient tombées en désuétude, mais cela ne leur enlève rien en tant qu'éléments de la tradition de l'Église et qu'elles n'aient pas un rôle à jouer dans une authentique spiritualité catholique. « Pour l'amour de Dieu ! Nous avons hérité du cilice, m'a signalé un numéraire en Italie. Pourquoi les gens considèrent-ils qu'il s'agit de quelque chose qui nous est exclusif ? »

Pourtant, les temps ont changé, et si ces pratiques ne sont pas tombées en défaveur, dans certains cercles, elles sont considérées comme autodestructrices et psychologiquement aberrantes, et le fait que l'Opus Dei s'y accroche est devenu l'un des aspects les plus fascinants de toute cette histoire. Cela s'avère particulièrement dans les cultures anglo-saxonnes qui, parfois, n'ont pas les traditions d'athlétisme spirituel que l'on peut retrouver en Espagne et en Italie. Pour les détracteurs, la pratique de la mortification représente l'exemple même de l'approche inhumaine que cultive l'Opus Dei, qui exige de ses membres d'être corps et âme à sa botte. Pour les admirateurs, il y a quelque chose de touchant dans la manière dont l'Opus Dei refuse d'inféoder sa spiritualité aux modes éphémères et aux goûts d'une époque.

La réalité

Comme je le mentionnais dans le premier chapitre, la mortification fait partie du programme de spiritualité quotidienne de tous les membres de l'organisation. Les pratiques qui piquent le plus l'imagination du public ne sont toutefois suivies que par les célibataires, soit environ 30 % des membres. Les surnuméraires, hommes comme femmes, sont généralement mariés, ne portent pas le cilice et ne se flagellent pas en priant. Ils ont trop à faire pour préparer les repas, aider les enfants à faire leurs devoirs, nettoyer la maison et régler les factures. Cela ne veut pas dire que les surnuméraires ne pratiquent pas d'actes de mortification, mais ces derniers prennent une forme plus simple comme sortir les ordures quand ce n'est pas leur tour ou refuser de perdre patience lorsqu'un enfant commet une erreur après avoir été sermonné maintes fois pour la même chose.

Voici les actes de mortification pratiqués par des membres célibataires de l'Opus Dei.

- **Le cilice.** Il s'agit d'une chaîne garnie de pointes que l'on porte quotidiennement pendant deux heures sur la partie supérieure de la cuisse, sauf les dimanches, les jours de fête et certains jours de l'année. Cet instrument occasionne des piqûres sur la peau. Certains anciens membres rapportent que cela rend les numéraires hésitants à porter un maillot de bain en compagnie de gens n'appartenant pas à l'Opus Dei. La singularité des cicatrices peut en effet se révéler embarrassante. Certains numéraires m'ont avoué ne pas porter le cilice lorsqu'ils quittent leur centre ou leur bureau parce que cela peut attirer l'attention sur eux, les placer en marge de leurs collègues et amis et ainsi contrevenir à l'esprit de sécularité. Ils trouvent le temps de le porter à la maison, le matin ou le soir. Un numéraire de l'Opus Dei, qui est chirurgien à l'Université de Navarre, m'a confié qu'il le portait parfois pendant qu'il opérait, car cela lui permettait de se concentrer et de lui rappeler qu'il travaillait non seulement pour son patient mais pour Dieu.

- **La discipline.** Un petit martinet de corde ressemblant à du macramé. On l'applique sur le fessier ou sur le dos en récitant une courte prière, généralement *Notre Père* ou *Je vous salue, Marie*. Les numéraires peuvent demander la permission de s'en servir plus souvent, et certains ne s'en privent pas.

- **Le sommeil.** Les femmes numéraires dorment généralement sur de minces panneaux de bois posés sur leur matelas. Parfois, elles se passent d'oreiller une fois par semaine. Les hommes dorment sur le plancher une fois par semaine ou se passent d'oreiller.

- **Les repas.** À chaque repas, les numéraires peuvent pratiquer de petites mortifications comme boire leur café sans y mettre de sucre ou de lait, manger leur pain sans beurre, se passer de dessert, ne pas se servir une seconde fois, etc. Les Opusiens jeûnent les jours prescrits par l'Église (comme le doivent en principe les catholiques). D'un autre côté, on les encourage à demander la permission de jeûner lorsqu'ils décident de le faire. Pour avoir souvent partagé mes repas avec des membres de l'Opus Dei au cours de l'année où je préparais ce livre, je n'ai pas constaté qu'ils se soient montrés extrêmement pointilleux sur les sacrifices qu'ils consentaient pour se priver de manger ou de boire.

- **Le silence.** Chaque soir, après avoir fait leur examen de conscience les numéraires sont encouragés à garder le silence jusqu'à la messe, le lendemain matin.

À une certaine époque, les jeunes numéraires prenaient des douches froides, mais, en 1980, le prélat de l'Opus Dei, Alvaro del Portillo, clarifia la situation en déclarant qu'il ne s'agissait pas là d'un règlement. Il se garda cependant d'interdire cette coutume. Les centres de l'Opus Dei ont l'eau courante chaude et froide, et les membres demeurent libres de décider de la température de leurs ablutions.

On trouve dans les écrits d'Escrivá de nombreuses références à ces pratiques, que d'ailleurs il recommande. Dans *Chemin*, au point 143 il note : « Pour défendre sa pureté, saint François d'Assise se roula dans la neige, saint Benoît se jeta dans un buisson de ronces, saint Bernard se plongea dans un étang glacé… – Toi, qu'as-tu fait ? » Au point 227, le Fondateur déclare : « Puisque tu sais que ton corps est ton ennemi et l'ennemi de la gloire de Dieu, parce qu'il l'est de ta sanctification, pourquoi le traites-tu avec tant de mollesse ? » Dans *Forge*, l'un de ses derniers livres, Escrivá reprend le même thème : « Ce qui a été perdu par la chair, doit être expié par la chair : soyez généreux avec votre pénitence. »

D'autre part, les propres actes de mortification d'Escrivá pouvaient être pénibles. Dans une biographie de la journaliste Andrea Tornielli, la rédactrice de la chronique vaticane dans le quotidien romain *Il Giornale*, on trouve un épisode qui se déroula en 1937 à Madrid, au cours de la guerre civile, lorsque Escrivá et ses premiers disciples s'étaient retranchés dans le consulat du Honduras. La journaliste raconte que, lorsque arrivait le moment de ses pratiques spirituelles, Escrivá demandait à être seul dans sa chambre. Un jour, Portillo, son bras droit, étant malade et ne pouvant quitter la pièce, le Père lui demanda de se couvrir la tête avec sa couverture. Portillo décrit alors ce qui suit : « Je ne tardai pas à entendre les coups de discipline. Je n'oublierai jamais. Plus de mille terribles coups infligés à intervalles réguliers et toujours avec la même force et selon le même rythme. Le plancher était couvert de sang qu'il nettoya avant que les autres n'arrivent. » Les membres de l'Opus Dei s'empressent d'ajouter que de tels actes, bien qu'en accord avec l'héroïsme d'Escrivá, n'étaient pas quelque chose qu'il recommandait à quiconque et qu'ils ne représentaient pas non plus des occupations que les numéraires avouent normalement pratiquer.

Les membres disent qu'à ce chapitre on n'encourage personne à imiter le Fondateur. Sans citer la conclusion de Portillo, Andrea Tornielli souligne ce qui suit : « Néanmoins, il [Escrivá] avait toujours la prudence de ne jamais mettre directement sa vie en danger et le conseil qu'il pouvait donner à ce propos était des plus explicites. Dans une lettre datée du 22 janvier 1940, par exemple, il conseillait à ses disciples : "Ne vous soumettez pas à des mortifications susceptibles de mettre votre santé en danger ou d'aigrir votre caractère. La mortification et la pénitence discrètes sont impératives, car la pierre angulaire de tout cet exercice est l'Amour." »

En fait, les membres de l'Opus Dei insistent pour laisser entendre que les exercices de mortification tels qu'ils les pratiquent ne sont pas aussi extrêmes. Joaquín Navarro-Valls, le porte-parole du Vatican, m'a confié que l'entraînement qu'il suivait dans son gymnase romain était bien plus exigeant que le port du cilice. À propos du *Gentleman's Quarterly*, mentionné précédemment, le père McCloskey fait une remarque analogue : « Lorsque je vois les gens faire leur jogging les matins d'été dans le district de Columbia, cela me semble autrement plus pénible ! »

Les membres de l'Opus Dei insistent pour dire que les pratiques de mortification ne sont pas des fins en soi, mais qu'elles ont des objectifs spirituels. Ce point a été souligné par Jutta Burggraf, numéraire allemande professeur de théologie à l'Université de Navarre, administrée par l'Opus Dei. Bien qu'issue d'une famille de catholiques pratiquants, elle avoue avoir été fascinée par les marxistes alors qu'elle étudiait à l'université en constatant que ces derniers voulaient « changer le monde ». À cette époque, elle fit la connaissance de l'Opus Dei. Elle s'est mise à « siffler » en décembre 1973 à l'âge de vingt et un ans et commença comme numéraire. Après avoir entrepris des études en théologie, elle se distingua dans des secteurs aussi divers que l'œcuménisme, la spiritualité environnementale et le féminisme.

J'ai rencontré Jutta Burggraf à son bureau, et l'un des derniers sujets que nous avons abordés fut justement la mortification. Elle m'a expliqué qu'étant donné que le cilice et la discipline étaient difficiles à comprendre pour des gens extérieurs à l'Opus Dei, mieux valait parler d'autres formes de mortification comme la journée de jeûne hebdomadaire. Le jeûne, assure-t-elle, pourrait représenter une forme « plus moderne » de mortification et détourner l'attention des gens de l'acte proprement dit pour orienter ce dernier vers les fins spirituelles qu'il est censé servir. Par « gens », Jutta Burggraf veut dire les personnes qui n'appartiennent pas à l'Opus Dei, qu'il s'agisse de fidèles évoluant dans d'autres cercles catholiques ou du personnel des médias. Elle est convaincue qu'en général les membres de l'Opus Dei se livrent à ces pratiques avec à-propos et discernement.

Disons entre parenthèses que, pour mes fins de recherches, j'ai porté un cilice emprunté à un ex-numéraire de l'Opus Dei. Si certaines personnes le supportent bien, je l'ai toutefois trouvé douloureux, pas tant en station debout qu'en station assise, lorsque ma cuisse appuyait sur les pointes de l'instrument. D'un autre côté, je n'ai pas trouvé cela inconfortable ou masochiste. Courir le mille, surtout dans ma forme physique assez piteuse, m'affecterait certainement beaucoup plus.

Les nombreux mythes et préjugés entourant l'Opus Dei expliquent pourquoi les membres se sentent souvent harcelés lorsqu'on leur pose des questions sur la mortification. Ils insistent sur le fait que la mortification ne représente qu'une infime partie de l'« esprit de l'Œuvre » et que l'on attire l'attention du public sur des détails à l'apparence trompeuse. Un numéraire m'a avoué que répondre à des questions concernant le cilice est en fait beaucoup plus douloureux que de le porter.

La théologie

La plus grande partie de l'information contenue dans cette section provient de L'Encyclopédie catholique. On la retrouve sous le titre « La mortification ».

Traditionnellement, la théologie catholique comprenait la mortification de la chair. Elle était envisagée comme une forme d'ascétisme, un moyen d'inciter les gens à mener une vie vertueuse et saine. Au fil des siècles, la pratique de l'ascétisme s'est révélée un moyen auquel recouraient les prédicateurs pour se rendre crédibles dans le monde extérieur. Thomas Merton, le futur moine trappiste et auteur de The Seven Storey Mountain[2] (La Montagne aux sept étages), nous a décrit l'impression que lui avait fait le prêtre qui l'avait accueilli dans l'Église catholique et dont le visage émacié et cendreux était « raviné par l'ascétisme ».

Avant tout, la mortification a pour objectif d'entraîner les corps à endurer des épreuves. Dans ce sens, on peut penser à une sorte d'exercice pour former sa musculature spirituelle. Pourtant, la mortification de la chair peut même être pratiquée par des non-chrétiens ou des personnes qui ne croient pas nécessairement en un Être suprême. Les parents peuvent, par exemple, souvent encourager leurs enfants à s'autodiscipliner en leur refusant certains plaisirs. Ce qui a fait de la mortification une pratique chrétienne, c'est que les fidèles croient que la grâce divine permettra à la personne d'endurer des épreuves et que la mortification est un moyen de combattre le péché.

---

2. Publié en 1948 chez l'éditeur américain Harcourt.

La foi veut que, si quelqu'un a péché, la mortification réveillera chez cette personne le sens de la pénitence et l'incitera à rectifier la situation. La mortification sert à rappeler de manière tangible que, en péchant, cela blesse non seulement le pécheur, mais la personne contre laquelle on a fauté… et Dieu par surcroît. Cela ne veut pas dire qu'il y a un aspect intrinsèquement mauvais dans les choses dont quelqu'un peut se priver. Ce n'est pas pécher que de prendre des douches chaudes, une seconde tasse de café ou de se servir d'un oreiller. C'est justement parce que les choses sont « bonnes » que la vertu qui consiste à en faire l'offrande est d'autant plus grande. La mortification est censée être offerte en guise de réparation de nos péchés. C'est un moyen de montrer à Dieu que nous nous repentons et que nous avons le ferme propos de ne plus retomber dans le péché. Pour en revenir aux images évoquées par Dan Brown dans son *Da Vinci Code*, le personnage de Silas, le tueur albinos, a bien l'intention de pécher une fois de plus. En fait, il lui reste une heure avant d'aller commettre un meurtre. Si quelqu'un a déjà programmé son prochain crime, quoi qu'il puisse faire par la suite, il lui sera difficile d'envisager une authentique réparation.

À un niveau spirituel plus profond, on estime que la pratique de la mortification unit les chrétiens aux souffrances du Christ, tout spécialement dans le contexte de sa passion et de sa mort sur la croix. Cela ne signifie pas que prendre une douche froide puisse se comparer aux souffrances endurées par le Christ au Calvaire. Dans la théologie catholique traditionnelle, seule la mort du Christ est en mesure de compenser les effets du péché. Rien n'empêche cependant les chrétiens d'ajouter leur « expiation » personnelle, leurs actes douloureux, à ceux que le Christ a subis sur la croix. Une telle offrande est agréable à Dieu et contribue à la rédemption du monde.

Les célibataires de l'Opus Dei voient souvent la mortification de la chair comme une occasion de « se donner entièrement à Dieu », y compris au prix d'un certain épuisement physique, de la même façon dont, dans un mariage, les époux se donnent l'un à l'autre et à leur famille. Ils soulignent cependant que la « mortification » ne doit pas nécessairement prendre la forme d'un acte physique, comme dormir sur une planche ou se flageller. Comme beaucoup de grands spécialistes en spiritualité de l'Église ont eu l'occasion de l'observer, la « vraie » mortification est intérieure. On la vit grâce à des actions comme rabaisser son orgueil, surmonter la haine, se montrer moins égoïste. Ces auteurs vous mettent en garde de ne recourir aux actes physiques que s'ils encouragent la conversion intérieure.

Malgré cette logique, bien des directeurs spirituels catholiques d'aujourd'hui ne recommandent pas la mortification de la chair. Tout d'abord, ils sont d'avis que de telles pratiques peuvent pousser les croyants à des extrêmes. Certains exaltés peuvent s'imaginer que si un peu de douleur est bon pour l'âme, en augmenter la dose ne peut qu'être d'un effet extraordinaire. D'autre part, nombreux sont les conseillers spirituels qui estiment que ces exercices peuvent vous distraire de la réalité. Si quelqu'un veut participer aux souffrances du Christ, il lui suffit de rendre visite aux pauvres et aux malades. Nul n'est besoin de porter le cilice. D'autres croient même que, telle qu'illustrée dans le comportement du Silas de Dan Brown, la mortification fait la promotion d'une grâce à bon marché et donne à un public naïf l'idée que, dans la vie, on peut arrondir les angles en compensant ses crimes par une flagellation. Ces mêmes conseillers s'entendent pour dire que la mortification de la chair a une longue histoire et que, lorsqu'on l'utilise avec modération et une intention louable, elle peut avoir des effets bénéfiques chez certains croyants.

L'Opus Dei n'est pas unique

Les membres de l'Opus Dei ne sont pas les seuls catholiques pratiquant la mortification. Au XXe siècle, des saints comme Mère Teresa ou Padre Pio ont tous deux porté le cilice et utilisé la discipline. Une thèse rédigée en 1999 à l'Université Angelicum de Rome s'intitule « La spiritualité de Mère Teresa de Calcutta et son influence transformatrice sur l'apostolat des Missionnaires de la Charité pour les plus pauvres parmi les pauvres ». On y cite l'usage que fait la sainte de la discipline. « Si je suis malade, dit-elle, je m'inflige cinq coups. J'ai besoin de cela pour partager la passion du Christ et les souffrances des pauvres. Lorsque vous voyez des gens qui souffrent, l'image du Christ s'impose naturellement à vous.» Dans la même thèse, on trouve que Mère Teresa demande à ses sœurs de porter le cilice et de recourir à la discipline.

De nos jours, si l'on consulte les articles de journaux et les nouvelles télédiffusées, on s'aperçoit que cette information focalise presque exclusivement sur les «fouets et les chaînes» de l'Opus Dei. Ainsi, on ne sait jamais si d'autres catholiques se livrent à de telles pratiques. De nombreux Opusiens insistent pour dire qu'il s'agit là d'une autre occasion dans laquelle l'Opus Dei n'impose pas son enseignement ou sa spiritualité, mais essaie de vivre pleinement la spiritualité traditionnelle de l'Église.

Je vais vous donner la preuve que l'Opus Dei n'a pas l'exclusivité du cilice. Je suis tombé sur une liste de prix fournie par le couvent des carmélites de Sainte-Thérèse de Livourne, en Italie, où des religieuses fabriquent à la main des cilices et des disciplines pour des clients à travers le monde. L'Opus Dei commande parfois des cilices dans cette communauté, mais elle est loin d'être son unique cliente. Les articles sont catalogués sous la rubrique «Instruments de pénitence» et la liste précise que les prix couvrent le matériel et la façon. Les sœurs mentionnent d'ailleurs qu'il s'agit davantage de prix «conseillés» que de prix fixés et que les clients impécunieux peuvent trouver avec elles des arrangements.

Voici cette liste qui date de 1997, mais toujours en vigueur en décembre 2004. J'ai converti les prix, donnés en lires, en dollars américains.

Discipline en corde :	12,50 $
Cilices pour le haut du corps :	7,50 $ pour une bande avec pointes à barbillons 12,50 $ pour deux bandes avec pointes à barbillons 15 $ pour trois bandes avec pointes à barbillons

Cilices pour les jambes :	5 $ pour une bande
	7,50 $ pour deux bandes
	10 $ pour trois bandes
Cilices pour le bras :	2,50 $ pour une bande
	3,50 $ pour deux bandes
	5 $ pour trois bandes
Croix pectorale à pointes :	7,50 $

Lorsque quelqu'un passe une commande aux religieuses, sur le bon de douane on décrit le contenu des colis comme étant des « articles religieux ». L'Opus Dei commande des « cilices pour la jambe » comportant une seule bande de pointes à barbillons, ce qui signifie que l'organisation se procure l'un des instruments de pénitence les moins douloureux mis en vente.

On se demandera qui peut bien utiliser ces choses. D'abord les carmélites déchaussées elles-mêmes, car les sœurs de Livourne font honneur à leur artisanat. Les frères franciscains et les sœurs de l'Immaculée-Conception, une communauté fondée en 1965 et approuvée par le pape en 1988, utilisent également le cilice, qui n'est d'ailleurs pas une exclusivité des pays latins. Le monastère Mother of the Church (« Mère de l'Église ») de Lagos, au Nigeria, utilise aussi des « instruments de pénitence ». Un chercheur universitaire qui travaille sur la vie des saints a déclaré avoir récemment lu les documents officiels dans la cause de béatification d'un directeur spirituel espagnol mort en 1974. Celui-ci distribuait des cilices aux personnes qu'il conseillait : prêtres, religieuses et laïcs. La vérité est que, dans l'Église catholique, la pratique de la mortification de la chair est beaucoup plus répandue qu'on ne se l'imagine.

Critiques acerbes

Sharon Clasen, que je vous ai présentée dans la préface, n'est certainement pas la version hollywoodienne d'un prophète de l'Ancien Testament. Cette femme de petite taille, à la voix douce, est mère de deux filles, Phoebe et Raina, respectivement âgées de onze et de huit ans. Elle vit à Dumfries, en Virginie, à une cinquantaine de kilomètres de Washington, D.C., et on pourrait la prendre pour une de ces banlieusardes qui passent beaucoup de temps à véhiculer leurs enfants vers les terrains de football. Pourtant, il s'agit d'une ancienne numéraire de l'Opus Dei, qu'elle ne se retient pas de critiquer férocement. Elle fut d'ailleurs le témoin vedette de la poursuite dans l'affaire que suscita l'article du *Gentleman's Quarterly* de décembre 2003.

Bonne élève au secondaire, en 1981 elle fut admise à Bayridge, une résidence universitaire de Boston administrée par l'Opus Dei. Elle avait alors dix-sept ans. Son père était catholique, mais pas sa mère. Bien que baptisée, Sharon Clasen n'avait pas été élevée comme une catholique pratiquante. Elle ne se sensibilisa à la religion qu'une fois rendue à Bayridge. Un membre de l'Opus Dei la prit sous son aile et, en décembre 1981, elle fit sa première communion. Par pure coïncidence, ce fut le père José Luis Múzquiz de Miguel, le premier prêtre de l'Opus Dei à arriver aux États-Unis, qui lui administra ce sacrement. Elle entra dans l'organisation en tant que surnuméraire et, trois ans plus tard, devint numéraire.

Deux ans après, en 1987, pleine d'amertume et de culpabilité, elle quitta l'organisation en demeurant convaincue que quelque chose était profondément faux au royaume de l'Opus Dei. «J'ai réussi à me libérer de ma culpabilité en lisant les écrits de Steve Hassan[3] et cela a changé ma vie. Il expliquait que ce n'étaient pas les gens qui adhéraient aux sectes, mais les sectes qui les racolaient. J'ai alors réalisé que ce n'était aucunement de ma faute.»

Sharon Clasen considérerait-elle l'Opus Dei comme une secte?

«Indubitablement. J'ai bien lu le livre de Hassan sur les moonistes[4] et tout est identique. On se croirait dans un manuel scolaire...» affirme-t-elle.

---

3. Militant antisectes, Steve Hassan détient une maîtrise en psychologie de l'Université de Cambridge (Mass.). Ancienne victime des sectes, ce spécialiste du *counselling* est l'un des «déprogrammeurs» les plus réputés aux États-Unis.

4. Adeptes de la secte du «révérend» Moon et de son Église de l'Unification. (N.d.T.)

L'un des griefs porte sur la mortification qui, estime-t-elle, symbolise dans l'Opus Dei l'annihilation de soi et qui, parfois, va bien au-delà des pratiques modérées précédemment décrites. Sharon Clasen explique comment la discipline et le cilice lui ont été offerts dans un petit sac bleu après qu'elle est devenue numéraire. À ce stade-ci, elle vivait à Brimfield, dans un centre d'études pour femmes numéraires, situé au Massachusetts. « Ils m'ont donné ces trucs dès ma seconde journée, se remémore-t-elle. Ils m'ont fait entrer dans un bureau, ont fermé la porte et m'ont dit : "Voilà !" »

Elle n'avait jamais vu ses interlocuteurs auparavant.

« J'ai été surnuméraire pendant trois ans. On nous donnait des cours pour savoir quoi dire lorsque quelqu'un nous parlait de cilice ou de discipline, ajoute-t-elle. Comme on ne nous montrait jamais les instruments, nous ne les avions jamais vus, bien sûr. Par contre, on nous enseignait à affronter la critique. On nous disait : "C'est comme faire de la mise en forme." On a pu voir ça dans tous les journaux. » Selon cette version, il s'agit là d'une explication que Navarro-Valls, le porte-parole du Vatican, ne nous donnerait pas en d'autres termes.

Sharon Clasen explique que, lorsqu'elle a commencé à avoir des doutes à propos de l'Opus Dei, une numéraire lui raconta l'histoire du Fondateur au consulat du Honduras. « Cette fille m'a parlé du sang qui éclaboussait les murs, raconte Mme Clasen, et elle m'a fait lire un passage de ce livre sur Escrivá. On y retrouve cet épisode et aussi comment il utilisait de petites lames de rasoir, du verre cassé, des épingles, des clous et autres objets du genre pour se flageller. Elle me racontait toutes ces histoires dans l'intention que je devienne une émule du Père. Étant donné que j'avais des doutes, j'étais de toute évidence en proie au péché. Je devais donc me détester et en payer le prix en me punissant.

« C'est ce que je fis. Je me procurais des épingles de sûreté que j'ouvrais et que j'installais sur ma "discipline" », avoue Mme Clasen. Cela ne dura pas longtemps et son opinion de l'Opus Dei ne changea pas. « Je n'étais guère bonne cliente pour me blesser volontairement », remarque-t-elle. Elle avoue que son expérience dans l'Opus Dei l'a poussée à ne plus se considérer comme catholique. «Je crois en Dieu, concède-t-elle, mais j'ai de sacrés problèmes avec l'Église.»

Sharon Clasen m'a raconté son histoire chez Dianne DiNicola, la fondatrice de l'ODAN à Pittsfield, au Massachusetts. Au cours de notre entretien, Mme DiNicola nous montra le cilice et la discipline que sa fille Tammy avait utilisés lorsqu'elle était numéraire. Sharon Clasen m'a raconté qu'elle avait jeté ces instruments à la poubelle depuis bien des années. Pendant son récit, en voyant ces objets sur la table elle se mit à verser des larmes. «Je n'aurais jamais cru que ces trucs auraient cet effet sur moi, car voilà des années que je n'en ai pas vu…»

Voilà le type de réactions qui refont surface chez d'autres anciens membres de l'Opus Dei. John Roche, numéraire d'Irlande, qui a adhéré à l'Opus Dei en 1959 et a démissionné en 1973 (durant ce laps de temps, il a servi l'organisation au Kenya), ne prend pas de gants pour dénoncer les pratiques excessives qui avaient cours à son époque. «Les membres se flagellent, portent une chaîne garnie de pointes et les femmes dorment tous les soirs sur des planches. Ce sont des pratiques que l'Église ne recommande plus, écrivait-il le 7 septembre 1982. Ceux et celles qu'on soupçonne de ne pas pratiquer suffisamment les mortifications corporelles ou qui ne se montrent pas assez zélés dans leur prosélytisme sont parfois critiqués publiquement.

«L'Opus Dei regorge d'ailleurs d'histoires relatives à la discipline ensanglantée de son fondateur», a réitéré Roche en décembre 2004.

Agustina López de los Mozos, ancienne numéraire auxiliaire et coordinatrice du site Web Opuslibros ne fait pas de cadeau à l'Opus Dei. Elle est entrée dans l'organisation à dix-sept ans, en 1971, et en est sortie en 1979. Elle nous décrit son premier contact avec le cilice juste après qu'elle a écrit pour solliciter son admission dans l'institution. «Je me trouvais par hasard dans un bureau avec une numéraire et je la vis prendre une boîte de chocolat. Je lui en demandai un et elle répondit que la boîte était vide. On pouvait toutefois entendre tintinnabuler quelque chose à l'intérieur. Étant donné que je connaissais assez bien cette personne, je lui demandai de quoi il s'agissait. Elle me répondit avec un sourire narquois qu'en vérité ce devait être à mon directeur de me l'expliquer, mais que, comme j'avais soulevé le sujet, elle me répondrait. Elle sortit alors une curieuse ceinture faite de chaînons hérissés de pointes tournées vers l'intérieur. Saisissant les cordons d'étoffe à chaque bout de l'objet, elle me dit : "C'est un cilice."»

Notre narratrice explique alors comment, un peu plus tard, on lui remit une de ces choses et comment elle commença à s'en servir. La force avec laquelle on attachait la chaîne dépendait de ce que l'Opus Dei appelait la «générosité» du porteur ou de la porteuse. Étant donné l'importance que l'organisation accordait à l'exécution des moindres détails, il existait chez les utilisatrices une tendance à porter l'instrument de façon plus serrée qu'elles n'étaient capables de l'endurer et à dépasser la limite recommandée de deux heures. Elle explique comment on lui avait demandé de porter le cilice deux heures par jour, d'abord sur une jambe, puis sur l'autre. Elle se souvient que, lorsqu'elle ôtait le cilice, de petits lambeaux de chair se détachaient, ce qui laissait des blessures qui avaient besoin de beaucoup plus que vingt-quatre heures pour guérir. L'ex-membre se souvient aussi comment, durant l'été, les femmes numéraires portaient des maillots de bain semblables à ceux de nos grands-mères de manière à dissimuler les morsures de l'instrument. À un certain moment, elle décida de s'attacher la chaîne autour de la taille afin que les marques soient moins ostensibles et qu'elle soit moins douloureuse à porter. Elle ajoute que la numéraire qui lui avait donné l'instrument avait insisté pour qu'elle le porte sur la jambe.

Agustina de los Mozos précise que la coutume voulait qu'on ne portât pas d'ordinaire le cilice à l'extérieur du centre. L'une des raisons est que, si d'aventure elle avait été victime d'un accident suivi d'une hospitalisation, la présence d'un tel objet aurait été «difficile à expliquer». D'autre part, le danger de le porter hors de la maison est que l'on risquait de se heurter à quelqu'un. Si une telle éventualité survenait, il suffisait de se forcer à être joyeuse et de sourire. Pour ce qui est de la discipline, Mme de los Mozos, m'a confié qu'elle avait appris à dire le *Je vous salue, Marie* si rapidement qu'elle aurait probablement pu en réciter une centaine à l'heure étant donné qu'elle tenait, bien sûr, à abréger sa flagellation. L'ex-numéraire auxiliaire se souvient aussi des douches froides et des nuits sans oreillers (elle se servait d'un annuaire téléphonique). «Plus d'une fois, j'ai pensé faire un infarctus», dit-elle en évoquant les douches glacées en plein hiver. Ayant fait remarquer sur un ton badin à une numéraire que l'on devrait réserver les douches froides pour l'été, celle-ci avait rétorqué: «Quel mérite auriez-vous, alors?» Toujours sur le même sujet, Mme de los Mozos souligne que son hygiène personnelle laissait à désirer, parce qu'elle ne faisait sous la douche qu'une apparition éclair. «J'ai tout de même survécu», conclut-elle.

La réponse

En décembre 2004, j'ai raconté l'expérience vécue par Mme Clasen à Juan Manuel Mora, qui dirige le Bureau d'information de l'Opus Dei à Rome. Je lui ai demandé comment il était possible d'expliquer qu'on puisse inciter les membres à attacher des objets contondants à la discipline ou au fouet pour se mortifier davantage et surmonter ainsi les doutes que l'on pouvait entretenir sur l'Opus Dei.

«Si quelqu'un l'a vraiment conseillée en ce sens, il s'agissait d'une erreur, m'a-t-il répondu catégoriquement.

«Je suis en mesure de vous affirmer que, si quelqu'un lui a recommandé cela, il ne s'agissait pas d'un directeur, a dit Mora. Les directeurs continuent à répéter exactement le contraire aux membres. Ils leur recommandent de ne rien tenter d'extraordinaire en matière de mortifications.» Mora s'est empressé de souligner qu'il se gardait de porter un jugement sur l'expérience de Mme Clasen, mais qu'en vingt-six ans de présence dans l'Opus Dei en qualité de cadre dans de nombreux postes, il n'avait jamais entendu parler de quoi que ce soit de similaire.

Selon lui, des actes encourageant les membres à se dépasser au chapitre des mortifications entreraient en contradiction avec l'esprit de l'Opus Dei. En effet, le concept de sécularité, qui consiste à ne pas faire bande à part en se distinguant artificiellement des autres, incite les membres à faire preuve de « naturel » lorsqu'on touche au domaine de la spiritualité. Encourager les membres à commettre des actes extrêmes dans ce secteur entre en conflit avec la philosophie de l'institution.

D'autres Opusiens vont d'ailleurs dans le même sens. Ils remarquent qu'il est très rare de trouver des membres de l'Opus Dei prétendant avoir eu des « révélations » de nature privée. On ne trouve généralement pas de membres sur les lieux des dernières apparitions de la Sainte Vierge, en train d'assister à des séances d'adoration d'hosties saignantes ou de polir des grains de chapelet dans l'espoir de les transformer en or. Au lieu de cela, on insiste sur l'équilibre. En fait, il existe dans l'Opus Dei une forte désapprobation envers tout ce qui peut évoquer l'extrémisme.

À propos du cilice et de la discipline, Mora a tenu à souligner un autre point.

« Même si nous abandonnions l'usage de ces objets, l'Œuvre ne changerait jamais. Ce serait, bien sûr, différent si nous devions laisser tomber l'idée de la sanctification du travail ou de la sécularité. Les formes de mortifications sont secondaires. Si elles changeaient demain, la réalité de l'Opus Dei ne s'en trouverait pas modifiée d'un iota. »

Sharon Hefferan est numéraire de l'Opus Dei et, à une époque de son existence, fut directrice du centre Brimfield (toutefois pas pendant que Mme Clasen s'y trouvait). Elle veille aujourd'hui sur les destinées du Metro Achievement Center à Chicago. Cette administratrice ne se dit pas étonnée d'entendre que Mme Clasen s'est fait remettre un cilice peu de temps après être devenue numéraire.

« Les surnuméraires n'étaient pas toujours conscientes des détails du mode de vie ou du degré d'engagement des numéraires, mais, l'occasion s'y prêtant, on les mettait au courant, explique-t-elle. L'une des raisons fondamentales est que, dans l'Opus Dei, on accorde une grande importance à la générosité vécue au jour le jour grâce à des sacrifices réguliers et non pas grâce à quelques sacrifices supplémentaires. Jusqu'à maintenant, on insiste sur les pénitences accomplies avec discrétion par nos membres célibataires. »

Dans le sillage de *Da Vinci Code*, plusieurs membres de l'Opus Dei ont souligné que l'un des bénéfices de la vaste discussion publique sur la mortification de la chair est qu'à l'avenir au moins personne ne pourra plus dire qu'on ignorait que de telles choses se déroulaient dans l'Opus Dei. Pour le meilleur et pour le pire, c'est maintenant dans le domaine public.

Sharon Hefferan mentionne que, loin de prendre les pratiques personnelles d'Escrivá en exemple, la culture interne de l'Opus Dei est plutôt opposée aux pénitences extrêmes.

« Si saint Josemaría avait coutume de dire que, l'on ne devrait pas imiter ses pratiques de mortification, poursuit Mme Hefferan, en qualité de fondateur il savait que Dieu lui demandait de pratiquer des pénitences plus extraordinaires, différentes de celles des fidèles ordinaires. On ne m'a jamais encouragé à me faire du mal, pas plus qu'à d'autres d'ailleurs. […] En fait, je n'ai jamais entendu que l'on ait conseillé à qui que ce soit de suivre son exemple à la lettre. D'ailleurs si une directrice apprenait que quelqu'un se livrait à de telles pénitences, elle avertirait rapidement la personne de n'en rien faire étant donné que de tels actes risquent d'être contraires à l'esprit dans lequel les numéraires pratiquent la pénitence.

« Le grand public sait maintenant que les fidèles de l'Opus Dei font pénitence pour imiter le Christ, dit Mme Hefferan. Je pense que le défi consiste à aider les gens à comprendre que l'abnégation est un moyen de s'unir aux souffrances du Seigneur et que les membres de l'Opus Dei pratiquent le sacrifice de soi avec modération et bon sens. »

CHAPITRE 9

LE RÔLE DES FEMMES

Barbastro, une petite ville de province espagnole où Escrivá naquit en 1902, était peu habituée à recevoir la visite de journalistes étrangers, en dépit de la grande renommée de l'un des siens. Un dîner officiel en compagnie du maire, de son adjoint et des dignitaires locaux y avait été organisé lors de ma venue en juin 2004. Mon guide, qui se nommait Manolo Garrido, avait habité dans cette région pendant de nombreuses années alors qu'il travaillait comme fonctionnaire chargé de renseigner les visiteurs du sanctuaire de Torreciudad, situé à proximité. Sa connaissance des lieux m'a été d'un très grand secours. Selon les traditions espagnoles, notre dîner était prévu pour vingt-deux heures. De plus, le tour de la grand-place de la ville avait été organisé pour ne pas manquer aux traditions locales, et cela nous a pris une heure pour arriver au restaurant, car nous devions nous arrêter pour saluer tous les commerçants et les serveurs qui se trouvaient sur notre passage. Le dîner a fini par débuter vers vingt-trois heures et s'est achevé aux petites heures du matin.

J'avais été placé près de deux convives qui parlaient couramment italien, ce qui nous a permis de converser pendant tout le repas. Une de ces deux personnes était un représentant espagnol de l'Opus Dei et l'autre, l'adjointe au maire de Barbastro, une socialiste du nom d'Inmaculada Hervás. Il s'agissait d'une jeune femme charmante, dans la trentaine, s'exprimant fort bien. Elle faisait de son mieux pour donner une bonne impression aux invités étrangers que nous étions. La soirée se déroulant, les langues se délièrent et les vraies personnalités émergèrent au fur et à mesure que l'on nous servait un excellent vin rouge. Mme Hervás, comme la majorité des Espagnols vivant dans la province d'Aragon, est fière d'Escrivá, mais affiche toutefois certaines réserves en ce qui concerne l'Opus Dei. Cela est dû en partie au fait qu'elle considère l'organisation comme politiquement très conservatrice. Son scepticisme a également quelque rapport avec une certaine hostilité qui se manifeste envers les femmes à l'intérieur de l'Opus Dei – une sorte de crainte des filles d'Ève et de la sexualité qui font d'elles des citoyennes de seconde classe.

Cette impression est devenue tout à fait évidente lorsque Mme Hervás m'a demandé ce que j'avais remarqué au sein de l'Opus Dei en ce qui concernait les femmes. Je lui ai décrit certaines de celles que j'avais rencontrées et qui m'avaient laissé une forte impression ; j'ai cependant ajouté que j'avais été frappé par la très grande séparation qui existait dans l'Œuvre entre les deux sexes. Le représentant de l'Opus Dei est entré dans la conversation et a commencé à donner les raisons canoniques spirituelles de cet état de choses du point de vue officiel de l'Opus Dei. Lorsqu'il eut terminé son exposé, je me suis tourné vers Mme Hervás, une gauchiste européenne repentie, et lui ai demandé pourquoi elle estimait que les hommes et les femmes subissaient cette ségrégation au sein de l'Opus Dei.

« C'est très simple, me répondit-elle. Les hommes de l'Opus Dei se considèrent comme des Adam et nous, les femmes, comme des Ève. »

Ce commentaire a provoqué des grognements chez notre représentant opusien et les échanges de mots qui s'ensuivirent durèrent tard dans la nuit. L'objet de l'argument découle du fait que la déclaration d'Inmaculada Hervás cristallise les opinions de nombreux observateurs à l'extérieur de l'Opus Dei. En d'autres termes, la crainte des femmes et le chauvinisme masculin engendrent cette scission et la soumission des femmes.

Certains membres sont souvent étonnés du problème causé par le rôle des femmes dans l'Opus Dei, en grande partie parce qu'une importante majorité des membres, soit 55 % des 85 491 adhérents dans le monde, sont des femmes. De plus, ils soutiennent que les femmes sont, de par la loi, les égales des hommes au sein de l'organisation du fait qu'il existe deux systèmes parallèles d'autorités. Les femmes, de surcroît, reçoivent exactement la même formation théologique et philosophique que les hommes. Certaines ont des postes administratifs dans des organismes de l'Œuvre qui font d'elles les supérieures d'adhérents masculins. Les quatre départements qui possèdent les budgets les plus importants à l'Université de Navarre de Pampelune sont tous dirigés par des femmes.

Escrivá a abordé le problème causé par le rôle des femmes au sein de l'Église lors d'une interview en 1967 :

> *Pour de nombreuses raisons, y compris celles qui découlent de la loi divine qui font que je considère nécessaire de conserver la distinction qui existe entre hommes et femmes en ce qui a trait à la capacité juridique de recevoir les Ordres Saints. Pour ce qui est des autres domaines, je pense que l'Église devrait complètement reconnaître au sein même de son organisation, de sa vie et de son action apostolique que les hommes, tout comme les femmes, ont les mêmes droits et les mêmes devoirs. Elles peuvent, par exemple, avoir le droit de faire de l'apostolat, de fonder et de diriger des associations, de donner leur opinion sur des sujets qui traitent du bien commun de l'Église. Je réalise pleinement que ces principes qui, en théorie, ne sont pas difficiles à admettre lorsque l'on considère les arguments théologiques en leur faveur, rencontreront, en fait, une certaine résistance de la part de plusieurs. Je me souviens encore de la surprise et des critiques émises par certaines personnes lorsque l'Opus Dei a encouragé les membres féminins qui appartenaient à notre association à entreprendre des études universitaires en théologie. À l'heure actuelle, elles cherchent plutôt à nous imiter dans ce domaine comme dans bien d'autres.*

À un autre moment, Escrivá a déclaré que « sans les femmes l'Œuvre subirait un effondrement total ».

Il n'en demeure pas moins qu'un certain nombre d'aspects de la vie interne de l'Opus Dei alimentent les perceptions d'une mentalité « machiste ». Ce chapitre vise à montrer ces perceptions tout en essayant d'établir ce que représente la réalité pour les femmes à l'intérieur de l'Opus Dei ainsi que la façon dont les membres de l'Opus Dei voient le rôle de celles-ci dans le sens général du terme.

Les numéraires auxiliaires

Alberto Moncada, un ex-numéraire de l'Opus Dei et l'un de ses critiques les plus importants, nous présente une impression couramment exprimée sur les numéraires auxiliaires, des femmes qui consacrent totalement leur vie à l'entretien quotidien des centres de l'Opus Dei. Cela implique, dans certains cas, faire la cuisine, le lavage et l'entretien complet des centres réservés aux hommes. Moncada a écrit : « Escrivá possède en commun la même misogynie que l'on retrouve fréquemment au sein de la théologie et de la discipline de l'Église catholique qui, en fin de compte, a créé une structure dans laquelle la première activité des femmes doit être l'entretien des maisons et des centres de l'Œuvre... Le résultat de cette situation fait des numéraires les derniers mâles de l'Europe de l'Ouest et tout particulièrement d'Espagne à profiter des prérogatives des anciens gentilshommes, qui ne s'occupaient absolument pas des problèmes domestiques parce que ces derniers incombaient aux femmes de la famille ou, dans notre cas, aux sœurs dans l'apostolat. »

Il n'est pas tout à fait exact de déclarer que l'entretien des centres constitue l'activité « principale » des femmes de l'Opus Dei, étant donné qu'il existe plus de 47 000 femmes membres et que seulement 4000 d'entre elles sont numéraires auxiliaires, ce qui revient à dire que moins de 10 % des femmes à l'intérieur de l'Opus Dei s'occupent de ce genre de corvées. La grande majorité des autres sont des surnuméraires, ce qui signifie qu'elles sont souvent mères en plus d'être médecins, avocates, journalistes, professeurs d'université, coiffeuses, etc.

De nombreuses femmes appartenant à l'organisation ont un emploi à temps plein en dehors de l'Opus Dei alors que d'autres œuvrent au sein de l'Église. Il faut ajouter que de nombreuses numéraires auxiliaires ont la charge des centres pour femmes ; leur tâche n'est donc pas seulement de prendre en charge les centres pour les hommes.

Il faut cependant admettre qu'il est très étonnant de constater qu'en plein xxie siècle il existe encore toute une catégorie de personnes dont la tâche principale est de se consacrer aux travaux domestiques, et que celles-ci sont toutes des femmes. L'Opus Dei Awareness Network (ODAN), une association américaine qui dénonce volontiers certains des agissements de l'Opus Dei, a déclaré : « Ces femmes sont recrutées parmi les couches les plus pauvres de la société pour s'occuper de la cuisine, de l'entretien et du blanchissage des centres. On les convainc qu'il s'agit d'une vocation venant directement de Dieu et qu'elles doivent abandonner l'idée de se marier et d'avoir des enfants pour pouvoir répondre aux besoins de l'Œuvre. Elles doivent travailler durant de très longues heures et produire un travail physique considérable. »

Cette perception des choses est catégoriquement rejetée par les membres de l'Opus Dei. Aldana Lali Sánchez, également directrice du Centre de conférences de Shellbourne, dans l'Indiana, a déclaré : « Ce sont elles qui ont la charge de notre grande famille et non les hommes. Le travail de numéraire auxiliaire n'est pas fait pour les femmes qui possèdent peu d'ambition dans la vie. Il s'agit d'un travail administratif, d'un travail de gestion qui exige de bonnes capacités intellectuelles ainsi que des compétences en administration. »

Ce débat soulève un problème. En effet, on a surtout tendance à parler des numéraires auxiliaires plutôt que de s'adresser directement à elles pour avoir leur opinion. C'est exactement pour cette raison que j'ai décidé, au milieu du mois de septembre 2004, d'avoir un entretien avec deux numéraires auxiliaires à Shellbourne : Bernadette Pliske et Andrea Feehery, âgées respectivement de vingt-trois et de vingt-sept ans.

Bernadette Pliske, jeune femme modeste à la voix douce, a grandi à La Porte, dans l'Indiana, une ville située à quarante minutes de Shellbourne par la route. Elle est issue d'une famille catholique pratiquante et très traditionnelle. Son père, David Pliske, était électricien et travaillait pour un service public local ; sa mère avait été femme au foyer et coopérait avec l'Opus Dei, sauf pendant les deux ans où elle travailla à l'extérieur. Bernie avait été baptisée en l'honneur de sainte Bernadette et ses parents m'ont raconté qu'elle avait toujours été une enfant « à part ». David, bien que peu enclin à en parler, m'a raconté que Bernie avait vécu des expériences religieuses depuis sa plus tendre enfance et qu'elle a même eu des visions de Jésus. À une époque de leur vie, les Pliske ont décidé de s'établir au Canada pour se joindre à une communauté catholique mise sur pied par un visionnaire. Ils devaient, cependant, quitter un peu plus tard cette collectivité lorsqu'ils apprirent qu'elle avait été fondée sans avoir obtenu la permission de l'évêque du diocèse et était, en fait, selon les mots mêmes de David, un « schisme de l'Église ». À leur retour dans l'Indiana, ils ont inscrit Bernie dans une école secondaire catholique privée, ce qui n'empêcha pas que tous deux eurent peur que Bernie évolue d'une façon tout à fait matérialiste comme l'avaient fait leurs deux autres enfants. Ils décidèrent donc que Bernie ferait sa scolarité à la maison.

Dès son plus jeune âge, Bernie a déclaré qu'elle avait l'impression d'être appelée à la vie religieuse. « Je savais que ma vocation était de rester célibataire, a-t-elle laissé entendre. Je savais que Dieu ne m'appelait pas vers le mariage. » Adolescente, elle a suivi un programme de formation à Shellbourne, qui avait été institué pour les jeunes filles désirant travailler au centre pendant les vacances estivales. Bernie m'a déclaré qu'elle avait adoré les personnes qu'elle y avait rencontrées ainsi que le travail qu'on lui avait confié. À peu près à la même époque, en janvier 1999, le pape Jean-Paul II se rendit dans la ville de Saint Louis et Bernie fit le voyage pour y rencontrer le souverain pontife. Elle a dit que cette expérience l'avait obligée à penser un peu plus sérieusement à sa vocation. Elle a ensuite entrepris un voyage à Rome grâce à l'UNIV pendant la période de Pâques qui a suivi. Il s'agissait d'une réunion annuelle que le pape organisait avec des jeunes soutenus par l'Opus Dei. De retour chez elle, elle relate qu'elle avait eu l'impression que Dieu l'appelait pour aller travailler pour l'Œuvre. Elle raconte qu'elle s'est rendue dans une chapelle, qu'elle s'y est agenouillée et qu'elle a commencé à prier en disant : « D'accord, mon Dieu, que voulez-vous de moi ? »

Elle nous a ensuite expliqué qu'à ce moment précis elle a su « que l'Opus Dei représentait la réponse à son questionnement ». Une semaine plus tard, elle a pris part à une retraite fermée organisée pour les jeunes filles de l'école secondaire et patronnée par l'Opus Dei. À la suite de quoi, elle a décidé de parler à un prêtre de l'organisation. Ce dernier lui a conseillé de rencontrer un directeur, ce qu'elle a fait deux mois plus tard. Elle a décidé de choisir d'être numéraire auxiliaire. Son père, David, m'a dit que, tout comme sa femme Linda, il avait appuyé la décision de Bernie. « Nous savions que l'Opus Dei avait l'appui total de l'Église catholique et nous n'avions pas besoin d'autres recommandations, a-t-il dit. Je savais que ma fille n'entrait pas dans une secte. »

Andrea Feehery est une jeune femme posée, au sourire communicatif. Elle a grandi à Houston au Texas, dans une famille catholique dont les deux parents étaient tous deux surnuméraires de l'Opus Dei. Tout au contraire de Bernie, elle n'avait montré que peu d'intérêt pour les questions religieuses. Ses parents l'emmenèrent à un événement commandité par l'Opus Dei. Elle nous a confié qu'elle avait bien aimé les sandwichs, mais que cela ne lui avait pas apporté grand-chose. Cependant, au cours de l'été 1995, elle s'est trouvée à la recherche d'un emploi d'été et quelques amis lui ont conseillé d'aller à Shellbourne. Elle y est arrivée avec l'intention d'y rester trois semaines, mais a fini par y passer l'été au complet à travailler au Centre de conférences. Elle a raconté qu'elle s'y était fait des amis, s'y était beaucoup plu et que cela l'avait fait évoluer sur le plan spirituel. Dans l'avion qui la ramenait chez elle, elle a réfléchi à la possibilité d'adhérer à l'Opus Dei, mais « seulement lorsqu'elle aurait quarante ans ».

L'hésitation d'Andrea était partiellement due au fait qu'elle avait un petit ami et que son avenir était tout tracé, c'est-à-dire le mariage et les enfants. Elle avait pensé pendant un certain temps à entreprendre une carrière d'hygiéniste dentaire. De plus, elle avait rencontré une certaine résistance vis-à-vis de l'Opus Dei lorsqu'elle était à l'école. Elle était inscrite dans une école secondaire catholique de Houston et elle a raconté que, chaque fois qu'elle mentionnait l'Opus Dei, « ils dénigraient cette organisation et la considéraient comme une secte bizarre que je ne devrais en aucun cas approcher ». Andrea nous a déclaré que ces réactions venaient en premier lieu de ses professeurs, mais qu'elle prenait ces commentaires avec circonspection. « Je savais exactement comment vivaient ces profs et ils me semblaient peu crédibles », a-t-elle ajouté. Au moment où elle a décidé de se joindre à l'Opus Dei, elle connaissait toutes les controverses qui s'y rattachaient et elle pense ne pas avoir fait preuve de naïveté.

« Cela ne signifie absolument pas qu'il m'ait été facile de prendre ma décision. » Il y a même eu un moment où, nous a-t-elle dit, elle s'endormait en pleurant tous les soirs rien qu'à y penser. Andrea Feehery, au comble du désespoir, a alors fait quelque chose qui, lorsqu'elle y pense à l'heure actuelle, n'était peut-être pas la meilleure réponse spirituelle au problème. Elle a soumis Dieu à un test. « Je lui ai dit : "Si c'est vraiment cela que vous désirez de moi, faites-moi un signe. Mon petit ami devra me téléphoner et me demander si je n'ai pas quelque chose à lui dire." » Son petit ami l'a réellement appelée et lui a posé la fameuse question. Andrea lui a alors expliqué ses intentions. Elle m'a raconté que cela avait provoqué une réaction très forte chez lui et qu'il a raccroché. Cependant, il a rappelé un peu plus tard pour lui dire « qu'il était prêt à renoncer à elle si elle faisait cela pour Dieu ». Elle m'a ensuite raconté qu'ils n'avaient pas gardé de contacts, mais que « leur relation s'était bien terminée ». Andrea a ensuite annoncé la nouvelle à ses parents et, un mois plus tard, elle « sifflait ».

Qu'il s'agisse de Bernadette ou d'Andrea, ces deux jeunes femmes m'ont paru être des personnes intelligentes sachant bien s'exprimer. Comment avaient-elles pu penser à s'engager pour un mode de vie qui, aux yeux de nombreuses personnes, représente un véritable gaspillage de talents?

Andrea Feehery m'a dit qu'elle considérait que ce travail était pour elle un honneur. «J'aime être la mère de tous ceux qui participent à l'Œuvre, dit-elle. Je considère cela comme une profession, mais avec le temps, je me sens de plus en plus être une mère pour tous. Mon travail consiste à m'assurer que chaque personne de notre grande famille ne manque de rien. C'est exactement ce que Notre-Dame a fait pour le Seigneur. C'est fantastique.» Il aurait été facile de soupçonner qu'elle nous distillait de l'idéologie opusienne. Toutefois, nous discutions en privé et en toute liberté dans une pièce. De plus, Andrea n'est pas le genre de personne qui se laisserait influencer pour répéter comme un perroquet les paroles de quelqu'un d'autre.

Bernie Pliske était tout à fait d'accord avec elle.

«De toute façon, si je n'étais pas devenue numéraire auxiliaire au sein de l'Opus Dei, je ferais exactement la même chose à un autre endroit, affirme-t-elle. Je serais soit dans un couvent, soit mère de famille. J'ai ici la possibilité d'être la mère d'une famille vraiment très importante. J'aime vraiment cela. Cela me fait penser à ma propre mère et à la mère du Christ pendant la vie de celui-ci.» Elle a ajouté que les numéraires auxiliaires «étaient tout à fait capables» de faire autre chose, que c'était un choix qu'elles avaient fait et qu'en aucun cas il ne s'agissait d'un acte désespéré. Elle m'a fait remarquer que des femmes ayant eu, par exemple, des carrières de paysagistes ou de décoratrices se trouvaient aussi dans le centre. «Cela ne signifie pas que nous n'avons aucune instruction», a-t-elle ajouté. Elle propose un défi à quiconque aurait cette impression : «J'aimerais bien voir comment les gens se débrouilleraient pour organiser un repas pour plus de trois cents convives...»

Andrea Feehery a déclaré que les personnes qui ne faisaient pas partie de l'Opus Dei ne comprenaient pas son choix.

«De nombreuses personnes ne possèdent pas l'image de la mère qui fait la cuisine, le ménage, qui est à l'écoute de sa famille, explique-t-elle. Maman avait décidé de rester à la maison, et je m'aperçois en vieillissant à quel point cela a eu de l'importance à mes yeux.» Elle a ajouté à quel point elle avait détesté les deux années où sa mère avait eu un travail à l'extérieur. «Je fermais la maison à clé lorsque je partais à l'école, et elle n'était même pas revenue lorsque l'autobus scolaire me ramenait à la maison dans l'après-midi.» C'est pourquoi elle considère comme un vrai cadeau le moment où sa mère a pris la décision de laisser tomber son emploi et de retourner s'occuper de son foyer.

Andrea a ensuite dit qu'elle avait remarqué que ses amis avaient tendance à accorder plus de valeurs aux réalisations obtenues dans la vie active. «Elles m'envoient des courriels et se sentent obligées de rajouter tous leurs titres à côté de leur signature. Je me demande toujours quelle importance tout cela peut bien avoir…» Elle a ensuite ajouté que la satisfaction est une grâce que l'on reçoit de Dieu. Bien sûr, tout cela ne veut pas dire qu'Andrea ait renoncé aux intérêts qu'elle manifestait antérieurement. Elle avait commencé à se passionner pour l'art lorsqu'elle fréquentait l'école secondaire et elle continue à étudier les arts plastiques dans ses moments libres. Elle a toutefois dit qu'elle n'avait jamais regretté ne pas s'être engagée sur une autre voie.

«Je suis très engagée, a-t-elle affirmé. Tout le monde passe par une période de remise en question lorsqu'on approche de la quarantaine et je sais que je n'y échapperai pas. Quelles sont les raisons qui font qu'un mari continue de vivre avec sa femme lorsque cela se produit? La seule chose à faire lorsque l'on passe par là est de prier encore plus fort.»

Et là encore, Bernadette Pliske s'est montrée totalement d'accord.

«Je connais bien des personnes qui détestent leur emploi. Quant à moi, je ne m'y ennuie jamais. Il ne s'agit pas de tout simplement dresser une table pour un repas, mais surtout d'envisager tout ce qui existe derrière ce simple geste, les raisons de le faire et les personnes pour lesquelles je le fais. S'il s'agit de nettoyer comme il faut les toilettes, ajouta-t-elle en riant, je me dis que je pourrais tout aussi bien nettoyer celles de mes parents; c'est ainsi qu'ils sont toujours dans mes prières.»

Linda, la mère de Bernie, m'a dit avoir appuyé le choix que cette dernière a fait.

« Je sais qu'elle va nettoyer des toilettes, et alors ? m'a dit Linda. Je sais que l'Opus Dei sanctifie ces choses, apparemment triviales, mais tout aussi importantes que les activités prétendument plus nobles. J'ai tout simplement besoin de savoir si elle fait sa part. En tant que mère, je suis fière de l'avoir préparée pour le travail auquel elle se destine. »

Afin d'obtenir une opinion supplémentaire, j'ai rencontré Margherita Salas à Rome. Âgée de trente-six ans, cette assistante numéraire habite depuis huit ans à la Villa Sacchetti, le quartier général des femmes, et travaille à la Villa Tevere. Cela signifie que, la majorité du temps, elle sert les hommes à table, nettoie les couloirs de leur villa et s'occupe de l'entretien de leurs vêtements. Il y a, à l'heure actuelle, environ cinquante-quatre numéraires auxiliaires qui habitent à la Villa Sacchetti pour l'entretien des deux résidences.

Margherita Salas vient d'une famille du nord de l'Italie, à la frontière suisse, et elle m'a raconté que, lorsqu'elle était toute jeune, elle aimait beaucoup travailler dans le café qui appartenait à ses parents. Déjà, à l'âge de sept ans, lorsque ses parents le lui permettaient, elle s'asseyait sur un tabouret élevé pour faire fonctionner la machine à expresso. Elle a été envoyée à Milan dans une école secondaire affiliée à l'Opus Dei. Là, elle a appris la base de ce qui constitue le service hôtelier ainsi que l'entretien domestique. Elle y a vécu pendant deux ans et dit avoir découvert, au cours des années passées dans cette institution, que servir les autres n'était pas seulement une profession, mais bien une vocation.

Elle avait à peine quinze ans et demi lorsqu'elle a répondu à l'appel, qu'elle a « sifflé » et qu'elle est devenue numéraire auxiliaire (il faut avoir seize ans et demi à l'heure actuelle). Elle n'a pas pu prendre d'engagement à perpétuité avant d'avoir atteint vingt-trois ans). Je lui ai demandé si elle ne pensait pas qu'elle avait été trop jeune pour prendre ce genre d'engagement. Elle m'a répondu qu'elle avait voulu dire oui à la vocation qu'elle entrevoyait et qu'elle avait refusé que cet engagement ait des limites. Et elle a ajouté en souriant : « Je suis encore ici. »

Elle m'a raconté que ses parents tout comme ses quatre frères avaient appuyé son choix, même si ses frères la taquinaient et lui disaient : « Écoute, si tu aimes autant préparer des repas et faire le ménage, pourquoi ne viens-tu pas t'installer chez nous ? Le travail ne manque pas. » Elle m'a dit que ses parents n'avaient jamais éprouvé le moindre regret qu'elle n'ait pas choisi un genre de vie plus prestigieux.

« Si je n'avais pas fait ce choix, il est bien possible que je serais en train de travailler dans un bar à l'heure actuelle, car ces deux activités ne sont pas vraiment différentes. Je pense que tous les parents rêvent d'un certain style de vie pour leurs enfants, mais que, finalement, ils ne veulent que leur bonheur. J'ai eu la chance que mes parents se soient aperçus que l'Opus Dei signifiait pour moi famille et félicité. » Elle m'a signalé que des personnes de l'Opus Dei étaient allées à la rencontre de ses parents. Lors du vingt-cinquième anniversaire de mariage de ceux-ci, par exemple, des Opusiens se sont rendus chez eux pour leur apporter des friandises parce qu'elle n'avait pas pu s'y rendre, car elle avait dû rester à Milan.

Margherita dit qu'elle ne comprend pas comment de nombreuses personnes jugent comme discriminatoire le travail qu'elle et d'autres accomplissent. « Les femmes ont des manières tout à fait différentes de faire les choses, souligne-t-elle. Elles ont davantage d'intuition, agissent de façon plus concrète. Je pense que, en ce qui concerne le travail ménager, elles apportent un petit quelque chose de plus. Cela n'est pas seulement en relation avec le travail à fournir ou sa dimension matérielle, car il existe également des hommes qui peuvent très bien accomplir cette tâche. Ainsi, dans le domaine de la cuisine, les chefs masculins sont plus nombreux que les féminins. Il existe cependant un sentiment général qui veut que la vocation naturelle de la femme soit de s'occuper des autres. Les femmes sont des mères, ce sont elles qui donnent la vie. Je pense que, lorsque vous vivez dans une famille, dans une maison, il est facile de voir la différence entre la touche personnelle d'une femme et celle d'un homme. »

Elle ajoute qu'elle n'a jamais subi la moindre contrainte pour faire la cuisine comme pour faire le ménage. « Le rôle de l'Opus Dei n'est pas de vous dire : "Nous avons besoin que vous fassiez ce travail-ci ou ce travail-là". L'Opus Dei ne fait qu'ajouter l'idée qu'il s'agit bien d'une vocation, de donner une signification surnaturelle à la tâche », fait-elle remarquer. Elle ajoute qu'il existe un grand nombre de centres et de résidences appartenant à l'Opus Dei où les travaux ménagers ne sont pas faits par des numéraires auxiliaires, tout simplement parce qu'il n'en existe pas suffisamment à certains endroits. Elle a ajouté qu'il n'existait absolument personne dans l'Opus Dei pour obliger une femme à devenir numéraire auxiliaire tout simplement dans le but de boucher un trou.

Il est bien possible que de nombreuses personnes à l'extérieur de l'Opus Dei, particulièrement sensibles à l'oppression subie par les femmes au cours des siècles, au nom d'idéaux nobles se demandent : « Admettons que le fait de devenir numéraire auxiliaire est une vocation ayant pour base le service rendu à la collectivité et la sanctification du travail… Bon, alors pourquoi ce travail est-il réservé aux femmes ? Pourquoi les hommes ne peuvent-ils pas y être affectés ? »

Les membres de l'Opus Dei ont en général deux réponses. Tout d'abord, ils disent que c'est ainsi qu'Escrivá avait envisagé la situation. On ne discute pas. Un point c'est tout. « L'Opus Dei n'est pas quelque chose élaboré dans un laboratoire ou autour d'une table à la suite d'une longue discussion entre experts. Il s'agit d'un phénomène historique qui a jailli un jour précis à une heure précise, qui s'est développé suivant certaines caractéristiques, dans lequel les fondateurs ont dû faire des choix », dit Mme Salas. Elle précise que les numéraires auxiliaires ont toujours été des femmes, que cela fait partie de l'organisation même et qu'en fait Escrivá, aux premiers temps de l'Œuvre, avait confié les travaux domestiques à des hommes, une preuve qu'il n'avait pas ignoré cette possibilité.

Ensuite, ils soutiennent que s'imaginer que les deux sexes sont égaux provoque une confusion totale. Les femmes possèdent une capacité instinctive pour créer un environnement agréable et le maintenir en bon état, alors que les hommes ne possèdent pas ce genre de qualité. C'est en abordant ce sujet qu'Aldana Sánchez, la directrice de Shellbourne, s'est montrée plutôt péremptoire : « Les hommes ne possèdent pas ce talent, a-t-elle dit. Les femmes possèdent le don de rendre un intérieur chaleureux juste en y ajoutant quelques détails. Pas les hommes. »

Étant donné les différences entre les femmes et les hommes, qu'elles soient biologiques ou le résultat d'un fait sociologique, est-il possible de prévoir qu'un jour l'Opus Dei enverra des hommes faire la cuisine et le ménage dans des centres pour femmes, tout comme les femmes le font à l'heure actuelle pour les hommes ? C'est ici que les opinions divergent.

María Ángeles Burguera, numéraire espagnole, affirme que cela pourrait bien se produire un jour. « Les hommes participent de plus en plus aux soins ménagers, dit-elle, surtout à une époque où le machisme espagnol traditionnel s'efface peu à peu devant une collaboration plus grande de la gent masculine. À une certaine époque, les hommes ne faisaient à peu près rien dans la maison. Cependant, à l'heure actuelle, l'Opus Dei compte pas mal de bons cuisiniers. Certains centres pour messieurs ne possèdent pas de numéraires auxiliaires, et les tâches domestiques doivent être accomplies par des aides masculins, y compris le ménage. Il est donc possible que la vocation d'auxiliaire change et comprenne certains hommes, mais je pense qu'il existera toujours des femmes qui tiendront à travailler pour l'Œuvre. En effet, pour elles, c'est être la mère d'une grande famille. »

D'autres membres sont catégoriques et soutiennent qu'il est impensable qu'il y ait des numéraires auxiliaires mâles.

Beatriz Comella Guttiérrez, numéraire de quarante-six ans, qui enseigne l'histoire et travaille actuellement à la rédaction d'un ouvrage parlant des années qu'Escrivá a passées à Madrid, a déclaré qu'« un numéraire auxiliaire mâle n'avait jamais fait partie de la vision du Fondateur. Il voyait l'Opus Dei comme une entité et cela n'entrait pas dans ses visées ».

De toute façon, les membres argumentent qu'il existe un petit nombre de numéraires auxiliaires et que peu d'hommes se trouveraient intéressés par ce genre d'occupation. Il s'agit beaucoup plus d'un symbole que d'une réalité toute pratique. Margherita Salas a ajouté que cela ne signifiait pas que les hommes étaient de parfaits oisifs au sein de l'organisation. Ils prennent soin des malades, font les réparations nécessaires et l'entretien général des bâtiments, servent de portiers ou de téléphonistes et donnent un coup de main dans de nombreux domaines. Il s'agit pour certains d'entre eux d'un travail à temps complet.

Un dernier détail concernant les numéraires auxiliaires. Carmen Charo Perez de Guzman, ancienne numéraire espagnole de 1972 à 1990, a accusé l'Opus Dei de ne pas fournir, au moins pendant les années où elle en faisait partie, de programmes d'assurances, de retraite ou de ne pas faire participer ses employées à l'assurance-chômage, ce qui les laissait totalement démunies lorsqu'elles décidaient de quitter l'Œuvre. J'ai donc demandé à Pablo Elton, le responsable des finances de l'Opus Dei, de me dire ce qu'il en était à l'heure actuelle. Ce dernier m'a affirmé que tous les employés contribuaient à un plan de retraite et d'assurances, mais que les détails variaient selon les pays et les emplois.

« Toutes les auxiliaires ont une couverture sociale, une retraite et des assurances », a-t-il précisé. La façon dont cette couverture fonctionne dépend des lois de chaque pays et de l'emploi qu'elles occupent… Pour celles qui travaillent dans des institutions comme une résidence universitaire, les centres de conférences, les hôpitaux ainsi que pour celles qui pratiquent des activités professionnelles similaires, les types d'assurances et de retraite en vigueur offrent les mêmes avantages que pour d'autres personnes travaillant dans des secteurs analogues et n'appartenant pas à l'Opus Dei. Celles qui travaillent dans les petits centres de l'Opus Dei, considérés comme des résidences privées n'ont pas les mêmes avantages. Elles bénéficient de plans de retraite et d'assurance semblables à ceux d'employés de maison ordinaires. Les droits proposés aux employés de maison par ce genre de contrat dépendent des lois locales. Dans certains cas, la loi exige que les employés reçoivent une compensation en cas de perte d'emploi. Cette loi n'est pas en vigueur partout. Ce qu'il faut retenir, c'est que toutes les numéraires auxiliaires ont des contrats de travail et bénéficient des assurances en vigueur dans les pays où elles habitent et travaillent. Il n'est pas question de faire des économies à ce niveau.

La séparation des sexes

Une chose frappe presque immédiatement les simples observateurs de l'Opus Dei : la très stricte séparation des sexes à quelque niveau que ce soit de la vie courante. Les numéraires hommes et femmes vivent dans des centres séparés, et même lorsque l'Opus Dei possède des bâtiments de grande taille où sont regroupés de nombreux bureaux et différents programmes ainsi que des résidences pour les hommes comme pour les femmes, les installations pour chacun des sexes sont totalement séparées, y compris les portes d'entrée des bâtiments. C'est ce que nous retrouvons au siège social pour les États-Unis, situé à Manhattan, ainsi qu'aux quartiers généraux de Rome, Viale Bruno Buozzi. Les installations de Rome vont jusqu'à posséder des noms différents, c'est-à-dire la Villa Tevere et la Villa Sacchetti, bien qu'il s'agisse en réalité d'un même bâtiment muni de deux portes d'entrée distinctes, situées chacune à un angle différent de l'immeuble. Les hommes et les femmes sont toujours séparés lorsque l'Opus Dei organise des retraites, des soirées de prières ou de simples réunions. Les écoles affiliées à l'Opus Dei ne sont pas seulement soit des écoles pour filles, soit des écoles pour garçons. Les écoles de filles possèdent un corps enseignant féminin tandis que les enseignants des écoles de garçons sont des hommes (bien que, dans certains cas, le personnel de soutien puisse être mixte). Comme nous l'avons décrit au premier chapitre, Sarah Cassidy, numéraire anglaise, qui fait partie du conseil d'administration central, l'organisme qui dirige le secteur des femmes, nous a dit que, lorsqu'elles ont une question à poser à un homme, elles doivent normalement le faire par écrit, et non au téléphone ni en lui rendant visite.

Le père James Martin, un jésuite qui a écrit en 1995 un article sur l'Opus Dei pour le magazine américain *America*, nous raconte jusqu'à quel point on insiste sur la séparation des sexes : « J'avais un ami qui travaillait dans le domaine de l'électricité et des réseaux téléphoniques dans le bâtiment situé à l'angle de Lexington et de la 34ᵉ Rue. Les personnes en charge de l'Opus Dei lui ont signalé qu'ils tenaient à ce que les réseaux téléphoniques et informatiques soient totalement séparés. Il leur a alors demandé la raison de cette commande inusitée. Ils lui ont répondu qu'ils désiraient que toutes les installations soient faites comme s'il s'agissait de deux bâtiments distincts. Il a rétorqué que cela n'avait aucun sens, car il fallait bien que les deux communautés communiquent entre elles, mais ils lui ont renouvelé leur commande. Ayant ajouté que le coût des travaux serait le double, savez-vous quelle fut leur réponse? "Aucune importance".

« Quelle est la signification de cette ségrégation? s'est demandé le frère Martin. Que les femmes seraient peut-être des êtres dangereux, ce qui, théologiquement, me paraît bien étrange ou alors qu'elles appartiendraient à une classe inférieure? Cet état de choses m'a vraiment déconcerté. Si l'on essaye d'être un organisme de sœurs et de frères laïques, et c'est le cas, il va de soi qu'il importe de vivre dans le monde actuel et que ce genre de ségrégation des sexes défie toutes les idées reçues! »

De nombreux catholiques, ne partageant pas forcément les idées du père Martin, sont souvent surpris par cette notion de division des sexes. Une sœur laïque américaine haut placée, qui nous a demandé de ne pas révéler son nom, car elle appuyait l'Opus Dei, m'a raconté, lors d'un de mes derniers passages à Rome, que sa vie professionnelle lui faisant côtoyer des hommes comme des femmes, elle trouvait un peu « tordue » cette ségrégation au sein de l'Opus Dei. Elle est souvent invitée à donner des conférences aux membres de l'Opus Dei et doit le faire en double, une fois pour les femmes, et une autre pour les hommes, ce qui signifie, concrètement parlant, une double tâche.

Pour résumer, il n'existe cependant aucun tabou qui interdise aux femmes et aux hommes de collaborer à l'intérieur de l'Opus Dei. Les femmes et les hommes travaillent ensemble dans certains bureaux. Prenons par exemple l'Université de Navarre à Pampelune, ainsi que de nombreuses autres œuvres de l'Opus Dei. Les hommes et les femmes sont souvent mêlés au cours de certaines messes, lors de congrès ou de symposiums. De plus, la grande majorité des membres de l'Opus Dei, tout spécialement les surnuméraires, sont mariés, ont des enfants et vivent dans un environnement mixte.

Il est toutefois impossible de nier l'importance donnée à la séparation des sexes au sein de l'organisation. Les membres disent qu'il existe quatre raisons à cet état de choses.

En premier lieu, c'est ainsi qu'Escrivá a bâti l'organisation. «Cela fait partie du charisme que le Fondateur a reçu de Dieu pour bâtir son œuvre, m'a rappelé Pat Anderson, la directrice de la section des femmes pour les États-Unis. Vous devez voir cela du point de vue spirituel. Ça se résume à cela. Si vous n'acceptez pas ainsi cette réalité, il est vrai que vous éprouverez des difficultés à en comprendre les motifs.»

En deuxième lieu, il existe de nombreux avantages à ne pas mélanger les sexes en ce qui concerne leur formation spirituelle et doctrinale. Les femmes peuvent parler de maternité, par exemple, d'une façon tout à fait différente qu'elles pourraient le faire si les hommes étaient présents. Les sports semblent plutôt être une affaire d'hommes. De plus, cette division facilite certains domaines administratifs. Les femmes sont responsables des activités destinées aux femmes, et les hommes de celles destinées aux hommes.

En troisième lieu, les numéraires sont des hommes et des femmes qui ont fait vœu de célibat. Une certaine prudence se trouve donc tout à fait justifiée pour éviter les tentations. Tout comme les laïcs, les numéraires sont obligatoirement exposés à côtoyer des personnes du sexe opposé. Toutefois, en ce qui concerne les résidences et la vie spirituelle, un certain degré de séparation signifie qu'ils auront moins d'occasions de remettre en question leur engagement.

Et, pour terminer, il faut mentionner la logique historique. Les autorités ecclésiastiques, tout particulièrement celles du Vatican, ont depuis longtemps douté qu'il puisse exister à l'intérieur de l'Église un seul organisme où les hommes et les femmes pourraient partager les mêmes vocations et les mêmes activités apostoliques. Lorsque l'on examine les communautés dominicaines et franciscaines, par exemple, on constate que les ordres destinés aux hommes et ceux destinés aux femmes suivent tous les « doctrines » de saint Dominique ou de saint François d'Assise. Cependant, juridiquement et institutionnellement parlant, ces communautés sont distinctes. Il y a toujours eu la crainte que des congrégations mixtes engendrent une certaine forme de promiscuité. Les années passant, l'Opus Dei s'est trouvée devant la possibilité de se transformer en deux organismes distincts, un pour les hommes et l'autre pour les femmes, ce qui aurait détruit la vision qu'Escrivá avait eue d'un organisme univoque. Les membres de l'Opus Dei disent que la seule manière qu'Escrivá avait pu trouver pour rassurer le Vatican était de construire un véritable mur séparant les deux sexes et que toute notion de promiscuité deviendrait « ridicule ». Autrement dit, les membres de l'Opus Dei déclarent que l'importance de la séparation des sexes, presque voisine de la maniaquerie, a été le prix à payer pour s'assurer du bon fonctionnement de l'Œuvre.

Le féminisme renouvelé

La Congrégation pour la doctrine de la foi, l'organisme principal du Vatican qui surveille la bonne mise en application de la doctrine, a adressé, le 31 mai 2004, une « lettre aux évêques de l'Église catholique traitant de la collaboration entre les hommes et les femmes au sein de l'Église et dans le monde en général ». Cette lettre critiquait certaines tendances de la pensée actuelle qui créent « une opposition entre les hommes et les femmes, insistant lourdement sur l'identité et le rôle d'un des sexes par rapport à l'autre, ce qui provoque une confusion nocive pour la personne humaine. Ces idées délétères provoquent, selon la Congrégation, des conséquences immédiates et catastrophiques sur la structure familiale. Le document en question citait notamment le « féminisme radical » comme étant la source de cette confusion.

De nombreuses féministes catholiques ont immédiatement critiqué cette opinion. Une bénédictine, la sœur Joan Chittister, a accusé le document comme « démontrant un total manque de compréhension du féminisme, des théories féministes et de l'évolution du féminisme ». Elle fait remarquer que ledit document «utilise des termes et des théories totalement dépassés et qu'il est totalement partial quant à son analyse du féminisme ». Sa réaction nous présente une version microcosmique du fossé qui existe entre l'Église catholique et de nombreuses femmes émancipées et instruites.

D'autre part, les intellectuelles de l'Opus Dei ont beaucoup mieux reçu cette lettre. Jutta Burggraf, par exemple, défend la position du Vatican. «L'avancement du statut des femmes ne veut pas dire qu'elles doivent arrêter d'être ce qu'elles sont, mais cela devrait plutôt les aider à accepter qui elles sont, soutient-elle. La raison en est que cela englobe une revalorisation de la maternité, du mariage et de la famille. Si, à l'heure actuelle, on se bat contre la pression sociale du passé qui excluait les femmes de certaines professions, pourquoi nous montrons-nous aussi craintives devant la pression sociale actuelle, bien plus pernicieuse, qui consiste à duper grossièrement les femmes en essayant de les convaincre qu'elles ne pourront vraiment s'accomplir qu'à l'extérieur de leur famille ? »

Jutta Burggraf a ajouté que l'Église est du côté des femmes.

«L'Église est l'organisation la plus importante au monde préconisant une politique proféministe. Il n'existe pas au sein de l'ONU d'organisations qui possèdent autant de collaborateurs sur tous les continents – que ce soit un petit village africain ou une des îles les plus éloignées du Pacifique – et qui se dévouent autant que l'Église catholique pour donner de la formation aux femmes et pour les aider à vivre dans la dignité. »

Pia de Solenni est une laïque américaine qui travaille en tant que directrice des problèmes se rapportant aux femmes et à la vie pour le Family Research Council, une organisation profamille fondée par le porte-parole chrétien James Dobson. Mme de Solenni ne fait pas partie de l'Opus Dei ; cependant, elle possède un doctorat de l'Université Santa Croce de Rome, dirigée par l'Opus Dei, et elle rencontre des prêtres de l'Œuvre depuis huit ans afin d'être aidée à cheminer dans sa vie spirituelle. Sa thèse sur la manière de promouvoir un féminisme intégral dans l'optique de saint Thomas d'Aquin lui a valu un prix pontifical en 2001, une récompense papale prestigieuse. Mme de Solenni donne l'impression d'être une jeune femme dynamique, intelligente et impertinente à l'occasion. Elle s'insère tout à fait bien dans le milieu culturel survolté de Washington, D.C. Elle a développé une attitude positive lors de la parution de la « lettre » du Vatican et l'a exprimée dans une chronique des lecteurs du *National Catholic Reporter*.

« Il est malheureux que les efforts entrepris par l'Église pour défendre les droits des femmes depuis quarante ans aient pris un mauvais virage et que cela ait occasionné une guerre entre les hommes et les femmes qui est allée en empirant. Le débat s'est réduit à une lutte de pouvoir qui a créé l'illusion temporaire d'avoir remporté la victoire pour s'apercevoir, ensuite, que de nombreuses victoires nous avaient échappé et que celles que nous pensions acquises étaient illusoires, a-t-elle écrit. La compétition et les représailles ont créé une impasse. Cette lettre, donc, ne traite pas seulement des femmes, comme le suggère la couverture médiatique. Elle traite des hommes et des femmes ainsi que de leurs relations à l'intérieur de la société et de l'Église. »

Ces commentaires montrent bien l'état d'esprit qui règne parmi les femmes en relation avec l'Opus Dei lorsqu'il s'agit de discrimination sexuelle, de féminisme et de relations entre les sexes. En gros, le genre de féminisme préconisé par l'Opus Dei est beaucoup plus proche de la vision du pape Jean-Paul II que de celle de Gloria Steinem.

Prenez par exemple le cas de Mme Janne Haaland Matlary. Il s'agit d'une mère de quatre enfants qui a déjà été vice-ministre des Affaires étrangères de Norvège et qui enseigne les relations internationales à l'Université d'Oslo. Cette fervente catholique a représenté le Saint-Siège à la conférence de l'ONU sur les femmes, qui a eu lieu à Pékin en 1995. Elle coopère avec l'Opus Dei et donne souvent des conférences lors de ses réunions. Elle a publié un livre qui s'intitule *A Time to Blossom : A New Feminism*.

Mme Matlary raconte sa propre expérience pour illustrer le besoin réel d'un « renouveau du féminisme », un mouvement qui redonne sa pleine valeur à la maternité et à la famille. Lorsqu'elle a postulé son emploi à l'Université d'Oslo, elle a été court-circuitée par un candidat masculin. On lui a signalé que tous deux possédaient les mêmes qualifications, bien que cet homme soit son cadet de six ans. Comment pouvait-il donc avoir accompli autant de réalisations qu'elle, s'est-elle demandé, étant donné la différence d'âge? Elle s'est assise et a tenu le raisonnement suivant : elle avait quatre enfants. Donc, en multipliant quatre fois neuf mois de grossesse, cela donnait trois ans; de plus, elle avait allaité chaque enfant pendant neuf mois – trois ans de plus. Les grossesses et les périodes d'allaitement s'établissaient donc à six ans. Elle a, de plus, calculé qu'elle avait passé deux ans chez elle lorsque ses enfants étaient tout petits. En résumé, elle avait beaucoup plus de réalisations à son actif lorsque l'on soustrayait les années de grossesse et celles qu'elle avait passées à s'occuper de ses enfants. Elle a soumis son point de vue au comité et a obtenu l'emploi.

Mme Matlary a fait part de ses idées lors d'une conférence qu'elle a donnée en Irlande en 2000 :

> Très peu de féministes parlent de l'importance de la maternité en termes pratiques et politiques, ni même en des termes plus profonds. Le féminisme moderne a beaucoup perdu dans ce domaine. Au lieu d'essayer de découvrir ce que signifie vraiment être une femme – ce que représente la féminité dans un sens ontologique et existentiel – le féminisme semble vouloir considérer l'agressivité masculine comme normale, ce qui oblige les deux sexes à entreprendre une lutte de pouvoir féroce... Le féminisme moderne ne se préoccupe absolument pas de l'essence même de la femme et, par conséquent, ne dit rien sur l'importance de la maternité.

Pour donner un autre exemple de la façon dont l'Opus Dei traite le problème des femmes, je vais vous présenter Marta Manzi, qui se fait également appeler par son nom de jeune fille, Marta Brancatisano. Il s'agit d'une surnuméraire italienne qui a été la porte-parole du comité organisateur en vue de la canonisation de saint Josemaría Escrivá en 2002. Elle et son mari se sont rencontrés alors qu'ils fréquentaient l'université et ils ont sept enfants. Elle a publié plusieurs livres sur la féminité et la famille, dont *The Great Adventure* et *L'Évangile expliqué à mon fils*. Un de ses écrits les plus systématiques, *Approach to an Anthropology of Difference*, a été publié en 2004 par la maison d'édition de l'Opus Dei de l'Université Santa Croce à Rome.

Mme Brancatisano se montre critique du féminisme «classique».

«Dans la purée de pois révolutionnaire du mouvement de libération sexuelle de 1968, a-t-elle écrit, les femmes ont commencé à utiliser les façons masculines de s'exprimer et d'agir. Elles singeaient systématiquement et avec exagération la mentalité masculine, au lieu de s'ouvrir à la coexistence. C'est ainsi que nous avons créé une véritable guerre des sexes – que ce soit dans la rue, dans les médias, au Parlement ou dans les maisons. Elle se distingue par la violence et le désir de dominer, et également par une mutation rapide de la façon de s'habiller et de la mode, qui n'a fait qu'aller en progressant, mutation que l'on retrouve aussi bien dans la parole que dans nos attitudes.»

En 1998, alors qu'elle commentait un mémoire lors d'une table ronde, Mme Brancatisano a soutenu que les femmes devaient entrer dans le monde du travail non en tant que personnes «supplémentaires» mais en tant que personnes «différentes», étant donné que «la seule différence ontologique entre les êtres humains est déterminée par leur sexe» et que les soins apportés à la famille et à la maison sont des caractéristiques «éminemment féminines».

«Ce qui fait la spécificité féminine se distingue par la faculté et la disposition de la femme à accueillir l'autre, a-t-elle indiqué. Cette faculté irradie de sa personnalité et de son corps. Car, pour elle, au contraire de ce qui se produit pour les hommes, l'autre ne représente pas un mystère, mais quelque chose qui lui appartient, qu'elle connaît bien, car elle a porté la vie en elle. Seules les femmes possèdent la capacité de "gérer" les personnes qui les entourent. Elles savent le faire avec sagesse et grâce… Ce savoir-faire est en relation directe avec la génétique, sans lien avec le milieu dans lequel elles évoluent ou les conditions culturelles.

« Qu'elle soit politicienne, pilote ou scientifique, la façon d'aborder les choses sera différente pour une femme, continue Mme Brancatisano. Elle se montrera unique et non un clone des hommes. » Notre interlocutrice affirme que c'est seulement de cette façon que la société donnera sa pleine valeur, comme elle le devrait, à la contribution apportée par les femmes à leur foyer et à leur rôle de gardienne de la famille. « Nous ne pouvons pas nous attendre à ce que les gouvernements valorisent le travail que les femmes accomplissent chez elles si, nous, en tant que femmes, nous ne rendons pas compte de ce que ce travail représente, de son utilité, de sa dignité et de la gratification que nous pouvons en tirer. »

Cette inquiétude exprimée par des femmes appartenant à l'Opus Dei, comme Mmes Burggraf et Brancatisano, reflète tout à fait ce que Escrivá avait dit lors d'une entrevue en 1967 :

Je pense que nous mettons systématiquement en opposition le travail de la femme au foyer avec celui qu'elle peut avoir à l'extérieur, perpétuant ainsi l'ancienne dichotomie que l'on utilisait autrefois pour garder les femmes à la maison. Il se passe le contraire à l'heure actuelle et cela pourrait nous mener vers une erreur sociale encore plus importante que celle que nous essayons de corriger à l'heure actuelle. Si jamais les femmes renonçaient à s'occuper de leur foyer et de leur famille, nous nous trouverions devant une erreur encore plus importante. On ne peut affirmer, si l'on regarde uniquement le niveau personnel, que les femmes ne peuvent parvenir à la perfection qu'à l'extérieur de chez elles, ce qui reviendrait à dire que les moments passés avec leur famille le seraient au détriment de leur personnalité. Leur foyer – quel qu'il soit, étant donné qu'une femme célibataire doit également en posséder un – représente le meilleur endroit où elles peuvent développer leur personnalité. Les attentions qu'elles manifestent à leur famille représenteront toujours leur principale dignité. Les femmes remplissent la partie la plus importante de leur mission en s'occupant de leur mari et de leurs enfants et en créant une atmosphère chaleureuse et formatrice autour d'elles. C'est vraiment ainsi qu'elles peuvent atteindre la perfection sur le plan personnel.

L'évêque Javier Echevarría, actuellement directeur de l'Opus Dei, a abordé la question des femmes lors d'une entrevue accordée en 1996 au journal chilien El Mercurio : « Au centre d'un vrai féminisme, on devrait retrouver une sensibilisation croissante à la dignité des femmes, a-t-il dit. Ce féminisme est totalement différent des autres façons d'exprimer cette attitude sociale, ordinairement agressive, où l'on prétend que le sexe d'une personne ne représente qu'une caractéristique physique n'ayant aucun rapport avec sa vie sociale et son caractère humain. » Mgr Echevarría a ajouté que les femmes devraient pouvoir obtenir les mêmes privilèges que les hommes et il a fait remarquer que les femmes dans l'Opus Dei poursuivaient une grande variété de carrières. Ainsi, il a cité le pape Jean-Paul II qui avait admis que le mouvement féministe avait été « relativement positif ». « Une femme à qui l'on donne les mêmes possibilités qu'à un homme peut conserver son identité sans tomber dans le piège qui consiste à s'imaginer qu'elle ne pourra vraiment trouver qui elle est qu'en singeant les hommes et en imitant leurs faits et gestes. » Mgr Echevarría a ajouté : « Les femmes devraient lutter contre la pornographie tout comme contre la revendication du droit à l'avortement et contre le divorce qui, au point de vue social, peut être considéré comme un véritable désastre et une offense envers Dieu. »

Il serait totalement injuste et inexact de déclarer que les idées proclamées par Mmes Burggraf, de Solenni, Matlary et Brancatisano ont été prononcées sous l'influence de l'Opus Dei, car elles sont fort capables d'émettre leurs propres opinions. Mmes de Solenni et Matlary ne sont même pas membres de l'Opus Dei et Mme de Solenni a déclaré au cours d'une interview accordée en novembre 2004 qu'elle n'avait absolument pas l'intention de le devenir. De plus, personne à l'intérieur de l'Opus Dei n'a dicté à Mmes Burggraf et de Solenni ce qu'elles devaient dire lorsque la lettre du Vatican a paru.

Cela ne signifie pas que des personnes, comme Mme Burggraf, se montrent insensibles aux préoccupations traditionnelles du mouvement féministe. Mme Burggraf nous a raconté qu'un centre d'études mariales lui avait demandé une étude critique du féminisme, à son retour d'Allemagne où elle avait terminé ses études universitaires dans les années quatre-vingt. Ce centre voulait une jeune théologienne, et elle répondait parfaitement aux exigences. « J'avais lu tous les livres traitant de la théologie féminine. Certains d'entre eux m'avaient paru être un peu superficiels, remarque-t-elle. J'ai donc fait une critique très dure sans me préoccuper des problèmes que les femmes devaient affronter et sans faire l'effort de me mettre à leur place parce que c'était exactement ce que les personnes les plus conservatrices voulaient entendre. Les textes que j'avais écrits se sont propagés dans d'autres pays. Je meurs de honte, à l'heure actuelle, lorsque je les relis. Lorsque certaines personnes ont commencé à me critiquer, je me suis mis à penser : "Ces femmes ont raison, elles ont énormément souffert et je n'ai pas été sensible aux malheurs qui les frappaient." Je pense que je suis maintenant une féministe chrétienne qui ne remet pas en cause les principes chrétiens et qui reste sensible aux souffrances des femmes. »

Les femmes membres de l'Opus Dei représentent toutefois une opinion qui aborde les problèmes des femmes dans son sens le plus large et d'une tout autre manière. Elles appuient pour la plus grande majorité d'entre elles la position de l'Église catholique qui interdit l'ordination des femmes. Elles se méfient des idées classiques du mouvement féministe, car elles croient à l'existence de différences de niveau entre les hommes et les femmes, et elles considèrent que le pape Jean-Paul II était un vrai féministe. Il n'y a pas que les femmes de l'Opus Dei ou celles qui ont été éduquées dans des établissements de l'Opus Dei qui manifestent ces points de vue. Il n'en reste pas moins que la concision relative de ces questions à l'intérieur de l'Opus Dei contraste avec les opinions du reste de l'Église catholique et certainement du monde extérieur.

Les familles nombreuses

Bien que l'Opus Dei ne tienne pas de statistiques sur ce sujet, les familles faisant partie de l'Œuvre ont tendance à avoir de nombreux enfants. Par exemple, j'ai rendu visite à Doug et Shirley Hinderer dans leur maison de Chicago et j'ai rencontré la majorité de leurs neuf enfants lors d'un dîner. David Gallagher, numéraire américain, m'avait accompagné, et il a raconté aux Hinderer que lui-même venait d'une famille de treize enfants. Lors de mon passage à Londres, j'ai rendu visite à deux familles de surnuméraires : Jim et Theresa Burbidge, qui ont cinq enfants, puis John et Jane Philips, qui en ont dix.

J'ai discuté avec une étudiante de l'école Oakcrest, à McLean en Virginie, un établissement pour jeunes filles dirigé par l'Opus Dei. Cette étudiante de seize ans se nommait Meghan Hadley. Elle fait partie d'une famille de dix enfants et m'a raconté qu'il existe une plaisanterie à l'école disant que les étudiantes ont toutes des liens familiaux, car beaucoup sont issues de familles nombreuses et que ces personnes prolifiques se marient souvent entre elles. Il n'est pas du tout anormal qu'une étudiante soit la cousine germaine ou issue de germaine d'une autre étudiante et, bien entendu, toutes ces étudiantes ont des sœurs plus jeunes ou plus vieilles qu'elles fréquentant la même école. Cependant, ce n'est pas toujours le cas, étant donné que les deux autres étudiantes que j'ai rencontrées ne provenaient pas de familles nombreuses. Il existe cependant suffisamment de vérité dans cette histoire pour que la blague soit drôle.

Le fait sociologique des familles nombreuses additionné au «féminisme chrétien» dont il a été question un peu plus tôt signifie qu'il y a beaucoup plus de chances que les surnuméraires féminins soient des femmes au foyer, à un moment donné de leur vie. Certaines personnes considèrent que cela est un exemple de la vision bien traditionnelle que l'Opus Dei a des femmes, bien que de nombreuses surnuméraires avec lesquelles j'ai parlé m'aient affirmé que la vie de mère de famille est très enrichissante et très réconfortante.

Linda Roth, une surnuméraire qui habite dans la région de Chicago, m'a raconté qu'elle avait travaillé comme expert-comptable pour la société Price Waterhouse et qu'elle y était chargée de dossiers très importants au moment où elle a commencé à avoir des enfants. De nombreuses collègues ont fait pression sur elle afin qu'elle fasse passer sa carrière avant sa famille. Cependant, Mme Roth a senti qu'il était mieux pour elle de rester à la maison et que ce choix était important. Aussi a-t-elle décidé de continuer à travailler, mais à temps partiel. Elle a reçu l'appui de l'Opus Dei et a «sifflé» en 1984. «L'Opus Dei donne à la sanctification du travail une telle dimension que les travaux les plus anodins faits chez soi prennent autant d'importance que, par exemple, le fait de vérifier les passionnants comptes de la société Anheuser-Busch», fait-elle remarquer.

Il serait trop facile d'affirmer que la tendance des familles de surnuméraires à avoir des familles nombreuses provient du fait qu'elles observent les directives de l'Église contre la régulation des naissances, bien que cela ne soit pas totalement faux. Matthew Collins, ancien surnuméraire devenu coopérateur, déclare que la mentalité de l'Opus Dei n'exige pas que les familles aient des enfants à n'importe quel prix.

«Nous devons utiliser notre jugement pour décider du nombre d'enfants que nous désirons avoir, a-t-il déclaré. Si après avoir réfléchi et prié, nous croyons devoir limiter le nombre de nos descendants, nous possédons la même liberté que tous les catholiques pour utiliser une méthode contraceptive naturelle. Il est recommandé aux catholiques d'aller consulter un prêtre lorsqu'ils doivent prendre une décision, mais celle-ci appartient finalement au couple. Les époux doivent trancher la question en tenant compte de leurs ressources financières, physiques et psychiques ainsi que du nombre d'enfants qu'ils possèdent déjà. Cela inclut la capacité de donner à leurs enfants un foyer et une éducation appropriée.»

Pour information, il existe une tendance chez les familles nombreuses catholiques de l'Opus Dei à favoriser la scolarité de leurs enfants à la maison, et plusieurs surnuméraires ont fait ce choix. Certains catholiques ayant opté pour la scolarité à domicile peuvent se montrer arbitraires en ce qui concerne le système d'éducation catholique et ambivalents quant aux relations avec le système institutionnel à l'intérieur même de l'Église. Toutefois, ce genre d'attitude se retrouve moins fréquemment dans les cercles de l'Opus Dei. Ma première rencontre avec un membre de l'organisation s'est déroulée en 1998 à l'Université franciscaine de Steubenville, dans l'Ohio, lors d'une conférence qui traitait de scolarité indépendante. Deux représentants de l'Opus Dei, le laïc Jim Stenson et le père Malcolm Kennedy, tous deux anciens élèves des écoles appartenant à l'Opus Dei aux États-Unis, sont apparus comme porte-voix de la modération au milieu d'une pièce remplie d'opposants au système d'éducation.

« Les relations avec nos diocèses ont toujours été des plus cordiales, a déclaré M. Stenson. Nous ne nous sommes jamais présentés comme représentant la voix de la protestation. Je connais personnellement quelques individus qui l'ont fait et je ne comprends pas très bien d'où ils viennent. Qui sommes-nous pour juger le travail fait par d'autres ? Nous savons qu'il existe beaucoup de façons de voir les choses à l'intérieur de l'Église. Il y existe une très grande diversité d'opinions. Il existe de nombreuses voies qui peuvent nous conduire à Dieu. »

L'autorité

Les porte-parole de l'Opus Dei soutiennent souvent que les femmes sont plus émancipées au sein de l'Œuvre que dans beaucoup d'autres domaines de la vie au sein de l'Église, étant donné que les numéraires féminins reçoivent la même éducation théologique que les hommes (y compris les candidats à la prêtrise). Elles ont leur propre structure hiérarchique et administrent leurs affaires de façon autonome. Cependant, certains critiques font valoir que cette autonomie est fausse, puisque c'est un prêtre qui a le dernier mot, qu'il s'agisse du vicaire régional en charge des affaires locales ou d'un prélat si l'on se situe à un niveau international.

Les membres de l'Opus Dei eux-mêmes comprennent comment ces impressions prennent corps.

« Je comprends très bien que certaines personnes se montrent sceptiques, a déclaré María Ángeles Burguera, la numéraire madrilène que j'ai présentée un peu plus haut. Bien des personnes pensent qu'un homme décide de tout pour la bonne raison que

l'autorité relève de l'évêque. Et, bien entendu, chaque pays a ses
prélats et ses vicaires. »

Les femmes au sein de l'Opus Dei font remarquer que, dans
la pratique, elles possèdent une véritable autonomie. Marlies
Kücking, la numéraire allemande qui dirige le secteur des femmes,
m'a expliqué comment le système fonctionnait. « Les sujets à traiter
nous arrivent du gouvernement régional, et nous avons des services
qui s'occupent des problèmes de couples, d'autres des jeunes, des
études philosophiques et théologiques, de la formation et ainsi
de suite, dit-elle. Je m'occupe personnellement de chaque affaire
pour ensuite la transmettre aux différents services. Ils les étudient
et proposent des solutions. Tout ce travail est fait par des femmes.
Les affaires vraiment importantes me reviennent et, ensuite, elles
se rendent chez le prélat. Il peut poser des questions. Cependant,
en général, il approuve ce que nous avons proposé en nous disant
que nous connaissons mieux que lui ces domaines, même s'il en a
lui-même une parfaite connaissance. » Elle me précise ensuite qu'elle
se considère toujours bien écoutée et prise au sérieux.

Pat Anderson, qui dirige le secteur des femmes aux États-
Unis, s'est montrée encore plus catégorique. « L'Opus Dei est une
seule entité. Cependant, en réalité, il existe deux groupes, celui
des hommes et celui des femmes, a-t-elle déclaré. Chaque groupe
possède son indépendance, tout en manifestant le même état
d'esprit. Nous sommes indépendantes. » Lorsque je lui ai demandé
comment elle jugeait les relations avec le secteur des hommes,
sa réponse, pleine d'humour, a été : « Pourquoi aurais-je besoin
d'eux ? »

Lorsque je lui ai demandé s'il existait un domaine où les
femmes étaient soumises à la volonté des hommes, cela a provoqué
chez elle une réponse bien envoyée à une question qu'elle considérait
sans doute comme stupide.

« Soumise ? a-t-elle répondu en s'étranglant de rire. Comment
cela ? Je n'ai pas de relations avec eux !

« Personnellement, a-t-elle ajouté, je pense que les prêtres sont
à notre service. Ils sont constamment à notre entière disposition.

Ils se rendent dans les centres pour femmes quand nous le leur demandons ; ils y accomplissent ce qui est attendu d'eux, reçoivent la rémunération dont le montant a été fixé par la directrice et sont logés dans les locaux qui leur ont été affectés. » Elle a ajouté qu'il n'y avait aucune raison pour qu'un prêtre fasse la loi par sa simple présence.

À de nombreuses occasions, les femmes utilisent leur autonomie pour patronner des activités qui accordent du pouvoir aux femmes. Susan Mangels, par exemple, est une numéraire de quarante ans qui occupe la position de présidente du Collège Lexington. Elle était luthérienne et s'est convertie au catholicisme. Elle raconte avec ironie que, lorsqu'elle a essayé d'expliquer à son père ce qu'était l'Opus Dei – c'est-à-dire un regroupement de laïcs qui utilisent leur liberté pour racheter le monde –, il en était venu à la conclusion qu'il s'agissait d'une organisation « socialo-marxiste ».

Mme Mangels raconte comment le Collège Lexington, où l'on enseigne aux jeunes femmes les techniques du secteur des services ainsi que l'administration, a été fondé en 1970 dans le but de promouvoir le prestige de celles qui font carrière dans ce type d'activités. Elle ajoute que, vu de l'extérieur, ce rôle de la femme, que l'Opus Dei défend, peut être considéré comme étant ultra-traditionaliste. « La vérité est tout autre, a-t-elle ajouté. Dans les entreprises de services, existent de nombreux secteurs dominés par les hommes... La cuisine, par exemple. Notre intention est de produire des jeunes femmes qui seront de bonnes administratrices et de vraies professionnelles et trouveront la dignité dans leur métier. » Mme Mangels dirige le Collège Lexington avec une équipe majoritairement féminine sans qu'aucun sbire de l'Opus Dei soit constamment en train de les surveiller.

Femmes fortes de l'Œuvre

Nous allons prendre l'exemple de deux femmes solides de l'Opus Dei, natives du Kenya, que j'ai rencontrées en septembre 2004.

Frankie Gikandi, numéraire, dirige le centre technique pour jeunes filles de Kimlea. Ce centre comprend 150 demoiselles qui y vivent à plein temps ainsi que 200 jeunes filles et femmes d'un certain âge qui suivent des programmes à temps partiel. La devise de ce centre est *Kazi Huvuna Matunda*, ce qui se traduit du swahili par « Tout travail produit des fruits ». Les jeunes filles accueillies à Kimlea sont presque toutes originaires des régions les plus pauvres situées à côté des plantations de café et de thé non loin de Nairobi et, au début, elles ont pensé que l'école était une institution pour les *musungus*, c'est-à-dire les Blancs. En arrivant, elles ont été tellement intimidées que Mme Gikandi a eu besoin de deux mois pour les convaincre d'utiliser les toilettes qui se trouvaient à l'intérieur des locaux. Ce centre leur enseigne des notions de base comme la couture et la cuisine. Il peut faire froid dans cette région qui entoure les plantations, et Mme Gikandi dit que les tricots se vendent bien. Les revenus que l'école peut en tirer sont très appréciés.

Étant donné qu'un pourcentage élevé d'hommes abandonnent leur famille à cause de la pauvreté et de certaines traditions, de nombreuses femmes du district de Kiambu, où se trouve Kimlea, se trouvent dans l'obligation de travailler dans les plantations pour subvenir aux besoins de leurs enfants. L'argent étant rare, seuls les garçons vont à l'école, car les filles, s'imagine-t-on, auront toujours la possibilité d'être entretenues par leur mari. Ce manque total d'instruction signifie que les femmes ne savent souvent rien faire d'autre que cueillir les feuilles de thé. Elles travaillent de six heures du matin à six heures du soir pour un salaire inférieur à 2 dollars, ce qui est à peine suffisant pour nourrir les leurs. Il est très difficile de rompre ce cercle vicieux. Le centre de Kimlea offre aux femmes adultes des cours d'alphabétisation, de comptabilité ainsi que des cours dans d'autres disciplines, ce qui leur donne par la suite la capacité de choisir un emploi moins exténuant et plus rémunérateur. De nombreuses femmes ont ouvert des centres de couture, des épiceries et ont planté de petits potagers, ce qui a eu comme effet direct d'améliorer leurs conditions de vie familiale et celles de leurs communautés. Outre les matières scolaires normales, on enseigne aux jeunes filles des notions de commerce.

Le génie créatif de Mme Gikandi ne semble pas avoir de limites. Elle projette de faire de l'apiculture pour que les jeunes filles puissent avoir un revenu supplémentaire en vendant du miel. Et, en plus, ajoute-t-elle, ce miel pourra être utilisé pour ses vertus médicinales. Elle nous a également montré des sacs de terre d'environ un mètre de haut dans lesquels poussent de mini-cultures, une technique qu'elle enseigne aux jeunes filles pour augmenter l'apport alimentaire lorsque les familles ne possèdent pas leurs propres champs. Les récoltes produites se nomment *sukuma* en swahili, soit « passe la semaine », car il s'agit d'une culture qui aide la population à franchir des caps difficiles lorsque la nourriture se fait plus rare.

Mme Gikandi vient d'une famille de seize frères et sœurs. Cela n'a cependant rien à voir avec l'Opus Dei. Ses parents n'en faisaient pas partie. Son père était polygame et avait deux femmes. Elle avait de vrais frères et sœurs, ainsi que des demi-frères et des demi-sœurs. Ses seize frères et sœurs se sont convertis au catholicisme après sa propre conversion. Son père s'est séparé de sa deuxième femme, tout en lui donnant la possibilité de vivre dans une ferme et en l'aidant financièrement. Il s'est lui aussi converti au catholicisme et a épousé sa première femme à l'église. Mme Gikandi semble avoir un talent tout à fait particulier pour l'évangélisation. Elle m'a confié qu'en début d'année scolaire environ la moitié des jeunes filles qui fréquentent l'école sont catholiques. Ce chiffre passe aux deux tiers à la fin.

Mme Gikandi est une excellente administratrice. Elle désire fonder un centre de consultations médicales où l'on pourra traiter les infections et les virus qui font des ravages dans les villages autour de Kimlea. Pour l'instant, elle a organisé un service mobile et utilise une camionnette qui lui a été donnée pour conduire deux médecins de village en village et apporter des médicaments. Ce centre de soins devrait également traiter les effets de la malnutrition et le sida. Elle est constamment à la recherche de fonds pour pouvoir couvrir les frais d'entretien de chaque jeune fille, qui s'élèvent à 25 dollars par mois. Elle a créé la Fondation des amis de Kimlea pour essayer de collecter les dons.

Il n'est même pas la peine de se poser de questions pour savoir qui dirige Kimlea. Lorsque Mme Gikandi sort du bâtiment principal pour aller vers l'entrée, l'agent de sécurité la salue presque militairement; un jardinier qui se reposait sous un arbre revient vite à la vie et s'empresse de manier le râteau alors que nous marchons sur le terrain du petit campus. Là, il n'existe ni prêtre ni numéraire pour mener la barque. C'est Mme Gikandi qui engage et renvoie le personnel; c'est elle qui paie les factures et qui fait la liaison avec le monde extérieur.

Je voulais qu'elle me parle un peu plus de son programme scolaire. «Vous êtes une femme solide, une femme de carrière qui a réussi, lui ai-je dit. Pourquoi ne faites-vous pas enseigner les maths, la littérature et les sciences à ces jeunes filles? Pourquoi vous contentez-vous de leur enseigner les soins ménagers et le commerce?»

«Mon objectif principal est de leur enseigner une activité qui pourra devenir une source de revenus, m'a-t-elle répondu. Il ne s'agit pas de faire un choix entre la couture et la physique. La plupart de ces jeunes filles viennent chez nous parce qu'elles désirent aider leur famille et être mères. Notre but principal est de les aider à devenir de bonnes maîtresses de maison et également de leur enseigner des techniques qui pourront engendrer des revenus. Ainsi, elles ne seront pas totalement dépendantes de leurs maris. Vous devez prendre en ligne de compte leurs possibilités et leurs capacités, et décider de ce qui vraiment les aidera au cours de leur vie.»

En haut de la liste des Kenyanes les plus impressionnantes, on trouve le Dr Margaret Ogola, une surnuméraire de l'Opus Dei qui dirige la Commission pour la santé et la famille à la Conférence des évêques. Mme Ogola est pédiatre, a quatre enfants et occupe le poste de directrice médicale de l'Orphelinat Cottolengo à Nairobi. Elle traite les enfants séropositifs, est écrivain dans ses moments libres et a produit des œuvres qui ont été primées. *The River and the Source*, publié en 1994, lui a valu le prix Jomo-Kenyatta 1995 pour la littérature et le prix des écrivains du Commonwealth pour la publication d'un premier roman.

Mise en contact avec l'Opus Dei en 1990, elle fut attirée par le fait qu'ils « prennent très au sérieux les laïcs ». Elle a « sifflé » il y a onze ans. Je l'écoutais pendant qu'elle me décrivait son expérience, et il était tout à fait évident qu'elle ne laissait pas son intelligence au vestiaire lorsqu'elle pénétrait dans un centre de l'Opus Dei.

« Il m'est arrivé d'aller à une réunion dont le thème portait sur la foi, m'a-t-elle dit. Certains déclarèrent que les personnes atteintes du sida étaient coupables de leur état. Je sais qu'il est très mal élevé d'interrompre quelqu'un quand il parle, mais je ne pouvais laisser passer de telles affirmations. En tant que médecin, je me devais de donner mon opinion. J'avais quitté, ce jour même, une enfant de cinq ans qui luttait pour sa propre vie et je ne pouvais tout simplement pas accepter qu'elle soit coupable de quoi que ce soit.

« C'est pourquoi, l'approche est un peu simplifiée, estime Mme Ogola. Les personnes qui ont droit à la parole devraient penser un peu plus sérieusement et montrer un peu plus d'empathie. La chrétienté n'a-t-elle pas un rapport direct avec la croix? Qui suis-je pour exiger des autres des croix que je trouverais trop lourdes à porter? »

Cela ne l'empêchait pas d'apprécier l'insistance que l'Opus Dei mettait sur les « petites actions ». Elle a déclaré que sa famille était solide, ses enfants très actifs et qu'elle appréciait de pouvoir voir tout cela comme une sanctification. Elle a ajouté qu'elle avait besoin d'un peu de discipline spirituelle dans sa vie. « Le destin peut être assez pénible, dit-elle. On peut vous demander des comptes. »

Nous avons passé un bon moment à discuter du sida, étant donné que Mme Ogola est une experte en la matière. Le Kenya compte 200 000 personnes atteintes du virus du sida. Ces personnes devraient recevoir les traitements antiviraux, mais seulement 20 000 d'entre elles y ont accès. Soulignant l'importance des traitements aux rétrovirus, elle observe à sa clinique qu'il s'agit d'une question de vie ou de mort. À la question que lui posent les journalistes : « Pourquoi ne mettez-vous pas plus de personnes sous traitement? », elle répond qu'ils ne voient pas ce qui est vraiment important. « Il est totalement vain de penser que les traitements aux rétrovirus vont résoudre le problème du sida», dit-elle. Elle ajoute que les personnes qui ont l'estomac vide ne peuvent tolérer la toxicité des médicaments et que, soit elles les vomissent, soit elles ne les prennent tout simplement pas. D'autre part, au moment où il s'agit de décider qui va recevoir le traitement et ensuite d'entreprendre les examens de laboratoire nécessaires, on constate que l'infrastructure médicale du Kenya a été réduite par la Banque mondiale lors de programmes de réaménagement dans les années quatre-vingt. À cause de ces coupes claires, le pays n'est plus en mesure de suivre.

«La crise du sida va continuer, a-t-elle ajouté. Si personne n'entreprend les efforts nécessaires pour éradiquer la pauvreté, celle-ci fera exploser les structures africaines traditionnelles qui faisaient de la promiscuité sexuelle un véritable tabou.» Étant donné que Mme Ogola travaille pour les évêques kenyans, j'ai abordé l'inévitable sujet des préservatifs. Elle a exprimé sa frustration devant le fait que tout le travail que l'Église catholique avait fourni sur le sujet du sida ait été assombri par le débat concernant les préservatifs. Elle m'a montré une liste de 93 maisons d'accueil ainsi que des programmes patronnés par l'Église catholique dans les villages kenyans. Elle a également reconnu que de nombreux prêtres africains conseillent discrètement aux couples mariés dont l'un des partenaires est infecté par le virus du sida et l'autre pas d'utiliser des préservatifs. Mme Ogola ne pense toutefois pas que la solution se trouve au niveau des préservatifs. «Tout d'abord, remarque-t-elle, il s'agit d'un gadget qu'il faut savoir utiliser correctement et continuellement, et seule une éducation massive du peuple, suivie d'un changement radical de comportement, peut apporter une solution.»

Mme Ogola a déclaré que, en tant que médecin, une de ses principales inquiétudes était de constater à quel point la crise du sida était beaucoup plus importante chez les femmes. Cela provient en partie des traditions sociales qui font que le frère aîné hérite de la veuve de son frère décédé. Les femmes dépendent totalement des hommes et sont incapables de se protéger des infections. Considérée comme la propriété d'un homme, il est très rare qu'une femme africaine se refuse à son mari lorsqu'il veut faire l'amour, même s'il est infecté. De plus, ce sont les femmes qui doivent s'occuper des enfants infectés par le virus. C'est pourquoi Mme Ogola me paraît une Africaine solide intéressée au sort de ses sœurs infortunées.

CHAPITRE 10

LES FINANCES

L e journaliste canadien Robert Hutchison déclare avoir été intrigué par l'Opus Dei après avoir entendu des rumeurs à propos des états financiers de l'Œuvre. Il a publié un livre en 1997 dont le titre est *Their Kingdom Come* (*Que leur règne arrive*). Il y décrit l'Opus Dei comme un « monde d'escroqueries et de dissimulation, où grouillent de saints magouilleurs aux manœuvres des plus scabreuses ». « J'avais, pour la première fois, entendu parler de l'Opus Dei dans les années soixante lorsqu'un banquier suisse m'a informé que cette organisation était l'un des protagonistes du marché de l'eurodollar, a-t-il écrit. Une association religieuse qui spécule un jour sur les francs et sur les dollars la semaine suivante ? Cela me semblait totalement anormal. » Bien qu'étant un organisme plus jeune que la General Motors, « l'Opus Dei a la réputation d'avoir des biens beaucoup plus importants », écrit-il plus loin. Il déclare également que « l'Opus Dei fait preuve d'un très grand étonnement lorsqu'on l'accuse de maîtriser un empire aussi important ». Hutchison tente de faire des comparaisons entre l'Opus Dei et les Templiers au Moyen Âge : « Les trésors des Templiers ont provoqué la jalousie des princes européens, jusqu'à ce qu'ils soient définitivement écrasés[1].

---

1. L'ordre fut aboli en 1312 à l'instigation de Philippe le Bel, qui s'appropria tous ses biens sous de fausses accusations et fit exécuter son grand maître, Jacques de Molay, en 1314. Cette page peu reluisante de l'histoire de France a été évoquée par Maurice Druon dans *Les Rois maudits*. (N.d.T.)

L'Opus Dei qui a étudié et souvent imité les Templiers, devrait faire attention de ne pas subir le même sort. »

Toute personne un peu familière avec les tours de passe-passe journalistiques devrait reconnaître que pas une seule de ces déclarations ne tient debout. Hutchison ne soutient pas que l'Opus Dei joue véritablement un rôle important sur les marchés financiers internationaux, il ne fait que répéter ce qu'un banquier très anonyme lui a dit tout en faisant croire qu'il suit une piste très importante. Il ne déclare pas que l'Opus Dei possède plus d'actifs que la société General Motors; il ne fait que répéter des ragots de taverne. On peut débattre le bien-fondé de ce genre de manœuvre et de son manque de responsabilité, étant donné qu'elle libère un journaliste de son obligation d'établir les preuves de ce qu'il avance. Mettant de côté ce point, il est certain que Hutchison donne crédit à une impression bien connue dans le public : l'Opus Dei, grâce à ses spéculations, est en train d'engranger d'énormes sommes d'argent pour se bâtir un empire financier clandestin.

En réalité, comme je vais l'expliquer dans ce chapitre, cette opinion est en dehors de toutes proportions. La société General Motors a déclaré, en 2003, un capital de 455 milliards de dollars. L'estimation la plus large des capitaux que l'Opus Dei possède dans le monde, englobant tout ce qui, de près ou de loin, peut être considéré comme faisant partie des opérations de l'organisation (certaines d'entre elles faussent même la propre compréhension que l'Opus Dei peut en avoir), arrive à 2,8 milliards de dollars, un peu plus de 1 % du chiffre annoncé par le prestigieux constructeur d'autos. Cette évaluation des capitaux a été établie d'après des rapports financiers venant de programmes à Rome, en Espagne, aux États-Unis, au Royaume-Uni, au Kenya, au Pérou et en Argentine.

Les sentiments qui entourent ce domaine ne proviennent pas seulement d'une curiosité malsaine. Il s'agit, selon de nombreux catholiques, d'une attaque contre l'esprit même de l'Église. Aux yeux de l'aile progressiste du catholicisme, *Gaudium et Spes,* document publié par le Vatican, promulgue « la joie et l'espoir ainsi que la peine et l'angoisse qu'éprouvent nos contemporains », indique une nouvelle époque, une époque où l'Église va devoir s'aligner sur les pauvres et les personnes qui vivent en marge de la société. Cette résolution a été connue dans les années soixante-dix sous le nom d'«esprit de pauvreté». La transition ne s'est pas faite sans la résistance d'un certain milieu qui privilégie une mission exclusivement spirituelle pour l'Église. Les questions reliées aux richesses de l'Opus Dei sont donc rapidement introduites dans le débat, car elles reflètent la crainte que l'Œuvre reconduise l'Église vers un statu quo confortable. La regrettée Penny Lernoux, journaliste catholique spécialiste de l'Amérique du Sud, a écrit dans *The People of God* (*Le Peuple de Dieu*) que l'Opus Dei «était un instrument efficace conçu pour s'emparer du monde». Elle établit un lien avec les préoccupations de certains penseurs selon lesquelles l'influence croissante de l'Opus Dei risque de faire perdre à l'Église son côté prophétique. Le débat qui existe autour de la «richesse de l'Opus Dei» devient donc le foyer de luttes à l'intérieur même du catholicisme.

Il n'existe pas de contradiction plus évidente entre ce que le monde extérieur pense des finances de l'Opus Dei et l'image que l'Œuvre désire projeter. Des porte-parole de l'organisation déclarent que cette dernière n'a aucunement l'intention de devenir un magnat de la finance. Ils disent qu'en fait l'Œuvre désirerait posséder le moins de biens possible, ce qui traduirait à la fois son détachement des biens terrestres et son caractère laïque. Nous ne sommes pas un holding, a déclaré Pablo Elton, le grand trésorier de Rome.

En ce qui concerne la loi «civile», l'Opus Dei ne possède à Rome, où se trouve son bureau central, que la Villa Tevere et la Villa Sacchetti (les quartiers généraux pour les hommes et pour les femmes) ainsi qu'un cimetière où sont enterrés les numéraires. Son budget pour l'année 2003 a été de 1,7 million de dollars. Afin de donner un point de comparaison, le budget opérationnel du Vatican est de 260 millions de dollars, celui de l'Université Notre-Dame à South Bend, dans l'Indiana, de 500 millions et celui de l'Université Harvard de 1,3 milliard de dollars. Dans certains pays, l'Opus Dei ne possède que des quartiers généraux abritant l'organisation régionale. Dans d'autres, elle ne possède même pas de locaux lui appartenant en propre. L'Œuvre partage des bureaux qui abritent plusieurs organismes et qui appartiennent à des fondations indépendantes. Aux États-Unis, par exemple, malgré tout ce que les journalistes ont pu dire, l'immeuble situé à l'angle de la 34e Rue et de Lexington n'appartient pas à l'Opus Dei au sens légal du terme, mais à une fondation qui se nomme Murray Hill Place, et dont il porte le nom.

Toutes les «œuvres de l'institution», c'est-à-dire ses écoles, ses universités, ses activités sociales, ses résidences universitaires et ainsi de suite sont les propriétés des laïcs qui les ont fondées et non celles de l'Opus Dei. L'Université de Navarre appartient non pas à l'Opus Dei, mais à une compagnie juridiquement constituée avec un conseil d'administration indépendant (une grande partie de ses membres font, toutefois, partie de l'Œuvre). La même organisation s'applique à l'Université Strathmore à Nairobi ou à l'Université de Piura, au Pérou, au Midtown Center de Chicago, à la Educational Foundation du South Bronx ou à la Netherhall de Londres ainsi qu'à toute la liste des activités qui sont affiliées à l'Œuvre. Cette dernière insiste en disant que cela est la conséquence logique de l'accent qu'elle met sur la sécularité et la liberté. Les critiques voient cela comme un tour de passe-passe destiné à dissimuler le vrai profil d'un Goliath financier.

Les questions évidentes qu'il faut se poser sont : Quel est l'actif généré par toutes ces activités affiliées à l'Opus Dei, indépendamment de savoir à qui elles appartiennent? Quelles sont les personnes qui en suivent la bonne marche? Quels genres d'achats font-elles?

La majeure partie de la recherche effectuée pour ce chapitre ainsi que son écriture a été entreprise à ma demande par Joseph Harris, un analyste bien connu spécialisé dans les finances de l'Église. M. Harris n'est pas membre de l'Opus Dei ni un de ses coopérateurs et il ne travaille pas pour l'organisation. Ce travail représente la première tentative d'examen détaillé de la façon dont sont montés financièrement les programmes de l'Opus Dei.

Les principes généraux

Pablo Elton, le gestionnaire en chef et chef comptable de l'Opus Dei à Rome, est un numéraire chilien qui a étudié le génie civil à l'Université catholique de Santiago. Il a travaillé pendant sept ans pour une société d'analystes-conseils à Santiago où il a, entre autres, aidé à élaborer une nouvelle conception du réseau de métro. De 1988 à 1992, il faisait partie des conseils d'administration de deux sociétés chiliennes qui s'occupaient respectivement d'électricité et d'extractions minières. Il a ensuite été engagé à Rome, en 1992, pour apporter son concours à la gestion financière de l'Opus Dei. Depuis 1998, il siège au Conseil général, le principal corps dirigeant responsable des hommes. S'il existe quelqu'un au monde qui connaît bien les états financiers de l'Opus Dei, c'est M. Elton.

Il n'est pas du tout nerveux quand il s'agit de parler de chiffres ; en fait, il rit en me disant que ses ennemis les plus coriaces au sein de l'Opus Dei sont les personnes chargées des relations publiques. Cela signifie qu'il éprouve quelquefois la tentation de s'éloigner des experts en communication. Ces derniers ont toujours peur qu'un excès de franchise n'alimente un peu plus de négativisme envers l'Opus Dei. M. Elton insiste, par ailleurs, en disant : « Nous n'avons pas à avoir peur de nos membres. » Nous avons eu un entretien avec lui en juin 2004 à la Villa Tevere. Il nous a déclaré que, si nous voulions comprendre l'approche de l'Opus Dei au sujet des questions financières, il fallait saisir trois principes fondamentaux : la sécularité, la liberté et la tempérance.

La sécularité appliquée aux questions financières signifie que, tout comme on s'attend à ce que les professeurs qui enseignent dans les écoles de l'Opus Dei soient d'un très haut niveau en tant qu'éducateurs, les gestionnaires des questions financières dans les diverses opérations doivent atteindre les mêmes niveaux de professionnalisme. Cela revient à dire que les décisions financières ne sont pas prises aux quartiers généraux. L'Opus Dei n'est pas la société Wal-Mart, qui contrôle l'éclairage et les thermostats de ses différents magasins grâce à un ordinateur central. Au lieu de cela, des laïcs bien formés vont prendre les décisions financières nécessaires, et l'Opus Dei ne fera qu'étayer les fondations grâce à sa doctrine et à son aide spirituelle. Cela revient à dire que les « entreprises » de l'Œuvre ne lui appartiennent pas et qu'elles fonctionnent de façon indépendante. De plus, toute autre activité commerciale que peut avoir un membre de l'Opus Dei, qu'il soit coiffeur ou à la tête d'une société faisant partie des cinq cents sociétés les plus importantes recensées par le magazine *Fortune,* est nécessairement hors des limites des représentants de l'Opus Dei.

La distinction qui existe entre les activités des membres et l'Opus Dei est difficilement admise par de nombreuses personnes. Michael Walsh, par exemple, dans *The Secret World of Opus Dei* (*Le Monde secret de l'Opus Dei*), l'a totalement rejetée. « C'est un sophisme de faire la distinction entre ces entreprises et celles de l'Opus Dei, a-t-il écrit. D'abord, tous les profits réalisés par les numéraires ne font qu'accroître la richesse de l'organisation. Cela provient du vœu de pauvreté que ces personnes ont fait. Les surnuméraires (les membres mariés) subissent également beaucoup de pression pour donner le plus d'argent possible à l'organisation. En deuxième lieu, aucun numéraire ni probablement aucun surnuméraire ne fera de démarches pour monter une affaire sans en avoir discuté longuement avec son directeur. L'obligation de s'ouvrir totalement à son directeur s'applique à ce domaine comme à tous les autres. »

Cependant, M. Elton a affirmé que ce n'était pas ainsi que cela fonctionnait dans la pratique courante. Il nous a offert un exemple bien concret qui date de 1989, alors qu'il était directeur régional ou directeur des finances pour l'Opus Dei au Chili. Quelques membres en accord avec des non-membres ont proposé de fonder une nouvelle université dépendante de l'Œuvre, qui allait se nommer plus tard l'Université des Andes. La nouvelle université a signé un accord par lequel l'Opus Dei prenait la responsabilité des formations pastorales, spirituelles ainsi que de la doctrine. Au bout d'un certain temps, le conseil d'administration a cherché un terrain où construire le campus, et un surnuméraire, membre de ce conseil et expert immobilier à Santiago, a joué un rôle prépondérant dans la recherche de terrains. Il a fini par en trouver un, et la construction a pu commencer.

Le but de cette histoire, a dit M. Elton, est de montrer que lui-même n'a jamais su le montant versé par l'Université des Andes pour acheter le terrain, bien qu'il fût à cette époque responsable des questions financières de l'Opus Dei au Chili. Il s'agissait d'une décision prise par le conseil d'administration sur la recommandation du surnuméraire, et le gouvernement de l'Opus Dei n'avait rien eu à voir dans cette décision. Cela reflète exactement l'esprit de sécularité. L'Opus Dei prend en charge les questions spirituelles, mais tout le reste est laissé au bon jugement de ses membres. L'Opus Dei n'a contribué ni à l'achat du terrain ni à la construction de l'université.

« En fait, je compte ce surnuméraire parmi mes excellents amis, a-t-il ajouté. Et pourtant, il ne m'a jamais dit combien ils avaient payé, et il n'y a aucune raison pour qu'ils le fassent. Ce domaine dépend uniquement du conseil d'administration. »

M. Elton nous a donné un autre exemple qui s'est également produit au Chili. Il s'agit d'une résidence universitaire pour laquelle il siégeait au conseil d'administration. Le président était un surnuméraire et l'un des associés de la société Price Waterhouse. « Maintenant qu'allais-je faire ? Le rencontrer et lui dire : "Je suis l'administrateur régional de l'Opus Dei et je pense que nous devrions dépenser notre argent de telle ou telle façon." Il est certain que ce type m'aurait répondu : "Écoutez, je connais mon travail mieux que vous. Je fais ce genre de choses pour mes propres clients, dont certains sont les plus importantes sociétés au monde. Alors, retournez vous asseoir..." Il aurait eu raison. C'est pourquoi je me sentais tout à fait libre de leur faire part de mes opinions, tout en sachant qu'en fin de compte ils devraient prendre les décisions, non à cause de ce que j'avais dit, mais en suivant ce que leur logique et leur compréhension de l'esprit de l'Œuvre leur avaient dicté. »

Le rationalisme de cette sécularité est l'une des raisons qui font que les journalistes et les autres personnes obtiennent difficilement des renseignements, même les plus minimes, provenant de l'Opus Dei. Le monde extérieur peut penser que l'Université des Andes, l'Université de Navarre ou le Centre de conférences Shellbourne appartiennent au « système de l'Opus Dei », mais ce n'est vraiment pas la façon dont cette situation est vue de l'intérieur.

Ces activités sont perçues comme indépendantes et autogérées. La seule responsabilité de l'Opus Dei est de s'assurer que la doctrine chrétienne sera enseignée et qu'on y dispensera une formation spirituelle. Le bureau de M. Elton ne reçoit pas de rapports financiers annuels, et encore moins de rapports détaillés provenant de toutes ces activités. Il n'a, en général, aucune idée de ce qu'elles valent, de ce qu'elles rapportent et de ce qu'elles dépensent. Les personnes de l'extérieur peuvent avoir de la difficulté à comprendre ou à croire cela, mais il insiste pour affirmer que c'est conforme à la réalité.

À titre privé, les officiels de l'Opus Dei s'accordent pour dire qu'il existe une raison moins fondamentale pour laquelle l'Opus Dei se montre réticente à « posséder » quoi que ce soit : les dirigeants veulent éliminer les risques que quelqu'un à l'intérieur de l'organisation puisse avoir accès à de grosses sommes d'argent pour en faire mauvais usage. Cela fait partie d'une tradition orale. En effet, il y a de nombreuses années, un numéraire originaire du Portugal s'est enfui au Brésil après avoir vidé plusieurs comptes en banque de diverses activités de l'Opus Dei dans son pays. En diversifiant les propriétés et en s'assurant que les fonds sont suivis de près et contrôlés plutôt que de rester dans un tiroir de bureau, l'Opus Dei construit un écran protecteur prévenant toute corruption possible.

Le deuxième principe énoncé par M. Elton est la liberté.

Il serait tout à fait contraire à l'importance donnée par l'Opus Dei au libre arbitre de ses membres concernant l'administration des affaires séculières, que le siège social leur dicte les décisions à prendre en matière de dépenses et d'investissements, sauf bien entendu dans les cas où un des enseignements de l'Église ou l'esprit même de l'Opus Dei seraient remis en cause. « Les personnes qui dirigent ces activités ont été placées là où elles sont parce qu'elles sont performantes et qu'elles comprennent l'esprit de l'Œuvre, a-t-il dit. Il est dans notre nature de respecter leur liberté de conscience. »

M. Elton nous a également dit que la fidélité à l'enseignement de l'Église impose certaines limites. « C'est une route à suivre. Quelques personnes peuvent aller plus vite, d'autres plus lentement, d'autres encore peuvent emprunter la route panoramique ou l'autoroute. On peut se déplacer à pied ou à bicyclette. Cependant, il est important de demeurer dans les limites de la voie. La liberté de conscience ne signifie pas que l'on soit libre de faire ce que l'on veut. Je peux vous donner un exemple : une personne pourrait s'imaginer faire une bonne affaire en investissant son argent dans une société pharmaceutique qui se spécialise dans la contraception. Cependant, elle ne serait pas cohérente avec elle-même sur le plan chrétien.»

Le troisième principe énoncé par M. Elton au sujet des finances de l'Opus Dei est la tempérance, ce que l'on pourrait également appeler « avoir une mentalité de pauvre ».

« La tempérance est synonyme d'austérité et également de pauvreté. Un bon chrétien se doit d'imiter Jésus, a-t-il déclaré. Comment un membre de l'Opus Dei peut-il mettre en pratique cette vertu ? Il doit le faire selon la condition dans laquelle il vit. Cela sera quelque peu différent pour un numéraire ou un surnuméraire. Un surnuméraire qui a charge de famille vit une condition financière particulière. Il faut retenir que personne ne devrait être rongé par le désir d'accumuler des biens. La vraie signification de cette vertu revient à dire que l'on doit se satisfaire d'un style de vie raisonnable.»

La vertu de tempérance s'applique à toute l'institution qu'est l'Opus Dei. C'est une des raisons pour lesquelles, a ajouté M. Elton, l'Œuvre ne désire pas « posséder » de biens. Elle doit se contenter de ressources modérées. C'est pourquoi les allégations faites par les auteurs Walsh et Hutchison, à propos des tripotages financiers de l'Opus Dei, de son implication sur les marchés financiers internationaux, de ses opérations immobilières douteuses et de ses tours de passe-passe bancaires peuvent difficilement exister dans l'organisation, car ils sont exactement à l'opposé des idéaux auxquels aspire l'Opus Dei. Il a souligné l'importance des vertus chrétiennes, lesquelles, remarque-t-il, « n'ont pas été inventées par l'Opus Dei».

L'esprit de pauvreté

Il faut pardonner aux personnes qui visitent les centres de l'Opus Dei et qui, à l'occasion, doivent faire un effort pour y trouver la fameuse « tempérance » décrite par M. Elton. Les maisons sont souvent, pas toujours, situées dans de beaux quartiers. Les meubles et la décoration intérieure sont, en général, assez luxueux. Les chapelles sont imposantes et ne paraissent pas avoir été construites avec des matériaux recyclés. Les centres de l'Opus Dei ont souvent donné, au cours des années, une impression de richesse et cette image a alimenté l'idée que l'organisation était composée d'une « élite » de bureaucrates repus qui passaient leur temps à philosopher et qu'elle ne suivait pas la règle de tempérance et de pauvreté qu'elle s'était fixée. Un critique de l'Opus Dei a posé cette question : « Il est bien possible qu'ils soient au service des pauvres. Toutefois, sont-ils, comme le Christ, d'accord pour se retrouver parmi les pauvres et être, eux-mêmes, des pauvres ? »

Les membres ont l'habitude de donner les trois réponses suivantes.

En premier lieu, ils font remarquer que tous les centres de l'Opus Dei ne sont pas localisés dans des quartiers huppés. Les numéraires qui habitent dans le South Bronx, par exemple, ou ceux qui habitent le quartier Rimac de Lima, ou bien le quartier Tiburtino à Rome, ne vivent pas dans des quartiers chics, loin de là. De plus, comme l'a expliqué un numéraire américain, David Gallagher, le marché immobilier peut conduire l'Opus Dei à rechercher des locaux dans des quartiers plus riches. Lorsque des membres sont à la recherche d'une maison pour ouvrir un nouveau centre, leurs besoins ne sont pas des besoins normaux. Ils ont besoin de maisons qui possèdent de six à dix chambres, d'une grande pièce qui puisse servir de salle de réunion et d'une autre grande pièce qui sera transformée en chapelle. Les propriétés qui peuvent correspondre à ces exigences ne se trouvent pas partout. Elles sont, le plus souvent, dans des quartiers où vivent les personnes à revenu élevé. L'Opus Dei n'a donc pas d'autre choix que de prendre ce qu'elle trouve et de payer le prix fort.

En second lieu, les membres déclarent que l'Opus Dei accorde une attention particulière aux « petites choses », signifiant par là que l'atmosphère, à l'intérieur de ces maisons, doit être agréable.

L'« esprit de l'Œuvre » ne pourrait se satisfaire d'offrir des pièces de réception de pauvre apparence, par exemple, ou de tenir des conférences dans des pièces où la peinture des murs serait en train de s'écailler et de faire asseoir les gens sur des chaises bancales. Ils insistent, très souvent, en disant que cette opulence n'est qu'apparente, une apparence venant du fait qu'ils savent comment obtenir le maximum avec des moyens limités. Le centre Braval est situé dans un quartier pauvre de Raval, à Barcelone. Un tiers de la population qui vit là est sans emploi. Ce centre possède un salon pour les conférences. En y entrant, on constate qu'il a été décoré avec classe. Néanmoins, Josep Massabeu, le numéraire en charge du centre se montre toujours ravi lorsqu'il explique comment il a ramassé le mobilier dans des décharges municipales, au coin des rues ou lors de ventes de mobiliers d'occasion. C'est exactement ce que signifie aux yeux de l'Opus Dei ce genre d'attitude, l'« attention portée aux petites choses », l'utilisation des ressources qui nous sont offertes pour donner à Dieu ce qui existe de mieux. Ce que le monde extérieur peut prendre comme des signes ostentatoires de richesse, vient en fait de quelque chose de très profond, d'une philosophie de l'excellence.

En troisième lieu, l'effort fait pour donner cette image d'excellence est beaucoup plus visible dans les lieux que l'Opus Dei destine au grand public. Si vous visitez les parties privées, vous verrez que les locaux y sont beaucoup plus spartiates. La plupart des chambres destinées aux membres sont petites et ne possèdent qu'un lit et un bureau. Dans de nombreux cas, les membres doivent partager leur salle de bains. De plus, ils ne possèdent pas tous des voitures ou des téléviseurs. Quatre-vingts membres vivent à la Villa Tevere de Rome, mais ils doivent se partager l'utilisation de sept ou huit voitures et de quatre ou cinq téléviseurs. Ce qui compte le plus aux yeux de l'Opus Dei est d'offrir le maximum à ses invités. Ses membres, eux, doivent se contenter de moyens plus modestes.

De plus, pour répondre à la critique faite par M. Walsh et voulant que les numéraires doivent donner leur salaire à l'Opus Dei pour aider financièrement ses activités, précisons que ces gens ne roulent pas sur l'or. Admettons que, globalement, 20 % des membres de l'Opus Dei soient des numéraires laïques, et que 60 % d'entre eux détiennent des emplois en dehors du cadre de l'Opus Dei ; admettons qu'ils reçoivent un salaire annuel moyen de 15 000 dollars américains (il faut faire une moyenne entre les salaires des pays en voie de développement et ceux des pays industrialisés) ; admettons que ces membres reversent un tiers de leur salaire à l'organisation. Nous parlons alors d'un montant de 51 millions de dollars US annuels qui proviendraient directement des membres pour aider au maintien de programmes tels que le centre ELIS à Rome ou l'école de jeunes filles de Kimlea, au Kenya, et pour payer les coûts d'entretien des centres dans lesquels ils vivent.

Quant aux surnuméraires, si certains sont parvenus à l'échelle supérieure de leur profession et engrangent des revenus importants, il n'empêche que la majorité d'entre eux semblent avoir un train de vie modeste. Ce fait est tout à fait compréhensible, étant donné que les surnuméraires ont tendance à avoir des familles nombreuses et que leurs revenus doivent couvrir les besoins du ménage.

Examinons le cas de Doug et Shirley Hinderer, qui habitent Chicago. Doug est le vice-président des ressources humaines pour l'Association nationale des agents immobiliers. Lui et Shirley ont neuf enfants. Ils aimeraient en avoir davantage, mais cela n'a pas fonctionné jusqu'à maintenant. Comme ils désiraient ajouter une nouvelle vie à leur maisonnée, ils ont adopté un chien qui se nomme Hunter. Le chien a attrapé le parvovirus en 2004 et les Hinderer ne possédaient pas les 2000 dollars nécessaires pour le faire soigner par un vétérinaire. Doug a déclaré que s'ils avaient possédé 2000 dollars, ils les auraient utilisés pour aider leur fille aînée étudiante à l'université et certainement pas pour soigner le chien. Shirley, qui est infirmière, s'est débrouillée. Elle a trouvé un médicament bon marché sur Internet et l'a commandé. Elle l'a administré elle-même au chien Hunter qui s'est heureusement rétabli.

Personne ne meurt de faim chez les Hinderer. Shirley m'a déclaré que les enfants ne possédaient ni Nintendo ni Gameboy, mais il me semble que cette décision a été prise en raison de questions aussi bien morales que financières. Et pourtant, comme ce qui est arrivé à Hunter en est la preuve, les Hinderer ne sont pas des privilégiés économiquement parlant et ne mènent pas une vie dorée de bourgeois. C'est exactement ce que de nombreux membres de l'Opus Dei nomment l'esprit de pauvreté.

Voici un autre exemple. Il s'agit d'un surnuméraire nommé José « Pepe » Mercado, un homme de cinquante-quatre ans que j'ai rencontré à Lima, au Pérou. Il est ingénieur agronome et reçoit un modeste salaire de fonctionnaire. Lui et sa femme Mirta ont eu neuf enfants, dont quatre sont décédés. Le budget familial a été fortement grevé par les dépenses médicales ainsi que par l'entretien des cinq enfants survivants. M. Mercado déclare que, lorsqu'il est entré pour la première fois en contact avec l'Opus Dei, des amis l'avaient averti que cette organisation « était comme la CIA », qu'il s'agissait d'une « faction d'extrême droite de l'Église ». Cependant, plus il a étudié ce qu'était vraiment l'Œuvre, plus il a découvert que cette dernière l'aidait à organiser sa vie et plus il était persuadé que, malgré ses moyens limités, il serait capable de subvenir aux besoins de sa femme et de ses enfants.

« Bien des personnes me demandent comment j'arrive à boucler mon budget avec une famille aussi nombreuse et tous ces problèmes, a-t-il déclaré. Je leur réponds : avec l'aide d'en haut ! »

Le Japon nous offre un excellent exemple de « tempérance » à un niveau institutionnel. L'Opus Dei est arrivée au Japon en 1958. Elle y compte environ trois cents membres et douze prêtres. Cependant, elle gère quatorze centres dans cinq villes différentes ainsi que des écoles primaires et secondaires, une école de langues très renommée et des centres où sont enseignés la cuisine et les soins de santé. L'Opus Dei ne possède, néanmoins, aucune de ces propriétés. Le seul bien immobilier que possède l'Opus Dei est une petite chapelle située dans l'enclave du centre Oku-Ashiya Study à Ashiya. Les bureaux principaux de l'Opus Dei au Japon sont loués à une fondation.

J'ai demandé au père Soichiro Nitta, le prêtre responsable de l'Opus Dei au Japon, de m'expliquer pourquoi.

« Nous ne voulons rien posséder, a-t-il répondu. Nous n'avons pas besoin d'accumuler de biens pour faire le travail spirituel et de doctrine pour lequel nous avons été appelés. » Il a ajouté qu'en fait la seule raison pour laquelle l'Opus Dei possède la chapelle est que, selon la loi japonaise, pour être une personne juridique, il est obligatoire d'avoir une adresse. La chapelle emplit parfaitement cette fonction et elle est inscrite au nom du père Nitta. En dehors de la chapelle, tout le reste appartient à des laïcs ainsi qu'à d'autres groupes de personnes qui font partie des divers conseils d'administration.

L'Opus Dei déclare qu'elle veut avoir les moyens de remplir sa mission et de bien le faire, mais qu'elle ne veut pas accumuler des biens seulement dans le but d'accumuler. Nous allons vérifier cette théorie en regardant ce qui se passe aux États-Unis.

Le profil financier de l'Opus Dei aux États-Unis

Les États-Unis nous fournissent un terrain de test idéal pour évaluer la richesse de l'Opus Dei, étant donné que les organisations à but non lucratif de ce pays doivent fournir chaque année un rapport détaillé au fisc, le formulaire « 990 ». D'après ces documents, les activités de l'Opus Dei ressortent comme étant organisées dans une sorte de réseau de soixante-quatorze sociétés distinctes exerçant une activité dans treize États et dans le district de Columbia.

Après avoir analysé ces rapports, il nous est possible de mettre un chiffre sur les activités de l'Opus Dei aux États-Unis. À la fin de 2002, les fondations affiliées à l'Œuvre et autres institutions possédaient un capital de 344,4 millions de dollars. Cela incluait l'immeuble de dix-sept étages évalué 69 millions de dollars, situé à Manhattan, plusieurs résidences universitaires, des écoles et des centres de conférences un peu partout aux États-Unis ainsi que des actions en Bourse, des titres et d'autres investissements. Les institutions de l'Opus Dei devaient également un total de 24, 4 millions de dollars à différents créanciers.

Nous pouvons ventiler les 344 millions de dollars de cette façon : les centres de l'Opus Dei et les centres de conférences valent un total de 66,5 millions de dollars, les collectes de fonds et les investissements, un total de 84,4 millions de dollars. Une fondation qui subventionne l'Université Santa Croce à Rome et deux autres programmes de collectes de fonds pour le Mexique et des pays d'Amérique du Sud ont des capitaux représentant 83,6 millions de dollars. Les biens administratifs sont évalués à 69,5 millions de dollars et, pour terminer, les écoles primaires et secondaires de l'Opus Dei sont évaluées à 40,3 millions de dollars.

Le bureau des communications a remis cette somme de 344 millions dans son vrai contexte, lors de la conférence des évêques catholiques des États-Unis en 2001, dans un rapport appelé *The Catholic Information Project*. Lorsque l'on examine les données financières de ce rapport, on voit que les revenus des programmes de l'Église catholique aux États-Unis ont rapporté 102 milliards de dollars. Les hôpitaux et les écoles étant les bénéficiaires majeurs, pour des sommes respectives de 59,7 milliards et de 28,3 milliards. Les biens de l'Opus Dei paraissent donc bien minuscules à côté de ces chiffres. La Société Saint-Vincent-de-Paul, à elle seule, a fait part d'un revenu – qui comprenait les donations, les revenus des boutiques d'articles d'occasion, les octrois, les revenus dérivés des immeubles et la valeur monétaire du bénévolat – de 355 millions de dollars. Autrement dit, la Société Saint-Vincent-de-Paul a rapporté en un an autant d'argent que les activités dont l'Opus Dei peut se dire propriétaire.

Je vais vous fournir un autre genre de références. L'archidiocèse de Chicago, le deuxième diocèse en importance aux États-Unis, publie régulièrement ses états financiers qui comprennent les revenus des centres de pastorale, ceux de ses paroisses et ceux de ses écoles primaires et secondaires. Le 30 juin 2003, il possédait de l'argent liquide, des investissements et des immeubles qui totalisaient une valeur de 2,472 milliards de dollars. L'archidiocèse de Los Angeles a déclaré des revenus administratifs de 626 millions de dollars. Le diocèse de Joliet, en banlieue de Chicago, rapporte des actifs de 117 millions de dollars, tandis que le centre administratif de l'archidiocèse de Seattle contrôle des revenus de 182 millions de dollars. Le profil financier de l'Opus Dei est donc comparable aux avoirs d'un diocèse de taille moyenne aux États-Unis.

Les activités financières de l'Opus Dei représentent une relativement petite – bien que croissante – part des activités de l'Église catholique aux États-Unis.

Le contrôle

La théorie, telle que M. Elton l'a décrite, se fait fort de prouver que l'Opus Dei ne « possède » rien et que la seule chose qu'elle fournit aux écoles affiliées, aux services sociaux, etc., est une formation spirituelle et doctrinale. La réalité, cependant, si l'on en juge par ce qui se passe aux États-Unis, montre qu'il existe plusieurs strates de coordination au niveau national, qui ne montrent peut-être pas des signes de propriété, mais qui démontrent une implication plus profonde que le discours officiel voudrait bien nous le faire croire.

Le Service de documentation de l'Opus Dei à Manhattan recense l'Association for Educational Development, située rue North Keating à Chicago, par exemple, comme figurant sur la liste des programmes affiliés à l'Opus Dei. Cette association parraine des cours de philosophie, de théologie et de doctrine ainsi que des camps de vacances pour les jeunes, des clubs sportifs et des activités reliées aux sports. Cette association était dirigée par six membres, dont M. John Wildes était le président. Les responsables de l'Opus Dei soutiennent que la seule personne à se soucier des problèmes de toiture est M. Wildes, étant donné qu'il est le propriétaire du bâtiment. En fait, ce bâtiment n'« appartient » à personne puisqu'il s'agit d'une association à but non lucratif. D'après la loi américaine, la communauté dans son ensemble est la « propriétaire » des organisations à but non lucratif. Le contrôle d'une telle organisation relève d'un autre domaine. Quelqu'un peut contrôler une organisation à but non lucratif sans en être le propriétaire ; c'est, en général, un conseil d'administration qui mène le bal.

Après avoir examiné le conseil d'administration de l'Association for Educational Development, il est possible de voir qu'il s'agit d'un système à « double contrôle » formant un équilibre entre l'administration locale et une surveillance nationale. La majorité des personnes siégeant au conseil d'administration proviennent de la communauté et ont la responsabilité du bon fonctionnement de l'association à un niveau pratique. Les quartiers généraux nationaux jouent leur rôle grâce au travail de Tim Hogan, membre du conseil d'administration de Chicago et également membre du Conseil consultatif pour les États-Unis. M. Hogan est le trésorier en chef de l'Opus Dei aux États-Unis.

Ce scénario se retrouve un peu partout aux États-Unis. Les capitaux générés par les activités de l'Œuvre sont administrés par le regroupement de cinq organisations chargées de collecter des fonds et une organisation qui les administre. Ces organisations surveillent les investissements, les campagnes de financement, les biens immobiliers ainsi que la répartition de plusieurs millions de dollars entre des organismes qui parrainent des centres, ainsi que les centres de colloques. Lorsqu'on examine les effectifs qui siègent aux différents conseils, il est facile de s'apercevoir qu'un nombre relativement peu élevé de membres mènent la barque. Il existe au total 30 postes au comité directeur; 24 de ceux-ci ont été pourvus à la fin de 2002. Cinq membres de l'Opus Dei ont occupé 17 de ces 24 postes. John Haley a été nommé président de cinq fondations, dont la Woodlaw Foundation (dont l'activité principale est d'organiser les campagnes de financement). Il est, également, un des membres du Comité consultatif, le conseil d'administration central de l'Opus Dei aux États-Unis. M. Hogan, quant à lui, a été chargé de quatre postes. Ces six organisations contrôlent ensemble 139 millions de dollars, soit 41 % des capitaux que rapportent les activités de l'Opus Dei aux États-Unis.

L'Opus Dei n'est donc pas la propriétaire de ces activités, cependant, elle est impliquée dans leur administration. Les administrateurs de l'Opus Dei, à cet égard, copient plus ou moins les méthodes de gestion utilisées par la majorité des évêques américains. À moins d'aller à la faillite, les évêques permettent aux curés de mener leurs paroisses comme bon leur semble, même s'ils aiment bien savoir ce qui s'y passe.

Rome s'implique beaucoup moins dans les affaires locales, reproduisant ainsi les pratiques que l'on retrouve dans les diocèses américains. Les responsables aux États-Unis se bornent à transmettre à la Villa Tevere les activités financières nationales de l'Opus Dei, qui se sont élevées à 207 762 dollars pour l'année 2002. C'est ainsi que Rome n'a pas la moindre idée de l'empreinte fiscale des activités de l'Opus Dei aux États-Unis. En fait, lorsque l'on a montré ces chiffres à M. Pablo Elton et aux autres administrateurs, ils ont déclaré que c'était la première fois qu'ils les voyaient. M. Elton a ajouté cependant que, s'il se basait sur les chiffres qui lui avaient été présentés, la comptabilité semblait exacte.

Revenus et dépenses

La fondation qui dirige les activités de l'Opus Dei présente un programme de campagne de financement couronné de succès. Il a rapporté un revenu net de 10,1 millions de dollars en 2002. Environ la moitié de cette somme a servi à subvenir aux besoins des budgets des différents programmes, tandis que l'autre a été investie dans des holdings dans le but d'augmenter la dotation. Le fait de contribuer à une dotation a permis aux fondations d'éviter des embûches que rencontrent de nombreuses sociétés à but non lucratif, qui attendent que la chaudière explose avant de demander à ses membres de contribuer financièrement aux réparations nécessaires au système de chauffage. Grâce à ces dotations, les fondations possèdent les fonds pour effectuer les réparations qui s'imposent.

Les dépenses pour l'année 2002 sont groupées en quatre catégories :

- les écoles primaires et secondaires : 18,4 millions de dollars ;
- les 61 centres et les 7 centres de colloques : 18,1 millions de dollars ;
- l'appui aux programmes vers le Mexique et l'Amérique du Sud : 3,6 millions de dollars ;
- la campagne de financement et l'administration du budget des quartiers généraux à Manhattan : 5,589 millions de dollars.

Les fondations en relation avec l'Opus Dei contrôlent 46 organismes qui patronnent 61 centres dans 13 États et dans le district de Columbia, capitalisant ainsi un total de 40 millions de dollars. Sur 46 organismes qui patronnent les centres, 35 sont situés : à New York (7), dans l'Illinois (7), en Californie (6), au Massachusetts (6), au Texas (5) et dans le district de Columbia (4). La présence n'est que relativement nominale à l'extérieur de ces six États.

Les activités de l'Opus Dei aux États-Unis sont dans une position peu commune, car elles ont les fonds monétaires suffisants pour amortir des dettes à court ou à long terme sans avoir besoin de vendre des biens physiques immobilisés. Leur philosophie, en tant que groupe, est, en général, de posséder leurs sites plutôt que de s'endetter.

Lorsqu'il arrive qu'un centre soit déficitaire, il se tourne généralement vers un programme de campagne de financement appelé la Fondation Woodlawn. Les directeurs de cette fondation ont versé environ 4 millions de dollars en subventions en 2002. Ces fonds provenaient de donations ou de revenus d'investissements. Woodlawn a fourni des subsides à 29 des 46 organismes qui patronnent les centres. Ces subventions représentent environ un tiers des revenus des campagnes de financement du programme national de la Fondation.

La gestion de la trésorerie des centres de conférences est aussi prudente et humaine qu'il est possible de l'être. Les centres de conférences ont un solde de caisse de 115 721 dollars et une moyenne relativement faible de 1 116 dollars de factures restant à payer. Les directeurs des programmes payent les factures le plus rapidement possible, aussi vite qu'ils dépouillent le courrier quotidien. Les équipements de l'Opus Dei représentent une dette de 2,385 millions de dollars pour l'ensemble de ses centres de conférence, dont la moitié provient de celui de Shellbourne à Valparaiso, dans l'Indiana. Comme pour les centres d'études, les directeurs des fondations liées à l'Opus Dei sont partisans de financer leurs achats grâce aux revenus et non au moyen d'emprunts.

Les programmes concernant les centres de retraite génèrent 3,1 millions de dollars. Une partie relativement restreinte de ces revenus provient des contributions qui leur sont faites, soit environ

15 %. Le gros de la somme provient des droits d'inscription exigés des participants – dans la grande majorité des membres de l'Opus Dei. Le coût total d'exploitation des différents centres de retraite se monte à 4,075 millions de dollars. Les centres de conférences ont donc accumulé un déficit de 969 337 dollars pour l'année 2002.

Les campagnes de financement

Plusieurs campagnes de financement apparentées à l'Opus Dei appuient des programmes aux États-Unis comme à l'étranger. La fondation Woodlawn and Affiliates réunit et affecte des fonds principalement aux activités destinées aux hommes. De plus, un autre programme de campagne de financement du nom de Rosemore concerne les activités des femmes. Il existe également un petit programme appelé Pontifical University Foundation, qui soutient l'Université Santa Croce, à Rome, qui appartient à l'Opus Dei.

La Fondation Woodlawn fonctionne comme un centre financier aux États-Unis. Son équipe sollicite des contributions aux quatre coins du pays et parfois dans le monde. Elle administre les investissements par l'intermédiaire des directeurs des fondations Rockside et Sauganash qui transfèrent des fonds de plusieurs millions aux divers programmes de l'Opus Dei. Ces subventions représentent un transfert d'argent liquide qui subventionne l'exploitation des centres, des centres de conférences ainsi que des quartiers généraux de Murray Hill Place.

Les activités de l'Opus Dei ont remporté beaucoup de succès lors de ses campagnes de financement. Cela a permis de faire passer ses revenus nets de 16,2 à 61,7 millions de dollars au cours des six dernières années. L'état vérifié des comptes indique que les institutions affiliées à l'Opus Dei ont reçu 133 millions de dollars en contributions entre 1997 et 2002.

Entre les années 1997 et 2003, la Fondation Woodlawn a réuni 163 millions de dollars. Elle a transféré 113 millions pour subventionner les centres de résidences et de conférences et pour achever la construction de Murray Hill Place. Les directeurs de Woodlawn ont, de plus, investi 45 millions de dollars dans les holdings de l'Opus Dei.

La Fondation Woodlawn et d'autres entités similaires possèdent également un système de subventions où le montant des recettes est transféré de façon habituelle vers les centres de conférences et d'études dans le pays. Ces investissements ont totalisé un montant de 10,3 millions de dollars entre les années 2001 et 2003. Entre les années 1997 et 2002, la Fondation Woodlawn et ses affiliées ont versé 112 millions de dollars en allocations aux autres corporations de l'Opus Dei aux États-Unis pour acheter de l'immobilier et pour subventionner les programmes.

En 1997, les directeurs de Woodlawn ont mis au point un programme de vérification concernant les activités de campagnes de financement. Les vérificateurs de la société Ernst & Young ont invariablement déclaré que les états financiers des programmes de campagne de financement présentent, en ce qui concerne les aspects matériels, la position des états financiers consolidés de la Fondation Woodlawn et de ses affiliées depuis 1997. Les vérificateurs n'ont pas examiné les autres programmes.

Les investissements

Les fondations de l'Opus Dei ont conservé un solde moyen de 60,9 millions de dollars dans leur portefeuille. Elles ont changé de politique en ce qui concerne les investissements au cours des six dernières années, passant d'un ratio de 80/20 d'investissements à faible risque dans des valeurs de premier ordre vers une proportion de 45 % investis en fonds communs de placement et en titres en Bourse, et 55 % dans des holdings, dans des partenariats et des placements de père de famille. Les investissements totaux et les revenus en dividendes ont totalisé 10,239 millions de dollars au cours des six dernières années. Les gains ont été de 20,779 millions de dollars au cours de la même période. (La majorité de cette somme provenait d'une opération dont je parlerai plus loin.)

Organisation centralisée?

La mythologie qui entoure l'Opus Dei, aux États-Unis comme ailleurs, laisse entendre qu'il s'agit d'une machine financière bien organisée et étroitement contrôlée. Un jésuite, le père James Martin, a donné la vision qu'il avait de l'affaire lors d'une entrevue récente qui a paru dans le *National Catholic Reporter*. «Ce qui rend l'Opus Dei différente des autres organisations est le fait qu'elle est très bien organisée, qu'elle a beaucoup d'influence et qu'elle est très riche, expliquait-il. L'organisation de l'Opus Dei est centralisée.» La recherche qui a été faite pour ce chapitre indique, au contraire, que l'Opus Dei n'est pas aussi riche qu'on le prétend et qu'elle est relativement décentralisée. Il semble même qu'elle fasse preuve parfois d'aussi peu d'efficacité que de nombreux diocèses aux États-Unis.

L'Opus Dei gère ses affaires, de bien des façons, comme un diocèse américain. L'évêque possède en théorie le contrôle total. Étant donné que l'évêque contrôle théoriquement plusieurs centaines de personnes, la réalité pratique dicte que le prélat dirige la chancellerie et que les curés dirigent leurs paroisses comme bon leur semble. Bien qu'il existe une certaine coordination au niveau national par l'intermédiaire des numéraires siégeant aux conseils d'administration clés, cette coordination est cependant minimaliste.

Les directeurs nationaux ne recueillent pas de façon régulière les données fiscales des différentes opérations dans le pays. Les programmes de l'Opus Dei ont généré, par exemple, un surplus de 3,9 millions de dollars en 2002. Ce surplus a été ajouté aux investissements pour augmenter les économies. Aucun rapport ne traduit les statistiques essentielles. Les programmes de l'Opus Dei ont généré des revenus de 49,1 millions de dollars et ont accusé 45,9 millions de dollars en coûts d'exploitation au cours de l'année 2002. Ces statistiques représentent la première description détaillée de la situation financière de l'Opus Dei aux États-Unis et n'avaient jamais été recueillies, comme telles, par des responsables de l'Œuvre.

Les données financières détaillées ne sont pas transmises à Rome. Cette caractéristique ne s'applique pas seulement aux États-Unis. Lors des recherches nécessaires à la rédaction de ce chapitre, il a été demandé aux responsables de l'Opus Dei à Rome de fournir des états financiers pour toutes ses entreprises dans le monde. Il s'est avéré qu'ils ne possédaient pas ces informations dans leurs dossiers ! Ils ont été heureux de nous fournir les adresses et les contacts pour tous les organismes. Nous avons fait une demande de renseignements à chacun d'entre eux et ils se sont empressés de nous les fournir. Cela ne signifie pas qu'ils essayaient de cacher quelque chose, mais tout simplement qu'ils ne recueillent pas les données. Il ne s'agit pas d'une lacune administrative ou d'un manque de personnel ; ils ne veulent tout simplement rien savoir.

Riche ?

Il est toujours délicat de mesurer la richesse. À première vue, les avoirs de 102 milliards de dollars de l'Église catholique aux États-Unis peuvent nous paraître énormes. Cependant, la majeure partie de cette somme est immobilisée dans les écoles, les églises et les hôpitaux. Essayez de persuader un évêque que son diocèse est riche. Il rétorquera que très peu d'écoles et que pratiquement aucune paroisse n'enregistrent de profits et que l'existence d'hôpitaux catholiques indépendants ne l'aide pas à payer ses factures d'électricité.

Lorsque l'on se place dans la perspective d'une campagne de financement pour les organisations à but non lucratif, la notion de « richesse » signifie une collecte de fonds hors de proportions avec les besoins de l'organisation. Épargner pour le seul plaisir d'épargner pourrait être une bonne description d'une tentative de thésaurisation. L'histoire de Boys Town, au début des années quatre-vingt, est le récit classique d'une campagne de financement qui semble avoir enrichi une organisation à but non lucratif. En effet, les deux tiers des fonds amassés pour Boys Town n'étaient pas nécessaires pour démarrer les opérations. Ce programme a donc pu être qualifié de « riche ».

Les activités de l'Opus Dei ont généré une marge de 6,6 % de surplus en 2002. Elles ont permis de recueillir 49 millions de dollars pour 46 millions dépensés à faire fonctionner tous les programmes. Les surplus ont été affectés à un fonds de dotation. Un montant représentant 31 % des capitaux est investi dans des programmes d'épargne ayant pour but de les protéger contre les problèmes futurs. Les activités de l'Opus Dei conservent des éléments d'actif à court terme, principalement de l'argent liquide ou des équivalents pour payer leurs factures pendant sept mois, au cas où leurs campagnes de financement ne rapporteraient pas un dollar supplémentaire. Ces méthodes financières sont typiques d'une organisation prévoyante et sage qui peut affronter la tempête tout en conservant la possibilité d'acquitter ses factures.

Comme on l'a vu, aux États-Unis l'Opus Dei n'a pas comme objectif d'entreprendre des collectes de fonds sans avoir un but bien précis à l'esprit. Les fonds, en général, semblent utilisés pour stimuler les programmes et améliorer les installations qui constituent le cœur de l'apostolat de l'Œuvre. Ils font fonctionner un nombre de résidences et de centres de retraite qui va toujours en augmentant. Il serait donc erroné de qualifier de « richesse » cette approche prudente et minutieuse de la planification financière.

Murray Hill Place

Le plus gros cadeau qui a été fait à l'Opus Dei aux États-Unis, et que l'on peut considérer comme le plus important que l'organisation ait jamais reçu, a été une donation de 60 millions de dollars en actions de Ben Venue Laboratories, le 29 août 1997. Ces actions ont rapporté 78 millions de dollars quelques mois plus tard lorsqu'elles ont été vendues. Ce cadeau, à lui seul, a rendu possible la construction des quartiers généraux de l'Œuvre, à l'angle de la 34e Rue et de Lexington, à Manhattan.

Ben Venue Laboratories, une entreprise pharmaceutique située à Bedford, dans l'Ohio, fondée en 1938 par R. Templeton Smith s'est spécialisée dans la fabrication d'œstrogène synthétique et de plasma humain lyophilisé. Entre les années 1943 et 1945, Ben Venue a exploité une usine de production de pénicilline qui avait pour but de répondre à un effort collectif pour produire ce produit à un prix qui le rendait accessible à la population. Les années suivantes, les scientifiques de Ben Venue ont mis plus de 400 produits pharmaceutiques sur le marché. Les actions de Ben Venue qui avaient été transférées à la Fondation Woodlawn, affiliée à l'Opus Dei, ont été vendues 78 558 354 dollars le 1er décembre 1997 à la Boehringer Ingelheim Corporation, un conglomérat pharmaceutique allemand. Boehringer Ingelheim est la société pharmaceutique qui produit Rhinospray, un décongestionnant utilisé dans les cas de rhume et de grippe.

L'Opus Dei a refusé de faire tout commentaire au sujet de la provenance de cette donation. Il est cependant de notoriété publique qu'avant le transfert des actions les Laboratoires Ben Venue étaient la propriété des descendants de R. Templeton Smith, le fondateur. Son fils et président-directeur général de la société, Kennedy Smith, mourut en janvier 1996. Il s'était converti au catholicisme en 1995 et était l'un des paroissiens de l'église Holy Spirit Byzantine Catholic, située à Shadyside, une ville de la banlieue de Pittsburgh, en Pennsylvanie. Au cours des années soixante et soixante-dix, il a fait partie de la magistrature de Pittsburgh et fut le seul républicain à avoir été élu dans le comté d'Allegheny à cette époque. La famille Smith entretenait des liens étroits avec l'Opus Dei, car, lors de l'enterrement de Kennedy Smith, elle avait demandé de ne pas envoyer de fleurs, mais de faire des donations au Grandevue Center, un centre de l'Opus Dei pour les femmes à Pittsburgh. Prétextant une politique de protection de la confidentialité de ses donateurs, la Fondation Woodlawn a refusé de nommer officiellement la famille Smith comme étant à l'origine de ce fabuleux cadeau.

John Haley a souligné l'importance des quartiers généraux de Manhattan en 2001 lorsqu'il a fait la description de Murray Hill Place, que l'on nomme avec humour la « Tour du pouvoir » ou encore une « expression tangible de la foi » dans les cercles de l'Opus Dei. Avant la construction de ce nouvel immeuble, le siège social de l'Œuvre aux États-Unis se trouvait à New Rochelle, dans l'État de New York, un lieu difficile d'accès aux personnes qui voulaient participer aux formations offertes par l'organisation.

La construction d'un centre national avait longtemps été l'un des rêves de l'Opus Dei. Les premières collectes de fonds dans ce but eurent lieu en 1982. L'esquisse faite par un architecte de l'époque prévoyait un immeuble de trois étages qui aurait été situé en banlieue. Le document produit par les vérificateurs en 2001 montre en détail ce que serait l'immeuble terminé, un bâtiment de dix-sept étages abritant à la fois bureaux et logements, et qui serait situé en plein cœur de Manhattan, un des lieux les plus chers au monde sur le marché de l'immobilier. Le contraste entre les plans de 1982 du petit immeuble de trois étages et les plans finaux de la construction de dix-sept étages en 2001 illustre bien comment la bonne fortune financière de l'Opus Dei a pu changer avec ce cadeau important de la famille Smith.

La fondation qui a fait construire l'édifice avait acheté le terrain de Manhattan en 1993 au prix de 5,095 millions de dollars. Cet achat avait été principalement financé par un emprunt de 4 millions à l'Association for Cultural Interchange, une fondation de l'Opus Dei basée à New York, qui, normalement, subventionne et prête de l'argent à des programmes à l'extérieur des États-Unis. À ce moment-là, tous les programmes de l'Opus Dei ont concentré leurs efforts pour aider la construction du siège social américain. Les travaux ont débuté en 1995 et se sont achevés en 2001. Le coût total de l'édifice a été de 57 486 320 dollars, et les fonds principaux pour sa construction ont été déboursés de 1998 à 2001. Le mobilier a coûté 6 543 966 dollars. La valeur totale des quartiers généraux a été estimée à 69,125 millions de dollars en 2002.

Ce complexe de bureaux et de résidences remplit plusieurs fonctions et comporte dix-sept étages divisés en cinq zones. Les étages inférieurs abritent un centre d'études où de jeunes numéraires reçoivent leur formation et leur enseignement. Ils abritent également les espaces de travail et de repos pour les femmes qui préparent les repas et font le ménage de tout l'immeuble. Les étages du milieu sont réservés aux quartiers généraux de l'Opus Dei et offrent un compromis entre bureaux et espaces réservés au logement. Ils sont divisés en deux sections distinctes, une pour les hommes et une pour les femmes. Les étages supérieurs sont organisés en salles de conférences, en salles de classe ainsi qu'en salons pour les réunions non officielles et en chambres pour les participants aux conférences. Comme je l'ai signalé au chapitre 9, étant donné que les hommes et les femmes vivent et travaillent dans cet immeuble, celui-ci est divisé en deux, une moitié pour les femmes et l'autre pour les hommes, avec des entrées dûment séparées.

En plus d'être pratique, la majorité des observateurs déclarent que l'immeuble possède une valeur symbolique. Il démontre clairement que l'Opus Dei est solidement établie aux États-Unis, que sa présence est permanente et que sa force devra être reconnue sur la scène américaine.

Profil financier de l'Opus Dei dans le monde

Nous ne pouvons fournir qu'une approximation de la taille et de l'ampleur de la richesse totale de l'Opus Dei, étant donné que certains pays font peu de rapports financiers et que l'Œuvre elle-même ne rassemble pas les données financières détaillées de ses entreprises.

Le Royaume-Uni est un autre pays pour lequel il existe des données semblables. Il existe vingt-six installations appartenant à l'Opus Dei en Angleterre et en Écosse.

Londres

Netherhall House, résidence pour étudiants;

Ashwell House, résidence pour étudiantes;

Lakefield, école hôtelière;

Dawliffe Hall, résidence pour étudiantes et quartier général des femmes;

Kelston, club pour garçons;

Westpark, club pour garçons;

Tamezin, club pour filles;

Woodlands, club pour filles;

Hillcrest, club pour filles;

Wickenden Manor, centre de conférences pour les cours et les retraites;

Orme Court, centre comprenant aussi le quartier général des hommes;

Elmore, centre pour hommes;

Pembridge, centre pour femmes;

Brentor, centre pour femmes;

Crosmore, installation au cœur de la City ne comportant pas de résidences.

Oxford

Grandpont House, résidence pour étudiants;

Winton, résidence pour étudiantes.

Manchester

Greygarth Hall, résidence pour étudiants;

Coniston Hall, résidence pour étudiantes;

Langsett, école hôtelière;

Thornycroft Hall, centre de conférences pour les cours et les retraites;

Pine Road, centre pour hommes;

Rydalwood, centre pour femmes.

Glasgow

Dunreath, centre d'études pour hommes;

Glenalvon, centre d'études pour femmes;

Hazelwood House, centre de retraite.

Les activités de l'Opus Dei au Royaume-Uni représentent un actif de 72 869 807 dollars et un passif de 42 498 599 dollars, soit une valeur nette de 30 371 208 dollars. Au contraire des États-Unis, où l'Opus Dei n'a pas de dettes, l'Opus Dei en Angleterre est endettée jusqu'au cou. Cela signifie qu'elle doit payer des remboursements tous les mois et qu'elle ne peut pas vendre les biens donnés en garantie. Sa capacité d'emprunt est nulle. Ce contraste très frappant semble confirmer ce que des responsables de l'Œuvre à Rome, comme M. Elton, ont déclaré, c'est-à-dire qu'il n'existe pas de « directives » officielles venant de la maison mère à ce sujet. Les responsables des différentes régions où opère l'Opus Dei et les responsables de ces programmes à l'intérieur des régions ont plus ou moins la liberté de faire ce que bon leur semble.

Les programmes de l'Opus Dei en Angleterre ont généré des revenus de 6 310 237 dollars et des dépenses de 4 885 879 dollars en 2002, soit un bénéfice net de 1 424 358 dollars. La différence avec ce qui se produit aux États-Unis est frappante, parce que les programmes anglais, du moins en pourcentage, génèrent un bénéfice plus important que celui annoncé par les États-Unis, soit 22 % contre 7 %. Comme nous l'avons mentionné dans un chapitre précédent, le Royaume-Uni compte environ cinq cents membres de l'Opus Dei pour une population de quatre millions de catholiques.

Lorsque nous prenons comme base les données complètes fournies par les États-Unis et le Royaume-Uni ainsi que des données partielles en provenance d'autres pays, nous pouvons faire une estimation des revenus totaux et des capitaux pour les 325 entreprises mentionnées au chapitre 1. L'administration de l'Opus Dei à la Villa Tevere a recensé 36 écoles primaires et secondaires, 166 résidences universitaires et 97 écoles techniques et professionnelles comme entreprises de l'organisation. Aux États-Unis, une école moyenne a un budget de fonctionnement de 3,5 millions de dollars. Les résidences universitaires coûtent environ 296 000 dollars. Nous tenons comme acquis que les écoles techniques et professionnelles génèrent un revenu approximatif de 500 000 dollars. Dans la plupart des cas, les avoirs totaux étaient trois fois et demi plus importants que les revenus d'exploitation. Ces 299 programmes ont généré un revenu total approximatif de 233 millions de dollars et, en 2004, ont contrôlé des biens valant 781 millions de dollars.

En plus des écoles et des résidences, l'Opus Dei a reconnu que quinze universités dans le monde faisaient partie de ses œuvres. Environ 25 000 étudiants étaient inscrits dans différents programmes en Espagne et à Rome. Les états financiers de l'Université de Navarre à Pampelune ont révélé que chaque étudiant rapportait 10 904 dollars. Cette estimation exclut les coûts d'exploitation du centre hospitalier universitaire. Nous supposons que ces statistiques sont semblables dans toutes les universités européennes ainsi qu'à l'Université de l'Asie et du Pacifique à Manille. Les revenus de ces programmes s'élèvent à 315 millions de dollars, tandis que les biens représentent 1,1 milliard de dollars.

L'Opus Dei a admis qu'elle possédait sept universités en Amérique centrale et en Amérique du Sud et que 47 000 étudiants sont inscrits dans ces programmes. Nous avons supposé que chaque étudiant rapportait à peu près le même montant que celui des autres écoles en Argentine. Nous avons également présumé que les deux universités situées en Afrique entrent dans la même catégorie. Les revenus s'élevaient à 224 millions de dollars et les avoirs à 782 millions. Finalement, nous avons estimé que les revenus des onze écoles techniques s'élevaient à 50 millions de dollars et les actifs de ces programmes à 175 millions.

Ces estimations régionales peuvent être additionnées pour obtenir une évaluation globale des 325 entreprises ayant généré des revenus annuels de 822 millions de dollars et concernent des actifs globaux de 2,8 milliards de dollars.

Il est clair que 2,8 milliards de dollars ne représentent pas de la petite monnaie. Il faut cependant considérer deux faits et les garder à l'esprit. Tout d'abord, ces capitaux ne sont pas à la disposition du prélat de Rome et très peu d'argent lui parvient. La grande majorité de ces biens n'appartiennent à l'Opus Dei que dans un sens purement métaphorique et sont placés à la disposition des projets d'écoles, d'hôpitaux et de services sociaux. Ce ne sont pas des biens « en liquide ». D'autre part, ces chiffres sont considérés comme modérés selon les normes d'autres groupes à l'intérieur de l'Église catholique. Si l'on prenait la peine de calculer les biens de la plupart des ordres religieux ayant de nos jours une dimension mondiale, il ne fait aucun doute que l'on obtiendrait des résultats similaires.

Octopus Dei

Quelques spécialistes de l'Opus Dei auraient aimé étendre leurs enquêtes au-delà des centres et des activités de l'Opus Dei, et les diriger vers les entreprises séculières dans lesquelles sont impliqués des membres de l'Opus Dei afin de prouver que la sphère d'influence de cette dernière est encore plus vaste qu'on ne le pense. M. Hutchison cite, par exemple, des numéraires comme l'espagnol Pablo Bofill de Quadras qui, pendant longtemps, a siégé au conseil d'administration d'une société du nom de Condotte Española, ou encore ce surnuméraire argentin, José Ferrer Bonsoms, dont la famille possède de très vastes propriétés. M. Hutchison suggère en quelque sorte que ces propriétés appartiennent indirectement à l'Opus Dei. Il est facile de calculer des montants astronomiques portant l'empreinte de l'Opus Dei lorsque l'on fait le lien entre tous les points qui peuvent y conduire. M. Hutchison a nommé ce phénomène Octopus Dei[2], ce qui signifie que l'Opus Dei possède des tentacules qui enserrent tous les genres d'entreprises financières.

Cet exercice a ses mérites, au moins celui de démontrer que des membres de l'Opus Dei assument des positions importantes dans la finance internationale, dans le commerce, les banques et ainsi de suite. Comme je l'ai mentionné au chapitre 1, M. Luis Valls, numéraire espagnol âgé de soixante-dix-huit ans, vient de démissionner de son poste de président-directeur général de la Banco Popular, la troisième banque commerciale en importance en Espagne, une institution financière qui possède des capitaux de 47,9 milliards de dollars – une somme à elle seule quatre fois plus importante que celle signalée plus tôt comme représentant les capitaux de l'Opus Dei dans le monde.

Michael Walsh, un autre journaliste qui critique l'Opus Dei, a écrit en 1989 que l'Œuvre possède des « connexions certaines » avec 479 universités et écoles secondaires, 604 publications, 52 stations de radio et de télédiffusion, 38 agences de presse et de publicité et 12 organisations de production de films et de distribution. Ces

---

2. *Octopus*: pieuvre en anglais.

chiffres proviennent d'un rapport confidentiel soumis au Vatican en 1979 par celui qui était alors le père Alvaro del Portillo, le successeur d'Escrivá comme chef de l'Opus Dei. Ce rapport concernait la possibilité d'une transformation en une prélature permanente. À la suite d'une fuite, il avait été publié le 8 novembre 1979 dans le quotidien espagnol le plus vendu, *El País*. Le père Alvaro del Portillo a cité ces chiffres pour montrer la pénétration de l'Opus Dei dans les différents domaines de la vie séculière. Il voulait montrer comment des membres de l'Opus Dei travaillaient dans 479 universités et écoles secondaires, 604 publications, etc., mais il n'a jamais eu l'intention de dire que l'Opus Dei contrôlait ou possédait ces institutions.

M. Elton soutient qu'il est totalement injuste d'étiqueter une institution comme étant contrôlée par l'Opus Dei tout simplement parce que certains de ses membres y travaillent. « Cela ne correspond pas à la réalité, tout comme il serait aussi inexact de déclarer qu'une équipe de basket ou qu'un parlement est catholique parce qu'il y a des catholiques parmi ses membres », a déclaré M. Elton. Il a également fait remarquer en 1989, alors qu'il réutilisait les données du rapport du père del Portillo, qu'en fait l'Opus Dei ne possédait que six universités dans le monde, celle de Navarre en Espagne, la Panamerican University au Mexique, l'Université de Piura, au Pérou, la Sabana University en Colombie, l'Université des Andes au Chili et l'Université Austral en Argentine.

Étant donné l'importance que l'on accorde à la sanctification du travail à l'intérieur de l'Opus Dei, qui en fait traduit bien l'accent mis sur la perfection au travail, il est fort probable que l'on trouve un nombre non négligeable de membres de l'Opus Dei parmi les financiers et les présidents de sociétés importantes. Il est certain que cela ouvre des portes à un cercle de donateurs possibles lorsque vient le moment de faire une campagne de financement ou lorsqu'on entretient des projets de construction. M. Elton nous a déclaré, par exemple, qu'il lui est arrivé de temps à autre d'approcher des membres de l'Opus Dei afin de leur demander de l'aide pour des projets spécifiques. Il est facile d'imaginer que l'Œuvre a accès à des ressources suffisantes pour calmer les tempêtes en période de crise.

Cette logique a toutefois ses limites pour deux raisons. En premier lieu, il existe un article qui concerne la foi à l'intérieur de l'Opus Dei. Cet article exige que les membres ne profitent pas de leur affiliation à l'Opus Dei, pas plus que cette dernière ne doit profiter de ses membres en leur demandant d'utiliser leur influence personnelle pour lui octroyer des faveurs. Il est tout à fait juste que l'on puisse présumer que, la nature humaine étant ce qu'elle est, les choses ne fonctionnent pas toujours de cette façon. Néanmoins, l'organisation insiste beaucoup sur ce point et cette insistance porte son effet. Les prélats de l'Opus Dei n'ont, en général, aucune influence sur les banques, les sociétés ou les cabinets d'avocats où travaillent ses membres.

En second lieu, si l'on considère que cette logique est valable dans le cas de l'Opus Dei, elle doit l'être également pour d'autres organismes ou d'autres groupes. Il serait possible de faire les mêmes liens en ce qui concerne les Chevaliers de Malte, une association catholique internationale de laïcs qui comprend des industriels et des nobles possédant des comptes en banque bien garnis. Legatus, une association catholique pour chefs de direction, fondée par le président-directeur général de Domino's Pizza, Thomas Monaghan, compte de nombreux membres aux États-Unis : des présidents-directeurs généraux des banques les plus importantes, de sociétés financières et d'agences de publicité. Pour devenir membre au niveau directorial, il est exigé que votre société dépense 1 million de dollars par année pour sa masse salariale et qu'elle ait une valeur nette de 10 millions de dollars. Il est certain que, si l'on désirait additionner les capitaux de toutes les sociétés des membres de Legatus, le résultat nous donnerait le portrait d'un vrai colosse de la finance, même si le nombre de ses membres est beaucoup plus réduit que celui de l'Opus Dei. Il serait également possible de faire les mêmes calculs pour les Chevaliers de Colomb, une association américaine de laïcs, ou encore pour les diocèses dont les fidèles possèdent un profil socioéconomique élevé. Une autre entité tentaculaire apparaîtrait également si l'on faisait l'addition des valeurs nettes de tous les diplômés de l'Université Harvard qui ont une activité dans le monde de l'entreprise.

Dans tous les cas, il est impossible de garantir que ces avoirs pourraient avoir un jour une utilité quelconque à l'organisation. Toute personne qui entreprend une campagne de financement pour une université sait combien il est difficile de convaincre d'anciens élèves de venir en aide à leur *alma mater*. Il est possible que les membres de l'Opus Dei ressentent un attachement plus profond envers l'Œuvre que l'ancien étudiant de Harvard n'en ressent envers son université. Malgré cela, il est impossible de tracer une ligne droite entre la richesse de certaines sociétés pour lesquelles travaillent des membres ou entre leurs biens personnels et leur soutien à l'Opus Dei. Si tel était le cas, l'Opus Dei en Angleterre n'aurait pas autant de dettes.

Il est possible que les images de ces richesses aient provoqué des rumeurs lors du pontificat de Jean-Paul II, par exemple, l'appui présumé au mouvement Solidarité en Pologne, ou encore le « renflouement » de l'Institute for the Works of Religion (IOR), connu sous le nom de « Banque Vaticane ». À titre d'information, ces rumeurs ont été constamment niées par l'Opus Dei ainsi que par les personnes citées. Le profil financier relativement modeste de l'Opus Dei nous fait douter de ses possibilités à posséder les ressources qu'on lui prête et qui seraient nécessaires pour lui procurer les montants d'argent que ces rumeurs colportent.

De plus, il existe de nombreux exemples de projets de l'Opus Dei qui n'ont pas pu aboutir faute de fonds dans de nombreux pays. Ainsi, en Espagne, la Escuela Agraria El Pla, située en Catalogne, une école pour les fermiers affiliée à l'Opus Dei, a dû récemment fermer ses portes parce que ses promoteurs ne trouvaient pas les fonds nécessaires pour qu'elle continue d'exister. À Rome, la Scuela Petranova, une institution affiliée à l'Opus Dei, a dû cesser ses activités malgré tous les efforts fournis par les parents, les anciens élèves, les coopérateurs et les surnuméraires de l'Opus Dei pour trouver de l'argent et continuer à la faire fonctionner. Ils ont réussi à sauver l'école primaire et ils espèrent que les conditions économiques changeront, et qu'ils pourront à nouveau ouvrir l'école secondaire dans quelques années. Si l'Opus Dei possédait vraiment autant de richesses qu'on le prétend, ce genre d'événement ne se produirait pas.

L'image de l'Opus Dei peut avoir un attrait plaisant pour les auteurs d'œuvres de fiction, mais elle n'est probablement d'aucune utilité lorsqu'il s'agit d'évaluer sérieusement la situation financière de l'Opus Dei.

CHAPITRE 11

L'OPUS DEI ET L'ÉGLISE

Il y a trois ans, j'ai publié un livre intitulé *Conclave : la politique, les personnalités et les procédures de la prochaine élection papale.* J'avais également été invité à donner des conférences traitant de la prochaine élection papale, avant le décès du pape Jean-Paul II en avril 2005. J'ai prévenu mes auditeurs que les poubelles de l'histoire de l'Église sont remplies des ombres des journalistes qui ont tenté de prédire qui serait le nouveau pape. Ma remarque n'empêchait jamais mon auditoire de vouloir en savoir davantage et de m'entendre parler du sweepstake papal chaque fois que je donnais ce genre de conférence. Indépendamment de l'endroit du globe où je me trouvais et de la composition de mon auditoire, une question, toujours la même refaisait surface. Une bonne âme venait, à coup sûr, me prendre à part après la conférence et, à voix basse, me demandait : «Qui est le candidat de l'Opus Dei?»

Deux suppositions accompagnaient cette question : 1) que l'Opus Dei avait un favori, ce qui revenait à dire que l'Opus Dei avait un programme et cherchait à faire élire un pape qui pourrait le faire avancer; 2) que, peu importe son identité, le favori de l'Opus Dei serait un candidat solide, parce que l'Œuvre possède un pouvoir formidable sur l'Église. Ces deux suppositions peuvent être contestées, mais étant donné que les membres de l'Opus Dei ont le don de se trouver au bon endroit au bon moment, il est compréhensible que certaines personnes les trouvent plausibles.

Il faut prendre les choses suivantes en considération.

- Aucun groupe appartenant à l'Église catholique n'a reçu autant de signes évidents d'approbation pendant le pontificat de Jean-Paul II. Ce pape a fait de l'Opus Dei une prélature personnelle en 1982, a béatifié Mgr Escrivá en 1992 et l'a canonisé en 2002. Chaque année, Jean-Paul II a rencontré les étudiants des universités de l'Opus Dei lors des rencontres de l'UNIV. De nombreuses personnes à l'intérieur de l'Église catholique ainsi que la presse populaire en sont venues à considérer l'Opus Dei comme faisant partie des «sections d'assaut», des unités d'élite du pape.

- En septembre 2001, au Vatican, la Congrégation pour la doctrine de la foi a déclenché un ouragan en publiant un document intitulé *Dominus Iesus*. Ce document insistait sur le fait que les autres religions se trouvaient dans une situation «gravement défectueuse» vis-à-vis de la chrétienté. Mgr Fernando Ocáriz, conseiller appartenant à la Congrégation pour la doctrine de la foi, un des principaux auteurs du document *Dominus Iesus* et vicaire général de l'Opus Dei, était assis à côté du cardinal Joseph Ratzinger, l'actuel pape Benoît XVI, qui était alors le chef de la doctrine officielle du Vatican.

- Lors du malentendu qui s'est produit au début de l'année 2004, à savoir si oui ou non le pape Jean-Paul II a dit : «Cela s'est produit ainsi» à la sortie du film de Mel Gibson, *La Passion du Christ*, on s'est aperçu que le directeur adjoint du film, Jan Michelini, était le fils d'un homme politique italien très important, Alberto Michelini, surnuméraire de l'Opus Dei. Le jeune Michelini avait été le premier enfant baptisé par Jean-Paul II, alors évêque de Rome. De plus, la personnalité officielle du Vatican qui a paru confirmer, au moins indirectement, que le pape avait fait cette déclaration était Joaquín Navarro-Valls, un Espagnol qui dirigeait le service de presse du Vatican. Cette connexion a fait en sorte que certains ont soupçonné que l'Opus Dei était «derrière» cette phrase que l'on avait placée dans la bouche du souverain pontife. (Il faut signaler que Mel Gibson n'est pas membre de l'Opus Dei.)

- En septembre 2002, en plein milieu de la crise provoquée par les abus sexuels qui ont eu lieu dans l'Église catholique américaine, le magazine *America* a publié un article explosif écrit par un personnage important de la Congrégation des évêques qui déclarait que les homosexuels ne devraient pas être ordonnés prêtres. Cet article a été écrit par le père Andrew Baker, du diocèse d'Allentown, en Pennsylvanie. Ce religieux est également un membre de la Société sacerdotale de la Sainte-Croix, en d'autres mots, un membre de l'Opus Dei.

- Lorsque le Vatican a connu un problème dans le diocèse de Sankt Pölten, en Autriche, lorsque quarante mille photos pornographiques furent retrouvées sur le disque d'un ordinateur au séminaire du diocèse, Jean-Paul II a envoyé un enquêteur apostolique chargé de mettre de l'ordre au séminaire. Par la suite, ce « nettoyeur » devint évêque du lieu. Il s'agit de Klaus Küng, l'ancien évêque de Feldkirch en Autriche – un membre de l'Opus Dei.

Lorsqu'on fait le lien entre toutes ces personnalités haut placées – le Vatican, l'Opus Dei et les « instances conservatrices » –, il est facile de comprendre la perception courante voulant que l'Opus Dei soit en train de prendre le pouvoir. Il ne s'agit pas seulement de faits connus du public. Des personnes, au sein de l'Église peuvent répertorier toute une série d'incidents qui n'ont pas été connus, dans laquelle l'Opus Dei a joué un rôle que l'on pourrait qualifier de « conservateur ».

Prenons seulement un exemple. Il existe une communauté d'à peu près 440 religieuses ayant des ramifications en Espagne, au Pérou, au Guatemala, au Salvador et au Mexique, qui se nomme les Filles de Notre-Dame du Sacré-Cœur. Il s'agit d'une excroissance des communautés religieuses du Sacré-Cœur, fondées en France par le père Jules Chevalier. Pendant la période qui a suivi Vatican II, une partie de la communauté a commencé à se libéraliser alors qu'une autre était d'avis que les traditions se perdaient. La directrice de cette deuxième aile était une Espagnole nommée sœur María de Jesús Velarde, une relation personnelle de Portillo; elle s'est tournée vers lui et lui a demandé de l'aide lorsque son groupe a voulu se scinder. Selon la supérieure régionale de Chaclacayo, au Pérou, sœur Maria Goretti, la communauté « dissidente » se trouvait sous la coupe de l'Opus Dei jusqu'à ce que son statut canonique soit résolu en septembre 1998 et que l'Opus Dei lui fournisse la formation, les prêtres, les confesseurs et les lieux de retraite. Lorsque la communauté a été érigée, elle a « coopéré » de façon massive avec l'Opus Dei. Les sœurs ont la charge des achats, du nettoyage, du lavage et de la cuisine du séminaire de la prélature qui est confié à la charge de l'Opus Dei de Yauyos au Pérou. Le cardinal Juan Luis Cipriani de Lima, qui est membre de l'Opus Dei, a affecté certaines personnes de la communauté dans une paroisse et dans une école de Lima.

L'étendue des pouvoirs ecclésiastiques de l'Opus Dei suscite continuellement des rumeurs concernant ses conquêtes. À Rome, il est de notoriété publique que l'Opus Dei a Radio-Vatican dans son collimateur. À l'heure actuelle, cette station est administrée par des jésuites et emploie quatre cents personnes. Elle radiodiffuse quotidiennement en quarante langues, coûte extrêmement cher et ne produit aucun revenu, étant donné sa politique qui bannit toute publicité. Vu sa richesse présumée, il n'est pas surprenant que l'Opus Dei soit considérée comme le chevalier providentiel qui sauvera la situation. L'ancien recteur de l'Université grégorienne, dirigée par les Jésuites, le père Franco Imoda, par exemple, a déclaré que pendant son mandat il avait entendu dire que l'Opus Dei voulait prendre la direction de son ancien établissement, le phare de l'université jésuite à Rome; il s'est toutefois empressé de qualifier ces rumeurs de « fantaisistes ». Il faut signaler que les porte-parole de l'Opus Dei à Rome nient que l'organisation ait la velléité de s'emparer de Radio-Vatican ou de l'Université grégorienne et soulignent que le seul intérêt de l'Œuvre est, selon les mots d'Escrivá, de « servir l'Église de la façon dont l'Église désire être servie ».

Ce chapitre a pour but d'examiner les cas les plus souvent cités qui dénoncent la soi-disant influence de l'Opus Dei au sein de l'Église et de rétablir la réalité, occultée par ces impressions.

Jean-Paul II et l'Opus Dei

D'une certaine façon, on peut dire que le pape Jean-Paul II a été le pape des « mouvements », un chef qui a fortement encouragé un grand nombre de nouveaux ordres religieux et de groupes de laïcs à l'intérieur de l'Église catholique – le Focolare, Comunione e Liberazione, l'Arche, Sant'Egidio, le Néocatéchuménat, les Filles de la Charité, pour ne nommer que les plus importants. Aucun groupe n'a eu plus d'importance que l'Opus Dei parmi cette galaxie de nouvelle vie ecclésiastique. Le pape a rendu un hommage spécial à Escrivá dans un livre paru en 2004 – *Rise, Let Us Be on Our Way!* – où il fait la rétrospective de ses années d'épiscopat : « En octobre 2002, j'ai eu la joie de faire une dédicace dans le livre de saint Josemaría de Balaguer, le fondateur de l'Opus Dei, un prêtre zélé, un apôtre pour les laïcs des temps nouveaux », a-t-il écrit. Cependant, il ne faudrait pas exagérer le capital politique que ce genre de chimie fournissait à l'Opus Dei. Pour chaque personne favorablement impressionnée au sein de l'Église catholique, il en existait probablement d'autres à qui cela déplaisait.

De plus, l'Opus Dei n'est pas la « créature » de Jean-Paul II. Il n'était même pas le premier pape à créer une nouvelle catégorie au sein de la loi canon dont l'Opus Dei pourrait bénéficier. Il s'agit de Pie XII qui, le 2 février 1947, a fait paraître une constitution apostolique, *Provida Mater Ecclesia*, qui créait des « institutions séculières ». Trois semaines plus tard, le 24 février 1947, le pape publiait un décret, *Primum Institutum*, qui donnait son accord à la création de l'Opus Dei, en tant que première institution séculière. Pie XII est également venu à la rescousse lorsque certaines forces internes au Vatican envisageaient de diviser en deux l'Opus Dei, avec des sections séparées pour les hommes et pour les femmes, et de remplacer Escrivá par un autre supérieur.

Les papes suivants ont également fait bonne figure à l'Opus Dei, même s'ils se montraient prudents à cause de son statut juridique. Jean XXIII, qui a été pape de 1958 à 1963, avait déjà déclaré à son secrétaire particulier que l'Opus Dei était «destinée à ouvrir des perspectives inespérées à l'apostolat universel de l'Église». Comme nous l'avons déjà fait remarquer dans un chapitre précédent, cet état de choses s'est calmé durant les dernières années du pontificat de Paul VI. Cependant, ce dernier utilisait *Chemin* pour ses méditations privées. Jean-Paul Ier, le pape qui a régné pendant trente-trois jours, était un admirateur d'Escrivá et disait que, si saint François de Sales avait fait progresser la spiritualité chez les laïcs, Escrivá avait concrétisé celle-ci.

Cependant, en matière de relations publiques, le rapprochement entre Jean-Paul II et l'Opus Dei a été si fort que, dans bien des cas, les jugements de l'un devenaient les jugements de l'autre. Dans le monde anglo-saxon, cette tendance a été spécialement forte à l'occasion du premier débat public sur l'Opus Dei, en 1982, lors de l'édification de la prélature officielle. On peut trouver des références occasionnelles à cette affaire dans la presse anglo-saxonne et dans les autres médias avant cette époque, mais de manière épisodique. Dès 1982, les discussions ayant comme sujet l'Opus Dei sont devenues plus intenses, et c'est vers cette époque que les opinions contre Jean-Paul II se sont durcies.

Une analyse préparée par une personnalité officielle de l'Opus Dei pour ce livre soutient qu'il existe des raisons plus profondes que la commodité politique pour expliquer l'affinité qui existait entre Jean-Paul II et l'Opus Dei. Ce document cite dix exemples de «convergence spontanée» au plan «des idées, de la vision et des jugements concernant les priorités de dialogue entre l'Église et la société moderne».

Ce sont :

- la vocation universelle vers la sainteté,
- la liberté et le pluralisme des chrétiens,
- l'unité de la vie et la cohérence,

- l'apostolat des laïcs,
- l'évangile du travail,
- la famille,
- la confiance dans la jeunesse,
- la vie sacramentelle,
- la charité et la justice,
- la loyauté envers l'Église.

L'Opus Dei n'est pas arrivée en Pologne avant 1989. On peut donc dire que ce n'est pas en Pologne que le cardinal Karol Wojtyla, devenu Jean-Paul II, l'a rencontrée. Cependant, avant d'être élu pape, le cardinal Wojtyla avait été invité à donner une série de conférences dans un centre d'études pour prêtres à Rome, qui appartenait à l'Opus Dei. Ce centre se nommait le Centro romano incontri sacerdotali ou CRIS. Ces conférences ont été publiées dans un livre intitulé *La fede della Chiesa* (*La Foi de l'Église*). Le 13 octobre 1974, le cardinal Wojtyla a traité de l'évangélisation et de l'intériorité de la personne à la Résidence universitaire internationale (RUI), qui appartenait aussi à l'Opus Dei. Il a posé cette question : « Le vrai développement de la personne humaine, c'est-à-dire de sa maturité spirituelle et de sa moralité personnelle, pourra-t-il suivre le même pas que les progrès de la technologie qui seront alors à notre disposition ? » Le cardinal a déclaré qu'Escrivá nous offrait une réponse : « Nous pourrions répondre avec cette expression très heureuse que de nombreuses personnes connaissent bien dans le monde et qui a été répandue depuis des années par Mgr Josemaría Escrivá de Balaguer, le fondateur de l'Opus Dei : "Chaque personne sanctifiant son travail se sanctifie par celui-ci et sanctifie les autres par la même occasion." » Cette attirance pour Mgr Escrivá semble tout à fait naturelle lorsque l'on comprend l'intérêt que portait Mgr Wojtyla à l'interprétation spirituelle et personnelle du travail comme antidote aux conceptions matérialistes et marxistes.

Le cardinal Wojtyla avait élu le cardinal Albino Luciani, de Venise, comme pape sous le nom de Jean-Paul Ier. Avant le premier conclave de 1978, Mgr Wojtyla était allé à la Villa Tevere pour prier sur la tombe d'Escrivá. Il était accompagné d'un compatriote polonais, l'évêque Andrzej Maria Deskur (plus tard élevé au cardinalat) qui, à cette époque, travaillait en tant que secrétaire du Conseil pontifical des communications. Cette visite eut lieu le 17 août 1978. Après avoir été élu, le pape Jean-Paul II a trouvé en Deskur une excellente source de renseignements sur l'Opus Dei et sur les perspectives de cette dernière. Deskur faisait partie de la Curie romaine depuis 1973 et s'était lié d'amitié avec Portillo, un des premiers lieutenants d'Escrivá, ainsi qu'avec Herranz, un prêtre appartenant à l'Opus Dei qui, sous Jean-Paul II, devait devenir cardinal et un des principaux personnages du Vatican.

« J'ai rencontré Wojtyla pendant Vatican II, alors qu'il était évêque auxiliaire de Cracovie, au moment où Deskur l'a présenté à Alvaro et à moi, a déclaré Herranz. Lorsque Mgr Wojtyla venait à Rome, il habitait dans la maison de Deskur, qui se montrait plein d'enthousiasme vis-à-vis de l'Opus Dei et qui a expliqué à Wojtyla beaucoup de choses en relation avec l'Œuvre, telle la sanctification du labeur quotidien. » Herranz a déclaré que les premiers contacts que Deskur avait eus avec l'Opus Dei se sont déroulés grâce à un prêtre, le père Salvador Canals, alors qu'il travaillait avec celui-ci sur un document portant sur le cinéma.

Herranz a déclaré que, lorsque le pape l'a nommé secrétaire du bureau qu'il dirige à l'heure actuelle, il apporta un petit âne en cadeau à Jean-Paul II. Il s'agit d'un symbole souvent utilisé par Escrivá pour représenter l'idée que nous devrions tous porter le Christ afin que la multitude puisse le voir et qu'ensuite nous nous effacions. Le pape, a-t-il ajouté, a posé des questions au sujet de la spiritualité d'Escrivá et, par deux fois, a renvoyé d'un geste de la main son secrétaire particulier, Stanislaw Dzwisz (que le pape Benoît XVI a nommé archevêque de Cracovie) pour pouvoir continuer la conversation.

Jean-Paul II a rencontré les jeunes qui participaient aux voyages à Rome parrainés par l'Opus Dei dans le cadre des rencontres de l'UNIV, et a fait un discours à toutes les occasions. Lors des premières années de sa papauté, alors qu'il pouvait se montrer plus spontané, le pape aimait prendre des bains de foule, et ces moments nous donnent certains éclaircissements quant à la disposition d'esprit du souverain pontife. L'Opus Dei a regroupé ces images sur un DVD intitulé *Vingt-cinq ans avec Jean-Paul II*. En 1987, par exemple, il a fait remarquer avec ironie que les jeunes appartenant à l'Opus Dei ont commencé à rendre visite au pape en 1968, «une année particulièrement marquante dans le monde universitaire», dit-il. Il faisait ainsi allusion à la révolte des étudiants de 1968, une métaphore pour cette génération de gauchistes et d'activistes anti-institutionnels qui se trouvaient en Europe et auxquels l'Opus Dei avait toujours résisté. À un autre moment, le pape Jean-Paul II raconte qu'un jeune appartenant à l'Opus Dei lui a dit qu'il avait lu la lettre du pape aux jeunes, mais qu'il l'avait trouvé un peu trop longue. «Si ceux de l'Opus Dei pensent qu'elle est longue, a rétorqué le pape en plaisantant, que diront les autres?» À un autre moment, alors que le pape est en train de parler du sacrement de la réconciliation, des applaudissements éclatent. Il regarde, paraît surpris et déclare : «C'est fantastique d'applaudir en faveur de la confession.»

Jean-Paul II a toujours admiré l'importance que l'Opus Dei accordait à la confession à une époque où de nombreux catholiques semblent avoir abandonné cette pratique. Lors d'une interview en vue de la rédaction du présent ouvrage, Joaquín Navarro-Valls, le chef de la presse au Vatican a raconté avoir eu de rares moments d'échanges privilégiés avec le pape au sujet de l'Opus Dei au fil des ans. Alors que Navarro faisait référence au sacrement de la confession dans le cadre d'une conversation portant sur un tout autre sujet, Jean-Paul II lui a fait la remarque suivante : «Ah! vous parlez comme un vrai membre de l'Opus Dei...»

Au cours des années, Jean-Paul II a soit commenté, soit publié des réflexions concernant l'Opus Dei au moins onze fois, y compris le décret qui établissait la prélature officielle de cette dernière. Il a aussi prononcé des homélies pour la béatification et la canonisation d'Escrivá et a livré un message lors du congrès qui marquait le centenaire de la naissance d'Escrivá en 2002.

Une des méditations les plus réfléchies sur Escrivá a été faite le 14 octobre 1993, lors d'un discours qui a été prononcé pendant le congrès sur la sainteté et le monde organisé par l'Opus Dei. Le pape a déclaré :

> *La conscience extrême qui, de nos jours, porte l'Église à se sentir au service de la rédemption dans tous les aspects de l'existence humaine, a été préparée avec l'aide du Saint-Esprit selon un processus intellectuel et spirituel qui prend de l'ampleur. Le message du bienheureux Josemaría donne certainement les impulsions charismatiques les plus significatives pour atteindre ce but, car il prend pour tremplin la force universelle irradiante que possède la grâce du Sauveur. [...] C'est en se basant sur cette conviction que le bienheureux Josemaría a invité les hommes et les femmes de toutes les conditions sociales à se sanctifier, à participer à la sanctification des autres et à sanctifier la vie en général. Au cours de ses activités en tant que prélat, il a compris la valeur de chaque âme et la force que pouvaient avoir les Évangiles pour éclairer les consciences et susciter un engagement chrétien sérieux et énergique pour la défense de la personne et de sa dignité. Quelle incroyable force cette doctrine peut avoir lorsqu'il s'agit de travail et comme elle peut paraître attirante, car elle appelle l'Église à une nouvelle évangélisation ! [...] Josemaría Escrivá de Balaguer, comme tous les autres personnages importants de l'histoire contemporaine de l'Église, peut être une source d'inspiration pour une réflexion théologique. En effet, la recherche théologique, qui constitue une médiation essentielle dans les relations entre la foi et la culture, progresse et s'enrichit en prêtant attention aux sources des Évangiles, sous l'impulsion de l'expérience d'un des grands témoins de la Chrétienté, le bienheureux Josemaría est sans contredit parmi ceux-là.*

Jean-Paul II a donc vu dans l'Opus Dei non seulement un regroupement de loyalistes politiquement corrects, bien que cet élément ait pu avoir un rapport dans leurs relations, mais encore la personne morale qui véhiculait une compréhension de la « force universelle irradiante» de la grâce, avec toutes les conséquences que cela pouvait avoir dans tous les domaines de la vie chrétienne.

Benoît XVI et l'Opus Dei

Benoît XVI a entretenu des relations très étroites avec l'Opus Dei au fil des ans, car il a travaillé à la Congrégation pour la doctrine de la foi à côté de nombreux personnages clés de l'Opus Dei et il a toujours exprimé sa grande admiration pour la spiritualité et l'activité apostolique de l'organisation. Nous pouvons donc nous attendre à ce que l'appui que Jean-Paul II avait donné à l'Opus Dei se poursuive sous Benoît XVI, même si ce dernier insiste sans doute davantage sur le renouveau des formes traditionnelles de la vie religieuse, de concert avec les «nouvelles réalités ecclésiastiques» comme l'Opus Dei.

Peu de temps après l'élection du nouveau pape, le prélat de l'Opus Dei, l'évêque Javier Echevarría, a fait une déclaration où il faisait allusion aux contacts entre Benoît XVI et l'Œuvre. «Le nouveau pape connaît bien la mission de la prélature et sait qu'il peut compter sur tous les efforts des prêtres et des laïcs qui en font partie pour servir l'Église, ce qui était l'unique ambition de José María Escrivá», a-t-il rappelé.

Le cardinal Ratzinger a fait appel à trois membres de l'Opus Dei pour devenir ses conseillers théologiques alors qu'il était à la tête de la Congrégation pour la doctrine de la foi : Mgr Fernando Ocáriz, qui était le vicaire général de l'Opus Dei, et donc le numéro deux après Echevarría, Mgr Angel Rodríguez Luño et Mgr Antonio Miralles. Ces trois personnes enseignent à la faculté de théologie de l'Université Santa Croce, une institution qui appartient à l'Opus Dei. Mgr Ocáriz a été un collaborateur de premier ordre de la Congrégation pour la doctrine de la foi. Comme je l'ai mentionné plus haut, il a été un des principaux auteurs du document de l'an 2000 *Dominus Iesus*. Ce document traite des relations entre la chrétienté et les autres religions, un thème cher aux idées et aux préoccupations théologiques du pape. Alors qu'il n'était encore que cardinal, Ratzinger a pris part à différents événements publics à l'Université Santa Croce, y compris à la table ronde qui eut lieu le 9 avril 2003, qui traitait de «l'implication et de la conduite des catholiques dans la vie politique». Un prêtre américain, le père Robert Gahl, était l'animateur de cette session. Le cardinal Ratzinger a également fait un discours en 1993, lors du congrès qui avait comme sujet les enseignements théologiques d'Escrivá.

Le cardinal Ratzinger a reçu, en 1998, un doctorat *honoris causa* de l'Université de Navarre. Il y a alors donné une conférence intitulée «En fait, qu'est-ce que la théologie?» qui portait sur la théologie en tant que discipline universitaire et qui vient d'être publiée dans une collection d'ouvrages intitulée *Le Pèlerin, porteur de la foi : l'Église en tant que communion* (Ignatius Press). Dans son discours, le cardinal Ratzinger a félicité Mgr Pedro Rodríguez pour son étude critique du manuscrit original du *Catechismus Romanus*, le catéchisme romain qui date du concile de Trente. Mgr Rodríguez est membre de l'Opus Dei et doyen de la faculté de théologie de l'Université de Navarre. Le cardinal Ratzinger a déclaré que cette édition critique était d'une très grande importance pour son propre travail sur le catéchisme de l'Église catholique.

«Vous êtes un membre d'une faculté qui, en très peu de temps, a pris une grande place en ce qui concerne les discussions théologiques dans le monde, a déclaré le cardinal Ratzinger. C'est donc avec un grand honneur et beaucoup de joie que je reçois ce doctorat et que j'appartiens dorénavant à une faculté avec laquelle j'avais tissé des liens d'amitié personnels très nombreux et avec laquelle j'avais entretenu de nombreuses discussions de niveau universitaire.»

Le cardinal Ratzinger a fait une référence importante à Escrivá en octobre 1997, lors de la célébration du treizième anniversaire du décret *Presbyterorum Ordinis* à Rome. Ce décret traitait de la vie des prêtres.

Je me souviens d'un incident qui s'est déroulé pendant les premières années d'existence de l'Opus Dei. Une jeune femme avait eu la chance de pouvoir assister à quelques conférences données par le fondateur de l'Opus Dei. Sa curiosité avait été

aiguisée et elle avait envie d'entendre les paroles d'une personna-
lité aussi connue. Cependant, après avoir assisté à la messe qu'il
a célébrée, comme elle nous l'a raconté plus tard, elle n'avait plus
envie d'écouter d'orateurs humains. Elle ne voulait que découvrir
la parole et la volonté de Dieu. Le ministère de la parole exige
que le prêtre partage le sort du Christ et s'annihile en lui : qu'il
s'élève avec le Christ et qu'il se fonde en lui. Le fait que le prêtre
ne parle pas pour lui, mais transmet le message de quelqu'un
d'autre, ne signifie pas qu'il montre de l'indifférence à un niveau
personnel. Tout au contraire, lorsqu'il se fond dans le Christ, il
emprunte le chemin du mystère pascal. C'est là qu'il se retrouve
vraiment et qu'il communie avec Celui qui est la Parole de Dieu
en personne.

En mars 2002, le cardinal Ratzinger a participé, à Rome, à la
parution d'un livre qui s'intitule *Opus Dei : le message, les œuvres,*
les personnes, dont l'auteur se nomme Giuseppe Romano. C'est à
cette occasion qu'il a fait son discours le plus important traitant
d'Escrivá.

Le cardinal Ratzinger a commencé en réfléchissant au nom
qu'Escrivá avait choisi pour sa nouvelle réalité, c'est-à-dire Opus Dei,
l'œuvre de Dieu et non la sienne.

Lorsque je méditais sur ce fait, je me suis remémoré les paroles
du Seigneur telles qu'elles sont rapportées dans l'Évangile selon
saint Jean : «Mon père est toujours au travail.» Ce sont là les
mots prononcés par Jésus lors d'une discussion qu'il avait eue
avec des hommes de religion, des spécialistes qui ne pouvaient
admettre que Dieu puisse travailler même le jour du sabbat. Ce
débat est toujours d'actualité, d'une façon ou d'une autre chez les
chrétiens tout comme chez les non-chrétiens. Certaines personnes
pensent que Dieu a pris sa «retraite» après avoir terminé son
œuvre de création et que nos petites histoires quotidiennes ne
l'intéressent plus.

   Si nous suivons cette façon de penser, Dieu n'a plus rien à
voir avec notre vie quotidienne. Cependant, les paroles de Jésus
affirment le contraire. L'homme qui est ouvert à la présence de

Dieu découvre que celui-ci a toujours continué à travailler et qu'il continue encore aujourd'hui. Nous devrions donc le laisser pénétrer en nous et travailler. C'est ainsi que naissent les choses qui nous conduiront vers l'avenir et vers un renouveau de l'humanité.

C'est dans ce sens que le théocentrisme d'Escrivá de Balaguer, qui suit les paroles mêmes de Jésus, nous donne la confiance que Dieu n'a pas pris sa retraite et qu'il travaille à l'heure actuelle. Nous devons seulement nous mettre à sa disposition, être prêts et répondre à son appel quand il nous appellera. Ce message est, à mes yeux, d'une très grande importance. Il s'agit d'un message qui peut nous aider à dépasser ce que l'on peut considérer comme étant une grande tentation à l'heure actuelle, soit la prétention que Dieu a pris sa « retraite » après le « big-bang ».

Grâce à cela, j'ai pu vraiment comprendre ce qu'était le vrai caractère de l'Opus Dei, cette union surprenante d'une fidélité absolue aux grandes traditions de l'Église, à ses croyances, à son ouverture inconditionnelle à tous les défis de notre monde, que ce soit le monde universitaire, le domaine du travail ou les questions économiques. La personne qui a un lien avec Dieu, qui converse avec lui sans interruption, peut oser relever ces défis et ne plus ressentir la peur. En effet, la personne qui se trouve dans les mains de Dieu retombera toujours dans les mains de Dieu. C'est ainsi que la peur disparaît et qu'à sa place naît le courage de faire face au monde que nous côtoyons tous les jours.

Ces remarques du cardinal Ratzinger ont été publiées plus tard dans l'*Osservatore Romano*, le quotidien officiel du Vatican, un jour avant la canonisation d'Escrivá qui eut lieu le 6 octobre 2002.

Le nouveau pape a, de plus, une autre source de renseignements sur le monde de l'Opus Dei en la personne de son secrétaire particulier, le père Georg Gänswein, qui lui-même n'est pas membre de l'Opus Dei, mais a enseigné à la faculté de droit canon de l'Université Santa Croce pendant cinq ans. Son domaine particulier était le *munus docendi*, c'est-à-dire l'enseignement des prêtres de l'Église qui ont reçu l'ordination. Il a publié des articles dans le bulletin de la faculté de droit canon, dont un qui concernait les procédures d'enquête de la doctrine par la Congrégation pour la doctrine de la foi. (Des amis de Gänswein disent qu'une des choses qu'il appréciait tout particulièrement à Santa Croce était la ponctualité que l'on ne retrouve pas dans les universités typiquement italiennes, plus décontractées. Le calendrier de l'Université Santa Croce était plus précis et correspondait mieux à son caractère germanique.)

De façon générale, le pontificat de Benoît XVI va sans doute continuer la politique d'appui à ce qu'il est convenu d'appeler les «nouveaux mouvements» que Jean-Paul II avait soutenus. Des mouvements comme Focolare, les Néo-catéchumènes, Sant'Egidio, L'Arche ainsi que les multiples autres groupes qui se sont formés après Vatican II, y compris l'Opus Dei. Pragmatique, le pape Benoît XVI est tout à fait conscient des critiques adressées à ces mouvements. Il sait qu'ils sont capables d'exagérer et de se détacher de l'Église. Il sait qu'ils portent un véritable «culte de la personnalité» peu critique à leurs fondateurs. Il va les encourager pour qu'ils prennent de la maturité et pour qu'ils approfondissent leurs bases intellectuelles et théologiques. Cependant, il va, en même temps, les considérer comme des modèles précieux de communautés basées sur la vérité.

Dans le numéro de 1997 de *Salt of the Earth* (*Le Sel de la terre*), le cardinal Ratzinger a déclaré : «Il est toujours possible de soulever des objections devant des mouvements tels que le néo-catéchuménat ou les Focolarini; cependant, en dépit de ce que l'on peut raconter, il est possible de voir des choses nouvelles se dessiner.» Dans son rapport de 1984, il s'est montré très enthousiaste : «Nous pouvons nous montrer plein d'espérance en ce qui concerne l'Église universelle, et ce qui se produit à l'heure actuelle survient pendant une période de crise de l'Église en Occident. Il s'agit de la venue de nouveaux mouvements que personne n'avait prévus et dont personne n'a ordonné l'existence. Ils ont jailli spontanément de la force intérieure même de la foi. Il se manifeste chez eux – bien que de façon prudente – quelque chose qui ressemble à une nouvelle Pentecôte au sein de l'Église.»

En même temps, le côté traditionnel de la personnalité du pape
Benoît XVI fera qu'il se rendra compte que certaines communautés
religieuses établies, comme les Bénédictins, les Franciscains et les
Jésuites, ont été négligées sous Jean-Paul II au profit des nouveaux
mouvements. Pendant certaines périodes difficiles, des religieux et
des religieuses ont pu penser que Jean-Paul II les avait oubliés et
que l'avenir allait appartenir aux nouveaux mouvements. Le pape
Benoît XVI, qui a choisi son nom en l'honneur du fondateur de
l'ordre des Bénédictins, va faire en sorte qu'un renouveau sincère
de la vie religieuse devienne une des priorités de son pontificat.

Le pouvoir de l'Opus Dei au Vatican

Lorsqu'une nouvelle personne a reçu une nomination, il y a
toujours quelqu'un parmi les observateurs des affaires du Vatican
pour poser la question suivante : « *Di quale parrocchia è ?* » (« De
quelle paroisse vient-il ? ») On ne veut pas vraiment savoir si cette
nouvelle personne vient de Sainte-Monique ou de Saint-Michel.
Le mot « paroisse » possède ici un sens tout à fait métaphorique. Il
signifie : « Quelles sont les personnes et les amis dont dépend cet
individu ? » Le fait est que, si l'on suit la ligne de pensée des Italiens
quant à la façon dont devraient fonctionner les choses dans le
monde, on verrait que derrière chaque institution existe un réseau
non officiel d'alliances dont les membres aident à faire tourner les
rouages pour d'autres membres et cherchent ainsi à élargir leur
zone d'influence.

Ce contexte peut aider à expliquer la fascination que la
présence de l'Opus Dei exerce à l'intérieur du Saint-Siège. Il existe
une hypothèse parmi les observateurs du Vatican qui dit que les
membres de l'Opus Dei travaillent pour leur propre *parrocchia*, que
leur nombre ainsi que leur sphère d'influence vont en augmentant,
et qu'en conséquence le contrôle que l'Œuvre exerce sur le Vatican
et sur l'Église catholique va également en augmentant. De nombreux
catholiques tiennent pour acquis que la pénétration de l'Opus Dei
à l'intérieur du Vatican est à peu près totale et que l'Œuvre menait
la barque pendant les derniers temps de la papauté de Jean-Paul II.

Cette impression n'était pas seulement ressentie par la base. Lorsque j'ai interviewé un des membres du collège des cardinaux lors de mes recherches pour ce livre, celui-ci avait, en général des choses positives à dire sur l'Opus Dei. Sa seule inquiétude portait sur un point. Il me confia : « Étant donné que je ne vis pas à Rome, je me demande quelle peut être l'étendue de son influence sur la curie romaine. »

L'Opus Dei, en fait, n'est que très peu présente au Vatican. Trois membres de l'organisation seulement occupent des positions importantes dans un des services du Vatican (alors qu'il y existe neuf congrégations, onze conseils, trois tribunaux et plusieurs autres bureaux) : Herranz, un Espagnol est président du Conseil pontifical pour l'interprétation des textes législatifs. Il est chargé d'interpréter la signification et les implications du Code de droit canon. Un autre Espagnol, Joaquín Navarro-Valls, dirige le bureau de presse du Vatican. Un laïc italien, Giò Maria Poles, dirige le ministère du Travail du Saint-Siège. Il s'agit plus ou moins du Service du personnel. Poles était encore en poste au moment où j'ai écrit ce livre, bien qu'il ait atteint l'âge de la retraite depuis longtemps. Navarro m'a déclaré qu'il ne croyait pas qu'être membre de l'Opus Dei ait provoqué sa propre nomination comme porte-parole du Vatican. De plus, a-t-il ajouté, cette nomination était plus en rapport avec le fait qu'il avait été élu deux fois directeur de l'Association de la presse étrangère à Rome, ce qui prouvait l'estime de ses collègues. Pour le pape, le fait d'appartenir à l'Opus Dei représentait peut-être une garantie de sa solide formation dans l'enseignement de la foi catholique.

En dehors de ces trois personnes, les sept prêtres de l'Opus Dei qui travaillaient au Vatican en décembre 2004 étaient les suivants :

- Mgr Francesco di Muzio, *capo ufficio*, administrateur de la Congrégation pour l'évangélisation des peuples, l'organisme du Vatican chargé des missions ;
- Mgr José Luis Gutiérrez Gómez, *relator*, personnage officiel de la Congrégation pour les causes des saints ;
- Mgr Miguel Delgado, *capo ufficio* du Conseil pontifical pour la laïcité ;

- Mgr Stefano Migliorelli, un Italien qui travaille au Secrétariat d'État à la première section. Il s'occupe spécialement des affaires de l'Église, divisées en bureaux selon les langues parlées ;
- Mgr Osvaldo Neves, qui travaille pour la deuxième section s'occupant de la diplomatie ;
- le père Mauro Longhi, administrateur de second plan qui s'occupe des affaires diocésaines et des prêtres dans le monde ;
- Mgr Ignacio Carrasco de Paula, chancelier de l'Académie pontificale pour la Vie.

Deux membres laïques de l'Opus Dei, en plus de Navarro, travaillent à l'agence de presse du Vatican : Miguel Castellví Villaescusa, directeur du service de l'information du Vatican, et Alfonso Bailly-Balliere, rédacteur en chef.

Huit prêtres, membres de la Société sacerdotale de la Sainte-Croix, travaillent également au Vatican. Ils sont considérés comme membres de l'Opus Dei bien qu'ils continuent de remplir leurs fonctions à l'intérieur de leurs diocèses respectifs. Il faut toutefois remarquer que certains arrangements ont été pris auprès des évêques pour que ces prêtres puissent travailler au Vatican, et il faut également noter que, dans certains cas, le Vatican n'était pas toujours au courant que certains d'entre eux faisaient partie de la Société sacerdotale. Ces prêtres sont :

- l'archevêque Justo Mullor président de la prestigieuse Accademia Ecclesiastica, l'école du Vatican chargée de former ses diplomates ;
- Mgr Nguyen Van Phuong, *capo ufficio* de la Congrégation pour l'évangélisation des peuples ;
- Mgr Jacques Suaudeau, administrateur de l'Académie pontificale pour la Vie ;
- le père Francisco Vinaixa Monsonís, administrateur du Conseil pontifical pour l'interprétation des textes de loi ;

- Mgr Celso Morga Iruzubieta, *capo ufficio* de la Congrégation du clergé ;
- le père Andrew Baker, administrateur de la Congrégation des évêques ;
- le père Gregory Gaston, notable du Conseil pontifical de la Famille.

Cette liste aurait été impossible à dresser en se fiant simplement à l'*Annuario*, le répertoire annuel du Vatican qui donne la liste des personnages officiels des différentes administrations. Si vous recherchez le nom d'un prêtre appartenant à l'Œuvre dans l'index qui se trouve à la fin de l'*Annuario*, vous y trouverez la mention «Opus Dei». Toutefois, vous n'y retrouverez pas les laïcs ni les membres de la Société sacerdotale de la Sainte-Croix. Il n'existe dans ces deux cas aucune mention qui indique que ces personnes appartiennent à l'Opus Dei. Leur absence reflète bien le principe de la sécularité et ajoute également un air de mystère. Il est intéressant de savoir que ce mystère n'est pas moins opaque pour certains membres de l'Opus Dei. La plupart des membres qui travaillent au Vatican m'ont déclaré ne pas savoir quel était le nombre d'adhérents qui y travaillaient ni l'endroit de leur travail. La plupart d'entre eux pouvaient nommer six ou sept membres, dont des personnalités bien connues comme Navarro-Valls et Herranz, mais personne n'avait vraiment une idée de l'ensemble. Ils m'ont dit en insistant qu'ils ne se rencontrent pas et qu'ils ne poursuivent pas de stratégie commune.

Lorsque l'on totalise tous les noms que nous venons de citer, il y avait donc, en décembre 2004, vingt membres qui travaillaient au Vatican. Pour replacer les choses dans leur contexte, la curie romaine (le nom officiel de la bureaucratie papale) employait 2659 employés en 2004, ce qui signifie que 0,7 % du personnel de la curie romaine appartient à l'Opus Dei. Ce résultat est un peu trompeur, car la majorité de ces 2659 employés répondent au téléphone, délivrent des laissez-passer et accomplissent des tâches purement administratives. Il existe peut-être seulement 500 postes d'importance et, d'après ces standards, l'Opus Dei en possède 3,6 %. Une note supplémentaire indique que dans le monde du Vatican, le bureau le plus important est le Secrétariat d'État, qui agit comme coordinateur du travail des autres services. L'Opus Dei y possède deux prêtres, un dans chacune de ses branches, mais aucun des deux n'occupe un poste de direction, ce qui signifie qu'ils n'ont pas le pouvoir de prendre des décisions. Les autres services les plus importants sont les « congrégations », qui ont le pouvoir de prononcer des jugements légaux et exécutoires dans leur domaine de compétence, comme la doctrine ou la liturgie. Pas un seul membre de l'Opus Dei n'occupe un poste supérieur ou de décision à l'intérieur de l'une de ces congrégations.

Une autre façon de replacer ces chiffres dans leur contexte est de les comparer avec ceux des Jésuites, un ordre religieux qui, pour des raisons historiques et politiques, est souvent perçu comme le « rival » de l'Opus Dei. En décembre 2004, les Jésuites avaient neuf prêtres qui travaillaient au Vatican, à l'exception de Radio-Vatican. Lorsque l'on additionne les dix-sept jésuites qui travaillent pour Radio-Vatican, ce chiffre atteint vingt-six. Ce nombre comprend un jésuite qui travaille au Secrétariat d'État et deux autres qui ont des positions clés. Le père Pasquale Borgomeo est le directeur de Radio-Vatican, et le père Czeslaw Drazek le directeur de l'édition polonaise de l'*Osservatore Romano*. Il est donc difficile de présenter comme argument que l'Opus Dei est surreprésenté au Vatican lorsqu'on la compare avec au moins un autre organisme ecclésiastique.

En dehors de ce personnel, le Vatican compte également sur un vaste réseau de *consultors* – des prêtres et des laïcs qui ne travaillent pas à plein temps, mais que l'on appelle lorsqu'on a besoin d'experts. L'Opus Dei possède deux de ces conseillers qui occupent une position importante. Ils font partie de la Congrégation pour la doctrine de la foi. Ce sont Mgr Fernando Ocáriz, vicaire général de l'Opus Dei, et Mgr Angel Rodríguez Luño, professeur de théologie morale à Santa Croce. Les Jésuites possèdent également des consultants importants au Vatican, dont le père Karl Becker, de l'Université grégorienne, également un des conseillers à la Congrégation pour la doctrine de la foi. De nombreux ordres religieux, ordres de laïcs et des groupes de catholiques comptent de nombreux consultants parmi leurs membres au sein des différentes administrations du Vatican.

Herranz, qui a travaillé pour la curie romaine pendant quarante-quatre ans, a déclaré, lors d'une entrevue que j'ai faite pour ce livre avant le décès de Jean-Paul II, qu'il n'existait aucun «bloc de l'Opus Dei» au Vatican.

«Il n'existe ni groupe de pression ni aucun genre de "maçonnerie blanche", a-t-il dit. J'ai entendu ce genre d'histoires, mais non, il n'existe rien de tel ici. Au cours de toutes ces années, je ne suis allé qu'une seule fois au ministère du Travail, non pour rencontrer Poles, mais parce que je devais m'occuper d'un problème en particulier. Je rencontre Navarro de temps à autre. Mon prélat n'est pas le prélat de l'Opus Dei. Mon prélat se nomme Jean-Paul II. Je reçois mes ordres du pape, et je les exécute.»

Herranz a ajouté qu'il n'avait jamais discuté des affaires du Vatican avec des membres de l'Opus Dei.

«Je n'ai jamais demandé un conseil à leur prélat sur ce que je devais faire, a-t-il ajouté. Nous avons cinquante-cinq consultants qui viennent de tous les coins du monde. Ce sont les experts pour les affaires que nous avons à traiter [...]. Il s'agit de quelque chose qui a fait du mal à l'Opus Dei parce que certaines personnes ne l'ont pas compris. Elles ont pris l'Opus Dei pour une sorte de parti politique ou de parti religieux.»

Mgr Javier Echevarría, prélat de l'Opus Dei, a écarté l'impression que l'Opus Dei est une puissance montante au Vatican : «Je me souviens que, lorsqu'une personne approchait Escrivá et essayait de lui faire dire qu'il existait un membre de l'Opus Dei capable d'agir au Vatican, il répondait invariablement : "D'accord, mais je voudrais que vous me posiez cette question par écrit parce que je ne veux pas que quiconque puisse penser que je suis celui qui cherche à faire intégrer ces membres au Vatican pour satisfaire des intérêts personnels."» Echevarría a déclaré qu'il pouvait affirmer «de façon catégorique» que l'Opus Dei n'a jamais agi de sa propre initiative pour placer un de ses membres à l'intérieur du Vatican. De plus, il a ajouté qu'il ne discute pas des affaires du Vatican avec les membres de l'Opus Dei qui y travaillent.

Une bonne façon de mesurer l'influence du Vatican est de remarquer les mésaventures subies par une personne qui a le malheur de se trouver du mauvais côté d'une *parrocchia* en particulier. Une bonne partie de la réputation du pouvoir détenu par l'Opus Dei au Vatican vient en fait de ce qui est arrivé à l'archevêque Luigi De Magistris, qui a commencé son service à la curie comme protégé du fameux cardinal Alfredo Ottaviani, membre du Saint-Office. De Magistris avait été le chef de la Pénitencerie apostolique, un tribunal secret du Vatican, et l'on s'attendait à ce qu'il soit un des nouveaux cardinaux nommés par Jean-Paul II en octobre 2003. Son nom n'est cependant pas sorti et, quelques semaines plus tard, il avait perdu son emploi et avait été remplacé par le cardinal américain Francis Stafford. De Magistris a maintenant soixante-dix-sept ans, un âge auquel de nombreux ecclésiastiques, même plus âgés, ont encore une vie très active. Il est à la retraite et il ne semble pas qu'il reçoive un jour la calotte rouge de cardinal. Certaines rumeurs ont couru à Rome. Elles laissaient entendre qu'il s'agissait d'une revanche long-temps remise pour ce qui s'était déroulé en 1992, lorsqu'il était juge pour la Congrégation pour les causes des saints. De Magistris avait été une des deux personnes à voter contre la béatification d'Escrivá. Les porte-parole du Vatican nient avoir joué quelque rôle que ce soit dans l'exil de De Magistris. Certaines sources au sein du Vatican disent que De Magistris a commis des abus de pouvoir au Secrétariat d'État. Cela n'empêche cependant pas les observateurs du Vatican de penser que le sort de De Magistris a une relation directe avec le fait d'avoir croisé le fer avec les représentants de l'Œuvre.

D'autre part, les membres de l'Opus Dei ne remportent pas toutes les épreuves de force. Prenez le cas de Mgr Joaquín Llobell, un prêtre appartenant à l'organisation qui enseigne le droit canon à l'Université Santa Croce. Il s'agit d'un avocat en droit canon très respecté qui siège à la Signature apostolique, la Cour suprême du Vatican, ainsi qu'à la Cour d'appel de l'État du Vatican. Il a déjà été le juge *ad causam* pour des procès en droit pénal dont s'occupait la Congrégation pour la doctrine de la foi ainsi que dans des procès pour sévices sexuels contre certains prêtres, notamment dans des affaires survenues aux États-Unis. Llobell faisait également partie de la commission qui préparait une série de « normes » dans les cas de « délits graves », y compris les abus sexuels, commission appelée *Sacramentorum sanctitatis tutela* et instituée le 30 avril 2001.

Llobell est considéré comme un loyal fils de l'Église. Il est également très pointilleux en ce qui concerne les procès et il a pris conscience que les règles utilisées par l'Église pour traiter les délits sexuels étaient imparfaites. En mars 2004, il a donné une conférence publique au cours de laquelle il soutenait que le droit canon préconisait la réhabilitation du délinquant sexuel et une proportionnalité entre le crime commis et la sentence. En d'autres termes, cela signifiait que la tradition canonique n'était pas en faveur d'une application uniforme de la peine, préconisée par les évêques américains et approuvée par le Vatican. Il a également critiqué les mises à jour des normes à appliquer en cas d'abus sexuels, que le pape Jean-Paul II avait acceptées en février 2003. Ces révisions faisaient disparaître le statut des prescriptions qui permettaient à la Congrégation pour la doctrine de la foi de faire défroquer un prêtre en employant des mesures non judiciaires et de ce fait empêchaient qu'il y ait appel à la décision de la Congrégation. Il n'existe pas un seul système judiciaire que l'on puisse qualifier de totalement juste, a-t-il déclaré, lorsque le procureur choisit et supervise les juges. Tout cela ne signifie pas que Llobell puisse être considéré comme faisant preuve de tolérance dans les cas de crimes sexuels commis par des membres du clergé. À la fin des années quatre-vingt, son opinion a rejoint celle de la curie romaine et demandait que les évêques américains désirant faire le procès des prêtres inculpés de délits sexuels instruisent selon le droit canon. Cependant, il souhaite que l'Église ne remplace pas une injustice par une autre, et il a la ferme conviction que les normes actuelles sont injustes du point de vue procédural.

Ces points de vue n'obtiennent pas l'assentiment de plusieurs personnes, dont celle responsable de la justice à la Congrégation pour la doctrine de la foi, Mgr Charles Scicluna, un prêtre originaire de Malte dont le travail a été de coordonner la réponse canonique du Vatican lors de la crise américaine. Mgr Scicluna a déclaré à ses collègues qu'il était bien possible que ces normes ne soient pas parfaites, mais que l'Église s'était retrouvée dans une période de crise et avait dû réagir. De plus, des décisions ont été prises dans un temps relativement bref sous la surveillance de Scicluna. Des 700 cas d'abus sexuels signalés au Vatican dans le sillage de la crise américaine, 550 d'entre eux avaient été traités au printemps 2004, un résultat remarquable étant donné la tendance du Vatican à penser en « siècles ».

Llobell et Scicluna ont des rapports d'amitié et sont des collègues de travail. On ne peut donc parler ici d'hostilité personnelle. De plus, Llobell avait fini son travail à la Congrégation pour la doctrine de la foi avant que Scicluna y arrive. Ces deux hommes, cependant, représentent deux interprétations différentes du droit canon, et c'est celle de Scicluna qui l'a emporté. On n'a jamais demandé à Llobell d'aider la Congrégation depuis son travail sur les normes de 2001, malgré la vague de procès qui y eut lieu dans le cadre de la crise américaine. Cette histoire est d'autant plus révélatrice que le membre de l'Opus Dei ayant le rang le plus élevé au sein de la curie est Herranz, dont l'aire de compétence est précisément le droit canon. Ses points de vue sur les procès qui y eurent lieu et sur la légitimité des normes en cas d'abus sexuels sont beaucoup plus près de ceux de Llobell que de ceux de Scicluna. Si vraiment on ne pouvait s'y soustraire, l'influence soi-disant écrasante des membres de l'Opus Dei au Vatican aurait certainement fait en sorte que la politique préconisée aille dans leur sens plutôt que dans l'autre.

Il faut donc retenir que, même si l'Opus Dei possède des membres dans des positions clés au Vatican, ce n'est pas elle qui fait la loi. Lorsqu'on s'interroge pour savoir si les membres de l'Opus Dei possèdent ce que les Italiens appellent *una voce in capitolo*, c'est-à-dire une certaine influence, la réponse est certainement oui. Lorsqu'on se demande si l'Opus Dei arrive toujours à faire plier le système à sa guise, il semble bien que la réponse soit non.

L'Opus Dei et le collège des cardinaux

Les règles mises en vigueur par le pape Paul VI et que Jean-Paul II a confirmées en ce qui concerne l'élection papale, exigent qu'un cardinal ait moins de quatre-vingts ans pour avoir le droit de voter. Lors du décès de Jean-Paul II, le 2 avril 2005, il y avait 183 cardinaux au monde, dont 117 avaient moins de quatre-vingts ans. Les personnes sont souvent surprises d'apprendre que seulement deux cardinaux proviennent de l'Opus Dei : le cardinal Juan Luis Cipriani Thorne, de Lima, au Pérou, qui a soixante et un ans, et Herranz, qui en a soixante-quinze. Lors du conclave du mois d'avril 2005, Herranz et Cipriani faisaient partie des 115 cardinaux qui ont voté.

D'autres cardinaux n'appartenant pas à l'Opus Dei ont parfois des liens avec cette dernière. Le cardinal Diogini Tettamanzi, de Milan, par exemple, a souvent eu la réputation d'être « très près » de l'Opus Dei. En 1998, lors du soixante-dixième anniversaire de l'Opus Dei, Tettamanzi a fait publier un article louant Escrivá et le comparant à saint Benoît et à saint François d'Assise, qui ont encouragé la création de nouveaux mouvements à l'intérieur de l'Église. Cet article du journaliste Andrea Tornielli déclarait que la vie, les enseignements et les travaux d'Escrivá étaient « un véritable phare sur le chemin de l'Église moderne ». Dans le même ordre d'idées, le cardinal Joachim Meisner de Cologne, en Allemagne, a contribué voilà peu de temps à ce panégyrique en rédigeant tout un chapitre d'un livre en l'honneur d'Escrivá. Sa contribution s'intitulait « Le charisme de l'Opus Dei à l'intérieur de l'Église ».

Le cardinal Bernard Law, l'ancien archevêque de Boston, qui est en ce moment l'archiprêtre de la basilique Sainte-Marie-Majeure à Rome, a également entretenu des liens historiques avec l'Opus Dei. Law a fait la connaissance de l'Œuvre alors qu'il était étudiant à Harvard dans les années cinquante et qu'un groupe initial de l'Opus Dei était arrivé d'Espagne sur le campus. Law, né au Mexique, parlait couramment espagnol et s'était lié d'amitié avec les membres de ce groupe. Lorsqu'il a quitté Harvard en 1953, il a demandé à un ami, William Stetson, de continuer à fréquenter les Espagnols. Stetson est devenu prêtre de l'Opus Dei, a vécu un certain temps à la Villa Tevere à Rome, puis est devenu vicaire à Chicago. À l'heure actuelle, il dirige le Centre catholique d'informations à Washington, D.C. Stetson et Law sont restés amis et, lorsque Law a été nommé par le Vatican pour s'occuper des affaires des prêtres épiscopaliens qui désiraient se convertir au catholicisme, Stetson est devenu son aide. En 1985, au moment de sa nomination comme cardinal, Law a invité le prélat de l'Opus Dei, Alvaro del Portillo, à un dîner donné en son honneur. Selon Stetson, Portillo a déclaré plus tard n'avoir jamais été aussi bien traité par un autre cardinal. La réputation de Law a cependant été terriblement ébranlée lorsqu'il démissionna à Boston à la suite d'un scandale de pédophilie dont plusieurs membres de son clergé avaient été accusés alors que lui-même était accusé d'avoir ignoré les actes de ses subordonnés.

D'autres cardinaux sont perçus comme des «amis de l'Opus Dei», pour une raison ou une autre. Ce sont : Giacomo Biffi, honoraire à Bologne; Darío Castrillón Hoyos, préfet de la Congrégation pour le clergé; Nicolás de Jesús López Rodríguez à Saint-Domingue; Alfonso López Trujillo, président du Conseil pontifical de la famille; Camillo Ruini, vicaire du diocèse de Rome et Johannes Adrianus Simonis, à Utrecht.

Même si l'on décidait d'additionner tous les cardinaux qui ont un lien historique ou une affinité quelconque avec l'Opus Dei, on n'atteindrait jamais les deux tiers du Sacré Collège, pourcentage qui représente le nombre de cardinaux nécessaires pour élire le successeur de Jean-Paul II. De plus, les cardinaux appartenant à l'Opus Dei nient avoir agi ou s'être organisés en tant que groupe pour influencer le résultat de l'élection papale.

«Je sais que d'autres (cardinaux) le font, a déclaré Mgr Cipriani lors d'une interview qui eut lieu le 11 juillet 2004 à sa résidence de Lima. Cela m'est d'ailleurs complètement égal. Cependant, ma première opinion est qu'en faisant cela on n'agit pas comme bon fils de l'Église. Si vous voulez être un bon fils, priez pour le Saint-Père, priez pour la sainteté. Lorsque vous rencontrez quelqu'un qui pourrait avoir les qualités d'un futur pape, priez pour lui. Efforcez-vous de l'aider pour qu'il soit quelqu'un de bien, pour qu'il travaille bien. Quand le temps viendra, il sera prêt.»

Avant le conclave de 2005, j'ai demandé à Herranz s'il allait demander son avis au prélat de l'Opus Dei lorsque arriverait le moment du conclave.

«Vous pouvez être sûr que je ne lui demanderai pas, a-t-il déclaré. Je sais avec qui je dois parler. J'irai, comme je le fais en maintes autres occasions, devant l'autel et je poserai ma question au Seigneur. Je parlerai avec Lui, tout en examinant les qualités humaines des candidats. […] Sa formation culturelle, son expérience de la pastorale, son âge, sa santé et une foule d'autres choses. Je crois au Saint-Esprit et j'ai en tête des moments où le Saint-Esprit m'a éclairé. Le Saint-Esprit me dira quoi faire. C'est à lui que je poserai la question.»

L'Opus Dei et les évêques

Dans le monde, il existe vingt évêques qui appartiennent à l'Opus Dei. Si nous additionnons trois évêques honoraires ou à la retraite, nous arrivons à un total de vingt-trois. Le seul évêque provenant de l'Opus Dei aux États-Unis est l'archevêque de San Antonio, José Gómez.

Les évêques appartenant à l'Opus Dei sont :

- Antonio Arregui Yarza, archevêque de Guayaquil, en Équateur ;
- Juan Luis Cipriani Thorne, cardinal de Lima, au Pérou ;
- Alfonso Delgado Evers, archevêque de San Juan de Cuyo, en Argentine ;
- Antônio Augusto Dias Duarte, évêque auxiliaire de São Sebastião de Rio de Janeiro, au Brésil ;
- Javier Echevarría Rodríguez, prélat de l'Opus Dei ;
- Ricardo García García, prélat de Yauyos, au Pérou ;
- Luis Gleisner Wobbe, évêque auxiliaire de La Serena, au Chili ;
- José Horacio Gómez, archevêque de San Antonio, au Texas ;

- Juan Ignacio González Errázuriz, évêque de San Bernardo, au Chili;
- Julián Herranz Casado, cardinal et président du Conseil pontifical pour l'interprétation des textes de lois;
- Philippe Jourdan, administrateur apostolique en Estonie;
- Klaus Küng, évêque de Sankt Pölten, en Autriche;
- Rogelio Ricardo Livieres Plano, évêque de Ciudad del Este, au Paraguay;
- Rafael Llano Cifuentes, évêque de Nova Friborgo, au Brésil;
- Anthony Muheria, évêque d'Embu, au Kenya;
- Francisco Polti Santillán, évêque de Santo Tomé, en Argentine;
- Hugo Eugenio Puccini Banfi, évêque de Santa Maria, en Colombie;
- Jaume Pujol Balcells, archevêque de Tarragone, en Espagne;
- Fernando Sáenz Lacalle, archevêque de San Salvador, au Salvador;
- Juan Antonio Ugarte Pérez, archevêque de Cuzco, au Pérou.

Les évêques honoraires sont :

- Juan Ignacio Larrea Holguín, archevêque honoraire de Guayaquíl, en Équateur;
- Luis Sánchez-Moreno Lira, archevêque honoraire d'Arequipa, au Pérou;
- Francisco de Guruceaga Iturriza, évêque honoraire de La Guaira, au Venezuela.

Il existe en plus quatorze évêques qui appartiennent à la Société sacerdotale de la Sainte-Croix. Ils ne font pas partie de la prélature de l'Opus Dei et, par conséquent, ne tombent pas sous la juridiction d'Echevarría. Cependant, ils sont considérés comme membres de l'Opus Dei.

Ce sont :

- Isidro Barrio, évêque d'Huancavelica, au Pérou ;
- Mario Busquets, prélat de la prélature territoriale de Chuquibamba, au Pérou ;
- Marco Antonio Cortez Lara, évêque auxiliaire de Tacna et de Moquegua, au Pérou ;
- Nicholas DiMarzio, évêque de Brooklyn, aux États-Unis ;
- Robert Finn, évêque auxiliaire de Kansas-City–Saint-Joseph, aux États-Unis ;
- Gilberto Gómez, évêque auxiliaire d'Abancay, au Pérou ;
- Francisco Gil Hellín, archevêque de Burgos, en Espagne ;
- Gabino Miranda Melgarejo, évêque auxiliaire d'Ayacucho, au Pérou ;
- Jesús Moliné, évêque de Chiclayo, au Pérou ;
- Justo Muller, président de l'Académie ecclésiastique, à Rome ;
- John Myers, archevêque de Newark, aux États-Unis ;
- Isidro Sala, évêque d'Abancay, au Pérou ;
- Jacinto Tomás de Carvalho, évêque de Lamego, au Portugal ;
- Guillermo Patricio Vera Soto, évêque du territoire de la prélature de Calama, au Chili.

Il existe également quatre évêques honoraires appartenant à la Société sacerdotale de la Sainte-Croix :

- Enrique Pélach y Feliu, évêque honoraire d'Abancay, au Pérou ;
- Alberto Cosme de Amaral, évêque honoraire de Leira-Fatima, au Portugal ;
- William Dermott Molloy, évêque honoraire d'Huancavelica, au Pérou ;
- Jesús Humberto Velásquez, évêque honoraire de Celaya, au Mexique.

Nous obtenons donc un total global de 41 évêques appartenant à l'Opus Dei. Ce chiffre représente 0,9 % des 4564 évêques catholiques romains dans le monde à la fin de 2004.

Lorsqu'on se base sur cette liste, il est évident que la grande majorité de ces évêques proviennent d'Amérique latine. Il n'existe qu'un seul évêque appartenant à l'Opus Dei en Afrique, quatre aux États-Unis et seulement six en Europe. Il n'y en a pas en Asie. L'Opus Dei compte un cardinal et quatre archevêques en Amérique latine. Trente pour cent, soit treize évêques se retrouvent au Pérou, un phénomène qui résulte de la décision du pape Pie XII en 1957 de confier le territoire de la prélature de Yauyos à l'Opus Dei. Ce geste a donné à l'Opus Dei la chance d'y établir son clergé et d'assurer ainsi une présence à la Conférence des évêques. Très peu d'affectations des évêques de l'Opus Dei peuvent être considérées comme des sinécures.

Nous pouvons prendre les Jésuites comme terme de comparaison. En décembre 2004, 74 évêques et 9 cardinaux étaient jésuites, ce qui représente le score le plus élevé de l'histoire de cet ordre. En fait, les administrateurs des Jésuites disent, en privé, qu'ils n'arrêtent pas de demander au Vatican de ne pas nommer leurs membres évêques parce qu'ils ont besoin d'eux pour remplir d'autres fonctions. Jean-Paul II a nommé une proportion plus importante d'évêques parmi les différents ordres religieux que ses prédécesseurs. Les Salésiens de Saint-Jean-Bosco ont 111 évêques, y compris six cardinaux dans le monde. Le nombre des évêques appartenant à l'Opus Dei ne semble donc pas en décalage par rapport au traitement que le pape a accordé aux autres ordres à l'intérieur de l'Église. Il ne représente pas davantage une partie importante de l'épiscopat.

Le Pérou est un pays où les évêques de l'Opus Dei ont eu la vraie possibilité d'agir en bloc. Malgré cela, Cipriani nie que le système fonctionne de cette manière.

« Une chose importante à remarquer, en ce qui concerne l'Opus Dei, est qu'au grand jamais elle n'agira en tant que groupe compact, a déclaré Cipriani. Si jamais quelqu'un essayait de le faire, nous le mettrions en demeure de ne pas agir ainsi et lui dirions : "Qu'êtes-vous en train de faire ? Quelles sont vos intentions ?" » De plus, Cipriani a déclaré, lors de la conférence des évêques péruviens, que les prélats de l'Opus Dei n'ont pas été appelés à occuper des situations importantes. « Il est assez étrange de voir que nous ne pouvons rien faire d'important lors de la conférence nationale des évêques, a-t-il dit. Nous n'avons absolument aucun pouvoir. »

Lorsque j'ai demandé à Mgr Cipriani si sa position de cardinal lui permettait de contrôler l'Église au Pérou, il a répondu en riant : « J'aimerais pouvoir plaisanter et dire que j'aimerais contrôler l'Église, cependant, cela est impossible ! Je fais de mon mieux, je n'y arrive tout simplement pas… »

La prélature personnelle

Le 28 novembre 1982, le pape Jean-Paul II a fait paraître la constitution apostolique nommée *Ut Sit*, qui faisait de l'Opus Dei la première « prélature personnelle ». La parution d'*Ut Sit* a marqué le point culminant d'une lutte de cinquante-quatre ans pour trouver un « domicile canonique » à l'Opus Dei, un lieu qui protégerait son identité d'organisme unique comprenant des laïcs et des membres du clergé, des hommes et des femmes, partageant tous la même vocation. Les membres de l'Opus Dei aiment répéter le commentaire que l'on attribue à Escrivá alors qu'il s'adressait à un représentant officiel du Vatican en 1946 : « Vous êtes arrivés un siècle trop tôt ! »

La création de la prélature personnelle a également signifié pour beaucoup de catholiques anglophones leur première rencontre avec l'Opus Dei. Cet acte a été et est encore considéré par certains milieux comme un acte politique de poids. Dans *The Secret World of Opus Dei* (*Le Monde secret de l'Opus Dei*), Michael Walsh consacre trois chapitres à l'évolution juridique de l'organisation. Il l'interprète comme un désir ardent d'obtenir des privilèges plus importants. La prélature était perçue, entre autres, comme un moyen détourné pour contourner l'autorité des évêques locaux. L'Opus Dei nie et assure que son autorité se limite aux questions spirituelles ; les membres de l'Opus Dei sont des catholiques ordinaires et demeurent régis par l'administration des évêques locaux dans tous les autres domaines. Si jamais un membre de l'Opus Dei demande l'annulation de son mariage, par exemple, il devra en faire la demande à son évêque et non au prélat de l'Opus Dei.

Avant 1982, l'Opus Dei avait été classée sous le registre « Union pieuse », « Institut séculier » ou « Société sacerdotale ». Chaque dénomination posait des problèmes sur la façon dont l'Œuvre pouvait se percevoir. L'essentiel du problème résidait dans le fait que chaque appellation semblait vouloir attirer l'Opus Dei dans l'orbite des ordres religieux et la détourner de son identité séculière. Peter Berglar, biographe allemand d'Escrivá, l'a rapporté : « L'Opus Dei avait mis l'ancre à la barque de Pierre, mais pas dans le bon port. » Escrivá a inventé un dicton pour décrire l'attitude qu'il adoptait chaque fois qu'il devait accepter une solution juridique qu'il ne considérait pas comme adéquate : « Céder mais ne pas capituler ; céder tout en ayant le désir de regagner ce qui a été perdu. »

Voici un exemple des casse-tête qui se sont présentés à la suite d'un décret du Vatican, le 22 mars 1950. Ce décret interdisait aux clercs, aux religieux et aux membres des sociétés laïques de faire des affaires. Il s'adressait spécifiquement aux membres des institutions séculières récemment établies. L'Opus Dei était de celles-là et ne faisait donc pas exception à la règle. Cela signifiait que les surnuméraires qui faisaient carrière dans les affaires violaient techniquement la loi de l'Église. Et c'est jusqu'en 1958, alors que l'on préparait le synode du diocèse de Rome sous l'égide du pape Jean XXIII, que l'on retrouve des documents préparatoires mettant en cause les prêtres, des membres de sociétés séculières et des religieux, et leur interdisaient de faire des affaires, d'aller dans des bars ou au cinéma. Pour citer un autre point, le Code de droit canon de 1917 déclarait que les hommes et les femmes devaient être juridiquement séparés dans les institutions qui professaient l'« état de perfection ». Le décret qui créait des institutions séculières en 1947 incluait ce critère. L'Opus Dei se voyait menacée d'une division en deux branches, une pour les hommes et l'autre pour les femmes. C'est pour cela que la transition vers la prélature s'est trouvée justifiée, car il existait la nécessité de créer une nouvelle catégorie de mouvement qui ne transporterait pas dans ses «bagages» le fait d'être une extension de la vie religieuse.

Cependant, de nombreux observateurs ne peuvent s'empêcher de ressentir que, indépendamment de la raison canonique, l'Opus Dei a tout fait pour obtenir ce qu'elle voulait. Quelques historiens ont même été jusqu'à suggérer que l'Opus Dei avait été plus maligne qu'on le pensait et qu'elle avait établi ses fondations des dizaines d'années plus tôt, lors de Vatican II. Un des documents les moins connus de ce concile, *Presbyterorum Ordinis*, soit le Décret sur le ministère et la vie des prêtres, a été publié le 7 décembre 1965 et contient le passage qui suit : «Lorsque la nature de l'apostolat l'exige [...] il peut y avoir avantage à élaborer des séminaires internationaux, des diocèses spéciaux, des prélatures personnelles ainsi que d'autres institutions auxquelles des prêtres peuvent être rattachés. Ces religieux peuvent recevoir le titre de cardinal pour le bien de l'Église tout entière en utilisant des méthodes provenant d'initiatives personnelles, le tout sans causer de préjudices aux prêtres locaux.» Il s'agissait du premier document faisant état de façon explicite de la possibilité d'existence de prélatures personnelles. Portillo était le secrétaire de la commission qui a préparé *Presbyterorum Ordinis*. Herranz a également pris part à cette commission. Quelques critiques ont accusé l'Opus Dei d'avoir, en effet, «tripatouillé» ce document de façon à préparer sa propre accession.

Herranz a nié le fait que cette partie du document ait été confectionnée tout particulièrement pour l'Opus Dei.

«D'aucuns pourraient estimer que Portillo était la seule personne responsable de ce texte, a reconnu Herranz. Ce n'est pas le cas. Il n'a été que le secrétaire de la commission du concile et, moi, je n'ai été qu'un auxiliaire à cette commission. Cette commission comptait vingt-cinq membres, des cardinaux et des évêques qui venaient d'un peu partout dans le monde. Il y avait en plus vingt consultants, y compris le père Yves Congar, un dominicain, ainsi que bien d'autres personnes. Les tâches de Portillo étaient purement administratives. [...] Il rédigeait les convocations et les procès-verbaux des réunions. Les textes et les décisions étaient le fruit du travail des membres et des consultants.»

En ce qui concerne la prélature, Herranz insiste pour dire que le Vatican avait d'autres motifs que de résoudre un problème particulier à l'Opus Dei.

«Le problème était beaucoup plus important. La loi mentionnait des paroisses personnelles, certaines basées sur des rites comme ceux des Arméniens ou des Syriens. Étant donné les variations sociologiques de notre monde contemporain, les choses étaient moins statiques que dans ce qui avait été fait dans le cadre du code de 1917, alors que les lois se basaient sur une société à prédominance agricole. […] À l'heure actuelle, les individus sont toujours en mouvement. Ils déménagent souvent, sont obligés de se rendre à l'étranger pour leur travail et ainsi de suite. Il est donc facile de voir que la pastorale ne peut pas se borner à un cadre territorial. Elle doit être personnelle.»

Dès le début du xxe siècle, l'Église avait subi des pressions pour reconnaître de nouvelles façons d'organiser la pastorale. Le pape Pie XII avait mandaté un des chefs catholiques italiens les plus dynamiques de l'époque, le père Agostino Gemelli, un franciscain, fondateur de l'Université catholique de Milan, pour présider un congrès de vingt-cinq regroupements de catholiques qui exerçaient des pressions pour qu'existent de nouvelles possibilités de travail apostolique et d'évangélisation à Saint-Gall, en Suisse. La majorité de ces regroupements espéraient trouver des façons pour que les laïcs puissent vivre une vie chrétienne, plus religieuse et plus sérieuse tout en continuant à demeurer dans la laïcité. Le congrès qui s'est déroulé en Suisse a demandé une reconnaissance juridique de nouvelles formes de vie et de mission. À la suite de ce congrès, Gemelli a écrit un mémorandum qui plaidait en faveur de ce type de reconnaissance. La constitution apostolique de Pie XII, *Provida Mater Ecclesia*, qui a créé cette catégorie d'«institution séculière» a constitué la réponse immédiate. Comme nous l'avons fait remarquer, l'Opus Dei a été la première institution séculière à être reconnue peu après. Cependant, d'après Escrivá, cette catégorie contenait encore trop de risques pour être confondue avec des ordres religieux.

Herranz a déclaré qu'il y avait eu un précédent de prélature personnelle, la Mission de France, qui comprenait un groupe de prêtres et de laïcs travaillant dans l'Hexagone à la réévangélisation des catholiques qui ne pratiquaient plus. La Mission de France avait été agréée en tant que prélature non territoriale en 1954. «Ses membres étaient dispersés dans le pays, a expliqué Herranz. Ils avaient des contrats pour travailler dans les différents diocèses. Il s'agissait davantage d'une action personnelle que territoriale. Des laïcs travaillaient également pour la Mission de France, parce que leurs statuts le leur permettaient, ce qui ressemblait davantage à une prélature personnelle.»

Cette position était très évidente aux yeux d'Herranz. Elle ne l'était pas aux yeux des autres. Le 22 mai 1960, la première demande qu'Escrivá avait faite pour transformer l'Opus Dei en une prélature a été rejetée par le Secrétariat d'État. Le cardinal Giovanni déclarait dans une lettre qu'un tel changement ne manquerait pas de provoquer «des difficultés juridiques et pratiques presque insurmontables». En 1969, l'Opus Dei a convoqué un congrès général en vue d'étudier la question du statut juridique, et la conclusion a été en faveur d'une prélature personnelle. Escrivá a continué d'étudier ce problème jusqu'à sa mort en 1975, au moment où Portillo a repris le flambeau. Les inquiétudes du Vatican ne se sont cependant pas évaporées. En 1980, un projet du nouveau Code de droit canon contenait les normes des prélatures personnelles, même s'il n'en existait pas à cette époque. Les normes apparaissaient dans ce brouillon au même endroit que celles pour les territoires des diocèses, ce qui pouvait laisser entendre qu'il ait existé un certain degré d'équivalence entre les deux et que le fait de traiter la prélature personnelle comme équivalente à une église locale engendrerait une «Église à l'intérieur de l'Église». Finalement, les directives du droit canon ont fait apparaître l'Opus Dei sous la rubrique «Les Fidèles du Christ» et non sous celle de «La constitution hiérarchique de l'Église» dans le Code de droit canon publié en 1983.

Herranz a fait partie d'une commission mixte d'experts en droit canon et de personnalités officielles appartenant au Vatican qui ont étudié la question durant vingt-cinq sessions de février 1980 jusqu'en février 1981. Cette commission se réunissait à la Sala di Congresso de la Congrégation des évêques. Il a déclaré que le défi majeur avait été de clarifier la relation qui existait entre l'Opus Dei et les évêques chargés des diocèses. « Nous avons étudié attentivement les attributs juridiques que l'Opus Dei possédait au moment où elle a demandé les changements et ce qui se produirait une fois ces changements accomplis, a dit Herranz. Il avait été perçu que le fait de se retirer de l'autorité des évêques n'était pas venu à l'esprit du Fondateur. Il s'agissait davantage d'une impulsion venant des ordres religieux. Les laïcs faisant partie de l'Opus Dei devaient continuer à être fidèles aux évêques des diocèses dans lesquels ils habitaient. »

Avant la création de la prélature, la documentation à son sujet avait été envoyée aux deux mille évêques des pays dans lesquels l'Opus Dei était présente. Ces derniers avaient été invités à communiquer leurs observations et leurs suggestions. Herranz a déclaré qu'il s'agissait de « manœuvres » pour mobiliser les évêques contre le mouvement, bien qu'il ait affirmé ne pas savoir qui avait essayé de le faire. Dans un article paru dans l'*Osservatore Romano* qui accompagnait la parution d'*Ut Sit*, Mgr Marcello Costalunga, de la Congrégation des évêques, a rétorqué par ce commentaire : « De nombreuses réponses de la part des évêques ont démontré leur satisfaction de la manière avec laquelle le concile Vatican II était, en pleine harmonie avec les normes, arrivé à la solution désirée quant au problème constitutionnel de l'Opus Dei. Bien qu'elles aient été peu nombreuses, on y trouvait également des lettres contenant des observations et des demandes d'éclaircissements. Après avoir été soigneusement examinées, toutes ces communications ont été prises en considération et toutes les demandes de clarifications supplémentaires ont été satisfaites. »

Quoi que l'on puisse penser de ces considérations, il n'en demeure pas moins que ces consultations sont restées parmi les actes les plus « collégiaux » de la papauté de Jean-Paul II. À l'heure actuelle, il serait difficile de nommer une autre décision de la papauté où le Vatican a demandé les réactions de deux mille évêques répartis dans le monde.

Dès le début de la papauté de Jean-Paul II, il était évident que celui-ci voulait résoudre le problème de l'Opus Dei dans les plus brefs délais. Herranz a raconté que le pape avait suivi de près toutes les procédures et, sur ce point, nous avons le témoignage d'une tierce personne. Le cardinal Sebastiano Baggio, qui, à l'époque, était le directeur de la Congrégation des évêques, a dit que, lorsqu'il était allé rendre visite au pape à l'hôpital Gemelli après la tentative d'assassinat dont il avait été victime le 13 mai 1981, une des questions posées par Jean-Paul II portait sur la résolution du statut juridique de l'Opus Dei. Il a ajouté que le pape désirait que l'on en arrive rapidement à une conclusion.

« Baggio a publié deux articles dans l'*Osservatore Romano* dès que le décret qui faisait de l'Opus Dei une prélature personnelle avait été présenté. Ces deux articles expliquaient très clairement que cela n'était pas le résultat d'une action ayant pour but de résoudre le problème d'une des institutions de l'Église, mais une façon de mettre en pratique les normes de Vatican II, a déclaré Herranz. Ces articles ont été inspirés par le pape, et je le sais parce que c'est Baggio qui me l'a dit. Le Saint-Père a déclaré que cela mettait à exécution une des idées du concile. Oui, il est certain que cela résolvait le problème institutionnel de l'Opus Dei, qui remontait à 1928. Cependant, cela n'était qu'accessoire. Vatican II avait anticipé l'arrivée de nouvelles sortes d'institutions pastorales. [...] Le pape désirait que cette décision soit perçue dans un contexte beaucoup plus étendu. »

De nombreux spécialistes en droit canon croient que la mystique qui entoure la prélature personnelle provient du fait qu'après vingt-trois ans, l'Opus Dei est encore la seule et qu'elle ne représente peut-être pas l'exemple typique de pastorale que la « prélature personnelle » devait résoudre. Quelques spécialistes déclarent que, dans un avenir proche, d'autres prélatures personnelles pourraient être instaurées. Un des effets secondaires serait de nous faire voir l'Opus Dei comme ayant moins de privilèges. Il a été proposé, par exemple, de créer une prélature personnelle pour la grande quantité d'immigrants philippins présents dans la péninsule arabique, ce qui permettrait au clergé philippin, qui parle espagnol et qui connaît ses fidèles, mais qui n'a pas de pouvoir ecclésiastique dans ces pays, de s'occuper de la pastorale sous la direction d'un prélat. Il existe quelques autres prélatures personnelles de ce genre; cette catégorie peut donc moins sembler être une faveur qui a été faite à l'Opus Dei.

Il vaut cependant la peine de faire remarquer que l'Opus Dei n'est pas la seule organisation catholique ayant reçu un nouveau statut légal durant la papauté de Jean-Paul II, en dépit des controverses que cela a créées. Le 28 juin 2002, les « statuts » du Chemin néo-catéchumal, fondé en Espagne dans les années soixante par deux laïcs catholiques qui se nommaient Kiko Argüello et Carmen Hernández, ont débouché sur une permission temporaire du Conseil pontifical pour la laïcité d'exercer pendant cinq ans. Cela s'est produit malgré le fait que le néo-catéchuménat n'entre dans aucune catégorie reconnue par le droit canon. Il ne s'agit donc pas d'une association de fidèles ni d'un mouvement ou d'un ordre religieux, encore moins d'une prélature personnelle. De plus, les instructions du Chemin néo-catéchumal, publiées en treize volumes, se trouvent être le cœur même de la doctrine du mouvement et comprennent les enseignements d'Argüello et de Hernández. Elles n'ont pas été rendues publiques. Malgré des objections analogues à celles qui avaient été émises contre l'Opus Dei – c'est-à-dire que le néo-catéchuménat cherche à envahir la conscience de ses membres et que ses documents sont secrets –, ce groupe possède à l'heure actuelle un statut légal. Nous pouvons faire les mêmes observations en ce qui concerne d'autres « nouveaux mouvements » comme Focolare, qui a reçu la permission du Vatican de se constituer en association laïque possédant le droit d'engager des prêtres parmi ses membres et qui sera dirigé par une femme après le décès de sa fondatrice, Chiara Lubich. La réponse favorable reçue par l'Opus Dei n'est donc pas aussi exceptionnelle qu'elle le paraît et illustre peut-être moins son pouvoir politique que le désir exprimé par Jean-Paul II de voir s'épanouir ces nouveaux groupes.

Béatification et canonisation

Il y a eu un autre cas où les prétendus pouvoirs de l'Opus Dei se seraient manifestés vigoureusement, c'est en 1992 lors de la béatification d'Escrivá et, à un moindre degré, en 2002, à l'occasion de sa canonisation. Cette béatification a soulevé une tempête de protestations à l'échelle internationale, en partie parce qu'on la disait avoir été décidée trop rapidement, grâce au bulldozer financier et aux relations politiques de l'Opus Dei.

« Il devrait faire partie du rang des saints avec un gros bémol, a déclaré Kenneth Woodward, qui, à l'époque, était le rédacteur chargé des matières religieuses pour le magazine *Newsweek* et l'auteur de *Making Saints* (*La Fabrication des saints*), qui traitait des procès de canonisation. Woodward a écrit que le Vatican n'avait pas accordé d'audience aux personnes qui avaient la malencontreuse idée de critiquer Escrivá. Woodward, dans une lettre qu'il a fait paraître dans la publication catholique *First Things,* explique les choses en ces termes : « L'Opus Dei a bouleversé le procès en canonisation pour faire béatifier son fondateur. En d'autres mots, cela a déclenché un scandale – qu'il s'agisse de la conduite des tribunaux, de la rédaction de la *positio* ou encore du traitement autoritaire subi par les experts choisis pour juger l'affaire. » Des commentaires similaires, bien que moins véhéments, ont été exprimés en 2002 à l'époque de la canonisation.

Des flots d'encre ont coulé pour explorer toutes les facettes du problème. Je vais essayer ici de donner les faits tels qu'ils se sont présentés et d'exprimer les points de vue différents grâce auxquels on peut les interpréter.

Les voici donc :

- La béatification d'Escrivá a été rapide selon les normes historiques. Dix-sept ans se sont écoulés entre sa mort en 1975 et la cérémonie de béatification qui eut lieu en 1992 et dix ans supplémentaires jusqu'à sa canonisation, soit un total de vingt-sept ans alors que Jeanne d'Arc a attendu six cents ans pour être canonisée !

- Le procès en canonisation a coûté cher. Le père Flavio Capucci, le demandeur, c'est-à-dire la personne responsable du procès en canonisation d'Escrivá, m'a raconté que la béatification, les procédures en vue de recueillir des témoignages et la préparation des documents avaient coûté environ 150 000 dollars et la cérémonie place Saint-Pierre 500 000 dollars. La canonisation a coûté moins cher étant donné qu'il faut seulement établir la preuve d'un miracle supplémentaire bien que, là encore, une très grande cérémonie ait été organisée. Le coût total des deux événements a dépassé 1 million de dollars.

- Quelques personnes ayant émis des critiques ont été exclues du procès. Comme je l'ai fait remarquer au chapitre 2, d'anciens membres comme María Carmen del Tapia, Miguel Fisac et María Angustias Moreno se sont portés volontaires pour faire part du souvenir qu'ils avaient d'Escrivá. Le tribunal de l'archevêché de Madrid a établi qu'ils avaient démontré ce qui, en droit canon, se nomme une « hostilité reconnue » contre Escrivá et la demande qu'ils avaient formulée pour témoigner s'est trouvée rejetée. Il s'agit là d'une décision du tribunal et non de l'Opus Dei. Un autre ancien membre, Alberto Moncada, qui, lui aussi, avait des critiques à formuler a été entendu, mais son témoignage a été jugé « peu digne de confiance ».

- On a relevé de l'opposition à l'intérieur du Vatican. De Magistris, un des deux juges parmi les neuf membres du tribunal chargés de la béatification, a également voté contre Escrivá dans des circonstances que nous avons déjà évoquées. L'autre juge était Mgr Justo Fernández Alonso, le seul Espagnol qui avait été troublé du fait que les témoins qui critiquaient Escrivá n'avaient pas été appelés à témoigner.

Comment peut-on expliquer ces faits ?

C'est tout ce qu'il y a de plus simple pour un critique comme Woodward. Malgré les réserves que l'on pouvait formuler à l'égard d'Escrivá, il est certain que l'influence et la puissance financière de l'Opus Dei avaient fait leur travail de sape. Il s'agissait d'une politique de terre brûlée qui bloquait la parole à quiconque essayait de poser des questions embarrassantes. Cela a été, dans ce sens, la dernière démonstration de la puissance de l'Opus Dei, l'équivalent ecclésiastique de Caligula qui voulait faire un sénateur de son cheval.

Eamon Duffy, un historien britannique de l'Église d'Angleterre, a écrit ce qui suit : « La canonisation du fondateur de l'Opus Dei a été l'exemple le plus frappant des Temps modernes de la réussite de la promotion d'une cause grâce à des groupes de pression qui parviennent à ce que leurs objectifs soient légitimés. Le saint est devenu ici une mascotte et une finalité pour le groupe qui le vénère. »

Capucci, chargé de diriger le groupe de personnes présentes au procès en canonisation d'Escrivá, voyait les choses de façon tout à fait différente. Évoquant la précipitation apparente des événements, il soutient que l'Opus Dei a eu de la chance avec leur synchronisation. « Il s'agissait du premier cas de canonisation qui se produisait depuis la réforme que Jean-Paul II avait entreprise en 1983, lorsqu'il avait allégé la procédure, a-t-il déclaré. Cette réforme exigeait, entre autres, qu'un nombre moindre de miracles soit obligatoire et elle éliminait le concours de l'"avocat du diable". »

Il a cité un certain nombre de cas qui ont avancé encore plus vite dans la foulée de la réforme de 1983 : « Le procès de Padre Pio a duré à peine dix-neuf ans. Les mêmes normes ont facilité la béatification d'"El Pelé" en 1997, quatre ans après que le procès eut débuté en 1994 ; le couple italien Beltrami Quattrocchi en 2001, sept ans après le début de leur procès et Manuel Rodríguez, le premier Portoricain à gravir l'autel en 2001, neuf ans après le début du sien. » Capucci aurait également pu ajouter Mère Teresa, qui a battu tous les records de rapidité pour obtenir sa béatification. Morte en 1997, elle a été béatifiée en 2003. Jean-Paul II a aboli la période d'attente normale de cinq ans après la mort d'une personne avant un procès en béatification, une mesure qu'il n'avait pas prise pour Escrivá.

Pour en venir aux coûts, il est impossible d'éluder cette question : les béatifications et les canonisations coûtent cher. Il n'existe cependant aucune preuve que l'Opus Dei a dépensé de l'argent pour autre chose que le procès et les cérémonies. La différence qui existe est que l'Opus Dei peut, si elle le veut, diriger des personnes et faire appel à des ressources pour accomplir les tâches demandées. Bien qu'elle ne possède pas la richesse que l'on veut bien lui prêter, parfois l'Opus Dei possède plus de fonds que de nombreuses organisations de laïcs ou que plusieurs ordres religieux. Et lorsque l'on suggère que le personnel du Vatican a été acheté, Capucci répond : « Une question comme cela est offensante, non seulement pour le présumé donateur, mais aussi pour celui qui reçoit l'argent. Quiconque me demande cela ne connaît pas vraiment l'Opus Dei ni la Congrégation pour les causes des saints. »

Lorsqu'il traite de la question des anciens membres qui critiquent l'Opus Dei, Capucci dit qu'il aurait aimé que leurs témoignages soient entendus et que lui-même avait proposé qu'ils le soient. Le tribunal et non l'Opus Dei a exclu les témoignages. Malgré cela, il demeure persuadé que l'examen minutieux de la vie d'Escrivá aurait survécu à tout ce que ces personnes auraient bien pu dire.

Lorsque l'on discute de la béatification ou de la canonisation d'Escrivá, nous nous retrouvons devant un débat honnête. La rapidité avec laquelle elles ont eu lieu ne semble cependant pas témoigner d'une manipulation politique de la part de l'Opus Dei, mais plutôt d'une excellente déontologie du travail. Nous avons un témoignage à ce sujet : Rafael Perez, qui a déjà tenu le rôle d'« avocat du diable » avant que cette fonction soit supprimée. Il a été l'un des juges lors de la partie du procès en béatification d'Escrivá qui se déroulait à Madrid.

« Il aurait été pratiquement impossible d'exercer quelque pression que ce soit. De plus, cela se serait également révélé inefficace étant donné le nombre de personnes ayant participé aux différentes phases du procès », a-t-il déclaré. Perez a ajouté que les deux facteurs qui ont vraiment fait la différence ont été les mérites intrinsèques du procès et le bon travail de Capucci.

« Une cause progresse lorsque les responsables savent ce qu'ils doivent faire et y consacrent une grande partie de leurs temps durant toute la durée du procès, explique-t-il. S'il arrive que certains procès soient plus lents, cela est certainement dû au fait que les personnes qui les présentent ne manifestent guère d'intérêt pour les causes ou que les *postulators* (demandeurs) s'occupent de trop de procès à la fois. Le manque de compétence d'une personne peut également causer des retards. Une fois que les témoignages ont été recueillis et soumis à la Congrégation pour la phase décisionnelle, le bureau du *postulator* a encore beaucoup de travail à accomplir pour l'étude de ces témoignages. Perez raconte qu'il a déjà vu un procès où le demandeur a subitement décédé et où l'on ne savait pas où trouver les fonds nécessaires pour en engager un nouveau. On a donc dû encourager l'évêque local pour que celui-ci prenne les choses en mains. Le procès a fini par décoller.

« L'argent ne réussira jamais à faire de quelqu'un un saint, a déclaré Perez. Cependant, il est impossible qu'un procès se déroule s'il existe un problème financier, car les personnes qui y collaborent ne sont pas des esprits désincarnés. Les responsables des congrégations, les traducteurs, les consultants, les avocats, les docteurs, les imprimeurs et ainsi de suite doivent recevoir un juste salaire. »

Il semble cependant que Perez ait omis un poste dans sa liste : l'intérêt personnel du pape. Mère Teresa n'a pas été béatifiée au bout d'à peine six ans pour la seule raison que son *postulator* avait accompli un bon travail. Il était évident que Jean-Paul II désirait qu'il en soit ainsi. De même pour le procès d'Escrivá. L'appui de longue date que le pape assurait au fondateur de l'Opus Dei, la dévotion qu'il lui portait, la visite qu'il avait rendue à sa tombe en 1978 montraient combien le pape désirait que le procès se termine avec toute la vélocité souhaitable.

Cela est en fait un argument majeur qui va contre le fait que l'Opus Dei aurait « acheté » ou « manipulé » la béatification et la canonisation d'Escrivá. Elle n'avait aucune obligation de le faire. Jean-Paul II était tout à fait en faveur et demandait que les documents parviennent à son bureau. Il voulait que le travail se fasse le plus vite possible. L'Opus Dei a déployé toutes les ressources nécessaires, y compris un *postulator* hors pair et un excellent personnel de soutien.

Il n'y a pas eu de fonds secrets pour la convocation des réunions ou pour la traduction des documents. La conclusion la plus plausible semble être que l'Opus Dei a joué de manière musclée et rapide. Cependant, elle a respecté les règles.

L'Opus Dei dans les paroisses

La plupart des catholiques accordent peu d'attention aux sujets qui ont été traités dans ce chapitre, comme le nombre de membres de l'Opus Dei au Vatican ou la politique menée derrière la béatification d'Escrivá. Lorsqu'ils ont entendu parler de l'Opus Dei, cela s'est sans doute déroulé alors qu'ils regardaient une émission spéciale traitant du roman *Da Vinci Code* sur CNN. Un certain nombre d'entre eux ont pu se faire une opinion personnelle en rencontrant des membres, soit des prêtres ou des laïcs. Lorsque ces expériences sont positives, elles peuvent démolir des préjugés. Lorsqu'elles sont négatives, elles peuvent renforcer ceux qui existent.

Certains « catholiques pratiquants » se plaignent du fait que l'Opus Dei divise l'opinion publique. Il peut s'agir d'une question de perception sélective. Les surnuméraires qui vont à la messe avec leurs enfants et qui aident leur paroisse sans faire de vagues demeurent dans l'anonymat, et l'Opus Dei n'en est pas remerciée. Au contraire, si quelque chose tourne mal, l'Opus Dei encaisse le blâme.

Il est bien possible que le cas le plus emblématique soit le père C. John McCloskey. Il est à l'heure actuelle le prêtre de l'Opus Dei ayant la plus grande visibilité aux États-Unis. Directeur du Centre catholique d'information appartenant à l'Œuvre, il devint présentateur à la télévision américaine pour parler des rapports entre la religion et la politique. À l'heure actuelle, McCloskey est aux États-Unis après avoir passé un congé sabbatique en Angleterre.

En 1986, alors qu'il était en début de carrière, McCloskey a été nommé directeur adjoint de l'Institut Saint-Thomas-d'Aquin, le campus catholique de l'Université Princeton. Cette époque a été mouvementée et s'est terminée par son renvoi en 1990. Certains critiques ont accusé l'ecclésiastique d'avoir été un personnage controversé qui tenait à conseiller ou à proscrire aux étudiants catholiques les cours qu'ils devaient suivre. Il les conseillait même au sujet des prêtres qu'ils devaient prendre comme confesseurs. Il a nié cette accusation. Les jugements rendus au sujet du mandat de McCloskey ne sont en fin de compte qu'une interprétation des faits. Tout le monde est d'accord pour dire que McCloskey encourageait la confession personnelle, par exemple. Cela pouvait aller jusqu'à dire aux étudiants ce qu'ils devaient confesser. Certaines personnes considéraient cette attitude comme un « abus de pouvoir spirituel », tandis que d'autres l'envisageaient comme faisant partie d'une pastorale bien conduite.

Il ne fait aucun doute que McCloskey pouvait paraître abrupt. Il a écrit un jour à des parents qui recherchaient une université catholique pour leurs enfants : « Prenez bien le temps d'examiner l'établissement. Si vous rencontrez des mots comme "standard", "croyance", "maturité", "conviction", "engagement", "mariage", "famille", "évangélisation", "culture", "caractère", "vérité et connaissance", poursuivez votre examen. D'autre part, si vous rencontrez des mots et des phrases comme "valeurs", "ouverture", "société juste", "diversité" et "préparation professionnelle", je vous conseille de passer votre chemin. » Il a ajouté : « Si jamais une université héberge des contestataires quelconques, laissez tomber. [...] Ne vous leurrez pas en accordant votre confiance à des personnes qui se présentent comme étant de bons catholiques, mais dont la façon de vivre et la retraite dépendent de la perpétuation de ce genre de fiction. »

Les défenseurs de McCloskey déclarent que ce dernier ne faisait qu'encourager les étudiants de Princeton à se montrer sérieux en ce qui concerne la sainteté. Ils déclarent, de plus, que certaines accusations portées contre lui étaient totalement erronées. McCloskey, par exemple, n'a jamais tenu un index des cours interdits. Il a, au lieu de cela, établi la liste des cours qu'il recommandait avec cet avertissement : « Souvenez-vous que tout dépend de la perspective du professeur qui donne le cours. Ce cours peut paraître très intéressant et très stimulant. Cependant, s'il est donné par un antichrétien, son impact peut avoir des effets négatifs. » L'opposition que McCloskey rencontrait pouvait être particulièrement ordurière. Il est arrivé qu'il ait protesté contre une parodie dont l'objectif était d'encourager les relations sexuelles protégées. Pour s'amuser, les étudiantes avaient placé des préservatifs surdimensionnés sur la tête de leurs condisciples mâles. Pour répondre aux protestations de McCloskey, un de ses détracteurs avait écrit dans le journal des étudiants : «La communauté de Princeton et la société en général devraient conseiller à McCloskey de se mettre à boire uniquement le sperme de personnes atteintes du sida...»

Il ne faut pas faire ici de distinction entre le bien et le mal, mais plutôt observer qu'aux yeux de nombreux étudiants de Princeton, McCloskey représentait ce qu'ils connaissaient de l'Opus Dei et que les réactions variaient. Quelques-uns se trouvaient rebutés tandis que d'autres se montraient impressionnés. Dans cette dernière catégorie, nous trouvons, par exemple, deux séminaristes qui sont à l'heure actuelle au North American College à Rome. Ils se préparent à devenir des prêtres qui travailleront dans des diocèses. Ils avaient rencontré le père McCloskey à Princeton.

Voici un autre exemple : David Pliske. Sa fille Bernie est une numéraire auxiliaire de l'Opus Dei déjà présentée au chapitre 9. Les Pliske forment un couple gentil et aimant et défient les stéréotypes élitistes que l'on attribue à l'Opus Dei en s'impliquant dans leur paroisse : «Je m'enorgueillis de notre paroisse et je l'aime, a déclaré David, et nous aimons aider les gens.»

Pliske est, depuis treize ans le sacristain de l'église Saint-Stanislas à Michigan City, dans l'Indiana. Ses responsabilités comprennent la formation des enfants de chœur. Il m'a déclaré sans mettre de gants au Centre de conférences de Shellbourne : «Je ne donne pas de formation aux filles.» Cela ne vient pas du fait que Pliske a quelque chose contre les filles, mais plutôt qu'étant donné les enseignements de l'Église à propos de l'ordination des femmes, il juge cette formation inutile. D'aucuns peuvent penser que la position de Pliske est très rigide et d'autres peuvent la qualifier de courageuse. De toute façon, il s'agit du genre de choses qui peut conduire à un désaccord dans de nombreuses paroisses, tout spécialement si l'on retrouve dans celles-ci quelqu'un qui a une attitude semblable à celle de Pliske et que cette personne ait des liens avec l'Opus Dei.

Tous les membres de l'Opus Dei n'ont pas des attitudes aussi provocantes que celle de McCloskey ou ne vont pas jusqu'à suivre Pliske dans ses actions. Cependant, le pourcentage des membres de l'Opus Dei qui sont plus enclins à critiquer des questions concernant les pratiques de certaines paroisses, à contester les choses qu'ils n'aiment pas et à soutenir les points de vue qu'ils estiment être des principes immuables, est plus élevé que parmi la population catholique en général. Une chose est certaine : ce sont, en règle générale, des paroissiens plus sérieux et plus motivés. D'autre part, la formation de la doctrine qu'ils ont reçue de l'Opus Dei leur donne d'excellents outils intellectuels pour défendre des positions qui resteraient sans doute au niveau du «gros bon sens». Finalement, ils ont tendance à avoir une attitude plus «conservatrice» que les catholiques ordinaires, ce qui signifie qu'ils sont plus enclins que d'autres à trouver quelque chose qu'ils désapprouvent dans une paroisse en particulier. Il n'est donc pas surprenant que certaines personnes trouvent que l'arrivée de membres de l'Opus Dei dans leur paroisse représente une expérience vivifiante.

D'autre part, ceci ne représente pas la seule expérience de l'Opus Dei. Les communautés paroissiales trouvent souvent que les membres de l'organisation, les laïcs comme les prêtres, leur apportent une bouffée d'air frais. Ces derniers sont très souvent motivés, travailleurs et joyeux et, s'ils prennent véritablement leurs directives en s'inspirant des concepts de liberté chrétienne, ils se montrent charitables et affichent des attitudes non cléricales.

Le père Jerome Kisch, par exemple, est le curé de la paroisse de Saint-Pierre et Saint-Paul à Naperville (Illinois), dans le diocèse de Joliet. Il est également membre de la Société sacerdotale de la Sainte-Croix, l'association de prêtres sous l'égide de l'Opus Dei. Il a raconté qu'il était entré en contact avec l'Opus Dei alors qu'il était à l'université, mais qu'il n'a vraiment commencé à l'apprécier qu'après son ordination. «Lorsqu'on est au séminaire, on y retrouve tout ce dont on a besoin pour sa vie spirituelle; une fois que l'on est ordonné prêtre, il faut aller à la recherche des éléments nous permettant de la renouveler, a-t-il dit. Personne ne vous décerne de notes. Il est donc très utile de rencontrer régulièrement un directeur de conscience.»

Kisch a raconté que, d'après sa propre expérience, l'Opus Dei l'avait aidé à être plus patient envers ses paroissiens et ses collègues prêtres, et qu'elle avait été tout le contraire d'un élément de division. «Les gens ne sont pas toujours d'accord quand il est question des choses de l'Église, a-t-il ajouté. Peut-être serais-je plus dédaigneux sans la ligne de conduite qui nous est dictée par l'Opus Dei. Cela m'aide à reconnaître que les autres prêtres de ma paroisse sont mes frères, que nous appartenons à la même famille. J'ai besoin de vivre ces expériences dans un esprit de vraie charité.»

Il a reconnu, en même temps, qu'il arrive que les choses se révèlent un peu plus compliquées. Quelques parents de sa paroisse ont décidé de créer leur propre école, par exemple la Kingswood Academy. Ils désiraient que leurs enfants aient une formation qui forme vraiment le caractère, nous a raconté Kisch. Ils ont donc commencé par accepter l'inscription de cent enfants. Le problème qui se posait est que la paroisse possédait déjà sa propre école. Il s'ensuivit que certaines personnes l'ont observé pour voir où allait sa préférence. «Lorsque je donne un coup de main à la nouvelle école, je le fais pendant mes jours de congé. Les deux écoles ne se trouvent donc pas en véritable concurrence.»

Le père Joan Costa est prêtre dans une paroisse de Barcelone, en Espagne. Il est également membre de la Société sacerdotale de la Sainte-Croix. Parmi les six cents prêtres qui font partie du diocèse de Barcelone, Costa a déclaré que soixante appartenaient à la société et il a reconnu que les relations n'avaient jamais été faciles avec l'ancien cardinal, Ricardo María Carles Gordó. «Il estimait que, si tous les prêtres du diocèse n'étaient seulement que des prêtres diocésains ne possédant pas de liens avec d'autres groupes, l'unité serait plus forte au sein du diocèse, affirme Costa. Cependant, j'estime que cela est faux. J'essaye de tisser des liens d'amitié avec les autres prêtres, de passer du temps en leur compagnie. Par exemple, nous allons ensemble à la montagne. En ce qui concerne les membres de la société, un des points de notre spiritualité est de vouloir des relations d'amitié avec tous les prêtres. Saint Josemaría Escrivá utilisait une expression magnifique, il disait que la distance entre un prêtre de l'Opus Dei et un autre prêtre était moindre qu'une feuille de papier ultrafine. En d'autres mots, nous sommes au fond tous pareils. C'est comme cela que j'essaye de vivre et c'est également comme cela que j'essaye d'aborder mes paroissiens. Je ne suis pas meilleur qu'eux. »

Emily Kloc est une paroissienne de longue date de Sainte-Marie-des-Anges, à Chicago. Cette paroisse a été la seule des États-Unis avoir été confiée aux soins de l'Opus Dei depuis 1991. Mme Kloc, née en 1933, a toujours été une paroissienne très active depuis l'époque où Sainte-Marie-des-Anges était une paroisse polonaise très homogène jusqu'à ce qu'elle devienne une paroisse multiethnique. « Je respecte et j'ai la plus grande admiration pour les prêtres de l'Opus Dei, a-t-elle déclaré. Ils sont toujours disponibles pour nous écouter. Je ne peux pas dire le nombre d'heures pendant lesquelles ils restent assis dans leurs confessionnaux. » Elle a tout particulièrement louangé John Debicki, le curé de la paroisse, un Polonais qui dit la messe dans sa langue une fois par semaine. Mme Kloc relate que, sous la houlette du père Debicki, il n'y a eu aucune dissension dans la paroisse à cause de la présence de l'Opus Dei.

« Notre paroisse a toujours fait preuve d'une dévotion toute spéciale envers Notre-Dame du Perpétuel Secours, de sainte Thérèse et d'autres saints, a-t-elle dit. À l'heure actuelle, nous avons également saint Josemaría. Où se trouve le problème ? La grande majorité de paroissiens ne font pas que montrer leur satisfaction. Ils sont emballés. Je les vois prendre la religion avec toujours plus de sérieux. Ils sont de plus en plus nombreux à aller se confesser. Comment pouvez-vous contester ces résultats ? »

Étant donné qu'il n'y a que 85 491 membres de l'Opus Dei dans le monde et que l'Église catholique compte 1,1 milliard d'adeptes, les chances qu'un catholique rencontre un membre de l'Opus Dei sont à peu près nulles. Il se peut qu'il en rencontre un ou deux au cours de sa vie. Une grande partie de l'opinion publique relative à l'Opus Dei se base donc sur les membres que l'on a pu rencontrer. S'agissait-il de McCloskey ou de Kisch? Était-ce Pliske? Était-ce Costa? Comment ces personnes ont-elles réagi à ce qu'elles ont vu et entendu? Ont-elles réagi comme Mme Kloc, de la paroisse de Sainte-Marie-des-Anges, ou ont-elles fait preuve d'hostilité comme certains étudiants de Princeton? Les perceptions que l'on peut avoir de l'Opus Dei en tant qu'élément de discorde ou de l'étendue de son pouvoir se jouent souvent sur ce genre de rencontres fortuites.

L'Opus Dei et les Jésuites

L'université de l'Opus Dei à Rome, Santa Croce, occupe un bâtiment qui appartenait autrefois aux Jésuites et qui se trouve juste à côté de la Piazza Navona. Le pape Jules III (1550-1555) a donné l'église de Sant'Apollinare et le bâtiment adjacent, y compris ce qui est, à l'heure actuelle l'Université Santa Croce, au collège allemand qui avait été créé par saint Ignace de Loyola, le fondateur des Jésuites. À l'heure actuelle, Sant'Apollinare est l'église principale utilisée par l'Université Santa Croce et nous y retrouvons, dans son hall, un endroit réservé à la dévotion d'Escrivá. Un peu plus loin, dans la nef centrale, devant la balustrade, on trouve deux chapelles latérales, une à droite et une à gauche, qui datent de l'époque où l'Opus Dei est arrivée. Une des deux chapelles contient une statue de saint Ignace et l'autre une statue de son grand collaborateur, le patron des missionnaires, saint François Xavier.

Il ne faudra jamais dire que Dieu ne possède pas le sens de l'humour, car chaque jour qui passe voit les gros bonnets de l'Opus Dei en train de faire leurs dévotions sous le regard de ces jésuites.

La rivalité qui existe entre l'Opus Dei et les Jésuites est en fait assez ironique, étant donné qu'Escrivá faisait preuve d'une très grande dévotion envers saint Ignace. On a le sentiment que ces deux hommes, séparés par les siècles, s'entendaient, en fait, admirablement bien. Tous deux étaient espagnols, tous deux étaient des passionnés, tous deux étaient capables de faire preuve de talents d'organisateur à un moment, de poésie et de débordement de spiritualité à un autre. Le nom même, «Opus Dei», a été la création d'un jésuite, le père Valentín Sánchez Ruis, qui a été le confesseur d'Escrivá pendant un moment et qui lui a demandé à brûle-pourpoint : «Comment se porte l'œuvre de Dieu?»

À la fin des années trente et au début des années quarante, les relations de l'Opus Dei se sont cependant détériorées en Espagne lorsqu'un jésuite, le père Ángel Carrillo de Albornoz, a commencé à critiquer l'Opus Dei, en partie parce que l'organisation détournait les jeunes gens des congrégations mariales, des associations religieuses qui, traditionnellement, jouaient le rôle de pépinières de jésuites. Plus grave, Carrillo voyait l'Opus Dei comme une secte quasi maçonnique qui suivait son propre calendrier. Les propos acerbes que se sont échangés Carrillo et Escrivá se retrouvent dans leur correspondance, telle qu'elle a été reproduite dans la biographie de Vásquez de Prada. Ils sont la preuve d'un de ces cas d'épreuve de force lorsque s'opposent deux opinions inconciliables. Les deux hommes faisaient preuve d'orgueil et chacun était convaincu que l'autre se berçait d'illusions.

Carrillo avait été un avocat brillant au service du gouvernement avant de rejoindre les Jésuites. De plus, il était particulièrement bel homme, imposant, et dégageait beaucoup de magnétisme. Les jésuites espagnols qui faisaient leur noviciat dans les années quarante relatent combien leur vocation avait été influencée par ses sermons, sa direction spirituelle et sa personnalité. Il avait été l'aumônier des forces nationalistes pendant la guerre civile et avait même été laissé pour mort durant un raid aérien. Un médecin ayant découvert qu'il s'agissait d'un jésuite avait alors décidé de l'opérer. Il en est sorti avec une plaque de platine dans le corps, qui lui procurait de vives douleurs à l'occasion. Il lui arrivait d'ailleurs de crier lorsqu'il disait la messe. On le considérait comme un héros, et il n'est pas surprenant que de nombreuses personnes l'aient suivi dans sa lutte contre l'Opus Dei. Ses motifs ont pu avoir pour cause la compétitivité qui existait entre les deux prêtres. Cependant, Carrillo était convaincu qu'il y avait quelque chose de trouble dans l'Opus Dei, qu'il s'agissait d'une organisation secrète, anticatholique et dangereuse. Sa dispute avec

Escrivá n'avait aucun rapport avec la théologie, étant donné que Carrillo était un catholique orthodoxe et conservateur.

Après avoir terminé un travail à Rome pour la curie des Jésuites, Carrillo a déconcerté ses frères en quittant l'ordre en 1951. D'une manière un peu mystérieuse, il a écrit au général des Jésuites en Suisse et lui a renvoyé l'argent qui lui avait été avancé pour son voyage. Il a abouti à Paris où un entrepreneur (présumé contrebandier) répondant au nom de Martorell l'a engagé pour diriger ses opérations. Après avoir reçu son jugement en laïcité, Carrillo a épousé la fille de Martorell, Maria Teresa, dans une église protestante de Paris. Carrillo est décédé en 1981 sans avoir montré qu'il avait réintégré l'Église ni avoir demandé les derniers sacrements. Un groupe d'anciens membres des congrégations mariales ont, cependant, fait dire une messe à sa mémoire à Madrid, ce qui montre bien la forte impression qu'il leur avait laissée.

L'antagonisme qui s'était développé entre l'Opus Dei et les Jésuites au cours de ces années n'a jamais disparu. Il a même vécu un renouveau d'énergie après Vatican II. De nombreux jésuites dans le monde ont plongé résolument dans la vague qui a suivi le concile. Ils ont uni les communautés de pauvres pour étudier les écritures et analyser leur situation à la lumière de ces dernières, pour écrire une théologie de la libération, pour mettre au défi les autorités au sein de l'Église et insister sur des impératifs politiques et personnels. L'Opus Dei désirait davantage nager à contre-courant. Elle insistait sur le fait que le rôle de l'Église n'était pas de promouvoir un programme politique, mais plutôt de transmettre les traditions spirituelles et doctrinales qui représentent les principales raisons de son existence.

Le nouvel adversaire d'Escrivá, ainsi que le percevait le public, est devenu le nouveau général de la Société de Jésus. Il s'agissait du père Pedro Arrupe, né cinq ans plus tard que son compatriote espagnol, en 1907, et décédé en 1991 à la suite d'une longue maladie. Si Arrupe symbolisait la philosophie post-Vatican II et nommait ses jésuites «des hommes au service des autres», ce qui en pratique signifiait quelquefois s'allier avec des mouvements en faveur de la paix et de la justice et s'engager dans une forme d'activisme centré sur l'étude des Évangiles, Escrivá suivait un autre chemin et insistait sur la préséance des formes traditionnelles de la prière, de la dévotion et de la vie sacramentelle. Cela ne signifiait pas que les Jésuites ne priaient pas ou que les membres de l'Opus Dei ne se préoccupaient pas des pauvres ; il s'agissait d'un problème de mise en évidence et d'idée maîtresse. En Amérique latine tout spécialement, les Jésuites ont été désignés comme les champions du mouvement de la théologie de la libération des années soixante-dix et quatre-vingt. Ce mouvement a essayé de briser l'étreinte traditionnelle de l'Église catholique sur les élites dirigeantes de ces pays. L'Opus Dei, qui n'était absolument pas la seule et la plus importante source d'opposition à la théologie de la libération, a adopté une autre approche. Un changement social devait, selon elle, être le résultat d'un changement qui s'opérait « un cœur à la fois ». La spiritualité d'Escrivá s'est exprimée dans *Chemin* : « Je vais vous dire un secret, un secret de Polichinelle : les crises mondiales sont des crises de saints. »

De la même façon que, motivés par leur grand amour pour l'Église et le désir qu'ils avaient de la voir réaliser la meilleure version d'elle-même, quelques jésuites adoptaient une position plus critique vis-à-vis de l'autorité et de la tradition, ce même amour de l'Église poussait Escrivá et l'Opus Dei à se raccrocher à l'autorité et à la tradition avec encore plus de force. Les deux hommes s'entendaient bien au niveau personnel. Arrupe s'est déplacé expressément pour se rendre à l'enterrement d'Escrivá en 1975. Ils menaient, cependant, leurs communautés dans des directions différentes.

Rien ne peut mieux cristalliser la tension qui prévalait alors que le fait suivant : Jean-Paul II a tout d'abord différé pendant treize mois, d'octobre 1981 à novembre 1982, la demande d'Arrupe de convoquer la Congrégation générale des Jésuites. Le pape a nommé son propre délégué pour préparer cette réunion et a donné à l'Opus Dei son statut de prélature personnelle. Il s'agissait là de deux décisions qui avaient un passé complexe et des conséquences. Cependant, aux yeux du grand public, cela a paru être un acte répressif dirigé contre les Jésuites et un pouvoir accru accordé à l'Opus Dei, un peu comme si l'un avait passé le flambeau à l'autre.

Ces perceptions, bien qu'exagérées, ont été suffisantes pour continuer à attiser la flamme du conflit. Voici un petit épisode des plus révélateurs. En juillet 1990, au Pérou, l'évêque auxiliaire de l'époque, Juan Luis Cipriani d'Ayacucho (aujourd'hui cardinal de Lima), un membre de l'Opus Dei, a fait fermer le bureau d'action sociale de l'archevêché qui était dirigé par un missionnaire jésuite, le père Carl Schmidt. Les Jésuites ont interprété ce geste comme un signe que Cipriani et l'Opus Dei ne désiraient pas défier le statu quo ; Cipriani a soutenu que la position politique radicale de ce bureau faisait penser qu'il était complice des mouvements terroristes.

Bien que les Jésuites et l'Opus Dei insistent pour déclarer qu'il existe de nombreux cas d'amitié entre les membres des deux organisations, il est impossible de nier qu'elles semblent évoluer sur deux planètes différentes. Lorsque j'ai rendu visite au centre Windmoor de l'Opus Dei de l'Université Notre-Dame, en septembre 2004, je me suis retrouvé avec un groupe de jeunes gens qui, pour des raisons différentes, étaient attirés par l'Opus Dei. Chacun d'entre eux m'a raconté son histoire personnelle. Quand est venu le tour de David Cook, un jeune homme de vingt et un ans, il m'a mentionné qu'il avait été dans une école tenue par des jésuites pendant un certain nombre d'années, ce qui a déclenché une crise de fou rire dans la pièce. Semblablement, au Pérou j'ai rencontré un jésuite qui travaillait pour la Conférence des évêques péruviens. Lorsque je lui ai demandé son opinion sur l'Opus Dei, il m'a répondu qu'elle était mauvaise. Voulant en connaître la raison, il m'a répondu : « Je suis jésuite. » Cela suggérait qu'il était totalement inutile de donner une explication supplémentaire. Deux des critiques de l'Opus Dei les plus sérieux en langue anglaise, Michael Walsh, auteur du livre *The Secret World of Opus Dei* (*Le Monde secret de l'Opus Dei*) et Peter Hebblethwaite, le regretté écrivain du Vatican, ont été jésuites.

Lors d'un épisode jusque-là inédit, il y a eu la possibilité d'un changement dans les relations entre l'Opus Dei et les Jésuites à la fin des années soixante et au début des années soixante-dix, mais elle ne s'est pas concrétisée. Arrupe, le général des Jésuites, espérait offrir un rameau d'olivier à Escrivá. De façon concrète, il a proposé que les Jésuites et l'Opus Dei s'unissent pour fonder une nouvelle université. De cette façon, non seulement pourraient-ils rassembler leurs ressources dans un but éducatif, mais, de plus, ils parviendraient peut-être à surmonter leurs différends et ainsi à combler le fossé toujours plus profond qui existait dans l'Église catholique et que la brouille entre la Société de Jésus et l'Opus Dei symbolisait. Il ne fait aucun doute qu'Arrupe estimait qu'étant donné le long passé d'évangélisateurs de la classe intellectuelle des Jésuites et de l'Opus Dei, ce projet représenterait une extension naturelle de leurs missions respectives.

Comme Echevarría nous le raconte, Escrivá n'a pas accepté cette proposition.

« Il a dit à Arrupe : "Cela représente un risque pour vous", a expliqué Echevarría. Les Jésuites ressemblaient de plus en plus à un mouvement laïque. Ils voulaient s'engager dans toujours plus d'actions dans le monde et se trouvaient en danger de perdre leur identité de religieux. Escrivá avait l'impression que si nous suivions cette route, soit l'Opus Dei deviendrait plus religieuse, soit les Jésuites deviendraient plus sécularisés. De toute façon, une des deux parties en sortirait malmenée. Cette association ressemblerait à des médecins et à des avocats qui essayeraient de travailler dans le même cabinet. »

C'est ainsi que la proposition d'une université dirigée à la fois par des Jésuites et par l'Opus Dei n'a jamais été acceptée.

Peu importe la logique, tout catholique possédant une certaine imagination ne peut faire autrement que de ressentir un certain manque de vision dans la réponse d'Escrivá. Non seulement une telle université aurait constitué une excellente expérience de dialogue au sein de l'Église (j'aurais payé n'importe quoi pour pouvoir assister à leurs réunions académiques!), mais elle serait certainement devenue une université de premier ordre aux plans universitaire et professionnel.

La plupart des observateurs disent que ces vieilles rivalités se sont calmées à l'heure actuelle. Le général des Jésuites est de nos jours le père Peter-Hans Kolvenbach. Il m'a dit connaître l'évêque

Alvaro del Portillo qu'il considérait comme un «excellent homme» et qu'à son avis il n'y avait «aucun problème» entre les deux groupes. Nous avons eu la preuve sur le terrain. David Kuomán, un surnuméraire qui vit à Lima, au Pérou, m'a confié que lorsqu'il avait commencé à éprouver une attirance pour l'Opus Dei, il avait rencontré son confesseur, un jésuite. «Si vous avez trouvé votre voie, empruntez-la», lui a répondu gentiment le prêtre. Et pourtant, aujourd'hui, en 2006, on retrouve encore une certaine tension entre les deux groupes, une tension muette d'une forme moins explosive. Les Jésuites et les membres de l'Opus Dei vont devoir imaginer des façons créatrices de passer outre ces divisions qui perdurent. Cela constituera un excellent test pour voir les possibilités de guérison qui existent au sein de l'Église.

L'avenir

Les dirigeants de l'Opus Dei insistent pour dire que l'organisation n'a pas d'«ordre du jour» concernant l'Église catholique et que les membres ont la liberté de prendre les positions qu'ils désirent sur toutes les questions controversées, dans les limites des positions de l'Église. En ce qui concerne certains problèmes épineux signalés aux États-Unis, par exemple, pour savoir si les politiciens prochoix ont le droit de recevoir la communion, on trouve des membres de l'Opus Dei des deux côtés de la barricade. J'ai déjeuné, il y a peu de temps, avec un prêtre de l'Opus Dei à Washington. Il m'a raconté qu'avant de refuser la communion à quelqu'un, il avait plus besoin d'en savoir davantage sur cette personne que de connaître pour qui elle allait voter. Il est d'avis que «tous les gens intelligents» qu'il fréquente à l'Opus Dei prennent une position plus libérale en rapport avec ces questions. Par contre, j'ai rencontré de brillants membres de l'Opus Dei qui ne sont pas de cet avis. Il faut donc retenir qu'il existe un véritable pluralisme d'idées.

Cependant, la distinction que font ordinairement les membres de l'Opus Dei entre les «enseignements de l'Église», ce qui se trouve au-delà des débats et les questions en suspens, qui ne s'y trouvent pas, n'est pas aussi simple qu'il y paraît. De nombreux théologiens, et encore plus de catholiques ordinaires, croient à la possibilité d'un mouvement progressiste, alors que l'Église réfléchit de plus en plus sur les textes des Évangiles, sur la tradition et sur les expériences humaines. C'est ce que le cardinal anglais John Henry Newman, un homme du XIXe siècle, avait appelé le «développement de la doctrine» dans une phrase mémorable où il affirmait que «vivre c'était changer, et qu'être parfait, c'était avoir souvent changé». C'est ainsi que de nombreux penseurs catholiques se retrouvent tout le temps dans une position où ils exercent des pressions. Ils forcent l'Église à repenser quelques positions traditionnelles relatives à la sexualité, aux religions non chrétiennes, à l'autorité papale et à une foule d'autres questions. Cela ne garantit pas le relativisme, soutiennent quelques penseurs, mais une fidélité plus raisonnée. Il existe un risque lorsque l'on fige les «enseignements de l'Église» à une période donnée de son développement : celui d'idolâtrer une certaine phase de la doctrine qui n'atteindra sans doute son niveau de perfection, tel que Newman l'a évoqué, qu'après beaucoup de changements.

Les membres de l'Opus Dei tendent à préférer un point de vue plus conservateur concernant la tension entre les deux tendances suivantes : celle de conserver la foi telle qu'elle est ou de réfléchir si la communauté a bien réalisé ce que représentent certains points particuliers de cette foi. Voici l'extrait d'un essai rédigé par McCloskey, dans lequel il s'imagine écrire à un prêtre qui vient d'être ordonné en 2030.

> *Comme vous l'avez appris, il existait environ 60 millions de personnes se disant catholiques au moment du Grand Jubilé du début du siècle. Vous pouvez vous demander comment ce chiffre est tombé aux 40 millions de fidèles que nous avons à l'heure actuelle. Je pense, en faisant preuve de tact, que la réponse pourrait s'expliquer par une consolidation des effectifs. L'état de la situation n'est pas aussi mauvais qu'il y paraît. Lorsque l'on examine les choses rétrospectivement, on s'aperçoit que seulement 10 % des 60 millions de personnes «inscrites au programme» adhé-raient pleinement aux enseignements de l'Église en assistant au*

moins à la messe dominicale toutes les semaines et en se confessant annuellement. Les catholiques que nous avons à l'heure actuelle sont mieux formés. Ils pratiquent leur foi de façon traditionnelle à un niveau plus élevé que jamais. De plus, ils manifestent un désir toujours accru de partager leur foi avec leurs voisins. Le mot dissidence a disparu du vocabulaire théologique. [...] Si nous poursuivons dans la même ligne de pensée, grâce à ce pivot de personnes, nous pourrons transformer le monde.

La ligne de pensée décrite par le père McCloskey n'est sans doute pas celle que les catholiques plus libéraux aimeraient suivre.

Il ne s'agit donc pas de savoir si l'Opus Dei suit une «ligne de pensée» ou un «ordre du jour» comme McCloskey l'accorderait (car il ne parle ici que pour lui-même). Cela reflète plutôt, jusqu'à un certain degré, la sociologie des membres de l'Opus Dei. Voilà la réalité, et elle nous suggère une collision douloureuse pour les temps à venir avec les catholiques qui ont une vision plus libérale ou «progressiste». C'est seulement à ce stade que l'on peut dire que l'Opus Dei est «source de discorde», ce qui arrive chaque fois que l'on pose des questions difficiles. Toute discussion traitant de ce genre de réalités sera plus productive si l'on se concentre sur les objectifs à atteindre. Quelles devraient être les limites d'une discussion acceptable? Comment devons-nous comprendre les implications de la fidélité aux enseignements de l'Église? Comment traitons-nous les conflits lorsqu'ils se présentent? Comment les catholiques peuvent-ils parvenir à s'écouter entre eux avant de juger? Ces questions n'ont aucun rapport avec l'Opus Dei, cependant ses membres seront des intervenants importants à l'occasion de telles discussions.

CHAPITRE 12

L'OPUS DEI ET LA POLITIQUE

Une très importante conférence internationale s'est tenue à Rome du 8 au 11 janvier 2002 à l'occasion du centième anniversaire de la naissance de saint Josemaría Escrivá. Cette conférence était intitulée «Grandeur de la vie ordinaire». Cet événement a attiré mille deux cents personnes venant de cinquante-sept pays, comportait un très grand nombre de personnalités très importantes et était diffusé en direct sur Internet. Il est certain que l'on s'attend à ce que de nombreux théologiens, historiens, prêtres et religieuses prennent part à une manifestation en l'honneur d'un saint catholique. Cependant, la présence d'un sénateur américain qui ne faisait même pas partie de l'Opus Dei exige un peu plus d'explications.

Le sénateur américain Rick Santorum, républicain originaire de Pennsylvanie, était sur place pour prendre part à une table ronde sur le rôle de la religion dans la vie publique. Santorum, catholique, est un grand admirateur d'Escrivá. Il a prouvé qu'il était d'accord avec une citation célèbre tirée de *Chemin*: «Vous êtes-vous jamais arrêté pour penser combien il était stupide de mettre son catholicisme de côté lorsque vous entrez à l'université, lorsque vous décidez de joindre une association professionnelle ou lorsque vous assistez à une réunion scolaire ou à un congrès, exactement de la même manière que si vous laissiez votre chapeau au vestiaire en entrant dans une salle?»

Santorum a critiqué toute distinction existant entre la foi religieuse et la responsabilité publique alors qu'il prévoyait le débat qui ne manquerait pas de se produire aux États-Unis en 2004 entre le président George W. Bush et le sénateur John Kerry. Il a tout spécialement attaqué le célèbre discours que Kennedy avait fait à Houston en 1960 au cours duquel il déclarait que, s'il devenait président, il ne laisserait pas l'Église catholique lui dicter sa ligne de conduite. Santorum a déclaré que cette façon de penser avait fait beaucoup de tort à l'Amérique. Il a notamment affirmé : «Nous avons tous entendu dire par certaines personnes : "Je suis personnellement contre l'avortement, le mariage entre homosexuels, la recherche concernant les cellules souches, le clonage. Cependant qui suis-je pour décider ce qui peut être bon pour quelqu'un d'autre ?" Cela semble parfait, mais, en fait, il s'agit d'une déformation de la liberté de conscience.»

Lors d'interventions devant des assemblées de catholiques, Santorum a soutenu qu'il n'est pas suffisant de dire que, personnellement, on appuie les mesures de l'Église en ce qui concerne l'avortement ou les mariages homosexuels, si l'on n'impose pas ces points de vue au moyen de lois. Il a attaqué ce type de raisonnement en le décrivant comme une sorte de schizophrénie morale. À cet égard, Santorum a fait une affirmation audacieuse, anticipant là encore la rhétorique qui entourait les élections de 2004, en déclarant que George W. Bush était le premier président catholique des États-Unis étant donné qu'il insistait sur les problèmes économiques des pauvres ainsi que sur ceux de justice sociale ou ceux traitant de la vie humaine. «George Bush est là, a déclaré Santorum. Il a vraiment le droit de dire : "Si vous êtes un catholique pratiquant, je suis là où vous êtes."»

Le 26 juin 2002, Santorum faisait de nouveau la une. Il participait à une table ronde au Centre culturel Jean-Paul II à Washington, D.C., aux côtés de Jean DeGroot, professeur de philosophie à l'Université catholique, et le père Romanus Cessario, théologien dominicain que nous avons déjà mentionné. Le thème de la table ronde était : «Le rôle du chrétien dans le monde laïque. Les aspects de la pensée du bienheureux Josemaría Escrivá». La presse désigne parfois Santorum comme membre de l'Opus Dei, et, bien que cela soit inexact, on peut pardonner aux journalistes de faire cette erreur.

Une vieille plaisanterie court à propos de l'Église d'Angleterre. On la surnomme en effet « le Parti conservateur en prières ». Vu de l'extérieur, il serait facile de tirer une conclusion similaire en ce qui concerne l'Opus Dei dans de nombreuses parties du monde. Les liens entre le Parti républicain et l'Opus Dei sont bien connus aux États-Unis. Un certain nombre de républicains conservateurs comme Robert Bork, Robert Novak et le sénateur Sam Brownback se sont convertis au catholicisme grâce à l'action du père C. McCloskey, sans toutefois devenir membres de l'Opus Dei. La presse américaine désigne souvent deux juges de la Cour suprême, Antonin Scalia et Clarence Thomas, comme Opusiens. Bien qu'aucun de ces deux personnages ne soit membre de l'organisation, il n'en demeure pas moins que ces spéculations sont le résultat d'attitudes très conservatrices de la part de ces juges. Le Centre catholique d'informations, affilié à l'Opus Dei et qui se trouve rue K à Washington, D.C., est devenu le point de rencontres des catholiques conservateurs impliqués en politique et qui font du lobbying sur la colline parlementaire. La messe de midi quotidienne est souvent le point de rencontre du gratin de ce monde très particulier.

En Espagne, le gouvernement du précédent premier ministre José Maria Aznar, qui appartenait au Parti conservateur populaire, comptait parmi ses membres trois personnalités de l'Opus Dei. Federico Trillio, surnuméraire, était ministre de la Défense et Jesús Cardenal, un autre surnuméraire, était un personnage important du ministère des Finances (Cardenal n'est pas membre du Parti populaire, il a été nommé sous l'étiquette d'indépendant.) De plus, l'ancien directeur en chef de la police, Juan Cotino, était un agrégé. Il n'existe pas de ministres appartenant à l'Opus Dei dans le gouvernement du premier ministre actuel, le socialiste José Luis Rodríguez Zapatero. Au Pérou, le seul membre de l'Opus Dei impliqué dans la politique nationale est Rafael Rey, numéraire membre du Congrès et opposant conservateur au gouvernement de centre gauche actuel dirigé par le président Alejandro Toledo. En Italie, le journaliste

Alberto Michelini, surnuméraire de l'Opus Dei, a servi comme député le Parti conservateur Forza Italia que Silvio Berlusconi, le magnat des médias italiens, avait lancé.

En Pologne, Roman Giertych, le chef de la très conservatrice Ligue des familles catholiques, est surnuméraire. Giertych a déclaré qu'il voulait se porter « défenseur de la Pologne chrétienne » et, par conséquent, s'est affiché fortement contre l'Union européenne. Il a comme ambition de construire une force politique qui ressemblerait au Parti populaire d'Aznar, en Espagne, ou au Parti conservateur britannique. Au Chili, le maire de Santiago, qui est également le chef de l'Union démocratique indépendante, un parti d'extrême droite, se nomme Joaquín Lavín. Ce dernier, un surnuméraire, a été candidat aux élections présidentielles de 1999, cependant il a perdu au profit de Richard Lagos au deuxième tour. Il est prévu qu'il se représentera aux élections de 2005.

Nous pourrions multiplier à l'infini les exemples. Cependant, il faut retenir que lorsque des membres ou des supporters de l'Opus Dei sont impliqués en politique, ils ont tendance à être des personnes de droite. Nous relevons que les voix des membres de l'Opus Dei sont particulièrement fortes lorsqu'il s'agit de questions relevant de « conflits de cultures ». Cette réalité a conduit beaucoup d'observateurs extérieurs à conclure que l'Opus Dei est, en soi, une force « de droite » ou « conservatrice » de la politique séculière.

Cela nous amène cependant très vite à faire une distinction. Lorsqu'on déclare qu'une organisation est « conservatrice », on peut donner deux sens à ce mot. Le premier est sociologique, c'est-à-dire qu'une grande partie de ses membres sont traditionnels ; le second est institutionnel, ce qui signifie que l'organisation en question a une ligne de conduite que l'on peut décrire comme conservatrice. Comme je vais l'expliquer dans ce chapitre, l'Opus Dei ne peut être qualifiée de conservatrice lorsque l'on prend le premier sens, même s'il existe quelques exceptions. En ce qui concerne le deuxième sens, l'Opus Dei ne possède pas de position politique propre à l'organisme et, lorsque l'on peut parler du « conservatisme » de ses membres, ce qualificatif doit disparaître lorsque l'on parle de l'institution.

L'Opus Dei et la « ligne de parti »

Comme je l'ai déjà fait remarquer, il existe dans l'Opus Dei une profonde aversion pour les activités de groupe. Une parole célèbre d'Escrivá s'énonce en ces termes : « L'Opus Dei n'agit pas ; ce sont ses membres qui agissent. » En conséquence, Escrivá a toujours été contre l'idée d'un parti politique catholique. « Il me paraît préférable, a-t-il écrit dans une lettre du 16 juin 1960, que de nombreux catholiques qualifiés travaillent à l'intérieur d'une structure politique et y assument des positions de responsabilité. Cela leur permet de créer une véritable présence catholique, soutenue par un authentique amour pour leurs collègues de travail. » Cette insistance pour que les Opusiens évitent de se présenter comme des catholiques « officiels » nous permet d'expliquer pourquoi ceux qui ont une vie politique active n'aiment pas qu'on les affilie à l'Opus Dei. Il ne s'agit pas toujours d'entretenir le secret, mais plutôt de suivre les instructions d'Escrivá, qui insiste pour que leur situation évolue suivant leurs mérites et non parce qu'ils se présentent comme s'ils apportaient une réponse approuvée par le catholicisme à une question politique.

Escrivá avait deux raisons pour vouloir garder l'Opus Dei en dehors de la politique. La première était le respect des principes de liberté chrétienne et de laïcité ; la deuxième était pour empêcher les divisions internes au sein de l'Opus Dei. Un ancien membre de l'organisation, Juan Jiménez Vargas, a parlé de la façon dont l'approche d'Escrivá influençait les membres. « L'unité de l'institution était primordiale. Chacun d'entre nous prenait part aux élections d'une façon tout à fait normale, tout en conservant une grande prudence pour ne pas prendre part à des activités qui pourraient être dommageables à l'Œuvre ou qui pourraient l'identifier à une idée politique et la relier à un parti. »

Escrivá pouvait se montrer féroce sur ce point. « Si jamais l'Opus Dei s'était engagée en politique – ne serait-ce qu'un instant –, j'aurais quitté l'Œuvre au moment précis où cette erreur aurait été découverte, a-t-il déclaré en 1970. D'une part, nos moyens et nos objectifs sont toujours et exclusivement d'un caractère surnaturel. D'autre part, chaque membre, homme ou femme, possède en ce qui concerne les questions laïques une liberté personnelle totale, respectée par chacun, ainsi que la responsabilité de la conséquence logique de ses actes. C'est pourquoi il est impossible que l'Opus Dei soit identifiée à des entreprises qui ne sont pas explicitement de nature apostolique et spirituelle. »

L'Opus Dei et la démocratie chrétienne en Espagne

Nous avons un excellent exemple de la façon dont Escrivá insistait pour que ses membres conservent leur indépendance politique, lorsque le Vatican a essayé de former un parti démocrate-chrétien en Espagne à la fin de l'époque Franco et que le Fondateur a refusé d'être inclus dans ce projet. Giovanni Benelli a été un des personnages les plus remarquables à travailler à la curie romaine. Diplômé de l'Académie ecclésiastique du Vatican, l'école d'élite destinée aux diplomates, située sur la Piazza Minerva à Rome, il a été chargé d'affaires de l'ambassade du Vatican en Espagne avant d'être consacré évêque en 1966. Il a été envoyé comme nonce apostolique, c'est-à-dire ambassadeur, au Sénégal où il demeura en poste jusqu'en 1967, année où il fut rappelé à Rome pour occuper le poste de *sostituto*, soit le personnage officiel responsable des affaires quotidiennes de l'Église au Secrétariat d'État. Cette nomination faisait de lui le bras droit de Paul VI et il exerçait son autorité d'une façon qui n'a pas souvent été répétée. C'était un travailleur infatigable, au point où il devait avoir deux secrétaires qui se partageaient les dix-huit à vingt heures de travail quotidien auxquelles il s'astreignait.

Benelli avait été ordonné prêtre en 1943, pendant le carnage de la Seconde Guerre mondiale. Après ce grand désastre, alors que l'économie était anéantie et que la population était furieuse et désespérée, on a craint en Italie que le peuple soit prêt à élire un gouvernement communiste en 1948 et fournisse, ainsi, aux Soviétiques la tête de pont qu'ils recherchaient depuis longtemps en Europe de l'Ouest. Sachant trop bien ce que le régime communiste stalinien pouvait réserver aux religions, l'Église catholique a fait converger tous ses efforts pour aider le nouveau Parti démocrate-chrétien, en fait le parti « officiel » de l'Église catholique, ce qui, de l'avis général, a pesé de tout son poids dans la balance. Voici une illustration bien symbolique : une des rares fois où Padre Pio, le père capucin stigmatisé, a quitté son couvent de San Giovanni Rotondo fut pour aller voter pour le parti de la démocratie chrétienne en 1948.

Lorsqu'il examinait la fin de la dictature franquiste en Espagne, Benelli était convaincu que des frustrations analogues à celles des Italiens pourraient provoquer le même risque d'une victoire du Parti communiste. C'est pourquoi il a voulu que l'Église contribue à préparer une transition vers un après-Franco démocratique et stable. Alberto Melloni, historien italien de l'Église, a remarqué que, lorsque Benelli se trouvait à l'ambassade du Vatican en Espagne pendant le concile Vatican II, il avait été troublé par ce qu'il voyait comme une philosophie profranquiste sous l'autorité des cardinaux Alfredo Ottaviani du Saint-Office et du secrétaire d'État, le cardinal Giovanni Cicognani. Lorsque Benelli est arrivé au Vatican, il avait pris la décision de changer le cours des événements et désirait que le catholicisme espagnol suive.

La solution favorisée par Benelli était le « modèle italien ». L'Espagne devrait, selon lui, fonder les bases d'un parti démocrate-chrétien, et l'Église catholique espagnole appuyer ce dernier. Bien qu'il ne soit pas clair qu'il ait ou non fait part de ses attentes à l'Opus Dei de façon explicite, il est entendu qu'il tenait à ce que l'Œuvre, comme l'ensemble du catholicisme espagnol d'ailleurs, s'implique politiquement. Cependant, Escrivá refusa de s'engager à poursuivre le projet de Benelli. Comme je l'ai mentionné au chapitre 2, il écrivit à Paul VI pour lui expliquer qu'il s'opposait à la création d'un parti politique « catholique » en Espagne. Escrivá estimait qu'il ne pouvait imposer de choix politique à ses membres.

Le cardinal Julián Herranz, le président du Conseil pontifical responsable des textes législatifs et membre de l'Opus Dei, a travaillé à la curie romaine pendant quarante-quatre ans et se souvient nettement des moments de conflits avec Benelli.

« Il était évident qu'il désirait fonder en Espagne, comme en Italie, un parti démocrate-chrétien, a déclaré Herranz. Le problème qui se posait était de savoir comment réaliser un tel projet. Certains membres de l'Opus Dei adhéraient à cette idée, mais d'autres y étaient opposés, car ils invoquaient la liberté politique. » Herranz a rapporté qu'Escrivá avait refusé d'engager les membres de l'Opus Dei et que cela avait été une cause de déception pour Benelli.

Un épisode en particulier illustre bien le froid qui s'est installé entre Benelli et l'Opus Dei. À ce moment-là, l'ambassadeur d'Espagne au Saint-Siège était Antonio Garrigues Díaz-Cañabate. Il avait organisé un déjeuner auquel participeraient Benelli et Escrivá afin que ces derniers puissent exposer leurs différends. Pendant ce déjeuner, comme Portillo et Herranz l'ont rappelé plus tard, Escrivá a demandé à Benelli quelle était l'erreur ou l'injustice qu'il avait pu commettre afin de pouvoir la corriger et être pardonné. Benelli a répondu qu'il n'avait rien à dire. Escrivá lui a alors demandé : « Monseigneur, pourquoi nous prenez-vous en otages ? » Il faisait référence au fait qu'Escrivá s'était trouvé dans l'impossibilité d'obtenir une audience avec Paul VI et que l'Opus Dei n'avait enregistré aucun progrès pour se voir transformée en une prélature personnelle. Une foi de plus, Benelli se tint coi.

Malgré cela, Herranz a souligné que Benelli continuait d'avoir du respect envers Escrivá.

« J'ai rencontré Benelli une journée après le décès du Fondateur. Il ne comprenait pas certaines choses concernant l'Opus Dei et la politique ; cependant, il m'a dit : "Nous publierons un article cet après-midi dans l'*Osservatore Romano* à la mémoire de Mgr Escrivá." En audience avec un ambassadeur à ce moment-là, il avait interrompu celle-ci pour me recevoir. » Il m'a confié qu'il avait toujours eu beaucoup d'admiration pour le personnage d'Escrivá qu'il considérait comme un envoyé de la Providence. Benelli a ajouté : « Josemaría Escrivá a été pour le concile œcuménique récent ce que saint Ignace de Loyola a été pour le concile de Trente. Il est venu au monde pour que le deuxième concile du Vatican fasse partie de la vie de l'Église. »

L'histoire de Benelli nous offre une bonne façon de tester si Escrivá était vraiment sérieux quand il disait qu'il ne voulait pas que l'Opus Dei ait de programme politique. Si jamais il avait existé un concours de circonstances permettant une « prise de possession du pouvoir », cette situation l'aurait permise. La fin du règne de Franco signifiait qu'une transition importante allait se produire en Espagne. La lettre qu'Escrivá avait écrite à Paul VI en 1964 expliquait que, lui aussi, il s'inquiétait de la possibilité d'une prise de pouvoir par les socialistes et les communistes, ce qui en soi, aurait représenté un argument suffisant pour que l'Opus Dei s'engage politiquement. Il avait, en plus, la bénédiction des autorités ecclésiastiques. Si jamais l'Opus Dei avait décidé de montrer le chemin en créant la version espagnole du Parti démocrate-chrétien, on peut imaginer que ses huit ministres qui avaient fait partie du gouvernement Franco aurait été noyés par la représentation de l'Opus Dei à l'intérieur d'un nouveau gouvernement espagnol.

De plus, la réalité qui dominait à la fin des années soixante et au début des années soixante-dix, était qu'Escrivá était prêt à tout pour résoudre le problème du statut canonique de l'Opus Dei, et cela représentait en soi une bonne raison pour ne pas s'aliéner le personnage le plus puissant au Vatican après le pape. Malgré tout, il a refusé d'utiliser le poids institutionnel de l'Opus Dei ainsi que sa propre autorité pour appuyer le projet de Benelli. À la lumière de cela, on ne peut que conclure qu'Escrivá pensait vraiment ce qu'il disait, c'est-à-dire que l'Opus Dei ne devait pas devenir une force politique.

John Roche, numéraire anglais de 1959 à 1973 et critique féroce sur certains points, donne l'absolution à l'Opus Dei. Dans une lettre au *Times* de Londres datée du 19 novembre 1979, Roche a écrit : « Honnêtement, je dois dire que, durant les quatorze ans où j'ai été membre de l'Opus Dei et où j'ai vécu en Irlande, au Kenya, en Espagne et en Angleterre et où j'avais des responsabilités professionnelles, je n'ai jamais remarqué que l'Opus Dei ait eu des intentions politiques. » Il poursuit en disant qu'au niveau sociologique, certains comportements spontanés peuvent paraître confus. « Ses membres partagent largement des attitudes politiques résultat de son anticommunisme, de son profil religieux d'extrême droite, de la fusion particulière qui y existe entre Dieu et Mammon et, bien entendu, de ses origines historiques espagnoles. »

La tendance conservatrice

Il s'agit là sans doute du cas le plus évident où des observateurs extérieurs, qui entendent des Opusiens proclamer que l'Œuvre ne possède pas de programme politique, restent perplexes. Il existe une évidence écrasante que la majorité des membres de l'Opus Dei sont politiquement des conservateurs.

Pour illustrer cela, je me suis retrouvé dans le parc de stationnement de The Heights, une école de garçons affiliée à l'Opus Dei à Potomac, Maryland, une banlieue de Washington, D.C, le 1er décembre, quelques semaines après les élections présidentielles de novembre aux États-Unis. J'étais arrivé en avance à mon rendez-vous et j'ai donc décidé de regarder ce que disaient les autocollants sur les pare-chocs des voitures stationnées aux abords de ce lieu. J'ai gardé en mémoire que le Maryland était un état « bleu » qui était passé de 53 à 39 % en faveur de Kerry. Par contre, le district de Columbia avait massivement voté pour ce dernier. En regardant ces autocollants, j'en ai dénombré au moins vingt en faveur de Bush et de Cheney pour un en faveur de Kerry et d'Edwards. Kerry, en fait, possédait des liens avec Michael Peroutka, le candidat à la présidence du Constitution Party qui fustigeait Bush et les républicains pour leur mollesse à résoudre le problème de l'avortement. Curieusement, un autocollant de ce candidat se retrouvait sur le pare-chocs d'une voiture familiale. On trouvait également un nombre important d'autocollants comme SOUTENEZ NOS SOLDATS! ou LA VIE EST UN CHOIX NATUREL.

Il est certain que cette lecture des autocollants de pare-chocs ne constitue pas un sondage scientifique hyper-rigoureux. J'ai donc voulu vérifier ma perception des choses en interrogeant Vera Golenzer, mère d'une petite fille de douze ans qui fréquente l'école d'Oakcrest, une école de fille affiliée à l'Opus Dei à McLean, et d'un garçon de dix ans élève aux Heights. Son interprétation? « La plupart des familles sont républicaines, a-t-elle dit. Elles ont des idées politiques bien arrêtées. » Elle nous a raconté que ses enfants allaient en voiture à l'école avec des camarades dont les parents appuyaient Kerry. Un de leurs fils a eu une échauffourée avec un de ses copains de covoiturage qui lui a dit qu'il ne pouvait absolument pas arriver à l'école dans une auto arborant un autocollant pro-Kerry sur son pare-chocs. Une autre indication de ce climat est le fait que The Heights a été responsable de l'éducation de fils de nombreux républicains, y compris le sénateur Chuck Hagel, du Nebraska, et du sénateur Mel Martinez, un républicain de Floride. Il faut remonter à Edmund Muskie, qui a participé aux présidentielles de 1972, pour trouver un démocrate qui a envoyé son fils aux Heights. Mme Golenzer a, en même temps, souligné « qu'il n'existait aux Heights aucune pression politique provenant de l'Opus Dei ou des professeurs ».

Cet exemple est particulier au contexte politique des États-Unis et, selon le pays où l'on se trouve, le profil local de l'Opus Dei peut changer. Cependant, dans les pays d'Amérique latine et en Europe, on ne peut se tromper en disant que l'Opus Dei penche vers les partis conservateurs. En Asie, à l'exception des Philippines, la présence de l'Opus Dei n'est pas assez importante pour pouvoir entretenir cette réputation. Aux Philippines, cependant, la tendance est manifestement conservatrice. William Esposo, journaliste catholique philippin associé au mouvement Focolare, a déclaré en parlant du profil de l'Opus Dei : « Elle est perçue comme un mouvement centriste avec une tendance de droite. L'Opus Dei ne peut jamais être perçue comme de centre gauche ou à gauche. »

Comment peut-on expliquer ce phénomène si l'Opus Dei ne possède pas de programme politique et si elle laisse ses membres libres de choisir leur candidat? N'existe-t-il pas une sorte de « ligne de conduite » pour expliquer cette unanimité évidente? En fait, comme je vais l'expliquer, cette unanimité n'est pas absolue. Il existe des membres de l'Opus Dei qui sont à gauche. Il ne faut pas nier que la tendance vers la droite est évidente, mais cette propension ne provient pas obligatoirement d'un programme politique préétabli.

Je vais, en tout premier lieu, définir ce que signifie le mot « conservateur ». Pour de nombreux théoriciens, les trois principes du conservatisme sont : 1) un gouvernement limité ; 2) l'économie de marché ; 3) une politique étrangère se basant sur la sécurité nationale. Si vraiment il s'agit de points de référence, il n'est pas vraiment évident que les membres de l'Opus Dei, y compris ceux vivant aux États-Unis, sont en très grande majorité des « conservateurs ». Il existe des Opusiens libertaires, étatistes, capitalistes et d'autres qui croient à l'intervention des gouvernements. Certains membres peuvent être un peu plus internationalistes que l'Américain moyen, uniquement parce qu'ils prennent au sérieux le fait qu'ils font partie d'une famille globale, et cela élargit leurs perspectives.

Le pluralisme est évident lorsque l'on sort des États-Unis. Nous avons un exemple venant d'Espagne où, comme je l'ai mentionné plus haut, le surnuméraire Federico Trillio était ministre de la Défense sous le gouvernement conservateur de José Maria Aznar. À la Défense, il a suivi une politique qui a provoqué l'entrée en guerre de l'Espagne, pour appuyer les États-Unis contre l'Irak. Sa position a été violemment critiquée par le journaliste espagnol Pilar Urbano, un numéraire de l'Opus Dei qui a soutenu en public que la guerre avait été déclarée à la suite de « mensonges ». (Urbano a également affirmé que l'incursion en Afghanistan avait été davantage une « vendetta » qu'une réponse spécifique à une menace terroriste.) Llúis Foix, agrégé de l'Opus Dei et éditorialiste pour le journal *Vanguardia* de Barcelone, a critiqué Trillio pour les mêmes raisons. En Italie, Alberto Michelini, surnuméraire, peut être considéré comme conservateur tandis que Mario Maiolo, un autre surnuméraire, a une opinion politique opposée. Il est vice-président de la province de Calabre, au sud de l'Italie, et membre du parti Margherita de centre gauche. Le président sous lequel il sert provient du Parti communiste refondé.

Pour prendre un exemple américain, lors de l'édition Web de la *New Republic on Line*, du 14 décembre, Andrew Sullivan a affiché un extrait qui attaquait violemment Robert Novak qu'il a décrit comme « un converti non seulement au catholicisme, mais aussi à sa secte la plus rigide : l'Opus Dei ». En dehors du fait que

Novak m'a déclaré le 20 décembre 2004 ne pas être membre de l'Œuvre et que personne ne lui avait demandé d'en devenir un, cet état de choses a amusé un prêtre opusien de mes connaissances qui m'a déclaré qu'il était ironique qu'il soit d'accord avec Sullivan et non avec Novak. (L'objet de l'argument était de savoir si le fait que le président Bush avait refusé de rencontrer Rocco Buttiglione, politicien catholique italien et critique de l'Union européenne lors de son dernier voyage à Washington, était un acte de couardise ou une tentative d'amadouer les Européens.)

Cependant, au cours des dernières années, les balises principales du conservatisme en Occident sont moins en rapport avec l'économie et l'exercice de la politique, et davantage avec les problèmes culturels, tout spécialement sur trois points névralgiques : l'avortement, le mariage des homosexuels et la recherche concernant les cellules souches. En ce qui concerne ces trois questions, la position de l'Opus Dei consiste à suivre la «ligne de conduite de l'Église». Les personnes attirées par l'Opus Dei acceptent les positions catholiques traditionnelles, sociologiquement parlant, et sont en général en faveur des points de vue conservateurs. D'autre part, certains catholiques considèrent ces positions non négociables. Les Opusiens typiques estiment que ces questions sont plus importantes politiquement parlant que la politique financière ou celle des différentes taxations. Cela signifie, en pratique, que ces personnes accorderont leur vote aux conservateurs, que ce soit aux États-Unis ou en Europe. Il existerait une expérience intéressante à faire, qui serait de demander ce que le vote de l'Opus Dei aurait été lors des élections présidentielles de 2004 si, au lieu d'avoir choisi John Kerry, les démocrates avaient choisi quelqu'un comme Robert Casey, l'ancien gouverneur de la Pennsylvanie, qui avait toujours fait preuve d'une politique provie très marquée. Cet exercice n'est pas totalement hypothétique, étant donné qu'il existe un prêtre américain, le père John Wauck, qui enseigne la communication à Santa Croce à Rome. Le père Wauck avait écrit les discours de Casey alors qu'il était encore laïque.

L'instinct conservateur, sous l'influence des questions culturelles qui intéressent tout spécialement les catholiques, n'est pas réservé à l'Opus Dei. Lors des élections présidentielles de 2004 aux

États-Unis, Bush a ravi 52 % des votes des catholiques contre 47 % pour Kerry et, chez les catholiques qui vont à la messe au moins une fois par semaine, la marge a été de 56 contre 43 %. Beaucoup de ces catholiques n'appuyaient pas forcément la politique de Bush sur l'environnement ou sur les Nations unies ni même l'Irak ; cependant, ils se sont sentis obligés de voter pour le candidat républicain parce que les démocrates prenaient des positions au niveau culturel qui étaient inacceptables pour eux. C'est dans ce sens que l'Opus Dei représente peut-être la forme concentrée d'une tendance générale de la politique occidentale, car un nombre élevé des personnes qui votent et qui prennent la religion au sérieux se sentent attirées par la droite. Si l'on pouvait supprimer ces questions culturelles des programmes politiques, le pluralisme chez les catholiques comme chez les membres de l'Opus Dei serait encore plus évident.

L'image problématique de l'Opus Dei : le cas du Pérou

Un facteur qui dénature les perceptions provient du fait que la plupart des membres de l'Opus Dei ayant réussi à se tailler une image publique importante sont identifiés à la droite et que les impressions données par ces personnes se trouvent transférées à l'Opus Dei. Ce processus est plus évident au Pérou que partout ailleurs au monde. Au Pérou, le terme « Opus Dei » est pour la majorité des Péruviens en relation avec le cardinal Juan Luis Cipriani, de Lima.

Aux yeux de ses critiques, Cipriani représente le modèle d'un dirigisme autoritaire et d'une personnalité d'extrême droite. En 2003, la Commission pour la vérité et la réconciliation a été formée pour enquêter sur la violence que le pays a connue de 1980 à 2000. À propos de Cipriani, la Commission a conclu : « Il n'a jamais posé de questions concernant le mépris des droits humains que les forces de l'ordre commettaient. Tout au contraire, il soutenait constamment et avec sévérité que l'on ne pouvait pas dire que le Pérou était un pays où les droits humains n'étaient pas respectés. » Cipriani rejetait en bloc toutes les critiques qui lui étaient adressées. En juillet 2004, alors qu'il donnait une entrevue lors de la parution de son livre, Cipriani a dit au sujet des organisations non gouvernementales qui s'occupaient

des droits humains, comme Amnistie internationale et Human
Rights Watch : « Ces organisations n'ont jamais parlé des droits
humains ; elles ont fraternisé avec les mouvements terroristes. » Il
a même accusé une fois ces groupes de parler d'une sorte de droits
humains qu'il a qualifiés de *cojudez* – de « foutaises ».

Cipriani a commencé sa carrière comme évêque auxiliaire
d'Ayacucho, un des diocèses les plus pauvres du Pérou et le berceau
du mouvement Sentier lumineux. Ce dernier était un mouvement
maoïste révolutionnaire dont le but était de faire du Pérou un pays
socialiste. L'armée péruvienne et les services secrets péruviens ainsi
que le chef des services secrets, Vladimiro Montesinos, s'opposaient
fortement à ce mouvement. La plupart des personnes qui ont analysé
la situation au Pérou ont déclaré que les deux factions ont commis
des abus contre les libertés humaines.

« J'entretenais d'excellentes relations avec les groupes
d'autodéfense, les *rondas*, a déclaré Cipriani. À mes yeux, ils
représentaient les droits humains. Ils ont le droit de vivre où
ils vivent, de défendre leur famille, leur bétail, leurs enfants et leurs
biens. L'armée ne s'est pas débarrassée du Sentier lumineux, ce sont
les paysans qui s'en sont débarrassés, pas l'armée. [...] Je ne défends
pas l'idéologie des droits humains. Je respecte les droits humains qui
ont comme source la dignité d'être des enfants de Dieu. Je n'aime
pas ces ONG qui viennent ici pour jouer avec les terroristes. »

Cipriani a admis qu'il en avait assez des critiques qui ne se
trouvaient pas face aux mêmes risques que lui au moment où la
violence était à son paroxysme.

« Personne ne voulait être élu maire. Plus personne ne se
présentait, car tous les candidats étaient assassinés, a-t-il dit. Personne ne voulait le poste de gouverneur ou dire quoi que ce soit
contre le Sentier lumineux, parce que cela équivalait à une condamnation à mort. Ma voix a été la seule à pouvoir arrêter la violence.
Et pourtant, je n'ai pas suivi le chemin divin des ONG. Celles-ci
ont considéré que j'avais commis un péché mortel. Je ne me suis
pas occupé de la pauvreté ni des droits humains. Je me suis dirigé
directement là où se trouvaient les problèmes. Je suis allé rencontrer

les forces armées et je leur ai dit : "Que se passe-t-il ici? Pourquoi les gens disent-ils de telles choses?" Une approche idéologique peut remplacer un beau discours. Cependant, je n'ai jamais rencontré de membres de la Commission pour la vérité à Ayacucho. Pas une seule fois durant toutes ces années. Et maintenant, voilà qu'ils sont devenus les gourous de la paix…»

Au Pérou, à l'heure actuelle, Cipriani est largement perçu comme un allié et un supporter de l'ancien président en exil, Alberto Fujimori, dont la forte campagne antiterroriste était venue à bout du Sentier lumineux, mais dont l'administration antidémocratique et corrompue lui avait valu la disgrâce. Cipriani a refusé de prendre ses distances vis-à-vis de Fujimori. «Je pense que le démon est davantage du côté de Montesinos que de Fujimori, a-t-il déclaré en se référant à l'ancien chef des services secrets qui était tant détesté sous Fujimori. Je n'irai pas jusqu'à dire que Fujimori n'était pas un de mes amis personnels. Il paraît que cela fait du mal à mon image personnelle. Cela m'est égal. Seule la vérité m'importe.»

Cipriani se trouve également aux antipodes de la théologie de la libération qui est la tendance actuelle en Amérique latine. Cette tendance incite l'Église catholique à s'aligner sur les mouvements progressistes qui prônent un changement social. Il ne mâche pas ses mots lorsqu'il parle de ce sujet : «Il s'agit d'une idéologie et non d'une théologie. Ils ont créé un genre de pastorale que l'on retrouve dans l'Église, et également à l'extérieur du Pérou. La désacralisation, donner priorité au travail social, la critique des enseignements de l'Église, l'engagement des prêtres en politique, […] tout ce système fait partie de ce que la théologie de la libération a laissé au Pérou et en Amérique latine, ainsi que la "théologie indienne" au Mexique et la "théologie africaine" en Afrique. Il s'agit d'un système, d'un enseignement parallèle opposé au véritable enseignement de l'Église. Ils ont connu une défaite en matière de doctrine parce qu'il était facile d'étudier dans les livres et de voir leurs erreurs. Cependant, leur façon de voir l'Église et l'œuvre pastorale se poursuit et il est assez difficile de changer les choses.»

Au cours de l'entrevue, Cipriani a dit qu'il a été l'objet d'une campagne de dénigrement ourdie par certaines forces à l'intérieur de l'Église catholique, y compris quelques-uns de ses collègues évêques. En 2001, le ministre de la Justice du gouvernement péruvien de l'époque, Fernando Olivera, est allé personnellement porter trois lettres au Vatican, une prétendument écrite par Cipriani et les autres par le nonce apostolique. La présumée lettre de Cipriani était adressée à Montesinos et le cardinal y demandait expressément que soient « éliminés et incinérés des films vidéo secrets où l'on pouvait le voir en compagnie de Montesinos ». Cependant, ces lettres se sont révélées fausses et on a découvert qu'elles avaient été fabriquées en scannant des communications volées dans les bureaux de la Conférence des évêques péruviens.

Le 13 septembre 2004, un procureur qui luttait contre la corruption a accusé l'évêque Luis Bambarén, un jésuite ancien président de la Conférence des évêques péruviens, d'avoir conspiré avec Olivera dans le scandale des lettres. Bambarén a déclaré à la radio péruvienne que les accusations contre lui étaient totalement erronées et que, en ce qui concernait ces écrits, aucune accusation n'avait été portée contre lui. Entre-temps, un autre procès était en cours. Un autre évêque péruvien, Jorge Carrión de Puno, était accusé d'avoir participé au complot. Malgré toutes les controverses et selon un récent sondage, Cipriani possède encore 52 % de la faveur du public, un score plus élevé que le président péruvien en difficulté.

« Ils font de moi un saint, avec des mensonges, en m'enviant. Cela vient souvent directement de l'intérieur de l'Église. Cela me fait vraiment mal, a-t-il déclaré en fondant en larmes. Je suis désolé, mais cela est vraiment pénible. Je ne dois pas parler parce que j'aime l'Église, l'unité de l'Église. [...] Je veux dire que beaucoup de ces mensonges viennent de l'intérieur et non de l'extérieur. Un mensonge suit l'autre et cela dure depuis seize ans. Ils n'arrêtent jamais... »

Cipriani s'est montré abrupt et n'a pas hésité à critiquer les associations qui s'occupent des droits humains, la théologie de la libération ou certains éléments qui faisaient partie du gouvernement péruvien. Tout cela a fait couler beaucoup d'encre et explique pourquoi il a souvent fait la une des journaux au Pérou. Cependant, en ce qui concerne toutes ces questions, Cipriani ne parlait que pour lui et non comme membre de l'Opus Dei. Étant donné qu'il est évêque, il n'est plus, techniquement parlant, sous la juridiction du prélat de l'Opus Dei. Ce qui n'empêche pas de nombreux Péruviens et observateurs dans le monde d'établir un lien entre les déclarations publiques de Cipriani et la «ligne de conduite» de l'Opus Dei.

Les exceptions

L'instinct conservateur de l'Opus Dei, bien qu'il soit énorme, n'est pas universel comme ces quelques exemples vont le démontrer.

Squire Lance

Squire Lance est un politicien démocrate de Chicago qui, en 2004, a obtenu le soutien des démocrates pour le poste de juge dans l'Illinois. C'est un Afro-Américain qui a pris le goût à la politique lorsqu'il était le protégé de Saul Alinsky, le radical légendaire et organisateur communautaire qui croyait qu'il était mieux de faire appel aux couches populaires, à la base, que de travailler en utilisant les institutions. On lui attribue cette phrase très organique : «Le seul mouvement qui vaille vraiment la peine qu'on en parle est celui de nos intestins.»

Dans les années soixante, alors qu'il était directeur de l'Organisation Woodlawn formée par Alinsky, Lance a eu la direction de presque 60 % des activités en rapport avec les droits civiques à Chicago. Après le tumulte provoqué par la Convention nationale démocrate à Chicago, un membre de l'Assemblée législative de l'Illinois qui se nommait Dan Walker est entré en contact avec Lance et lui a demandé de l'aider en travaillant à une table ronde chargée d'enquêter sur ce qui venait de se produire. Contrairement à l'impression populaire, Lance a découvert que très peu de Noirs avaient participé aux actes de violence dans les rues. Lorsque Walker a proposé sa candidature comme gouverneur de l'Illinois, Lance s'est assuré de l'appui des Afro-Américains et, lorsque l'équipe libérale de Walker a remporté la victoire après un grand bouleversement politique, Lance a été invité à participer au gouvernement.

Lance était l'agent de liaison personnel de Walker avec cinq organismes gouvernementaux ayant, entre autres, la responsabilité des domaines concernant Amtrak, des autoroutes et des problèmes de santé mentale. Il était le bras droit du gouverneur avec le pouvoir d'engager et de renvoyer qui il voulait et gagnait un très bon salaire. « Je détenais véritablement une position d'autorité. J'adorais mon travail et ma communauté se passionnait pour mes responsabilités, a-t-il affirmé lors d'une interview réalisée à son domicile de Chicago. Je n'étais pas un simple figurant. »

Cependant, à la fin de 1976, Walker a été démis lors des primaires du Parti démocrate et remplacé par la machine politique de Richard Daley, et c'est ainsi qu'il s'est retrouvé chômeur. Il a fini par se caser au bureau du médecin légiste du comté de Cook, où il devait manipuler des cadavres, un emploi qui, en plus, représentait une baisse de salaire de 60 %. « Émotionnellement parlant, je me suis effondré, a dit Lance. J'étais en dépression totale. Il était impossible de supporter la situation. » Éduqué dans la foi catholique, il avait cessé de pratiquer. Cette crise devait, cependant, le ramener vers l'Église. « Lorsque vous vivez dans un environnement qui fait de vous une victime totale, vous mettez votre foi en Dieu. Et je me suis dit : "Je dois retrouver Dieu". »

Lance allait à la messe le dimanche à la paroisse Saint-Philippe-de-Neri, là où il avait grandi. Mais il n'y avait pas été depuis la période précédant Vatican II et il a été très surpris de voir que la liturgie était en anglais et que le prêtre faisait face aux fidèles. Il en a ressenti un « extrême malaise » a-t-il dit, étant donné qu'il pensait être un « catholique très orthodoxe ». Le *Chicago Sun Times* a publié, environ à la même époque, un article très défavorable sur l'Opus Dei et, ironiquement, la description qui en était faite, c'est-à-dire un genre de catholicisme post-Vatican II, lui a paru intéressante et il a pris la décision d'aller y voir de plus près. (Ce n'est pas ainsi que l'Opus Dei se perçoit, mais ce n'est pas de cela qu'il s'agit maintenant.)

« Écoutez-moi bien, je m'étais conduit comme un vrai païen, a déclaré Lance en parlant de ses années en politique. Je ne me suis pas beaucoup préoccupé de ma famille. J'étais un bourreau de travail. En dehors de mon travail, je ne faisais attention à rien sauf à ma vie sociale. J'allais dans les bars tous les vendredis soirs et je passais mes soirées à regarder les événements sportifs. J'avais besoin de quelque chose qui me secoue. »

Lance s'est mis en rapport avec un prêtre de l'Opus Dei qui lui a expliqué la philosophie de base : la sanctification du travail, la filiation divine et ainsi de suite. Lance avoue qu'à l'époque il n'y avait pas compris grand-chose. Cependant, le prêtre lui posait « toutes les questions pertinentes ». Il voulait connaître les anniversaires de sa femme et de ses enfants ainsi que la façon dont il percevait son rôle de père. Lance a commencé à participer aux manifestations de l'Opus Dei et, en 1978, il est devenu surnuméraire. « En ce qui concerne le côté humain, j'ai découvert que je pouvais régler mon emploi du temps sans difficulté. Je pouvais prendre les décisions importantes. » Voilà ce que Lance nous a dit de l'impact que l'Opus Dei avait eu sur sa vie. « La discipline qui est exigée par l'Œuvre m'a aidé à être plus attentif à ma famille. Je suis beaucoup plus en paix avec moi-même. »

Comment pouvait-il concilier le fait qu'il était un homme de gauche avec son appartenance à l'Opus Dei ?

« C'est mon choix. Je veux être un démocrate et je veux appartenir à l'Opus Dei, a-t-il dit. Il n'existe rien au sein de l'institution disant qu'il s'agit d'une contradiction. » Cependant, Lance reconnaît que cela fait de lui un oiseau rare. Lorsque je lui ai demandé s'il connaissait d'autres démocrates dans l'Œuvre, il a répondu : « Il est bien possible que je connaisse une autre personne qui appartienne à ce parti. [...] Il n'y en a guère... » Il a ajouté que la principale raison pour laquelle il avait opté pour ce parti était la position de ce dernier sur les questions raciales.

Il a ajouté que le fait d'appartenir à l'Opus Dei lui donnait l'occasion d'influencer ses amis démocrates en ce qui concernait les valeurs. « Lorsque je suis dans une pièce avec le maire et le procureur général qui, tous deux, sont Irlandais et catholiques, je peux leur dire : "D'accord, j'appartiens à l'Opus Dei. Alors, tenez-vous bien !" »

Ruth Kelly

Au moment où j'écrivais ceci, Ruth Kelly était l'Opusienne la plus importante à occuper un poste à un niveau ministériel. Mme Ruth Kelly est surnuméraire et ministre de l'Éducation en Angleterre. Elle est donc une étoile montante du Parti travailliste, qui est historiquement le parti de centre gauche en politique anglaise.

Mme Kelly n'a que trente-six ans, ce qui signifie que sa carrière politique a connu une ascension rapide. Elle est la mère de quatre enfants et a été journaliste au *Manchester Guardian*, considéré comme le journal de gauche le plus important en Angleterre de 1990 à 1994. Elle a travaillé à la Banque d'Angleterre avant d'entrer en politique. Son père était pharmacien, et sa mère enseignante. Elle représente le district de Bolton West. Selon les observateurs politiques en Grande-Bretagne, Mme Kelly s'est montrée fort experte pour naviguer dans les eaux troubles de la rivalité entre le premier ministre Tony Blair et le chancelier de l'Échiquier Gordon Brown, et elle est une des rares politiciennes qui soient respectées par les deux factions. Elle a obtenu le poste de secrétaire de l'Économie en 2001 et de secrétaire des Finances en 2002 avant de rejoindre le cabinet Blair en 2004.

Mme Kelly est également réputée comme faisant partie d'une nouvelle génération de politiciens britanniques qui mettent l'accent sur les questions morales comme l'éducation des enfants et les conduites antisociales. Elle est fermement contre l'avortement et l'euthanasie, et a déclaré qu'elle ferait part de son opinion sur ces sujets lors de débats de son parti, bien qu'elle n'ait pas manqué d'être explicite le 23 janvier 2005, au cours de l'émission *Breakfast With Frost*. Elle a déclaré qu'elle soutiendrait toutes les politiques que le gouvernement présenterait à son ministère. Kelly est née en Irlande du Nord, d'une famille catholique. Celle-ci s'est installée en Angleterre lorsqu'elle avait quinze ans, exactement au moment de la récession du début des années quatre-vingt, sous le gouvernement Thatcher. Le désordre social qui en est résulté a aidé Mme Kelly à se lancer en politique. « Toutes ces injustices m'indignaient et je me disais que, si je pouvais faire quelque chose pour être utile, je me devais de le faire. »

Parmi les députés actifs du Parlement anglais, Mme Kelly possède également le record du nombre d'enfants. Elle a épousé Derek Gadd en 1996 et a mis au monde son fils aîné Eamonn un an plus tard, à peine un mois avant la victoire écrasante du Parti travailliste. Elle a mis au monde trois autres enfants au cours des sept dernières années. Sinead, qui a maintenant cinq ans, Roisin, qui en a trois, et Niamh, qui a un an. Bien que la famille ait une bonne d'enfants, Mme Kelly prend très au sérieux ses responsabilités de mère et a la réputation d'être un des rares ministres à ne pas apporter du travail chez elle le soir. Cela ne signifie pas qu'elle soit paresseuse, mais qu'elle est remarquablement concentrée dans son travail.

« Le fait d'avoir une famille m'impose une discipline personnelle. Si je n'avais pas de famille, je serais certainement un bourreau de travail comme de nombreux ministres. Je n'ai tout simplement pas le choix. J'ai quatre enfants, dont le plus vieux n'a que sept ans et ils ont besoin de leur maman. »

Bien que ses enfants fréquentent des écoles catholiques, Mme Kelly a la réputation d'accorder son appui à l'éducation publique. Elle est en général perçue comme très loyale à Blair, ce qui signifie qu'elle tient une position centriste sur de nombreux dossiers. Quelques personnes ont même suggéré son nom comme candidate au poste de premier ministre.

Lorsque les liens entre Mme Kelly et l'Opus Dei ont été révélés en décembre 2004, un bref tumulte a éclaté dans la presse britannique, qui s'est montrée défavorable dans la plupart des cas. Elle a aggravé le problème en refusant d'en parler pendant près d'un mois, ce qui laissait l'Opus Dei dans une position délicate, car elle ne pouvait ni nier ni affirmer son appartenance. Finalement,

Mme Kelly a déclaré : « J'ai le droit, comme tout autre politicien, d'avoir une vie privée. Ma vie spirituelle m'appartient et je n'ai rien à cacher. Tout le monde sait que je suis catholique et que je prends ma religion au sérieux. »

Xavi Casajuana

N'essayez même pas de dire à Xavi Casajuana, un surnuméraire de l'Opus Dei qui habite à Sabadell, tout à côté de Barcelone, qu'il est espagnol. « Je déteste me promener dans le monde avec mon passeport espagnol. Je ne veux pas que l'on me considère comme Espagnol, m'a-t-il déclaré pendant une entrevue qui eut lieu dans son appartement de Sabadell. Je suis Catalan. Je possède ma propre langue. Je préfère la messe en catalan à la messe en espagnol parce que je prie Dieu, mon Père, en catalan et non en espagnol. Je parle catalan et trois langues étrangères : l'espagnol, le français et l'anglais. »

Casajuana m'a donné une preuve de l'insistance qu'il peut mettre à montrer ce que représente pour lui être Catalan. Il m'a en effet raconté que, lorsqu'il voyage en Europe, il pose un autocollant portant les lettres CAT (pour « Catalogne ») là où sa plaque d'immatriculation devrait normalement porter la lettre E, pour « Espagne ». « Je ne suis pas espagnol, répète-t-il. Je veux me battre pour mon pays, et celui-ci est la Catalogne. » Au moment où il me disait tout cela, Casajuana a pris son portefeuille, l'a ouvert et a sorti deux objets, le drapeau de la Catalogne indépendante et une image pieuse de la Vierge.

Casajuana a trente-deux ans et travaille comme technicien informatique dans une usine qui construit des moteurs électriques, mais sa passion est la politique. Il appartient à un parti de gauche régional, l'Esquerra Republicana de Catalunya, qui appuie l'indépendance de la Catalogne. En Espagne, les partis conservateurs comme les partis populaires sont généralement nationalistes, ce qui force les personnes qui recherchent une autonomie plus étendue pour leur région à faire partie de mouvements de gauche.

N'essayez pas de raconter à Casajuana qu'en tant que membre de l'Opus Dei il devrait soutenir l'ancien premier ministre José Maria

Aznar, dont on connaît les sympathies pour l'Opus Dei. «Aznar est le dernier homme au monde que je désirerais rencontrer. Comme Catalan, je sais qu'Aznar veut détruire mon pays. Il veut détruire ma langue. Il veut détruire mon histoire», a déclaré Casajuana, de plus en plus véhément au fur et à mesure qu'il parlait.

«Je m'attends à ce que la Catalogne prenne part aux Jeux olympiques avec ses propres équipes de football et de basket. Je veux avoir un passeport catalan. Je veux que ma langue soit reconnue par les nations européennes, bien entendu, parce qu'il s'agit de la huitième langue la plus parlée en Europe.»

Casajuana ne pense pas être intéressé par le débat politique national en Espagne parce que ni le Parti populaire ni les socialistes ne semblent avoir l'intention d'aider la Catalogne. Cependant, s'il devait choisir entre les deux, il voterait pour Zapatero et non pour Aznar. Il n'apprécie guère le fait qu'étant catholique il devrait voter d'une certaine façon. Cela signifierait un retour vers le «catholicisme national» de l'ère Franco. Il a ajouté pour faire bon poids et bonne mesure qu'il «détestait» la ligne politique que suivait Federico Trillio, le ministre de la Défense d'Aznar, qui, tout comme lui, est surnuméraire de l'Opus Dei.

Casajuana ajoute qu'un certain nombre de ses amis et de ses collègues sont surpris d'apprendre qu'il est à la fois membre de l'Opus Dei et membre d'un parti de gauche. «Lorsque la famille de ma femme a appris qu'elle avait un soupirant, on lui a demandé si j'étais membre de l'Opus Dei. Elle a alors répondu qu'elle n'en savait rien, mais elle le savait très bien. Sa famille s'attendait à ce que je sois membre du Front populaire, un vrai Espagnol, un conservateur. C'est pourquoi ils ne comprennent rien.»

Une conscience sociale

L'Opus Dei a la réputation d'être «élitiste», et il est certain qu'elle aspire à avoir un impact dans les cercles professionnels et intellectuels. Cela explique partiellement pourquoi l'Opus Dei a des locaux près des universités. Cependant, cela ne signifie pas que l'organisation ne s'adresse qu'aux professions libérales. L'Opus Dei compte parmi ses membres des coiffeurs, des chauffeurs d'autobus et des ouvriers. Cela ne signifie pas non plus que l'Œuvre fait preuve d'un manque de conscience sociale. Le travail de l'Opus Dei a comme but de servir les pauvres et les exclus. Escrivá a écrit : « Un homme ou une société qui ne réagit pas devant les injustices sociales et la souffrance de ses contemporains et qui ne fait aucun effort pour les soulager est bien distant de l'amour que l'on trouve dans le cœur du Christ. Les chrétiens devraient être unis et avoir le même désir, celui de servir. Dans le cas contraire, leur chrétienté ne représentera pas la parole et la vie de Jésus. Elle sera une imposture, une déception aux yeux de Dieu et des hommes. »

Examinons les exemples qui suivent pour avoir une idée de la conscience sociale de l'Opus Dei.

- Le centre ELIS, situé à Rome, est l'acronyme italien d'« Education, Travail, Instruction et Sport ». Il a comme but de donner aux jeunes gens économiquement faibles du quartier Tiburtino, à Rome, la possibilité de développer leurs talents et ainsi de les extirper de la pauvreté tout en les aidant à acquérir une instruction et la possibilité de pratiquer un sport. Les locaux comprennent une résidence pour 150 personnes, dont la plupart sont des étudiants à l'école professionnelle ELIS ; un bâtiment qui sert de centre de formation professionnelle où sont enseignés des métiers traditionnels comme la mécanique, la joaillerie, l'horlogerie ainsi que toutes les nouvelles technologies ; une école de commerce (qui fournit les locaux, l'équipement et les consultations), dont le but est de favoriser la naissance de petites entreprises ; un club sportif qui compte 500 membres ; une bibliothèque qui abrite plus de 10 000 livres et trois salles d'étude. Une vingtaine de petites entreprises ont été créées jusqu'à maintenant grâce à l'aide de l'école de commerce d'ELIS, et 95 % des jeunes gens qui ont participé aux cours de formation professionnelle ont trouvé des emplois.

- Le Midtown Center à Chicago est utilisé par environ 350 jeunes gens pendant l'année scolaire pour des programmes postscolaires les jours de semaine ainsi que les samedis et par 60 jeunes gens pendant l'été. Le but de ce centre est d'empêcher les jeunes de faire partie de bandes et de les aider à terminer leur formation scolaire en combinant les cours, l'aide personnalisée et les sports. Parmi ces étudiants, 72 % sont d'origine hispanique, 25 % sont Afro-Américains et le reste appartient à toutes les autres catégories. Au moins 85 % des étudiants proviennent de familles à faible revenu. Un signe certain de l'influence du centre Midtown est le taux de réussite des jeunes qui y participent : un sondage a estimé que 95 % des jeunes sortent avec un diplôme de fin d'études et que 75 % d'entre eux vont à l'université. En comparaison, la moyenne générale des jeunes du même quartier qui ont leur diplôme de fin d'études est de 60 % et seulement 15 % d'entre eux vont à l'université.

- Moluka est un dispensaire médico-social au Congo et dépend de l'hôpital de Monkole. Les médecins et les infirmières donnent des soins aux personnes qui ne pourraient pas en recevoir autrement. Le dispensaire offre également des programmes de promotion de l'hygiène, ainsi que la nutrition, les installations sanitaires des maisons et des quartiers, les services de santé de la famille, les soins aux enfants, l'alphabétisation, l'économie familiale, les arts ménagers et la création d'activités génératrices de financements. Le dispensaire a comme but de s'occuper d'une population de 30 000 personnes.

- Condoray est un centre de formation agricole destiné aux femmes, à Cañete au Pérou, à environ 90 km de Lima. Plus de 20 000 ouvrières agricoles ont été alphabétisées et ont acquis des compétences en commerce dans une des régions les plus pauvres du Pérou. Environ 83 % des femmes âgées de dix-neuf à trente-neuf ans sont analphabètes dans cette région et 70 % des familles vivent dans une telle pauvreté qu'elles ne peuvent pourvoir aux besoins minimums. Les premiers temps des cours d'alphabétisation, des femmes indigènes que la pauvreté avait chassées des Andes ont appris à tenir un crayon et à écrire sur une feuille de papier, chose que la plupart d'entre elles n'avaient jamais fait jusque-là.

- Le Informal Sector Business Institute à Nairobi, au Kenya, a pour objectif d'enseigner des techniques de base de commerce aux indigents qui prennent part à l'économie «parallèle» du pays en vendant des bonbons, en cirant des chaussures ou en revendant des pièces d'autos d'occasion. L'intention de cet institut est d'améliorer leur niveau de vie en leur permettant d'envoyer leurs enfants à l'école. Les matières enseignées sont la comptabilité de base, les techniques d'inventaire et de vente ainsi que la planification.

Qu'apportent ces programmes?

Juan Carlos Ocon est un homme de trente et un ans qui a participé aux programmes offerts par le Midtown Center alors qu'il n'était qu'un jeune hispanique vivant au centre de Chicago. Sa famille venait d'arriver du Mexique et sa mère a pensé que Midtown lui donnerait un but. Le père d'Ocon est mort six mois après l'installation de la famille aux États-Unis, et sa mère, qui avait trois enfants à charge et ne parlait pas un mot d'anglais, a trouvé un emploi dans une usine et un deuxième emploi dans une autre. Ocon a déclaré qu'il s'était impliqué dans les programmes sportifs et qu'il était devenu une étoile de l'équipe de football, ce qui lui avait permis de prendre davantage confiance en lui à l'école. Il ajoute qu'en plus les autres membres de son équipe de football sont restés ses meilleurs amis. Les trois grands amis d'Ocon sont une preuve de l'impact de Midtown sur les jeunes qui y participaient. L'un d'entre eux est spécialiste en technologies de l'information, un autre est comptable et le troisième ingénieur. Ils proviennent tous trois de familles d'immigrants pauvres du centre de Chicago.

Ocon a fait ses études à Northridge Prep, une école de garçons affiliée à l'Opus Dei. Il n'est cependant pas devenu membre de l'Œuvre, mais coopérateur. À l'heure actuelle, Ocon enseigne dans une école qui appartient à l'éducation publique de Chicago, la Juarez Academy. Il suit des cours pour devenir directeur. Il désire également devenir un leader au sein de la communauté hispanique et aider à organiser ce qu'il désigne comme étant «une révolution culturelle». «De nombreuses personnes parmi nous oublient pourquoi nous sommes venus dans ce pays. C'est pour donner de meilleures chances à nos enfants, a déclaré Ocon. À l'heure actuelle, nous fonctionnons en mode "survie" et ne considérons pas l'éducation comme une chose prioritaire. Nous avons besoin d'un type d'activisme qui nous remette sur la bonne voie.»

Commentant l'œuvre de Midtown, Juan Carlos affirme : « Je pense qu'ils prennent très au sérieux l'aide qu'ils peuvent apporter aux jeunes du centre-ville. En formant leur caractère, ils deviennent de meilleurs étudiants et de meilleures personnes en général.» À l'heure actuelle, il essaie de mettre en relation les jeunes de l'Académie Juarez avec le centre Midtown. «Le centre Midtown a vraiment tout changé dans mon existence!»

John Mathenge, qui a trente ans, participe aux programmes de l'Informal Sector Business Institute, situé au cœur des bidonvilles de Nairobi. Il construit des cadres de lits, des meubles et des armoires qu'il vend sur les marchés locaux. Il m'a déclaré que, avant d'avoir suivi les programmes de l'Institut, il n'avait aucune idée de la comptabilité. Il pensait que tout l'argent qu'il gagnait en vendant un meuble pouvait aller directement dans ses poches. Maintenant, il sait qu'il doit en reverser une partie dans son entreprise pour acheter du bois et d'autres matériaux. De cette façon, il ne reste pas oisif lorsqu'il n'a pas de commandes. Actuellement, trois hommes travaillent pour lui, et son entreprise a pris de l'ampleur. L'Institut lui a également enseigné des rudiments d'informatique et lui a même expliqué comment devenir un meilleur père.

«Je leur dois beaucoup, a-t-il dit, car je peux maintenant pourvoir aux besoins de ma famille.» Mathenge a déclaré qu'une des conséquences de son expérience sera que ses enfants pourront terminer leurs études.

Mathenge a ajouté qu'il était né catholique, mais qu'il avait opté pour la religion presbytérienne. Il va à l'église tous les dimanches matin de 8 h 45 à 10 h 45 et a dit qu'il y aimait les cantiques et le culte. Des rumeurs font part d'un recrutement agressif de la part de l'Opus Dei par l'entremise de ses activités, mais lorsque je lui ai demandé ce qu'il pensait du recrutement de l'Opus Dei, il m'a regardé et m'a dit : « Qu'est-ce que c'est ? » En fait, même des mois plus tard, personne n'avait dit à Mathenge que les cours qu'il avait suivis faisaient partie de programmes de l'Opus Dei.

Résumé

Comme je l'ai déjà fait remarquer, les membres de l'Opus Dei ont une forte tendance à être politiquement conservateurs, tout spécialement lorsque l'on touche aux questions culturelles comme l'avortement, la contraception et l'homosexualité. La grande majorité de ses membres n'acquiert pas de tels points de vue dans l'Opus Dei. Ils les possédaient avant d'adhérer ou bien encore ces prises de position se sont imposées à eux en fréquentant certains milieux sociaux ou ecclésiastiques dans lesquels ils s'engageaient. Ce que l'Opus Dei a peut-être ajouté est une formation doctrinale qui leur a permis d'accroître leur confiance en eux lorsqu'ils font publiquement part de leurs positions et d'acquérir un sens de l'obligation personnelle leur permettant de se montrer cohérents dans leur choix. Les membres de l'Opus Dei peuvent se révéler de redoutables adversaires lorsque des personnes ou des organisations affichent des points de vue différents des leurs. Il s'ensuit des débats corsés tout à fait légitimes lorsqu'il s'agit de politiques du domaine public. Le débat aura cependant plus de sens s'il concerne directement les problèmes plutôt qu'un prétendu rôle que l'Opus Dei jouerait en catimini pour renforcer l'activisme d'extrême droite.

Il existe également un risque, celui que l'Opus Dei soit entraînée exactement là où Escrivá ne voulait pas qu'elle aboutisse. Vu la nature des alignements politiques des pays occidentaux à l'heure actuelle, alors que des partis dits conservateurs semblent véhiculer les positions « cathos » traditionnelles sur les questions culturelles, un parti politique pourrait se voir traiter comme un parti « catho » et être considéré comme dépendant de l'Opus Dei. Aux États-Unis, des catholiques conservateurs – et certainement pas seulement ceux appartenant à l'Opus Dei – ont flirté avec cette position lors de l'élection présidentielle de 2004 qui mettait en opposition Bush et Kerry. Voter pour Bush revenait pratiquement à obéir à un commandement de l'Église. Un catholique peut décider qu'un candidat est supérieur à un autre pour des raisons qui sont importantes aux yeux de l'Église, cependant il n'existe pas de parti politique qui soit en parfait accord avec les enseignements de celle-ci, et il existe toujours de la place pour un débat permettant de peser les positions préférables. C'est exactement la raison pour laquelle Escrivá désirait que les membres de l'Opus Dei aient toute liberté de se faire une opinion. Étant donné le zèle avec lequel certains catholiques désirent être cohérents et «penser comme l'Église» en ce qui concerne la politique, ce qui, en soi, est la preuve de sentiments nobles, le défi de l'Opus Dei est d'éviter de devenir un «parti populaire en prières» ou des «républicains-qui-vont-à-la-messe», un résultat qui aurait déçu nul autre qu'Escrivá.

CHAPITRE 13

L'OBÉISSANCE AVEUGLE

Le titre professionnel de David Clark est « conseiller en déprogrammation de la pensée ». Sa spécialité est d'aider les personnes à quitter les sectes. Ancien membre d'une secte du sud de la Californie, expert des sectes reconnu par les tribunaux, il est conseiller depuis plus de vingt ans. Il a été un des auteurs du livre *Recovery from Cults : Help for Victims of Psychological and Spiritual Abuse* (*Décrocher des sectes : l'aide aux victimes d'abus psychologiques et spirituels*) [W.W. Norton, 1993]. Un de ses cas les plus renommés a été celui de Tammy DiNicola, une numéraire de l'Opus Dei qui vivait au Centre d'études de Brimfield, au Massachusetts. En 1990, la famille de cette jeune femme avait alors fait appel aux services de Clark. Elle a demandé à Tammy de revenir à la maison pour une réception qui serait donnée en l'honneur de sa remise de diplôme à l'Université de Boston. Ensuite, ils lui ont demandé d'avoir un entretien avec Clark. Tammy DiNicola a fini par quitter l'Opus Dei et a fondé avec sa mère, Dianne, l'Opus Dei Awareness Network, ou ODAN, un groupe anti-Opus Dei dont nous avons déjà parlé.

Tammy DiNicola n'est pas la seule membre de l'Opus Dei à avoir travaillé en compagnie de Clark pendant de nombreuses années. Lorsqu'on lui a demandé le nombre de ses contacts, il a déclaré avoir été appelé par environ vingt familles dont les membres avaient un rapport avec l'Opus Dei et avoir travaillé avec environ douze membres. En 2004, je lui ai demandé comment il percevait l'Opus Dei.

« L'organisation présente un visage public d'appartenance à l'Église catholique et de défenseur de la foi, a déclaré Clark. Ils sont très conservateurs et prennent leur rôle très au sérieux. Cependant, il est très difficile pour un observateur externe de percevoir ce qu'ils sont vraiment. Ils font un effort politique interne incroyable pour que les personnes extérieures à l'organisation ne voient pas vraiment ce qui se passe. Je sais cela en me basant sur les rapports que m'ont faits d'anciens membres et sur la documentation qu'ils m'ont apportée. »

Clark, qui n'est pas catholique, a déclaré qu'il n'avait pas cherché à les prendre pour cible. « Ils ne m'intéressaient pas spécialement. J'en ai entendu parler par des familles qui cherchaient ce qu'elles pouvaient faire et s'efforçaient de comprendre ce qui arrivait à leurs fils et à leurs filles. »

De 1972 à 1974, Clark a appartenu à ce que l'on appelle un « culte charismatique ». C'était une ramification du « Mouvement Jésus » – un genre de « Jesus Freaks » (les « Vagabonds de Jésus ») – des années soixante-dix. Il a reçu une formation au Séminaire de l'Église réformée épiscopalienne de Philadelphie. Il possède donc une formation théologique et, lorsqu'il a entendu parler de l'Opus Dei, il a pensé reconnaître certaines des déformations et des techniques qui lui étaient familières. Pour terminer, il a dit que, d'après ses observations, il en avait conclu que l'Opus Dei affichait davantage « la dynamique d'une secte que celle d'une Église ».

Clark a déclaré que les membres qu'il avait rencontrés faisaient en général preuve de sincérité. « Ils s'adaptent bien à ce que l'Opus Dei leur présente ; ce sont des croyants convaincus et relativement soumis », dit-il. Il ajoute qu'au début les familles des membres appuient généralement leur adhésion à l'Opus Dei, « parce qu'elles savent que l'institution est soutenue par l'Église. Ensuite, elles commencent à percevoir que quelque chose va de travers lorsqu'elles réalisent que les membres de leur famille ne peuvent pas rentrer chez eux pour les vacances, que le temps qu'ils passent au téléphone est limité et que les numéraires avouent reverser à l'Œuvre l'argent qu'ils gagnent. En se basant sur des entretiens avec des membres de l'Opus Dei, Clark pense et déclare que l'organisation exerce une «influence exagérée» sur les jeunes qui rejoignent le mouvement. Il s'agit, donc, d'une lutte «pour le choix d'une bonne information».

Jusqu'où peut-on déclarer que l'Opus Dei ressemble à une secte?

«Eh bien, elle maintient l'autorité et les enseignements de l'Église catholique romaine, a-t-il déclaré. Les sectes impliquent normalement un rejet de la tradition, tandis que l'Opus Dei est, en un sens, très traditionnelle. Cependant, la façon de pratiquer est différente. La liberté de conscience de la personne est compromise, et cela peut s'avérer très étouffant. Bien souvent, les personnes ne peuvent s'exprimer librement et les interactions sont très contrôlées. Cela ressemble à un film de science-fiction où les personnes deviennent des clones symbiotiques.» Dans cette optique, Clark a déclaré que les membres apprennent plus sur l'Opus Dei après l'avoir quittée que lorsqu'ils en faisaient partie.

L'Opus Dei, a dit Clark, est l'un des organismes «les plus sophistiqués» qu'il lui ait été donné de rencontrer. «Ils sont à la recherche d'un groupe de personnes en particulier, la crème de la crème, les professionnels. Le tout est assez effrayant, presque militaire.» Clark a ajouté que ces inquiétudes étaient exprimées non seulement par les familles des membres, mais également par des voix au sein de l'Église catholique. Ces inquiétudes en général font état de quatre points en particulier. Il croit que l'Opus Dei «contrôle» les esprits de ses membres, qu'elle détruit les familles, que certaines personnes éprouvent de grandes difficultés à quitter l'organisation et que le tout fait du tort à l'Église.

Clark insiste en disant qu'il ne s'agit pas simplement d'impressions passéistes. Il déclare avoir reçu des demandes de renseignements de plusieurs parents au cours de la dernière année. «Il est très difficile de faire quoi que ce soit. Il est impossible ou presque de rencontrer ces personnes. Il est très difficile de trouver une plage horaire pour pouvoir être avec elles.»

Clark a dit qu'il croyait que l'Opus Dei devrait davantage
«s'intégrer à la vie ordinaire» et instituer un «système de freinage»
pour contrôler sa vie interne, et qu'elle devrait faire preuve de
davantage de transparence. Il a établi un parallèle avec les leçons
qu'il a tirées des cas d'abus sexuels aux États-Unis. «Tout est une
question de surveillance et de responsabilités. C'est ce qui devrait
se produire avec l'Opus Dei.»

Le pluralisme

Aux dires de tous, ce qui caractérise un comportement
rappelant celui des sectes s'articule sur une uniformité rigide et
une obéissance totale à l'autorité. Les membres de l'Opus Dei
insistent pour dire que cela ne correspond pas à leur réalité, car ils
déclarent qu'il existe un grand pluralisme au sein de l'Œuvre. En
dehors des exemples concernant la politique, que j'ai donnés au
chapitre 12, comme ceux du Pérou où deux numéraires qui
appartiennent à deux partis diamétralement opposés, libéraux et
conservateurs, cohabitent dans le même centre, il est bon que je
vous présente quelques autres exemples bien explicites.

À Rome, la fondation affiliée à l'Opus Dei et appelée l'ICEF
(acronyme italien pour «Initiatives culturelles, éducationnelles et
familiales») a organisé une conférence en 2003 au sujet du film très
controversé de Mel Gibson, *La Passion du Christ*. Le producteur
adjoint du film, Jan Michelini, est le fils d'un surnuméraire illustre
en Italie, Alberto Michelini, journaliste et politicien, et c'est grâce à
son intervention que Jean-Paul II a visionné une copie du film en
décembre 2002. Joaquín Navarro-Valls, numéraire de l'Opus Dei et
porte-parole du pape, était l'un des principaux supporters du film au
Vatican. De nombreux observateurs, en Italie comme dans le reste
du monde, ont tenu pour acquis qu'à l'intérieur de l'Opus Dei ce
film faisait l'unanimité. Cette impression était également alimentée
par de nombreux catholiques dans le monde qui s'étaient montrés
en faveur de ce drame sanguinolent.

Cependant, lors de la conférence de l'ICEF, une surnuméraire
italienne, Alessandra Caneva, en faisant une critique acerbe de

La Passion a soulevé par la suite ce que de nombreuses personnes ont qualifié de tapage. Mme Caneva est scénariste et auteur (elle a, entre autres, fait partie des scénaristes de la célèbre série de télévision italienne *Don Matteo*, qui a remporté un énorme succès et qui raconte l'histoire d'un prêtre également détective). Cette professionnelle du cinéma a critiqué le film de Mel Gibson aussi bien pour sa qualité artistique que pour son contenu théologique.

« Les travellings circulaires sont déséquilibrés et favorisent les scènes de souffrance à l'état pur, a-t-elle dit en parlant du film. Les raisons profondes des souffrances et les conséquences du sacrifice du Christ sont manquantes et cela constitue quelque chose que non seulement les agnostiques, mais également beaucoup de chrétiens ont perdu de vue. Ces points ne sont abordés que par le dialogue et dans le contexte d'une rivière de sang comme on le voit dans ce film ; les paroles ne sont qu'un élément cinématographique très faible. [...] Le profond sentiment qui fait que je me sente infiniment aimée malgré mes péchés – malgré les péchés de l'humanité – est totalement absent. » Des membres de l'audience, dont certains appartenaient à l'Opus Dei et d'autres pas, sont venus au secours du film, et il s'ensuivit un débat animé.

Pour prendre un autre exemple, l'Université Santa Croce, financée par l'Opus Dei, a organisé, en 2004, une conférence sur la poésie et la chrétienté au cours de laquelle a eu lieu une table ronde sur la pierre angulaire de la littérature italienne *I Promessi Sposi* d'Alessandro Manzoni. Deux points de vue totalement opposés ont été exprimés par deux numéraires de l'Opus Dei – Cesare Cavalleri, le rédacteur en chef du journal italien *Studi Cattolici*, et le professeur François Livi, de la Sorbonne, à Paris. Selon l'opinion de Cavalleri, le roman de Manzoni représente une expression prééminente de la littérature catholique. Livi, quant à lui, estimait que *I Promessi Sposi* reflète l'« empreinte de la culture de l'âge des Lumières, d'une chrétienté souvent réduite à une dévotion populaire ». Livi a déclaré que ce livre ne pouvait pas être défini comme un « roman catholique », de telles paroles sont pour un auditoire italien l'équivalent d'une hérésie. Là encore, un débat animé a suivi.

Aux yeux de nombreux membres de l'Opus Dei, de tels épisodes font mentir la notion qu'il existe quelque chose au sein de l'organisation qui ressemble à de la science-fiction ou que les personnes sont transformées en « clones symbiotiques ». Ils soutiennent, en fait, qu'un des principes majeurs de l'Opus Dei est le respect de la liberté de conscience. Le genre de contrôle sur les membres tel que Clark le décrit est tout simplement impensable.

Un *Rashomon* catholique

Lorsque l'on entend des personnes parler du contrôle exercé à l'intérieur de l'Opus Dei, on a l'impression de se retrouver devant une version catholique de *Rashomon*, le film d'Akira Kurosawa sorti en 1950 et qui décrit les mêmes événements dans une perspective totalement différente. L'Opus Dei est dangereuse si l'on accepte les points de vue de Clark et les critiques d'anciens membres. Pour eux, il s'agit d'une organisation qui ressemble à une secte et soumet ses membres à une surveillance très stricte, les isole du monde extérieur, et les programme pour obtenir une obéissance absolue envers le groupe et ses dirigeants.

Un ancien numéraire espagnol, Alberto Moncada nous indique un site Internet en espagnol – www.opuslibros.org – dans lequel ont été affichés des témoignages négatifs d'une foule d'anciens membres de l'Opus Dei dûment signés par certains d'entre eux. « Il n'existe pas d'organisation ecclésiastique aussi attaquée par ses anciens membres », a déclaré Moncada. Effectivement, Sharon Clasen, l'ancienne numéraire que j'ai présentée au chapitre 8, a déclaré que la majeure critique qu'elle pouvait faire du *Da Vinci Code* était qu'il était trop gentil lorsqu'il parlait de l'Opus Dei. « Il n'a pas réussi à saisir l'essence du lavage de cerveau. [...] Vous ne pouviez pas voir toutes les manipulations », affirme-t-elle.

D'autres personnes voient une réalité totalement différente. Comme je l'ai déjà dit, il existe 85 491 membres de l'Opus Dei dans le monde, sans mentionner les 164 000 coopérateurs non-membres, mais qui appuient l'institution par leurs prières et d'autres moyens, et les quelque 900 000 personnes qui assistent aux réunions nocturnes, aux retraites et aux événements divers. Le nombre d'ex-Opusiens aigris, même en acceptant une estimation très généreuse, est totalement éclipsé par les membres et les supporters actuels. De plus, il existe énormément d'ex-membres qui n'affichent aucune hostilité envers l'Opus Dei. Ils ont quitté l'Œuvre pour des raisons personnelles, mais sont restés en bons termes avec elle. Je vais vous présenter trois d'entre eux dans ce chapitre. Bien que beaucoup de commentaires négatifs proviennent d'Opusiens désabusés, cela ne signifie pas que tous les anciens adhérents aient des choses négatives à dire.

De la même façon, les commentaires positifs ne proviennent pas seulement d'Opusiens ou de personnes qui coopèrent avec l'Opus Dei. De nombreux membres au sein de la hiérarchie de l'Église catholique manifestent également des réactions favorables.

Prenons par exemple l'archevêque Ndingi Mwana'a Nzeki de Nairobi, au Kenya, que j'ai interviewé en septembre 2004 : « Quant à moi, ils font un travail fantastique, a déclaré le prélat. Ils pénètrent dans toutes les couches de la société et sont très fidèles à l'Église et suivent ses enseignements. Ils reçoivent les sacrements et organisent des séminaires et des ateliers pour les jeunes et les couples mariés, pour tout le monde. [...] Personnellement, je les appuie tout à fait. Ils ont toujours été très corrects avec moi. Je ne suis pas d'accord avec les gens qui les critiquent. Je ne pense pas qu'ils essayent de s'imposer, qu'ils essayent de prendre quelque contrôle que ce soit », a-t-il dit.

Prenez encore le témoignage du cardinal Cormac Murphy-O'Connor de Westminster, en Angleterre. Il s'agit du même diocèse où feu le cardinal Basil Hume avait émis des directives pour l'Opus Dei en 1981 en ce qui concernait les secrets et le recrutement. Voici comment Murphy-O'Connor décrit son expérience : « Je pense qu'ils ont accepté les critiques tout en gardant leur charisme et qu'ils ont montré plus d'ouverture, a-t-il déclaré pendant l'entretien que nous avons eu en novembre 2004. Ils ont démontré qu'ils voulaient travailler avec les évêques locaux, véritablement et non théoriquement. Rien n'indique qu'ils veulent travailler en opposition. [...] Les catholiques que j'ai rencontrés à l'Opus Dei étaient tous de vrais catholiques. Ils sont très engagés dans ce chemin particulier qu'Escrivá a décrit et qui représente la mission des laïcs dans leurs différents domaines professionnels. »

Ce qu'il faut retenir, selon les paroles mêmes de Murphy-O'Connor, est qu'il est « très content » que l'Opus Dei soit dans son diocèse. En janvier 2005, Murphy-O'Connor a confié la paroisse de Saint-Thomas-More, située à côté de la résidence universitaire Netherhall à Londres, au clergé de l'Opus Dei.

Pour un observateur extérieur qui essaye d'être objectif, l'Opus Dei présente donc une vraie gageure. D'une part, il est impossible d'ignorer les voix critiques des personnes qui ont connu des expériences de première main avec le groupe. D'autre part, la satisfaction des milliers de membres et l'approbation officielle des évêques qui ne partagent pas obligatoirement la spiritualité de l'Opus Dei ne peuvent pas être écartées non plus. Dans ce chapitre, afin de se rapprocher le plus de la vérité, j'examinerai les plaintes les plus souvent entendues sur la façon dont l'Opus Dei exerce un contrôle exagéré sur ses membres. Ensuite, j'essayerai de comprendre comment les individus peuvent percevoir ces réalités de façons aussi différentes.

Il convient de noter que pratiquement toutes les critiques qui ont un rapport avec les prétendus « contrôles » de l'Opus Dei concernent les numéraires, qui représentent 20 % des membres ayant fait vœu de célibat et vivant dans les centres de l'Opus Dei. Il serait difficile d'exercer quelque contrôle que ce soit sur les surnuméraires pour des questions de logistique, car ces derniers ont des emplois, des familles et habitent dans leur propre maison. La majorité de ce qui va suivre cible donc principalement les numéraires.

L'obéissance aveugle

Certains jeunes qui ont pensé avoir une vocation auprès de l'Opus Dei relatent que le contrôle auquel ils devaient se soumettre ne leur avait pas été expliqué adéquatement au commencement, de telle façon que la nature de la vie de numéraire ne leur est apparue clairement qu'après leur engagement. Par exemple, John Schneider, étudiant de l'Université Notre-Dame, a commencé par assister à des manifestations de l'Opus Dei au Windmoor Center pendant sa première année d'études, puis s'est enrôlé peu après. « S'ils m'avaient annoncé ce que l'on exigerait de moi et s'ils m'avaient fait voir toutes les manifestations auxquelles j'allais devoir participer, j'aurais certainement dit : "Merci, mais cela ne m'intéresse vraiment pas", a déclaré Schneider. Au lieu de cela, ils m'ont tout dévoilé petit à petit au cours des mois qui ont suivi. Personnellement, cela ne me dérange pas si je suis d'accord pour laisser quelqu'un diriger ma vie de cette façon. Cela ne me cause aucun problème. Ma crainte est qu'ils n'obtiennent pas le consentement des personnes de la bonne façon lorsqu'ils les attirent vers l'organisation... » Par la suite, Schneider a décidé de cesser d'être numéraire.

Les critiques font part de plusieurs techniques de contrôle : les membres ne doivent se confesser qu'à des prêtres de l'Opus Dei ; ils sont obligés d'avoir des numéraires comme guides spirituels ; ils doivent admettre leurs défaillances devant le groupe ; le courrier des numéraires est « dépouillé » ; leur accès aux livres et à la télévision se trouve surveillé ; ils n'ont aucune indépendance financière étant donné que les numéraires remettent la majorité de leur salaire à l'Opus Dei ; la pratique de la « correction fraternelle » est une sorte de contrôle social ; les numéraires sont encouragés à épouser les pensées de leurs directeurs et de la communauté plutôt que de penser par eux-mêmes ; ceux et celles qui veulent quitter l'organisation sont persécutés et menacés.

La confession

Des critiques ont accusé l'Opus Dei d'obliger ses membres à aller se confesser à des prêtres de l'Œuvre pour mieux les tenir en bride. En fait, cette exigence n'est pas formalisée. Elle n'est nullement stipulée dans les *Statuts* ni dans aucun autre document officiel de l'institution. De tels règlements entreraient en violation avec le droit canon qui stipule au canon 991 : « Tous les fidèles du Christ sont libres de confesser leurs péchés à des confesseurs de leur propre choix lorsque ces derniers sont légalement approuvés. Ils peuvent même se confesser à un prêtre d'un autre rite. »

D'autre part, on s'attend que les membres se confessent de façon régulière à des prêtres de l'Opus Dei, car il est présumé que ces prêtres sont mieux placés pour connaître les engagements spirituels pris par les membres, qu'ils peuvent leur poser des questions plus pointues et qu'ils peuvent être la source de meilleurs conseils sur la spiritualité. Voici une citation à cet effet qu'Escrivá a publiée dans *Crónica*, le magazine destiné aux membres masculins :

> *Vous pouvez vous confesser à n'importe quel prêtre qui a été habilité par l'évêque local. Je défends donc la liberté tout en demandant que soit respecté le bon sens. Tous mes fils et toutes mes filles ont la liberté de se confesser à n'importe quel prêtre habilité par l'évêque local et ils n'ont pas l'obligation de dire aux directeurs de l'Œuvre ce qu'ils ont fait. Quelqu'un qui agit ainsi, commet-il un péché ? Non ! Possède-t-il un bon esprit ? Non ! Il est sur la route qui le mène pour écouter les mauvais pasteurs. […] Vous irez rencontrer vos frères prêtres tout comme je le fais. Et c'est à eux que vous ouvrirez votre cœur, aussi mauvais soit-il ! Et vous le ferez avec sincérité et un profond désir de guérir. Si vous n'agissez pas ainsi, vous ne pourrez jamais guérir ce qu'il y a de mauvais en vous. Lorsque nous allons rencontrer quelqu'un qui ne peut guérir que superficiellement nos blessures, nous agissons comme des lâches, parce que nous nous conduisons en mauvaises brebis. Nous cachons la vérité à notre propre détriment. […] en recherchant un docteur d'occasion qui ne peut nous accorder plus que quelques minutes de son temps et qui n'a pas la dextérité pour saisir le bistouri et cautériser nos blessures. Et c'est ainsi que nous pouvons faire du tort à l'Œuvre. Si jamais vous deviez agir ainsi, votre esprit serait dans l'erreur et vous serez malheureux. Cela ne serait pas un péché, cependant pauvre de vous ! vous aurez commencé à vous éloigner de la vérité, à commettre une faute.*

Le terme espagnol pour « docteur d'occasion » est *un medico de ocasión*, ce qui revient à dire que ce médecin n'est pas familier avec l'histoire médicale du patient. Quelques personnes ont pensé que cette référence aux prêtres qui ne font pas partie de l'Opus Dei était péjorative, car elles se fient à une traduction peu précise qui revient à dire de « second ordre ».

Selon les exégètes de l'Opus Dei, l'idée principale d'Escrivá est que les membres peuvent se confesser à n'importe quel prêtre ; cependant, lorsqu'ils recherchent, de façon habituelle, un prêtre en dehors de l'organisation, quelqu'un qui ne les connaît pas et qui ne connaît pas l'Œuvre, il est bien probable que ces membres ne désirent pas voir les prêtres de l'Opus Dei se mêler de leurs affaires. Ils ne désirent qu'une expérience artificielle qui remplira la fonction requise pour la confession de leurs péchés. Il ne s'agira pas d'une vraie demande de conversion du cœur – ce que le théologien luthérien allemand Dietrich Bonhoeffer appelle une « grâce bon marché ». Sainte Thérèse d'Avila avait donné un conseil similaire aux religieuses de son ordre lorsqu'elle leur suggérait de se confesser, quand cela était possible, à un carme déchaux étant donné que ce dernier se trouverait mieux placé pour les guider. En général, les membres de l'Opus Dei trouvent que cette position fait preuve de bon sens, du fait qu'ils appartiennent à l'Opus Dei justement pour recevoir une formation spirituelle.

La direction spirituelle

Les membres reçoivent des conseils spirituels des directeurs des centres de l'Opus Dei. Ces derniers sont en général des laïcs numéraires ou d'autres membres désignés par les directeurs. Certains critiques ont accusé les directeurs de demander aux membres de divulguer des renseignements personnels et même des détails sur leur vie sexuelle. Étant donné que ces échanges ne sont pas effectués sous le secret de la confession, c'est-à-dire qu'ils ne bénéficient pas de la confidentialité exigée des confesseurs, certaines personnes pensent que les directeurs partagent les renseignements reçus avec des officiels de l'Opus Dei afin de mieux suivre de près les membres. Maria Carmen del Tapia, l'ancienne numéraire qui a écrit *Crossing the Threshold* (*Franchir le seuil*), a déclaré que lorsqu'elle était guide spirituelle, elle devait faire des rapports sur les personnes qu'elle conseillait et que, parfois, elle recevait des ordres sur ce qu'elle devait leur dire.

Les dirigeants de l'Opus Dei ont trois réponses à ce propos. Premièrement, lorsque des directeurs deviennent des guides spirituels, ils doivent s'immiscer dans l'intimité des personnes et leur parler des divers aspects de leur vie. La dimension sexuelle est un de ces aspects qui, du moins théoriquement, ne devrait pas prendre de proportions exagérées, mais ne devrait pas être omis non plus. En deuxième lieu, ils déclarent que l'Opus Dei suit la directive générale de l'Église en ce qui a trait aux conseils spirituels, ce qui revient à dire que personne ne peut être obligé d'« ouvrir sa conscience ». En d'autres mots, nul ne peut recevoir l'ordre de parler de choses dont il ne veut pas parler. En troisième lieu, ils insistent pour dire que les directeurs ne discutent pas avec une tierce personne des sujets évoqués lors d'une séance de conseils spirituels, à moins qu'ils soient obligés de demander des conseils.

Les Opusiens déclarent qu'en principe cela fonctionne ainsi, bien que d'aucuns rapportent que les membres qui refusent de discuter de certains sujets pendant les séances de direction spirituelle sont accusés de faire du « mauvais esprit ». À la décharge de la direction spirituelle dont on dit qu'elle est utilisée pour forcer les membres à mettre à nu leur âme, un critique se montre prêt à donner à l'Opus Dei un avis favorable. Le critique et ancien membre Alberto Moncada nous a signalé le cas de Robert Hanssen, le surnuméraire américain qui a vendu des secrets du FBI aux Russes et nous a dit : « Ce type a dû rencontrer son directeur spirituel une fois par semaine pendant de nombreuses années. Comment se peut-il que personne ne se soit aperçu de rien? » (En fait, au début de cette histoire, Hanssen avait admis son crime à un prêtre de l'Opus Dei, le père Robert Bucciarelli, mais il avait déclaré qu'il avait mis un terme à ses activités coupables et que, de plus, il n'avait livré aucun secret important. Bucciarelli lui a conseillé de donner aux pauvres l'argent qu'il avait reçu, mais de ne pas se livrer aux autorités pour protéger sa famille.)

De plus, les Opusiens déclarent que toute tentative d'utiliser la direction spirituelle pour « contrôler » les membres ne pourrait fonctionner en pratique. Les numéraires pratiquent la direction spirituelle entre eux. Cependant, deux numéraires ne peuvent se confier l'un à l'autre et se «conseiller» mutuellement. C'est ainsi qu'un réseau de personnes se parlant entre elles dans le même centre tiendrait du hasard. «Il est difficile d'imaginer comment, d'un point de vue logistique, ce système pourrait aboutir à un contrôle uniforme», a déclaré un numéraire américain.

Quelques personnes ont attaqué la pratique de la direction spirituelle pour deux autres raisons. La première est qu'elle peut être dispensée par un laïc qui n'a pas la formation adéquate et la deuxième est que les directeurs de conscience sont quelquefois jeunes et que leur expérience de la vie n'est pas suffisante.

Pour ce qui est de la première accusation, l'Opus Dei insiste pour rappeler que les numéraires ont reçu la même formation que les prêtres en ce qui concerne les questions spirituelles. Il n'existe *a priori* aucune raison de croire qu'un laïc ne possède pas les qualifications appropriées pour être directeur de conscience. En fait, il serait possible de présenter comme argument (et les membres de l'Opus Dei ne s'en privent pas) que le fait de penser qu'un prêtre serait plus qualifié pour devenir directeur de conscience en raison de son état reviendrait à faire preuve d'un excès de cléricalisme. Par conséquent, il n'est pas illusoire de penser qu'un laïc serait même davantage en mesure de comprendre les luttes spirituelles auxquelles est en proie un autre laïc.

En ce qui concerne l'accusation de jeunesse excessive et de manque d'expérience, certains membres de l'Opus Dei plaident «coupables», particulièrement pour des incidents survenus dans les débuts de l'institution, lorsqu'il n'était pas rare qu'un directeur soit dans la vingtaine. Des Opusiens admettent que, dans certains cas, le zèle de la jeunesse dépassait la capacité à comprendre la dimension humaine d'une situation précise. Un numéraire nous a fait part d'une situation survenue alors qu'il était directeur d'un centre en Espagne. Un autre numéraire était tombé amoureux d'une femme ou pensait l'être. Le directeur n'avait que vingt-quatre ans lorsqu'il s'est trouvé devant ce dilemme et il lui arrive encore de se reprocher le fait que l'autre numéraire a fini par quitter le mouvement. À l'heure actuelle, lorsqu'ils pensent que le problème les dépasse, les dirigeants de l'Opus Dei soulignent qu'ils peuvent toujours aller chercher de l'aide avec la permission du membre.

L'emendatio

L'*emendatio*[1] a lieu pendant le « cercle » hebdomadaire. Il s'agit d'une réunion de quarante-cinq minutes environ destinée à des discussions pratiques sur la vie spirituelle, à un commentaire d'un passage des Évangiles et à un examen de conscience personnel. Cette réunion se termine par des prières d'imploration spécifiques à l'Opus Dei. L'idée même d'*emendatio* est qu'à l'intérieur du cercle un membre admet une faute qu'il aurait commise en vivant l'« esprit de l'Œuvre » comme avoir oublié de dire certaines prières, de pratiquer certaines mortifications ou de saisir une occasion offerte d'évangéliser. Il est stipulé qu'il doit s'agir d'une « faute » et non d'un « péché », qui serait quelque chose de beaucoup plus sérieux destiné à la confession. La formule utilisée pour l'*emendatio* demande que le membre s'agenouille et dise : « En présence de Notre Seigneur Dieu, je m'accuse de… » Des pratiques équivalentes se produisaient parmi les ordres religieux, bien qu'elles aient été largement abandonnées depuis Vatican II.

La pratique de l'*emendatio* est volontaire, m'ont rapporté les membres et tous ne le font pas régulièrement une fois par semaine. Quelques membres peuvent passer des années sans la pratiquer. De plus, lorsqu'un membre prévoit qu'il va en faire une, il doit d'abord en parler avec son directeur pour s'assurer que le sujet dont il traitera est approprié pour les autres membres du groupe. Les porte-parole de l'Opus Dei déclarent que le but n'est pas que les membres débattent de leurs problèmes personnels, mais plutôt qu'ils encouragent un esprit de pénitence chez les autres tout en les rassurant du fait qu'ils ont tous les mêmes difficultés à surmonter. Cela renforce également l'idée que l'Église est un seul corps dans

---

1. *Emendatio* (latin) : action de corriger, correction, réprimande. (N.d.T.)

lequel les fautes d'une personne affectent toutes les autres et qu'un membre a la possibilité de demander pardon aux autres. Les prêtres tout comme les laïcs pratiquent l'*emendatio*.

Le contrôle du courrier

On dit souvent que le courrier des numéraires subit un contrôle de la part des directeurs, afin de supprimer tout ce qui pourrait soit affaiblir, soit troubler l'engagement des Opusiens. Sharon Clasen, surnuméraire puis numéraire de 1981 à 1987, a vécu au Bayridge Center et ensuite au Brimfield Center, tous deux situés dans la région de Boston. Elle m'a confié que, lorsqu'elle habitait à Brimfield, elle recevait son courrier ouvert dans une boîte au bout du hall d'entrée. Elle a également déclaré que des lettres ne lui étaient jamais parvenues. Un ancien amoureux lui écrivait régulièrement et, après son arrivée au centre, elle n'avait plus rien reçu. Les lettres qu'elle rédigeait devaient donc être lues par son directeur.

Il n'existe personne à l'intérieur de l'Opus Dei pour nier que le courrier était contrôlé dans le passé, tout comme il était courant de le faire dans les ordres religieux, les séminaires, les pensionnats et les autres institutions appartenant à l'Église catholique. En théorie, les responsables soutiennent que l'objectif n'est pas d'exercer un contrôle, mais d'être dans une position leur permettant d'alerter les membres que ces lettres contiennent quelque chose de problématique vis-à-vis de leur engagement spirituel. De plus, cela signifie que la personne fait preuve d'un don de soi total en ne cachant rien à ses supérieurs ni à Dieu. Il ne fait aucun doute que des abus aient pu avoir lieu à une certaine époque. Voilà pourquoi les communautés, en général, ont abandonné cette pratique. Les porte-parole de l'Opus Dei déclarent également y avoir mis fin.

Marc Carroggio, une des voix de l'Opus Dei à Rome, a déclaré qu'il trouvait « totalement improbable » l'hypothèse énoncée par Clasen, selon laquelle les lettres de son ancien petit ami lui auraient été confisquées.

Peter Bancroft, numéraire américain, a renchéri en disant que, de toute façon, les progrès de la technologie rendaient de nos jours le contrôle du courrier totalement impossible. « Étant donné l'existence des courriels et le coût raisonnable des communications téléphoniques interurbaines comparées à ce qu'elles étaient il y a dix ou douze ans, je n'écris et ne reçois plus beaucoup de lettres à l'heure actuelle. C'est la même chose pour tous les jeunes numéraires des centres dont j'ai été le directeur, a-t-il déclaré. Il est arrivé une ou deux fois que l'on m'ait montré une lettre que l'on se proposait d'envoyer, mais je ne me souviens pas que l'on m'ait montré une lettre qu'on avait reçue. J'ai déjà entendu des directeurs dire qu'ils avaient l'habitude d'ouvrir le courrier sans le lire. Il s'agit seulement d'une façon d'aider les membres à comprendre que leur vie doit demeurer comme un livre ouvert. D'après ce que je sais, cette pratique a été interrompue il y a quinze ans. L'ouverture du courrier est donc une question qui ne vaut même pas la peine qu'on en discute. »

Les livres, la télévision, les films

Une des autres accusations que l'on entend souvent est que les numéraires doivent demander la permission avant de lire des livres ou de regarder des émissions de télévision. Mme Clasen a déclaré que, lorsqu'elle était surnuméraire au Boston College, il lui avait été demandé de soumettre la liste des livres qu'elle devait lire pour ses cours à son directeur afin qu'il l'examine. Elle a ajouté qu'à Brimfield une de ses compagnes de chambre n'avait pas eu la permission de lire certains livres qui se trouvaient sur la liste obligatoire de ses cours et qu'en conséquence elle avait décidé de prier le Saint-Esprit pour qu'il lui donne la « science infuse ». Le père Alvaro de Silva, un Espagnol qui a travaillé pour l'Opus Dei aux États-Unis pendant trente-cinq ans avant de quitter l'organisation pour devenir prêtre à l'archevêché de Boston en 1999, a déclaré que lorsqu'il travaillait à l'Opus Dei, on avait tenté de le décourager de lire les œuvres du père Raymond Brown, un sulpicien qui avait été membre de la Commission pontificale biblique et que l'on a considéré jusqu'à sa mort en 1998 comme le chef de file des spécialistes de la Bible catholique aux États-Unis.

Les dirigeants de l'Opus Dei répondent que personne ne reçoit d'«interdiction» de lire certains auteurs ou certains titres. Lorsque les membres émettent des doutes au sujet d'un livre en particulier, ils sont encouragés à en discuter avec leur directeur ou avec quelqu'un qui possède les connaissances nécessaires.

Le père Guillaume Derville, le directeur spirituel de l'Opus Dei, a déclaré que l'institution possédait une banque de données contenant des milliers de prises de position accumulées au fil des années par les membres. On peut consulter cette liste pour se guider. «Il existe des livres qui, sans traiter de thèmes religieux, sont imprégnés d'une idéologie antichrétienne, souligne Derville. Certains de ces livres font preuve d'une grande cohérence par rapport aux enseignements de la Bible, d'autres sont immoraux, d'autres pourraient aider un grand nombre de lecteurs et ainsi de suite.» Derville ajoute que cette banque de données n'est pas une «liste officielle» et que les jugements qui y sont exprimés sont, par définition, «perfectibles». Il souligne qu'il ne s'agit pas toutefois d'un «index» des livres proscrits. La base de données contient également des comptes rendus officiels ainsi que des réactions de professeurs et d'amis.

Il n'est pas obligatoire de consulter la base de données avant de lire quoi que ce soit, a ajouté Derville, pas plus qu'il n'est demandé à quiconque d'accepter les jugements exprimés dans ce fichier informatique. «L'individu a toujours le choix», a-t-il déclaré.

Il serait possible, a déclaré Derville qu'avec le temps cette base de données soit disponible pour le grand public, sur le Web. En premier lieu, a-t-il déclaré, il faudra qu'une équipe de professionnels scrutateurs chargés de la rédaction s'assure que les jugements sont équilibrés et qu'ils reflètent des critères uniformes, que les simplifications et les positions partisanes aient été éliminées et que la sélection des thèmes abordés soit appropriée. «Tout cela exige du personnel, du temps et du travail», a-t-il remarqué.

Assurément, ce que l'Opus Dei juge comme une lecture convenable peut différer des jugements exprimés ailleurs. David Gallagher, par exemple, personnage officiel de l'Opus Dei aux

États-Unis, a déclaré que personne ne «contrôlait» les lectures des membres. Si jamais un membre en voit un autre en train de lire un ouvrage discutable, il est fort possible qu'il lui en fasse part. J'ai demandé à Gallagher si le fait de lire les romans de John Updike pouvait provoquer une telle intervention, et il a répondu par l'affirmative. Le fait à retenir n'est pas que les œuvres de John Updike soient interdites à l'intérieur de l'Opus Dei – je connais même des membres qui apprécient ses livres. Il faut seulement retenir qu'il s'agit de la façon dont l'Opus Dei peut installer des «clignotants» un peu plus rapidement qu'ailleurs.

Prenons un autre exemple. Celui du bibliothécaire de l'Université Strathmore, à Nairobi. Il s'agit du surnuméraire Fidelis Katonga. Il m'a rapporté que, étant donné qu'il se sent responsable du développement moral et spirituel des étudiants ainsi que de leur développement universitaire, une bonne partie de son travail est «d'éloigner les jeunes esprits de tout ce qui peut leur être délétère». Katonga a déclaré que les œuvres de Marx, d'Engels et de Bertrand Russell ne se trouvent pas dans les rayons. Si jamais il arrive qu'un étudiant ait besoin de consulter un de ces livres, il doit en faire la demande par écrit. Ces ouvrages lui seront apportés de la réserve et ils pourront être consultés sur place en compagnie d'un conseiller. Le but est de ne pas laisser les étudiants «se fourvoyer» dans des lectures dangereuses.

«Il est de mon devoir d'empêcher que la lecture de ces textes pernicieux ne cause du tort à ces jeunes esprits», a déclaré Katonga.

Les membres de l'Opus Dei qui écrivent des livres traitant de la foi ou de la moralité sont encouragés à demander l'opinion d'un expert, soit d'un théologien, soit d'un spécialiste en éthique de l'Opus Dei, pour s'assurer qu'il n'y a rien dans leurs écrits qui aille à l'encontre des enseignements de l'Église. Là où la loi de l'Église exige un *nihil obstat*, ce qui signifie rien de contraire aux enseignements de l'Église dans la publication, les membres de l'Opus Dei doivent s'adresser à leur évêque, comme tout le monde. Cependant, là où l'Église ne l'exige pas, les membres de l'Opus Dei doivent en général demander la permission de quelqu'un à l'intérieur de l'Opus Dei, bien que les porte-parole insistent pour dire que le demandeur peut faire ce qu'il veut de l'avis reçu. Les critiques de l'Opus Dei voient cela comme une autre façon de s'assurer le contrôle de la pensée, alors que les membres considèrent cela comme un moyen d'éviter des problèmes possibles.

En ce qui concerne la télévision, la façon de fonctionner est à peu près la même. Il n'est pas interdit aux numéraires de regarder la télévision et, en fait, tous les centres de l'Opus Dei que j'ai visités possédaient des salles à cet usage. Lorsque je suis allé à Barcelone, par exemple, tout le monde s'est retrouvé dans la salle de télévision pour assister à un match de football important. Lorsque j'ai rendu visite à Netherhall, la résidence universitaire de l'Opus Dei à Londres, plusieurs numéraires planifiaient d'assister au match de rugby qui allait avoir lieu cette après midi-là entre l'Angleterre et l'Australie. Personne n'a eu besoin d'aller demander la permission à qui que ce soit. D'autre part, on s'attend à ce que quelqu'un aille administrer une « correction fraternelle » à un membre que l'on trouverait dans une salle de télévision de l'Opus Dei en train de regarder l'émission *Survivors* pour des raisons autres qu'anthropologiques ou culturelles, dans le cadre d'un de ses cours. Considérer que cela est un moyen de « contrôler » la télévision dépend premièrement de la façon dont on juge l'émission et, deuxièmement, de ce que l'on estime « normal » dans le comportement d'une personne qui s'est engagée dans le chemin spirituel balisé par l'Opus Dei.

Le cinéma reçoit un autre traitement. L'usage pratiqué par l'Opus Dei dès son début veut que les numéraires ne doivent pas assister aux divertissements publics comme le cinéma et les événements sportifs, à moins qu'un cas précis fasse preuve d'une certaine logique. Gabriela Eisenring, une numéraire suisse qui travaille pour la direction de la section des femmes à Rome, a déclaré que les intentions derrière cela sont « l'austérité, le don de soi et de son temps à Dieu ». Les numéraires qui ont un travail les obligeant à assister à ce type d'activités, peuvent le faire sans problème. Les numéraires ont de temps en temps le droit à une soirée cinéma dans leur centre. Ils peuvent alors visionner un film choisi par leur directeur.

L'argent

Comme je l'ai indiqué au premier chapitre, les numéraires doivent donner une bonne partie de ce qu'ils gagnent en travaillant pour aider à l'entretien du centre dans lequel ils vivent et pour appuyer financièrement les différentes œuvres de l'Opus Dei comme le centre ELIS pour les jeunes travailleurs, à Rome, ou le centre Condoray au Pérou, qui alphabétise les femmes et leur enseigne différentes techniques de vente. L'Opus Dei déclare que c'est exactement ainsi que fonctionnent les familles où tous les membres mettent en commun leurs ressources dans le budget familial, même si en pratique les numéraires peuvent conserver le contrôle d'une partie de leurs revenus pour payer leurs dépenses personnelles, les impôts et ainsi de suite. On demande également que les surnuméraires soient aussi généreux que possible; ainsi, Russell Shaw, l'écrivain catholique américain, donne 200 dollars par mois à l'organisation.

Maria Ángeles Burguera, une numéraire espagnole qui travaille comme journaliste, m'a décrit comment cela fonctionnait. «J'ai mon propre budget, explique-t-elle. J'examine la somme d'argent dont j'estime avoir besoin chaque mois. Supposons qu'il me faille acheter des pantalons ou un chandail... Il me faut penser aussi à la somme dont j'aurai besoin pour mon alimentation. Ensuite, je décide du montant que je vais peut-être donner. Je garde une partie de l'argent pour moi et donne le reste au centre.» Burguera m'a déclaré qu'elle discutait de son budget avec le directeur de son centre pour s'assurer que tous les besoins de la collectivité étaient couverts. Elle m'a expliqué que sa paie était automatiquement déposée dans son compte en banque, puis qu'elle se rendait à un guichet automatique pour retirer l'argent qu'elle donnait ensuite au directeur de son centre. Elle a ajouté qu'elle laissait toujours de l'argent dans son compte pour payer les emprunts contractés pour ses études et pour le cas où elle aurait besoin de faire des dépenses de santé. En général, elle déclare donner la moitié de son salaire au centre, bien qu'il puisse arriver qu'elle en donne parfois plus, parfois moins.

Un numéraire américain m'a expliqué comment il répartissait les 40 000 dollars qu'il gagnait annuellement :

- 13 000 $ pour les impôts, la sécurité sociale et les régimes de retraite;

- 12 000 $ pour le gîte et le couvert;

- 2 000 $ pour les frais afférents aux cours annuels de trois semaines et à la retraite fermée (une semaine);

- 2 000 $ pour les dépenses d'auto;

- 4 000 $ pour les vêtements, les soins médicaux, les voyages, les taxis, les repas pris à l'extérieur, etc;

- 7 000 $ pour les contributions aux différentes œuvres apostoliques de l'Opus Dei.

Le poste « gîte et couvert » couvre les coûts d'entretien du centre dans lequel vit le numéraire, ce qui signifie quelquefois qu'il participe au règlement de l'hypothèque du bâtiment. La voiture est probablement celle du centre[2], c'est-à-dire que tout le monde participe aux frais de carburant, à l'entretien et aux mensualités. D'autre part, qu'une personne soit numéraire ou non, les coûts du logement et des transports sont les mêmes. Dans ce budget, le poste spécifique de l'Opus Dei est le coût des cours annuels et de la retraite ainsi que la contribution aux œuvres apostoliques. Cette somme représente 9 000 dollars, soit 22,5 % des gains de l'intéressé.

Certains numéraires ont déclaré se trouver en position de dépendance financière du fait qu'ils ne contribuent pas à des régimes de retraite et que cela leur ôte toute idée de s'affranchir un jour. Sur ce point particulier, l'Opus Dei n'est pas la seule à agir ainsi. La même situation se retrouve chez les autres ordres religieux, où les membres qui quittent l'ordre doivent recommencer à zéro en matière de carrière et de régime de retraite. De plus, étant donné que les numéraires sont censés terminer leur instruction scolaire et acquérir un métier en ayant reçu toute la formation prévue et la reconnaissance de leur diplôme, ils se trouvent en meilleure position

---

2. Les clubs automobiles canadiens estiment que les frais afférents à l'usage d'une voiture économique peuvent varier annuellement de 7 000 à 8 000 dollars. (N.d.T.)

pour subvenir à leurs propres besoins que les membres des ordres religieux dans la même situation, mais sans formation, ni expérience, ni contacts à l'extérieur. Les numéraires auxiliaires qui étudient dans des écoles hôtelières et dans des écoles de cuisine reçoivent, elles aussi, une sorte de certificat et des références.

Selon Pablo Elton, le directeur des finances de l'Opus Dei, les numéraires ont tous leur compte en banque et possèdent également des cartes de crédit dans les pays où leur utilisation est courante. Elton a déclaré que la seule suggestion qui leur est faite est d'utiliser leurs cartes de crédit avec «parcimonie». De plus, les numéraires n'ont pas l'obligation, comme on l'a souvent raconté, de faire un testament en faveur de l'Opus Dei. Selon Elton, ils ont la liberté de laisser leur argent à qui ils le veulent bien et leurs volontés sont respectées. En fait, de nombreux membres laissent leurs biens à des écoles, à des résidences et à d'autres activités reliées à l'Opus Dei – tout comme le font de nombreux Américains qui laissent leurs biens à leur *alma mater* ou à des causes qui leur sont chères.

La correction fraternelle

Lorsqu'un membre voit un autre Opusien faire preuve de manquements dans sa façon de vivre l'«esprit de l'Œuvre» et que cela dépasse les luttes normales qu'ils doivent mener, l'observateur doit lui offrir ce qui est connu sous le nom de «correction fraternelle». Selon Matthew Collins, un ancien surnuméraire devenu coopérateur, les principes de base sont :

- la faute que l'on a remarquée chez l'autre personne est une faute ou un manquement en rapport avec l'esprit de l'Œuvre ;
- la personne qui reçoit la correction ne doit pas être frappée à répétition de la même sentence ;
- lorsque des directeurs de l'Œuvre sont conscients que certains faits ne nécessitent pas une telle correction, celle-ci n'est pas appliquée ;
- la correction doit être motivée par un esprit de charité fraternelle ;

- la personne qui reçoit la correction est consciente que celle-ci n'est pas motivée par l'opinion d'un autre membre, mais qu'elle est en fait conforme à l'esprit de l'Œuvre.

Tandis que les critiques déclarent que les corrections fraternelles sont encore un moyen de subjuguer les membres, les dirigeants de l'Opus Dei déclarent que cette pratique a comme base l'exemple de Jésus qui a dit dans l'Évangile selon saint Matthieu (Mt 18, 15) : « Si ton frère a péché, va le trouver et reprends-le, seul à seul. S'il t'écoute, tu auras gagné ton frère. »

En théorie, celui qui a observé une faute doit en premier lieu prier pour la personne qui l'a commise et pour la faute elle-même. Ensuite, il doit rencontrer le directeur de conscience du fautif et lui mentionner les faits de façon confidentielle. Lorsque le directeur est d'accord pour que la correction soit appliquée, la permission est accordée. La personne qui reçoit la correction doit dire « merci » et la recevoir avec bonheur. Lorsque la correction a été appliquée, elle se rend à l'oratoire pour prier pour l'autre personne et ensuite aller le mentionner au directeur.

Carl Schmidt, un numéraire américain de longue date qui vit au centre situé sur l'avenue Wyoming à Washington, D.C., offre un bon exemple. Ayant surpris des membres de sa maison qui rouspétaient contre les tendances libérales du *New York Times*, il a pratiqué une correction fraternelle. « Je sais que le *New York Times* affiche certaines positions tendancieuses, a-t-il dit, mais c'est cependant un des journaux les mieux conçus au monde et des membres de l'Opus devraient pouvoir y travailler, a-t-il déclaré. Si vous continuez à parler de cette façon, vous allez décourager les gens à aller chercher du travail au *New York Times*. Vous agissez comme s'il était un ennemi, alors qu'en fait il est votre frère. Vous ne réussirez pas à faire agir vos frères en perpétuant ce négativisme… »

La dépendance et les directeurs

« Tim Coraldo » est le pseudonyme donné par le journaliste Jason Fargone, du magazine *Philadelphia*, à un jeune homme de Philadelphie, catholique pratiquant impliqué dans un mouvement connu sous le nom de Journey Into Manhood («Voyage vers l'âge d'homme»). En gros, il s'agit d'un programme pour les homosexuels qui essayent de contrôler leur sexualité, qui ne la nient pas, mais qui se gardent d'être actifs. Ce qui a frappé ma curiosité dans l'histoire de Tim, c'est qu'il a été numéraire de l'Opus Dei. Grâce à Fargone, j'ai pu le rencontrer et, comme Fargone, j'ai décidé de protéger son identité.

Tim, d'ascendance hispanique, a grandi dans une famille catholique et a rencontré l'Opus Dei par l'intermédiaire de son oncle qui a été numéraire pendant dix-huit ans, mais a quitté le mouvement depuis. Il était étudiant de seconde année lorsqu'il a été invité à participer à une manifestation de l'Opus Dei destinée aux garçons. «J'ai été très heureux de me lier avec ces garçons de mon âge, d'écouter des discours sur la spiritualité, mais aussi de faire des parodies, d'assister à un film et d'entendre un numéraire de son âge jouer à la guitare des airs populaires. Il m'a déclaré avoir été très impressionné.

Plus tard, alors qu'il était en dernière année, il a commencé à assister aux cours de formation de la doctrine. «Je grandissais dans ce que l'on pourrait appeler une paroisse moderne et libérale et j'ai ressenti que ma foi manquait de substance. Je désirais quelque chose qui ait davantage de signification et je me suis donc imprégné de tous les enseignements que l'Opus Dei voulait bien me dispenser», a-t-il déclaré. Plus tard, un numéraire un peu plus vieux lui a demandé de réfléchir sur sa vocation et la possibilité d'adhérer à l'Opus Dei. Il a alors prié devant l'autel et la réponse lui a semblé être un «oui» très clair.

Tim a rejoint l'Opus Dei en 1986. «Mes deux premières années au sein de l'organisation se sont déroulées comme s'il s'agissait d'une lune de miel. Je me sentais très près de Dieu et de mes frères numéraires. Je me rappelle qu'il m'arrivait de me pincer pour m'assurer que tout cela était bien réel. Je ne pouvais pas croire que la vie puisse être aussi belle», a-t-il déclaré. Puis il a remarqué que quelque chose avait commencé à changer. Les pressions qu'il ressentait pour terminer sa formation universitaire tout en «faisant son apostolat», signifiaient qu'il devait travailler avec des jeunes tout en restant disponible aux besoins de l'Opus Dei, et elles le minaient sournoisement. Il ne tarda pas à faire une dépression nerveuse. Simultanément à sa dépression, ses tendances homosexuelles ont réapparu comme si elles voulaient se venger. L'organisation lui a permis de rencontrer un prêtre qui faisait de la thérapie, et Tim a conclu qu'il était préférable qu'il quitte l'Opus Dei. «Je pense que ce sentiment était mutuel», a-t-il déclaré. En 1990, il est retourné habiter chez son père et, le 19 mars 1991, n'ayant pas renouvelé son contrat avec l'Opus Dei, sa sortie est devenue officielle.

Comment Tim évalue-t-il tout cela aujourd'hui?

«Mes sentiments sont partagés. [...] Cela ressemble à la fois à de l'amour et à de la haine. L'expérience a été positive dans son ensemble, cependant je pense qu'il existait certaines choses qui n'étaient pas totalement saines. S'il fallait que je réduise cela à sa plus simple expression, je dirais que la sanctification du travail et de la vie familiale, l'étude des enseignements et des traditions de l'Église ainsi que l'appel universel à la sainteté sont ce qu'il y a de meilleur dans l'Opus Dei. Cependant, je pense que leur ascétisme et leur spiritualité peuvent être pernicieux. J'estime que l'Opus Dei est trop négative et encourage les membres à être trop durs envers eux-mêmes. Le mode de vie est trop surveillé et trop rigide. J'ai arrêté de penser par moi-même et ai laissé mes directeurs penser pour moi parce que je ne pouvais faire confiance en ma propre intuition.»

Il faut souligner que Tim n'est pas en colère contre l'Opus Dei. Il est très proche de sa tante, une surnuméraire fidèle. En fait, avant d'accepter de me parler pour ce livre, il est allé demander conseil à son ancien numéraire, celui qui l'avait encouragé à s'engager, pour être certain qu'il ne ferait aucun tort à l'Opus Dei.

Dennis Dubro, un Américain numéraire de 1973 à 1987, décrit un incident qui s'est produit à l'époque où il aidait à diriger une résidence universitaire de l'Opus Dei nommée Warrane College, à Sydney. Cet incident illustre bien ce que Tim disait sur l'autorité des directeurs.

Certains étudiants ouvraient les sorties de secours des dortoirs et déclenchaient des alarmes. On a pensé qu'ils faisaient entrer des filles en cachette, et le directeur a décidé de verrouiller toutes les sorties de secours du dortoir réparti sur huit étages et d'une capacité de 200 lits. On nous répéta à tous qu'il était préférable de brûler pendant cette vie plutôt qu'en enfer. Un des directeurs dit que si un feu se déclarait, son ange gardien le réveillerait et qu'il sortirait par la porte principale, ferait le tour du bâtiment et ouvrirait toutes les sorties de secours de l'extérieur. Quelques jours plus tard, quelqu'un a rapporté à la direction de l'université que les sorties de secours avaient été bloquées. L'université a décidé que cette politique était inacceptable et a ordonné de les déverrouiller. Nous avons exécuté l'ordre et avons fait une déclaration publique pour exprimer notre gratitude à l'université, qui avait réagi aussi rapidement et nous avait aidés à fournir un environnement sécuritaire aux étudiants. Et puis, le directeur a verrouillé de nouveau les sorties de secours. Un professeur membre de l'Opus Dei qui avait accepté de faire partie de notre conseil d'administration, n'a pas cru que les sorties étaient déverrouillées. Il a décidé d'aller vérifier. Une journée plus tard, l'université envoyait un autre ordre pour que les sorties de secours soient déverrouillées et qu'elles le restent de façon permanente. Cependant nous avons immédiatement entendu parler des directeurs régionaux qui critiquaient ce membre, car il n'avait pas l'autorité pour contester ou douter de la parole du directeur. Il nous a été signifié que nos directeurs ne devaient répondre de leurs actions que devant Dieu et que les membres devaient plutôt passer leur temps en s'adonnant à des œuvres apostoliques qu'à vérifier les paroles des directeurs[3].

Dubro nous raconte cette histoire pour illustrer à la fois l'excentricité occasionnelle qui se manifeste à l'intérieur de l'Opus Dei ainsi que l'insistance mise pour que les membres ne contestent pas l'autorité des directeurs, bien qu'il vaille la peine de remarquer

---

3.　On rapprochera cette attitude de celle qui prévalait chez les Jésuites où le mot d'ordre a été longtemps *Perinde ac cadaver* («Obéir comme un cadavre»)…

que c'est un membre qui a décidé que le directeur avait tort et qui a rapporté l'attitude de ce dernier aux autorités de l'université.

D'autres membres insistent pour dire qu'un tel climat d'obéissance n'existe pas. Lucia Calvo, par exemple, est la directrice de l'école Besana, une école pour filles située dans le quartier Pueblo Novo de Madrid. Ses étudiantes proviennent en grande partie d'une population d'immigrants à faibles revenus. Cela fait trois ans qu'elle occupe ce poste. Avant cela, Mme Calvo avait travaillé dans une école de filles en Australie. Elle vit à Madrid dans un centre pour femmes avec dix autres numéraires dont plusieurs travaillent pour l'Œuvre, quelques-unes d'entre elles enseignent et une autre travaille pour une ONG espagnole. Une dernière est artiste professionnelle, âgée de soixante-dix et quelques années. Ce centre est situé approximativement à vingt minutes de métro de l'école. Elle m'a raconté lors d'une interview en mai 2004 que sa vie est tout sauf « contrôlée » et que son directeur ne lui donne pas d'ordres concernant la direction de l'école.

« Je pense pour moi tous les jours et à chaque instant quand je fais ce travail, m'a-t-elle rapporté. Il n'existe personne dans l'Opus Dei pour me surveiller et me dire ce que je dois faire. J'ai toute liberté, que ce soit à l'intérieur du centre où j'habite ou à l'extérieur. » Mme Calvo a sous ses ordres une équipe de 32 professeurs à Besana et l'école compte 400 filles âgées de onze à seize ans. Elle est d'accord pour dire que l'Opus Dei insiste pour qu'existe une unité interne, mais elle souligne qu'il s'agit bien d'une « unité » et non d'une « uniformité ». Elle ajoute même que son style de vie en tant que numéraire, sans liens familiaux à proprement parler, lui donne plus de liberté dans son travail que celui des femmes mariées avec un mari et des enfants. « Il m'arrive de penser à certaines de mes enseignantes qui rentrent chez elles après la journée de travail pour s'occuper de leurs enfants et je me dis qu'elles doivent trouver cela très difficile. À ce niveau, je pense avoir beaucoup plus de liberté qu'elles. »

Certains membres remarquent qu'il existe un élément distinctif entre les expériences de Mme Calvo et celles de « Tim » ou de Dubro : il s'agit de l'âge. Le niveau de surveillance exercé sur les jeunes est plus important lorsqu'ils sont à la fin de l'adolescence ou au début de la vingtaine, certainement plus élevé qu'il ne l'est pour une personne comme Mme Calvo, qui est dans la quarantaine avancée.

Quitter l'Opus Dei

Il n'existe pas d'estimation fiable donnant le nombre exact d'anciens membres de l'Opus Dei, principalement pour la bonne raison que ses dirigeants ne tiennent pas de registre des «taux d'abandon». D'après les anecdotes qui nous ont été rapportées, il semble que 20 à 30 % des adhérents à l'Opus Dei finissent par décrocher. Ce pourcentage diminue après que les membres sont devenus oblats, ce qui représente leur incorporation définitive à l'Opus Dei et il diminue encore plus après le vœu de «fidélité», qui représente l'engagement définitif ayant lieu six ans et demi après l'incorporation de l'Opusien à l'institution. Un numéraire qui a travaillé comme directeur de trois centres différents pendant quatorze ans, et qui a eu sous ses ordres soixante-deux numéraires âgés de dix-huit à quatre-vingt-cinq ans pendant ce laps de temps, a déclaré que huit de ses numéraires avaient démissionné, soit environ 13 %. Quel que soit le pourcentage total, il existe un assez grand nombre d'Opusiens démissionnaires et on le chiffre à quelques milliers. Certains d'entre eux nous ont fait part de ce qui s'est produit lorsqu'ils ont quitté l'organisation.

Joseph I. B. Gonzales, un Philippin devenu numéraire en 1979 et qui a pris congé de l'institution avant de prononcer ses vœux de fidélité en 1985, rapporte que les numéraires subissent énormément de pression pour ne pas laisser tomber leur vocation et qu'ils sont avertis qu'en cas de défection ils commettent une grave offense envers Dieu. «Lorsque je suis parti, le prêtre m'a dit que je devais confesser ce péché mortel et, d'après ce que j'ai appris, des punitions ridicules semblables ont été infligées à d'autres ex-numéraires.» À l'heure actuelle, M. Gonzales enseigne l'administration à l'Ateneo Graduate School of Business du Rockwell Center à Makati City, aux Philippines, et travaille également comme consultant en communications et en recherches.

Gonzales a déclaré que l'exigence de la confession n'est que le commencement des pressions exercées contre les membres dont l'engagement vacille. «En dehors de la menace d'une damnation éternelle et du chantage émotionnel pernicieux auquel ils sont soumis, puisqu'ils sont accusés de trahir Jésus-Christ, il existe d'autres formes de pressions psychologiques exercées par leur entourage ou venant d'une dissonance cognitive de la section la plus cultivée de l'Opus Dei, la Weltanschauung[4]. Lorsqu'une personne s'est investie à fond dans l'organisation, pour employer des termes boursiers, il devient très difficile pour elle, une fois numéraire, de saisir la folie d'un tel investissement, de limiter ses pertes et de se retirer. Cela revient à reconnaître que l'on a commis une erreur énorme. Il s'agit là sans doute de la démarche psychologique la plus difficile à assumer et, ensuite, il faudra passer des années et des années à corriger les conséquences négatives et souvent traumatiques d'une telle erreur», a-t-il déclaré.

Le harcèlement présumé comprenait des appels téléphoniques, des visites au domicile ainsi que des lettres. Moncada raconte que, après avoir quitté l'Opus Dei au milieu des années soixante, un membre de l'Opus Dei était allé rendre visite à son père pour le convaincre de le déshériter (son père a refusé). À un autre moment, Moncada a raconté qu'une banque lui avait demandé de faire un travail de recherche sociologique. Comme par hasard, le projet était tombé à l'eau au dernier moment. Un des cadres de la banque lui avait expliqué que c'était à cause de l'intervention d'une personne influente de l'Opus Dei. À la décharge de l'organisation, Moncada a admis que, dans les deux cas, il n'y avait pas d'indications que ces personnes aient agi selon les directives de qui que ce soit. Néanmoins, il souligne que, lorsque quelqu'un quittait l'Opus Dei au moment où il l'a fait, cette dernière essayait d'organiser la « mort civile » du démissionnaire.

En septembre 1983, l'ancien numéraire allemand, Klaus Steigleder a publié un livre : *Opus Dei : An Inside View* (*L'Opus Dei*

---

4. Vue métaphysique du monde, sous-jacente à la conception qu'on se fait de la vie. Ici, philosophie des têtes dirigeantes de l'Opus Dei. (N.d.T.)

vue de l'intérieur). À l'âge de quinze ans, Steigleder faisait partie d'une troupe de théâtre sans savoir qu'elle entretenait des relations avec l'Opus Dei. Il a donc fini par « siffler » et, plus tard, lorsqu'il a décidé de quitter l'Opus Dei à l'âge de dix-neuf ans, il a rapporté que les membres éprouvaient beaucoup de difficultés pour partir parce que, selon lui, « leur esprit avait été brisé et qu'ils avaient perdu tout contact avec la réalité quotidienne ». Steigleder a ajouté qu'il lui avait fallu deux ans et demi pour vraiment partir, même après avoir pris la décision définitive de s'en aller. « Les difficultés que j'ai dû surmonter ne provenaient pas des règlements, a-t-il déclaré, mais des pressions morales énormes auxquelles j'étais soumis. En effet, les membres qui ont intériorisé la doctrine, la mentalité et l'esprit de l'Œuvre trouvent très difficile de s'en libérer et de retrouver la possibilité d'envisager et d'examiner les choses de façon objective. »

Les responsables de l'Opus Dei répondent que, dans un certain sens, quitter l'Opus Dei est la chose la plus simple au monde. Lorsque l'étape de la « fidélité » n'a pas été dépassée, que les vœux perpétuels n'ont pas été prononcés, il suffit de ne pas renouveler le contrat le 19 mars et, automatiquement, on n'est plus Opusien. Il s'agit donc d'une des rares organisations où il est possible de partir sans avoir quoi que ce soit à faire. Lorsque le membre a dépassé l'étape de la « fidélité » et qu'il décide de s'en aller, il doit écrire une lettre dans laquelle il exprime son ou ses intentions. Certains membres le font, d'autres ne font que ramasser leurs affaires et s'en vont tout simplement. Dans un cas ou dans un autre, je le montrerai plus loin, certains anciens membres gardent d'excellents rapports avec l'organisation.

Christopher Howse, actuellement éditorialiste au *Daily Telegraph* de Londres, est un ancien numéraire. Il déclare n'avoir pas subi de traumatisme au moment où il a quitté l'Opus Dei, lorsqu'il a pris cette décision en 1988. Il avait adhéré à l'Œuvre en 1970 alors qu'il était étudiant. Il vit maintenant dans un appartement près de la résidence de l'archevêque de Westminster. Ce journaliste, auteur de textes sur la spiritualité, est très respecté. La raison de sa démission était que les tâches apostoliques qu'il devait accomplir entraient en contradiction avec sa personnalité. « J'ai découvert que je n'étais pas fait pour mener la vie d'un numéraire de l'Opus Dei. Les numéraires doivent jouer le rôle d'enseignant et pratiquement d'animateur de pastorale – ils doivent aider les autres dans leur vie de prières. Je n'étais vraiment pas fait pour cela », m'a-t-il confié.

Pas un membre du personnel de l'Opus Dei n'a exercé de pression pour le faire changer d'idée, m'a déclaré Howse. Il s'est porté à la défense de l'organisation lors d'un débat public en Angleterre et a écrit en janvier 2005, lors de la nomination de Ruth Kelly, une surnuméraire, au poste de ministre de l'Éducation : « Je n'ai jamais rencontré depuis lors de groupe de personnes plus gentilles, plus patientes, aussi peu motivées par leur ambition personnelle. »

Elizabeth Falk Sather est une ancienne numéraire de Chicago qui a quitté le mouvement au début de 1983, après en avoir fait partie pendant environ cinq ans. « Je suis allée regarder la page Web de l'Opus Dei Awareness Network et j'y ai lu les différents rapports, dont celui de Moncada, sur ce qui s'était produit lorsqu'ils avaient pris la décision de quitter l'organisation. J'ai été choquée. Je n'ai subi aucune contrainte, personne n'est venu frapper à ma porte. Mon directeur m'a tout simplement dit : "Votre décision doit être prise en toute liberté." Je ne me suis pas sentie pourchassée. Ils ont bien vu que j'étais sincère et honnête. »

Presque tout le monde se rallie à l'opinion que le départ des surnuméraires de l'Opus Dei provoque beaucoup moins de turbulences. Matthew Collins, qui vit à Baltimore, a été surnuméraire pendant vingt-six ans avant de démissionner en 2003 pour devenir coopérateur. Voici comment il a décrit son expérience :

Bien que de nombreuses personnes faisant partie de l'Œuvre n'aient pas compris ma décision et qu'elles aient peut-être même pensé que j'avais « perdu ma vocation », j'ai été traité avec la plus grande charité et le plus grand respect. Personne ne m'a fait sentir que je n'étais pas le bienvenu. J'ai été très franc avec les directeurs lorsque j'ai commencé à réfléchir à ma possibilité de quitter l'Œuvre, et ma liberté a toujours été respectée. J'ai éprouvé beaucoup de difficultés à prendre ma décision et il m'est arrivé, à certains moments, de souhaiter qu'ils exercent plus de pression sur moi pour que je reste. Ils ne l'ont jamais fait. Au contraire, le message constant que je recevais de leur part était qu'ils pensaient que j'avais une vocation au sein de l'Opus Dei, mais que j'étais libre de prendre ma décision et que, si je décidais de partir, je serais toujours le bienvenu pour participer aux activités. De plus, advenant mon départ, on m'a conseillé d'avancer sur ma nouvelle route en me disant que Dieu prendrait soin de moi, que je ne devrais pas regarder en arrière et penser que j'avais commis une faute.

Des opinions opposées

Comment pouvons-nous concilier des opinions aussi divergentes?

En tout premier lieu, il faut prendre en considération le facteur psychologique : certaines personnes tolèrent mieux les environnements structurés que d'autres. Un environnement peut paraître rigide et étouffant à certains tandis que d'autres le perçoivent comme méthodique et libérateur. Il serait possible de faire les mêmes exercices de comparaison en écoutant les témoignages de personnes ayant fait partie des forces armées ou de celles qui ont travaillé dans des entreprises.

En deuxième lieu, étant donné que les procédures internes de l'Opus Dei ne sont que très peu divulguées, tout dépend de la personnalité du directeur ou du prêtre mis en cause. Il est bien possible que Gonzales et Falk Sather nous décrivent avec précision leurs propres expériences et tous les deux peuvent penser que leur cas personnel représente la norme, alors qu'en fait tous les deux ne font que nous exposer le comportement de leur directeur, dont l'un était autoritaire et répressif et l'autre compréhensif et souple.

En troisième lieu, les choses ont changé au cours des années et l'Opus Dei a appris par expérience qu'elle doit prendre garde à tout ce qui pourrait ressembler à des menaces ou à de l'intimidation. Les membres déclarent qu'ils considèrent leur vocation comme un engagement envers Dieu. Par conséquent, ils veulent encourager les personnes désirant prendre cet engagement à bien réfléchir avant de

« siffler » et à y penser encore plus sérieusement avant de prendre la décision de quitter l'Œuvre. Aujourd'hui, il semble cependant que les responsables aient plus d'aptitudes à communiquer pour qu'en fin de compte, le choix soit fait en toute liberté.

En quatrième lieu, plusieurs des anciens membres qui se plaignent du contrôle exercé sur les numéraires semblent être des jeunes gens ou des jeunes femmes ayant quitté l'Opus Dei au bout de peu de temps, comme Schneider, Steigleder et Tim. Cela signifie qu'ils n'ont vécu que la période la plus intense de la formation et de l'instruction, mais pas celle qui suit. Chaque membre passe deux ans dans un centre d'études, ce qui peut s'avérer une expérience très astreignante, ressemblant un peu à celle d'un camp d'entraînement de l'armée pour les nouveaux commandos. Les numéraires doivent ensuite continuer l'apprentissage de leur métier ou étudier à l'université tout en progressant dans leur formation spirituelle, en prenant des cours de théologie et de philosophie et en appro-fondissant l'« esprit de l'Œuvre ». Il n'est donc pas surprenant de constater que la plupart des membres les plus critiques ayant quitté l'Opus Dei l'aient fait soit pendant, soit juste après cette période de formation.

Des membres de longue date déclarent que le degré de liberté personnelle dont ils jouissent a tendance à augmenter une fois terminée cette étape de formation, tout comme les vétérans qui ont plus d'autonomie que les recrues. De plus, la plupart des observateurs ont déclaré que la situation s'était énormément améliorée avec le temps et que les règles et la surveillance, considérées comme normales il y a vingt ou soixante ans, ne pourraient être tolérées aujourd'hui. Un membre de l'Opus Dei a révélé que la présence de membres plus anciens dans les centres signifie qu'il y existe une plus grande maturité, une plus grande expérience de la vie humaine, une souplesse et une capacité à ne pas donner trop d'importance aux choses somme toute assez futiles.

La plupart des numéraires déclarent également qu'il ne fait aucun doute que leur vie est remplie de défis. Ils doivent avoir un emploi à temps plein, diriger diverses activités apostoliques comme s'occuper de groupes de jeunes ou de programmes de formation pour les surnuméraires et également passer beaucoup de temps lors d'activités avec les autres numéraires vivant dans les mêmes centres. Les membres se démènent pour équilibrer les exigences de leur emploi ou de leur école avec leurs engagements envers les activités de l'Opus Dei. Il n'y a pas beaucoup de «temps mort» et, comme dans toute vie communautaire, très peu d'intimité. La question essentielle que l'on doit se poser consiste à se demander comment l'individu réagira. Les membres qui sont satisfaits affirment qu'ils trouvent que leur vie est enrichissante, tandis que ceux qui ont du mal à l'accepter disent souvent la trouver rigide et voir en elle une abdication insupportable de leur indépendance personnelle. Les critiques comme les supporters décrivent la même réalité, mais envisagée sous deux angles différents.

Les familles

Une accusation souvent faite au contrôle exercé par l'Opus Dei est que l'organisation sépare les membres de leur famille. À la fin des années soixante-dix, la mère d'un numéraire anglais qui était devenu membre de l'Opus Dei à l'âge de dix-huit ans avait fait part de ses inquiétudes dans une série de lettres qu'elle avait envoyées à plusieurs personnalités de l'Église, dont le cardinal Basil Hume de Westminster. Ces lettres ressemblaient à des plaidoiries et avaient comme sujet l'impression croissante de l'éloignement dont faisait preuve son fils. Le cardinal Hume a désigné un prêtre pour donner suite à cette correspondance. Voici ce que cette mère lui a répondu le 24 août 1978.

> *Je devrais commencer par dire que si nous avions été des parents plus vigilants, ces problèmes ne se seraient jamais présentés. Sans en avoir été informés, nous, ses parents, croyons que notre fils a été préparé dès l'âge de dix-sept ans et demi à coups d'enseignements doctrinaux et de direction spirituelle à prendre une décision lorsqu'il aurait dix-huit ans, âge auquel il pouvait légalement faire valoir ses droits. Nous n'avons eu aucun contact avec l'Opus*

Dei au sujet de sa décision, que ce soit avant ou après. En tant que parents, nous tenons beaucoup à ce que notre fils puisse se développer de toutes les façons possibles selon ses talents. [...] Notre fils ne vient à la maison que pendant de très courts laps de temps et nous n'avons pas osé parler de ses études, bien que nous les financions et que nous ayons dû signer le grand formulaire qui précisait que nous en étions responsables. [...] Placés dans des conditions normales, nous aurions dû en parler avec lui à la fin du trimestre pour savoir si, par exemple, il ne pouvait pas opter pour la physique – une matière pour laquelle il semble avoir de grandes facilités. Malheureusement, il nous est très difficile de communiquer avec lui. Que ce soit intentionnel ou non, l'Opus Dei semble, indirectement, l'avoir rendu méconnaissable et l'avoir éloigné de ses parents et de ses camarades d'école. De plus, il n'a aucun contact avec une paroisse ou d'autres groupes de l'Église. Nos trois enfants ne sont pas des génies, mais ils sont intelligents et s'intéressent à beaucoup de choses. Ils ont connu, je le pense, une structure familiale solide dans laquelle ils ont pu progresser et tous ont réussi selon leurs possibilités. Cependant, je ressens fortement qu'il a besoin d'un appui que nous ne pouvons plus lui donner à l'heure actuelle. Étant donné que nous avons été étudiants tous les deux, nous aurions pu le faire profiter de notre expérience et discuter avec lui de la façon dont il devrait entrevoir la prochaine année scolaire, etc. Nous ne voulons pas empêcher tout développement qui pourrait se manifester dans le sens d'une vocation. Cependant, nous voulons nous assurer qu'à l'heure actuelle toutes les possibilités lui restent ouvertes. Je pense que, en tant que chrétienne de notre temps, chacun devrait vivre pleinement dans le plan qui a été tracé pour lui, travaillant sans compter, faisant preuve de générosité pour nos amis et notre famille à l'intérieur et à l'extérieur de l'Église, soutenu et enrichi par les sacrements et guidé par l'exemple de Notre Seigneur dans ses Évangiles. (J'aimerais que mon fils puisse avoir d'autres lectures édifiantes que Chemin, l'œuvre du fondateur de l'Opus Dei.) C'est pourquoi je me trouve très attristée par la séparation, le retrait et l'étroitesse de point de vue qui ont pris

*place dans sa vie. L'Église semble, plus que jamais, vouloir accorder
de l'importance à l'unité familiale et au rôle des parents et c'est
sur ce point que je critique le plus l'Opus Dei. Fait-elle cela pour
protéger les vocations ? Quoi qu'il en soit, j'ai l'impression que les
droits de notre fils sont brimés. Il est notre fils aîné et nous n'avons
pas la possibilité d'accomplir nos devoirs de parents envers lui.
Je souligne encore que nous n'aurions jamais dû lui permettre
de passer autant de temps au centre de l'Opus Dei, même s'il
s'agissait d'une organisation affiliée à l'Église, du moins avant
qu'il ait atteint l'âge d'évaluer la situation avec maturité. Nous
ne pouvons donc que continuer à prier.*

Il existe des lettres similaires dans les archives des évêques de
tous les coins du monde. Étant donné que le catholicisme considère
la famille comme une entité « semblable à l'Église », il s'agit d'un
problème sérieux.

Un catholique américain, J. J. M. Garvey, dont deux des filles
sont numéraires, a été suffisamment bouleversé par son expérience
pour rédiger en 1989 un pamphlet de cinquante-huit pages intitulé
A Parent's Guide to Opus Dei (*Guide parental sur l'Opus Dei*) et
pour créer un groupe qu'il a nommé Our Lady and Saint Joseph in
Search of the Lost Child (Notre Dame et saint Joseph à la recherche
de l'enfant perdu), une alliance *ad hoc* à la défense du quatrième
commandement. Garvey, catholique orthodoxe convaincu, a
soutenu que l'Opus Dei reflète la pathologie d'une secte telle qu'elle
a été décrite dans un document du Vatican en 1986, qui portait
sur ce sujet. En effet, les jeunes quittent subitement le domicile
familial pour se joindre à l'Opus Dei « dans le plus grand secret ».
Garvey décrit l'attitude des jeunes qui adhèrent à l'Opus Dei : « Leur
comportement devient artificiel et rigide et leurs réponses semblent
être calculées pour maintenir une distance avec leurs parents et
leurs proches. La communication normale à l'intérieur du milieu
familial se trouve réduite. Pire encore, les parents ne peuvent obtenir
de renseignements crédibles venant des représentants de l'Œuvre
pour expliquer ces changements de personnalité et de conduite de
leurs enfants. » Les Garvey vivent à l'heure actuelle en Virginie, à

Fredericksburg. Leurs deux filles sont encore numéraires. L'une d'entre elles vit à Washington, D.C., et l'autre à Chicago. Bien que les Garvey n'aiment pas parler de leurs expériences, leurs amis déclarent qu'ils ont le sentiment d'avoir «perdu» leurs enfants au bénéfice de l'Opus Dei.

Quoique les évêques aient entendu ce genre de plainte de la part de nombreux parents, il faut comprendre que l'histoire de l'Église compte de nombreux jeunes gens qui ont consacré leur vie à Dieu, soit en entrant dans les ordres, soit en choisissant la prêtrise ou divers mouvements laïques et d'apostolat. Ces personnes ont souvent dû subir l'opposition de leurs proches. Un des défis majeurs que les autorités de l'Église doivent affronter est de faire la part entre les inquiétudes légitimes des familles et les réactions exagérées qu'elles peuvent manifester.

Voici comment l'Opus Dei Awareness Network décrit l'approche des familles dans l'Opus Dei : «Les numéraires n'ont, en général, pas le droit de se rendre dans leurs familles pour Noël ni de prendre part aux mariages ou d'aller s'occuper d'un de leurs proches qui est malade. On leur dit que l'Opus Dei est leur famille et on les culpabilise lorsqu'ils passent du temps avec leurs véritables parents parce que cela "vole le temps qui devrait être consacré à l'Œuvre de Dieu". Tous les efforts sont bons pour qu'ils transfèrent les sentiments qu'ils éprouvent pour leur famille vers l'Opus Dei ; c'est pourquoi ils n'ont pas la permission de garder de photos de proches dans leur chambre. Toutefois, on y trouve une foison de portraits du Fondateur, du prélat et même de la sœur et de la famille d'Escrivá! Il en résulte que les sentiments de numéraires pour leurs familles sont remplacés par des sentiments envers l'organisation.»

Cette description ne correspond pas à la réalité décrite par les membres de l'Opus Dei. Lorsque j'ai rencontré Beatriz Comella Gutiérrez et María Ángeles Burguera, par exemple, ces numéraires de Madrid m'ont toutes les deux montré avec fierté des photos de leurs familles. Elles l'ont fait spontanément pendant que nous parlions de leurs vies et non pas en réponse à mes questions.

Mme Burguera, qui a neuf frères et sœurs, m'a désigné deux de ses frères sur la photo. Ils sont prêtres. L'un est salésien, l'autre franciscain et travaille actuellement en Équateur. Elle m'a également désigné un autre frère, qui est médecin, et un autre directeur de société. Elle m'a dit en souriant : « Ne pensez pas que nous sommes tous aussi religieux… Ils ne vont pas à la messe. » Sa mère est surnuméraire de l'Opus Dei, tandis que son père a déjà douté ; et comme Mme Burguera l'explique avec délicatesse : « Ils ont eu des mots… » Cependant, elle déclare qu'aujourd'hui son père est revenu à la foi, principalement après avoir été témoin des expériences positives vécues par son frère aîné qui est numéraire et à la suite de son expérience personnelle. Mme Burguera souligne qu'elle rend souvent visite à sa famille, bien qu'elle ne le fasse pas aussi fréquemment qu'elle le voudrait. Elle prend part aux manifestations familiales les plus importantes et reste en constant contact avec les membres de sa famille grâce au téléphone et aux courriels. Comella Gutiérrez fait les mêmes remarques.

Carlo Cavazolli, un numéraire argentin qui travaille au Conseil général à Rome, déclare au sujet des photos de famille qu'une certaine sobriété est de mise dans les pièces communes de l'Opus Dei, pour que les invités n'aient pas l'impression d'envahir l'espace privé de qui que ce soit. Cependant, les numéraires déclarent qu'il n'existe pas d'interdit pour exposer les photos de famille dans leur chambre.

David et Linda Pliske, les parents de Bernie, la numéraire auxiliaire présentée au chapitre 9, ont déclaré qu'ils étaient toujours en contact avec elle depuis qu'elle avait déménagé au Centre de conférences de Shellbourne à Valparaiso, dans l'Indiana.

« Lorsqu'elle a commencé à se joindre à l'Opus Dei, une de mes peurs, au début, a été de réaliser que nous ne la verrions plus souvent, laisse entendre David Pliske. Nous l'aimons beaucoup et elle allait nous manquer terriblement. Je me rappelle avoir pensé : "Que veux-tu dire quand tu nous racontes que l'Opus Dei est ta famille ? C'est nous qui sommes ta famille…" Et pourtant, je sais bien que nos enfants ne nous appartiennent pas. Ils appartiennent à Dieu et nous devons les encourager dans leur spiritualité. Après tout, quand on se marie, on commence une nouvelle famille. Il s'agissait d'une chose que je devais accepter. La chose à retenir est qu'elle a choisi en toute liberté...»

Linda Pliske a déclaré qu'elle ne partageait pas les inquiétudes de son mari. «Je n'étais pas inquiète, car mon attitude était la suivante : "Où que tu ailles, je te retrouverai", dit-elle en riant. J'étais tellement heureuse pour elle... Bernie avait songé à entrer dans un ordre religieux et nous n'avions pas vu beaucoup de jeunes dans ces ordres. Il y a de nombreux jeunes au sein de l'Opus Dei. Elle aura donc beaucoup plus de possibilités de se faire des amis de son âge.»

Linda nous a raconté que Bernie rentrait à la maison pour les fêtes d'anniversaire, les enterrements et autres événements familiaux et qu'ils font le trajet de quarante-cinq minutes de leur maison jusqu'au Centre de conférences de Shellbourne une fois par mois pour l'emmener au restaurant. Il arrive que Bernie invite une de ses amies de Shellbourne à venir au restaurant avec ses parents. Ils lui téléphonent au moins une fois par semaine. Les Pliske, de plus, invitent chez eux les autres filles du centre deux fois par an pour qu'elles profitent de la campagne de l'Indiana. En automne, ils organisent une promenade en charrette à foin et se rendent à la fête locale de la citrouille. Au printemps, ils organisent un pique-nique et jouent au volley-ball.

David a ajouté que, lorsque l'on compare sa vie avec celle qu'elle aurait pu avoir si elle avait choisi de rentrer dans un ordre religieux, ils ne peuvent vraiment pas se plaindre en pensant à tous les contacts qu'ils peuvent avoir avec elle. «J'avais deux tantes religieuses cloîtrées, a-t-il dit. Elles ont eu le droit de retourner chez elles seulement deux jours une fois tous les sept ans. Lorsque l'on compare les deux situations, celle de Bernie est fantastique...»

Cette mère anglaise qui avait écrit aux personnalités officielles de l'Église en 1978 et avait accepté de me parler à condition que je ne révèle pas son nom, peut être considérée comme un parent typique qui n'éprouve aucune amertume, comme Garvey, ni enthousiasme, comme les Pliske. Je lui ai parlé en janvier 2005. Son fils est toujours numéraire et elle déclare qu'il a toujours été un « fils très dévoué » et que, d'après ce qu'elle peut voir, il semble « calme, heureux et épanoui » dans l'Opus Dei. Ils ont des contacts réguliers, se parlent au téléphone une fois par semaine et se rencontrent durant les vacances. Elle a également dit qu'elle participait aux manifestations prévues par l'Opus Dei pour les familles deux fois par an.

« La plupart de mes amis, catholiques ou non, expriment des réserves vis-à-vis de l'Opus Dei. Cependant lorsqu'ils rencontrent mon fils, ils se retrouvent totalement désarmés », dit-elle. Elle ajoute qu'elle ressentait une « profonde admiration » pour la plupart des personnes qu'elle a rencontrées dans l'Opus Dei et que celles-ci vivaient dans la « sainteté ». Elle s'est rendue à Rome pour la béatification d'Escrivá en 1992 et pour sa canonisation en 2002 et a trouvé ces deux événements très émouvants. Elle a souligné en même temps qu'elle avait eu la confirmation qu'elle n'était pas faite pour cette institution.

Cette mère a révélé que les très grandes craintes que son mari (décédé il y a huit ans et demi) et elle avaient éprouvées en 1978 lorsqu'ils ont vu ce qui arrivait à leur fils, ne se sont pas confirmées de la façon dont elle l'avait exprimé dans sa lettre. À la suite de cette communication, son fils a eu une entrevue avec le cardinal Basil Hume et elle a rencontré le père Philip Sherington, qui était à l'époque le chef de l'Opus Dei en Angleterre (il est décédé plus tard dans un accident en Irlande) et pour lequel elle éprouvait beaucoup d'admiration. Son fils a paru faire preuve de plus de concentration dans ses études à la suite de ces conversations, et la situation s'est améliorée de façon générale. Ses parents ont cependant manifesté suffisamment d'inquiétudes pour enlever leur deuxième fils du club de garçons affilié à l'Opus Dei et pas un seul de leurs autres enfants n'a adhéré à l'institution.

Cette mère a déclaré qu'elle a perçu d'« énormes changements » dans la façon dont l'Opus Dei approche ses futurs membres depuis le dernier quart de siècle, ce qu'elle a attribué, en premier lieu, aux directives émises par Hume en 1981. « Le cardinal a été très courageux et il a été respecté. Il pouvait parler sans animosité et, d'une manière ou d'une autre, les gens savaient qu'il avait raison. Son intervention a provoqué le commencement des changements afin qu'il y ait moins de secrets et que les jeunes subissent moins de pression. Les choses sont tout à fait différentes de nos jours. »

Elle a reconnu également qu'elle était encore inquiète, car son fils avait été incité à s'engager à vie avant d'être vraiment prêt. Cependant, elle reconnaît que plusieurs de ses confrères de l'Opus Dei ont changé de vie par la suite et que, par conséquent, lui aussi aurait pu choisir une autre voie.

Les divergences entre les expériences des Garvey, des Pliske et ce couple anglais, ainsi que celles de milliers d'autres familles dont les enfants sont devenus numéraires peuvent survenir en partie à cause de la position de l'Opus Dei qui est devenue moins stricte au cours des dernières années. De plus, cela peut être partiellement imputable aux différentes opinions émises sur la fréquence des contacts souhaitables entre une personne engagée par vocation dans l'Opus Dei et les membres de sa famille. Étant donné toutes les exigences des emplois du temps des numéraires, il ne fait aucun doute qu'il existe des occasions où les familles aimeraient voir leurs proches, mais où cela s'avère impossible. Cette situation fait-elle partie de l'ordre normal des choses ou faut-il qualifier cela de processus d'isolement et de contrôle ?

Le « quatrième étage »

Alberto Moncada, ancien numéraire, a écrit plusieurs livres et articles critiquant l'Opus Dei, dans lesquels il a déclaré que le stress et les pressions exercées sur les membres sont tellement forts qu'ils éprouvent des problèmes psychologiques à un taux beaucoup plus élevé que la normale. Il a raconté qu'en Espagne, lorsqu'un numéraire fait une dépression nerveuse, la pratique courante est de l'interner dans le service psychiatrique de l'hôpital universitaire de l'Université de Navarre. Ce service est connu sur le campus sous le nom de « quatrième étage », car il est situé à ce niveau de l'hôpital.

Selon Moncada, c'est là qu'on traite les numéraires à coups de médicaments pour les renvoyer ensuite à leur travail. « Le quatrième étage ne sert que pour les numéraires qui sont devenus fous, n'hésite pas à affirmer Moncada. Vous pouvez me citer… »

Le résultat de tout cela, soutient Moncada, est une sorte de « goulag de l'Opus Dei » en Navarre.

Je voulais vérifier ce qu'il en était de mes propres yeux. Le 21 juin 2004, je suis allé visiter le « quatrième étage », mieux connu sous le nom de Clinique universitaire de la faculté de médecine. J'ai rencontré le Dr Salvador Cervera Enguix, directeur du service de psychiatrie à la faculté de médecine de l'Université de Navarre, qui a aussi dirigé la clinique pendant trente-trois ans. Le Dr Cervera est l'ancien président de la Société espagnole de psychiatrie, l'association séculière de psychiatres la plus importante en Espagne. Il fait également partie de la Société espagnole de psychiatrie biologique et du Comité espagnol pour la prévention et le traitement de la dépression. Ces trois organismes n'ont aucun lien avec l'Opus Dei.

Le docteur Cervera m'a dit que seulement deux des dix thérapeutes qui travaillent à la clinique sont membres de l'Opus Dei. Nous avons visité les installations pendant la journée et il m'a indiqué que, parmi ses patients, il n'y avait aucun membre de l'Opus Dei en traitement. Il a déclaré qu'au cours d'une année le pourcentage des patients appartenant à l'institution pouvait atteindre 2 %, numéraires et surnuméraires confondus. Cervera a déclaré que la clinique a deux objectifs : le premier est de traiter les maladies mentales « par des techniques acceptées mondialement et scientifiquement reconnues ; le deuxième est de valider le premier objectif en le rendant "compatible avec un sens chrétien de la vie" ». Cela signifie, en partie, respecter les croyances de patients admis à la clinique et permettre une interprétation spirituelle comme scientifique de leurs expériences.

Le Dr Cervera a déclaré qu'il serait antidéontologique d'utiliser la clinique pour « récupérer » les membres de l'Opus Dei qui remettent en question leur vocation et de leur imposer un objectif autre qu'un traitement médical adéquat. Il m'a fait remarquer que sa clinique a été reconnue par les différentes autorités et qu'elle possède tous les permis de fonctionner. Les associations chargées des accréditations ne « toléreraient aucunement » une conduite qui ne correspondrait pas à l'éthique médicale. De plus, a-t-il fait remarquer, avoir été élu président de plusieurs associations psychiatriques laïques suggère que la clinique fonctionne selon des normes scientifiques acceptées de façon générale.

« D'après mon expérience de psychiatre, les numéraires ne souffrent pas davantage de difficultés psychologiques que l'ensemble de la population, a déclaré le Dr Cervera. Il n'y a pas de différence avec les autres groupes de personnes dont la vie est consacrée à autrui, qui travaillent beaucoup et qui, peut-être, ne prennent pas assez de repos. » Une chose est cependant certaine : l'appartenance à l'Opus Dei peut aider les membres à supporter le stress. « Il a été très clairement établi que toute croyance religieuse bien vécue est un antidote contre les maladies mentales », a-t-il précisé.

Le Dr Cervera ajoute que, lorsque des membres de l'Opus Dei viennent à la clinique pour y recevoir des traitements, ils bénéficient des mêmes soins que tous les autres malades. On ne leur prescrit pas plus de médicaments qu'aux autres, et il précise qu'il n'accepterait jamais dans son service des patients, sous prétexte que ceux-ci entretiennent des « doutes » sur le bien-fondé de leur vocation. « Dans les cas où ces doutes occasionneraient beaucoup d'angoisse et de la dépression chez ces patients, nous traiterions leur état ; cependant, nous ne les traiterions pas afin d'influencer l'issue de leur décision. Dans certains cas, il est fort possible que la saine décision à prendre par ce patient soit de choisir une autre voie. » Le praticien souligne que les thérapeutes ne discutent jamais des traitements subis par les membres de l'Opus Dei avec les directeurs des centres. « La relation se déroule entre nous et le patient. Jamais avec qui que ce soit d'autre. »

Il faut ajouter comme information supplémentaire que la clinique Navarra est la seule en Espagne où les patients ne sont pas séparés selon les sexes, ce qui dément au moins la réputation de l'Opus Dei d'exiger une séparation totale entre les sexes. Le Dr Cervera a fait remarquer qu'il ne désirait pas que ses patients « se retirent du monde et qu'ils restent assis dans leur chambre à attendre leurs médicaments ». Il désire qu'ils fonctionnent le plus normalement possible dans un environnement social normal.

Quelques anciens membres satisfaits

Étant donné que la plupart des critiques adressées à l'Opus Dei proviennent d'anciens numéraires, il vaut la peine de faire remarquer que certains sont restés en bons termes avec l'Opus Dei et perçoivent positivement leur expérience.

Joseph McCormack

Joseph McCormack a trente-huit ans. Il est expert en relations publiques dans l'une des dix principales agences de marketing de Chicago. Il a été numéraire pendant quatre ans, puis a démissionné pour devenir surnuméraire. Il a déclaré que ce qu'il préférait dans l'Opus Dei était qu'elle l'avait aidé à intégrer sa foi dans la vie. « Le Christ a été rejeté de la société dans laquelle nous vivons, a déclaré McCormack. Que pouvons-nous faire pour qu'Il soit réintégré ? L'Opus Dei est le seul moyen pratique qui puisse m'aider. » Il m'a donné ceci comme exemple : « Mettons que j'aille à une réunion avec les directeurs de Kodak. Je désire faire un bon travail pour ce client. Je veux l'aider à atteindre ses objectifs. Cette activité est tout à fait cohérente avec le reste de ma vie ; elle fait partie de mon existence en tant que chrétien sur la terre. »

McCormack est entré en contact avec l'Opus Dei alors qu'il était élève d'une de leurs écoles pour garçons à Chicago, la Northridge Prep. À l'âge de dix-sept ans, il a participé à un voyage de l'UNIV à Rome, la rencontre annuelle avec le pape des jeunes qui ont des liens avec l'Opus Dei et il a « adoré » son voyage. Un peu plus tard, il s'est joint aux numéraires de l'Opus Dei et a emménagé dans un centre pendant qu'il suivait des cours à l'Université Loyola à Chicago. « J'y étais très heureux, a-t-il déclaré. Je ne me suis pas le moins du monde senti manipulé ou contrôlé.» Cependant, à la même époque, il a réalisé qu'il n'était pas fait pour ce genre de vie, qu'il existait quelque chose de mieux pour lui. Il a cessé d'être numéraire en 1988, tout en continuant à participer aux activités patronnées par l'Opus Dei. En 2000, il est devenu surnuméraire.

McCormack a avoué qu'il connaissait au moins une vingtaine de numéraires ayant quitté l'Opus Dei pour une raison ou une autre. Plus de la moitié d'entre eux sont restés en bons termes avec l'organisation et n'ont subi aucune pression. De façon ironique, une bonne partie de son travail, à l'heure actuelle, consiste à aider des sociétés qui ont des problèmes d'image, ce qu'il reconnaît être également un problème pour l'Opus Dei. «Les personnes à la tête de l'Œuvre m'ont demandé de leur donner mon avis sur ce problème, a-t-il dit. Je leur ai répondu que la bonne nouvelle était que leur position n'était pas plus mauvaise que celle de bien d'autres. De nombreuses sociétés très importantes n'ont également aucun talent pour communiquer.»

Elizabeth Falk Sather

Elizabeth Falk Sather est une ancienne numéraire devenue coopératrice, ce qu'elle est encore à l'heure actuelle. Elle a grandi dans un foyer très pieux «de tradition catholique de stricte observance», précise-t-elle. Sa famille connaissait bien l'Opus Dei et sa mère désirait qu'elle reçoive son éducation religieuse de cette institution. C'est ainsi qu'elle a commencé à participer à ses activités dès l'âge de douze ans. Elle a une sœur, également numéraire, et un frère surnuméraire. Tout comme McCormack, elle a participé à un voyage de l'UNIV à Rome au cours de sa dernière année de secondaire et elle a déclaré que ce voyage «lui avait fait découvrir un nouveau monde». Avant ce voyage, l'Opus Dei était pour elle quelque chose qui correspondait simplement à sa mère et aux amies de celle-ci.

Elizabeth Falk Sather s'est jointe à l'Opus Dei en tant que surnuméraire à l'âge de dix-sept ans, juste avant de quitter le foyer familial pour aller étudier au Boston College. Elle a commencé à fréquenter le centre de l'Opus Dei à Boston en participant à des cours de formation et de direction spirituelle hebdomadaire donnés par un numéraire. À un moment donné, un des directeurs lui a demandé si elle n'avait pas envisagé de s'engager plus profondément. Elizabeth a répondu « qu'elle y avait pensé et qu'elle avait prié pour cela » et, à la fin de 1977, elle prit la décision de se joindre à l'Opus Dei en tant que numéraire. Elle s'est installée au Centre Bayridge à Boston au début de sa seconde année d'études et ensuite au centre pour les femmes de Brimfield, à Newton au Massachusetts. Elle a rapporté qu'elle s'est installée dans le Milwaukee en 1980, où elle avait obtenu un poste de professeur et qu'elle vivait dans un centre de l'Opus Dei destiné aux femmes. Étant donné que sa famille vivait dans cette région, elle rapporte qu'elle a pu avoir de nombreux contacts avec sa mère et qu'elle n'a jamais connu de restrictions à ce chapitre.

C'est vers cette époque qu'Elizabeth a commencé à entretenir des doutes et à se demander si la vie de numéraire était vraiment faite pour elle. Elle en a parlé à son directeur. « Ils m'ont toujours demandé d'être honnête et de ne rien dissimuler en ce qui concernait ma vocation, raconte-t-elle. Ils m'ont fait savoir que je ne devais pas avoir peur de m'exprimer. » La raison première de ses doutes était qu'elle ressentait le désir de se marier et d'avoir des enfants. Elle dit qu'elle a réfléchi pendant quatre ou cinq mois et qu'ensuite elle a décidé de démissionner.

Aujourd'hui, Elizabeth est mariée et a sept enfants, cinq filles et deux garçons. Elle nous a dit qu'une de ses filles est en rapport avec l'Opus Dei à Marquette et que, si un de ses enfants décidait de devenir numéraire, elle trouverait cela fantastique et en serait très heureuse. Elle signale que sa meilleure amie est une ancienne auxiliaire devenue surnuméraire à l'heure actuelle.

Elizabeth décrit son expérience au sein de l'Opus Dei en ces termes : « Ils m'ont enseigné comment prier ; ils ont fait en sorte que je sache appliquer ma foi à la vie de tous les jours ; ils m'ont montré comment devenir une bonne chrétienne, une bonne catholique dans notre monde. Cela m'a aidée à rapprocher mes enfants de Dieu pour qu'ils puissent vivre leur foi de la meilleure façon possible. Cela a rendu bien des services à l'Église. »

Ignacio G. Andreu

Ignacio G. Andreu est un ancien numéraire espagnol âgé de quarante et un ans. Il enseigne la philosophie dans une université publique à Barcelone. Il est entré en contact avec l'Opus Dei pour la première fois dans une petite ville espagnole alors qu'il était encore au secondaire. Il a grandi dans un foyer très catholique, mais personne dans sa famille n'appartenait à l'Œuvre. Tout comme McCormack et Elizabeth Falk Sather, Ignacio Andreu a participé à un voyage de l'UNIV à Rome lorsqu'il avait dix-sept ans. Il a pris sa décision d'adhérer à l'Opus Dei peu après en déclarant « avoir été attiré par la spiritualité et… la liberté ». Tout comme le font de nombreux membres, Andreu a souligné que l'idée de sanctification du travail avait été particulièrement attirante. « L'idée de pouvoir offrir à Dieu mes études et ensuite mon travail m'avait fortement impressionné. »

Après avoir « sifflé », Andreu est allé étudier pendant un court laps de temps à Madrid, puis à Barcelone, où il s'est spécialisé en philosophie. Il est resté aux environs de Barcelone pendant tout le temps où il a fait partie de l'Opus Dei, c'est-à-dire de l'âge de dix-sept ans jusqu'à trente-cinq. À une certaine époque, il a été affecté pour travailler avec un groupe de l'institution dans une petite ville à l'extérieur de Barcelone. La majeure partie des membres étaient plus âgés que lui et il a déclaré avec tact que l'expérience avait été « un peu difficile ». En fait, il avait vécu une période éprouvante et a commencé à « baisser sa garde » et à négliger sa vie de prières.

« Dans l'Opus Dei, la vie est en général facile, mais elle peut se révéler très dure si l'on ne prie pas, remarque Andreu. Lorsque vous êtes dans le trente-sixième dessous, il est possible que les tentations vous assaillent plus facilement. »

La tentation s'est concrétisée sous la forme d'une jeune femme. À un moment où son estime de lui était très basse et qu'il se sentait vidé spirituellement parlant, sans compter qu'il était épuisé par son travail. Il affirme que l'attirance avait été trop forte pour pouvoir y résister. Il a commencé à avoir une liaison avec cette jeune fille. Dans un esprit d'honnêteté, il est allé raconter ce qui se passait au directeur de son centre. Ce cadre, au lieu de le rejeter, lui a suggéré de prendre un congé sabbatique pour réfléchir à ce qu'il désirait faire.

« Je n'ai jamais cherché à entrer en contact avec cette jeune fille pendant ce temps, a-t-il déclaré. Lorsque je suis retourné à Barcelone, cinq mois plus tard, j'ai téléphoné à mon centre, car j'étais encore leur directeur adjoint, et la dame qui a pris l'appel m'a dit : "Oh ! señor Andreu, comment allez-vous ? Vous avez reçu un coup de téléphone de Maria il y a deux jours." Il s'agissait de la jeune fille en question et cela m'a tout remis en mémoire. Je n'ai pas eu la force de couper court à cette relation. Je ne pouvais tout simplement pas. » Et la liaison a repris.

À la suite de cela, Andreu s'est adressé au directeur d'un autre centre et il a reçu l'ordre d'aller habiter dans une chambre d'hôtel pendant quelques mois, à la fois pour donner du temps au temps et pour éviter le scandale. Il a fini par écrire une lettre dans laquelle il a manifesté son intention de démissionner. « C'était la chose honnête à faire. Certaines personnes se contentent de disparaître et de ne pas revenir », a déclaré Andreu.

La liaison avec Maria s'est achevée deux ans plus tard. Comme certaines personnes de l'Opus Dei l'avaient prédit, Maria était intéressée par Andreu uniquement parce qu'il représentait une sorte de « fruit défendu ». À l'heure actuelle, il entretient une relation sérieuse avec une jeune femme, et cela le conduira peut-être au mariage. Il est également coopérateur à l'Opus Dei.

Andreu a déclaré que l'Opus Dei avait tout fait de manière appropriée et qu'il était entièrement responsable de ce qui était arrivé. « Si vous vous montrez humble, les directeurs feront le maximum pour vous aider, vraiment tout », rappelle-t-il. Employer la méthode forte contre les numéraires n'a pas sa raison d'être. Leur intention est que vous continuiez à être heureux parmi eux et non pas de vous rejeter. » Il a ensuite déclaré que, pour atteindre leurs objectifs, les numéraires doivent se montrer honnêtes avec leurs supérieurs. «Il est bien possible que votre directeur vous demande d'accomplir, mettons, cinq actions et que vous sachiez très bien que vous n'êtes pas en mesure de les réaliser, fait remarquer Andreu. Il est possible que vous puissiez en accomplir deux ou trois, mais que les cinq vous demanderaient un effort tellement grand que vous risqueriez de vous effondrer. Cependant, votre orgueil prend le dessus. Vous voulez prouver que vous êtes fort et vous répondez : "Oui, j'accomplirai les cinq actions que vous me demandez." Ce n'est donc pas la faute du directeur. Il s'agit d'un excès d'orgueil et d'un manque d'honnêteté. J'aurais dû me montrer beaucoup plus honnête à propos de ce qui se passait auparavant dans ma vie.

«Si je me mariais, il est bien possible que je devienne surnuméraire», a conclu Andreu.

Des interprétations différentes

D'anciens membres comme Moncada, Clasen, DiNicola et Roche ainsi que des personnes qui surveillent les sectes, comme David Clark, décrivent l'Opus Dei comme un monde fermé dans lequel les numéraires sont soumis à un régime de terreur, coupés de leurs familles et du monde extérieur, dont le temps est contrôlé à la minute près, où l'on surveille ce qu'ils regardent à la télévision et où leur courrier est censuré. Lorsque l'on examine les sites de l'ODAN ou d'Opuslibros, il est évident que nous avons affaire à autre chose qu'à la perception d'une poignée d'anciens membres aigris. Certes, il existe une quantité d'exemples rapportés par des hommes et des femmes et couvrant des dizaines d'années.

Un autre groupe de personnes, des membres actuels et anciens, témoignent également de la liberté dont ils ont joui à l'intérieur de l'Opus Dei. Je ne parle pas seulement des grands idéaux concernant la spiritualité – sanctification du travail, vie contemplative au sein du monde moderne et ainsi de suite –, que les membres vantent tellement, mais aussi des amitiés durables qu'ils tissent dans ce milieu.

Après avoir discuté longuement avec des personnes ayant des points de vue différents, il m'est impossible de croire qu'une des factions ment et que l'autre dit la vérité. Lorsque d'anciens membres nous racontent des expériences vécues d'isolement du monde extérieur, de surmenage, de censure, les détails de leurs récits paraissent véridiques. Cependant, ces mêmes expériences peuvent être interprétées comme la consolidation d'un environnement familial, la consécration à un apostolat et l'acceptation de conseils judicieux concernant les lectures et les émissions de télévision. En d'autres mots, les explications les plus convaincantes semblent provenir de différents cadres de référence et non d'un manque d'honnêteté. Bien entendu, si l'on examine les détails, certains points ne peuvent trouver de solutions simplistes. Par exemple, peut-on affirmer que l'Opus Dei envoie ou n'envoie pas ses numéraires en dépression au quatrième étage de l'hôpital de Navarra? Les directeurs font-ils ou ne font-ils pas de rapports sur ce que leurs membres leur disent au cours des rencontres? Cependant, l'impression générale reçue indique que la façon d'interpréter l'Opus Dei dépend de l'approche de chaque personne pour la spiritualité, du contexte familial et de l'implication de chacun par rapport à sa vocation religieuse.

La réconciliation

Au cours des recherches que j'ai entreprises pour ce livre, j'ai mentionné aux membres les plus anciens toutes les critiques émises par les ex-membres, mais j'ai souvent ressenti qu'une expression de douleur émergeait des conversations surtout lorsqu'il était question de *Da Vinci Code*, du scandale de la Banque du Vatican ou des prétendues intrigues pour contrôler l'élection du nouveau pape. Certains membres ont déclaré que parmi tous les commentaires du public hostiles à l'Opus Dei, ceux qui font le plus de tort proviennent des anciens membres parce qu'il est évident que leur expérience les a meurtris, peu importe qui doit en porter le blâme.

J'ai eu une conversation non officielle avec un numéraire qui avait été directeur d'un centre où avait vécu un ancien membre bien connu. Lorsque notre conversation (au cours de laquelle le directeur avait largement défendu la position de l'Opus Dei) a pris fin, il m'a demandé : « S'il vous plaît, si jamais vous deviez parler à cette personne, voulez-vous bien lui dire à quel point je suis désolé ? Je suis vraiment désolé que les choses aient tourné de cette façon. » J'avais vraiment l'impression que son émotion était sincère et les larmes qui coulaient le long de ses joues m'ont confirmé cette impression.

J'ai souvent eu l'impression que certaines personnes à l'intérieur de l'Opus Dei entretenaient l'espoir que ce livre permettrait d'ouvrir un dialogue, même indirect, entre elles et les anciens membres. Il est possible que la nature de ce livre ait jusqu'à maintenant fourni peu de preuves d'un tel désir et que, le plus souvent, il ait révélé les commentaires et les critiques d'anciens membres pour les mettre en opposition avec les témoignages de membres actuels. Cet état de choses est inévitable. Il s'agit de véritables désaccords, et il est essentiel d'examiner qui dit quoi pour aller au fond du problème. Cependant, cette convention journalistique ne devrait pas créer une mauvaise interprétation. Mon impression est que la grande majorité des membres de l'Opus Dei et au moins quelque anciens membres ne veulent pas de querelles. Ils aimeraient faire la paix si cela est possible, sans devoir faire de compromis sur ce que chacun pense être sa vérité.

C'est dans cette optique que le bon ton pour clore ce chapitre a été donné par l'évêque Javier Echevarría, le prélat de l'Opus Dei, lors d'une entrevue en décembre 2004, à la Villa Tevere. Parlant des anciens membres, Mgr Echevarría a déclaré : « Je vous dis ceci en toute sincérité et du plus profond de mon cœur. Si jamais nous avons fait du mal à qui que ce soit, si nous avons trompé quelqu'un, nous lui demandons de nous pardonner. »

Les vieilles blessures sont, cependant, les plus difficiles à guérir. Ce point a été exprimé à travers les nombreuses tentatives faites par l'Opus Dei pour se réconcilier avec une de ses anciennes membres les plus connues, María del Carmen Tapia, qui a écrit en 1992, une critique, *Beyond the Threshold : A Life in Opus Dei*, un ouvrage déjà cité. Dans la période qui a précédé la canonisation d'Escrivá en 2002, Mme Tapia a contacté le bureau de l'information de l'Opus Dei à Rome et lui a envoyé la transcription d'une interview qu'elle avait faite pour le Service des nouvelles catholiques. Au cours de cette rencontre, elle a développé certains des commentaires positifs qu'elle avait émis au sujet d'Escrivá lors d'une entrevue pour l'agence italienne de nouvelles ANSA. Ce geste a conduit à une série de contacts amicaux entre Mme Tapia et des personnalités officielles de l'Opus Dei, qui se sont conclus à Rome par une rencontre avec le prélat, Mgr Echevarría. Pendant un certain temps, plusieurs personnes de l'Opus Dei ont espéré l'imminence d'une véritable réconciliation.

Mme Tapia a cependant fait part d'une condition non négociable pour cette réconciliation : l'Opus Dei devait retirer les accusations formulées à son sujet pendant le procès en béatification, y compris une référence à la « conduite perverse » qu'elle aurait eue alors qu'elle était encore membre de l'Opus Dei. Ces déclarations avaient été répandues dans le public après leur divulgation par un journal espagnol. Mme Tapia a déclaré que, faute de faire ces rétractations, les calomnies dont elle était accusée continueraient à faire partie des documents officiels.

Pendant que je travaillais sur ce livre, j'ai demandé à l'Opus Dei ce qu'elle comptait faire à propos de la rétractation publique que désirait Mme Tapia. Voici la réponse qui m'a été communiquée par Juan Manuel Mora, qui travaille au bureau d'information de l'Opus Dei à Rome :

> *Au moment de la canonisation de Josemaría Escrivá, le bureau d'information de l'Opus Dei a entretenu des contacts fréquents – je dirais même cordiaux – avec Mme María Carmen del Tapia. Nous avons eu la possibilité de collaborer à plusieurs reprises.*
>
> *Tout a commencé le 24 décembre 2001, la journée même où elle a voulu faire une déclaration publique qu'elle a sérieusement renouvelée à d'autres occasions. Elle désirait réaffirmer que personne ne pouvait utiliser son livre ou tout autre témoignage contre la canonisation du fondateur de l'Opus Dei. Dans une*

déclaration importante faite à l'agence de nouvelles italienne ANSA, María del Carmen Tapia a affirmé, entre autres, que l'heureuse et future canonisation de Mgr Escrivá était pour elle une source de joie, car il lui était arrivé de lui demander des grâces plusieurs fois après sa mort et qu'elle pouvait dire, en toute vérité, qu'il l'avait maintes fois exaucée. Elle a ajouté : « Je n'ai jamais pensé que son caractère volontaire pouvait constituer un obstacle à sa sainteté. J'ai travaillé pendant de nombreuses années pour lui. J'ai pu alors remarquer à quel point il s'était consacré à son Œuvre et combien il agissait pour le bien de l'Église et des âmes. Il ne doutait aucunement être un instrument entre les mains de Dieu et croyait fermement que sa mission était de faire connaître l'Opus Dei au monde entier. » Je pense qu'à ce moment précis, Mme Tapia était tout à fait consciente que, dix ans plus tôt, en 1992, les déclarations qu'elle avait faites dans son livre avaient été utilisées par certaines personnes pour s'opposer à la béatification de Josemaría Escrivá et elle ne tenait pas à ce que cela se reproduise.

C'est exactement en 1992 qu'un très triste événement s'est produit. En fait, quelques semaines avant la béatification, un journal a publié un article qui contenait quelques lignes d'un document officiel du procès en béatification que quelqu'un avait, en contravention avec la justice, fait parvenir à la presse. Quelques passages ont été déclarés hors contexte, car ils trahissaient leur signification et, par conséquent, faisaient tort à Mme Tapia. D'après moi, les personnes qui ont déformé et fait répandre les phrases ont contribué à la diffamation de Mme Tapia, dont l'image a été flétrie. Je me souviens comme si c'était hier de la douleur que cet épisode a pu causer aux membres de l'Opus Dei qui ont été mis au courant de ce qui s'était produit. C'était exactement comme si quelqu'un avait voulu diffamer le Fondateur, et en même temps tous les autres. Il est nécessaire de se souvenir qu'il s'agissait d'un sujet faisant partie du procès en canonisation de Josemaría Escrivá, au cours duquel on étudiait des témoignages sur la sainteté de sa vie. Ce n'était pas le procès de quelqu'un d'autre et personne d'autre n'allait être jugé. Je peux affirmer *que, en dépit des différences concernant le contenu du livre de Mme Tapia, personne au sein de l'Opus Dei n'a jamais voulu dire ou faire quoi que ce soit pour entacher la réputation de cette personne.*

Les années ont passé. Le temps et le bien ont aidé à cicatriser les blessures. La béatification et la canonisation de Josemaría Escrivá furent des événements qui ont aidé des millions de personnes à mieux connaître ce saint, y compris à l'extérieur de l'Église, et il a été fait de lui un portrait chaleureux et véridique. Je retiens, de plus, que, pendant la canonisation, la réputation de Mme Tapia, injustement calomniée, s'est retrouvée, dans un certain sens, réhabilitée. Mme Tapia mérite que son honorabilité soit rétablie. Elle a tenu elle-même à démentir les impressions d'hostilité qui auraient pu exister contre le saint. Elle a manifesté des signes d'appréciation envers les membres de l'Opus Dei, et ceux-ci lui ont, à leur tour, manifesté les leurs avec beaucoup d'affection. En résumé, je pense qu'il est facile de comprendre que Mme Tapia ait été – comme d'autres personnes – victime de manipulations.

Malgré les affirmations concernant l'« honorabilité » de Mme Tapia, elle m'a répondu en juillet 2005 qu'elle estimait que les déclarations de Mora étaient insuffisantes. L'essence de ce qu'elle disait était que, malgré le ton ironique des paroles de Mora, il n'avait jamais reconnu que les personnalités officielles l'avaient accusée de mauvaise conduite.

Voici la réponse de madame Tapia :

1. *Je maintiens la déclaration que j'ai envoyée à l'agence ANSA. […]*

2. *Lorsque j'étais à Rome, l'Opus Dei m'a demandé et m'a encouragée pour que je quitte ses rangs, sans que je connaisse les accusations concrètes portées contre moi et sans avoir eu l'occasion de me défendre.*

3. *J'ai reçu des photocopies des documents originaux (d'un journal espagnol) qui avaient soi-disant été préparés par*

un des services du Vatican. Ces photocopies contenaient des déclarations des directeurs de l'Opus Dei, qui affirmaient aux pages 610 et 611 du sommaire du procès romain, article 2346 (p. 768) – sans exposer les faits qui auraient pu appuyer leur plainte –, que ma conduite était celle d'une personne «perverse». On déclarait également à l'article 2347 (p. 769) du même document que j'essayais de «pervertir et d'entraîner d'autres femmes vers les pires déviations» et qu'entre autres choses «j'étais dénuée de conscience».

4. Étant donné que les déclarations contenues dans ces documents (le matériel qui avait été photocopié) ne sont pas fondées et sont totalement fausses, ce document est une pure calomnie. J'ai demandé à l'Opus Dei de se rétracter publiquement et, jusqu'à ce jour, toutes mes demandes ont été vaines. Dans le texte que vous m'avez fait parvenir, il n'est pas vraiment clair et on ne discerne pas quelle partie du document préparé par le Vatican et parlant de moi est celle considérée comme mensongère par les directeurs de l'Opus Dei et quelle est la partie exacte du document dont ils parlent. Bien que comprenant les difficultés éprouvées par les directeurs de l'Opus Dei lorsqu'ils ont été mis au courant de ce document fallacieux, je reste surprise de ne pas en avoir été informée à cette époque.

5. J'ai été mise au courant de façon très concrète que certains membres de l'Opus Dei ont porté atteinte à ma réputation. Voici quelques exemples :

   a) Une lettre a été écrite en 1966 à mon père par un des directeurs de l'Opus Dei qui était également prêtre. Cette lettre disait : « Si vous connaissiez la conduite de votre fille, vous en seriez très attristé, étant donné que non seulement elle se fait du tort à elle-même, mais qu'en plus elle fait beaucoup de tort à d'autres âmes. [...] et ma conscience ne me permet pas de vous envoyer ses documents personnels en vue de son voyage au Venezuela. » La lettre continuait et disait que si jamais je devais retourner au Venezuela,

> *il se trouverait dans l'obligation de divulguer des faits très inquiétants à mon sujet et, là encore, les soi-disant faits n'étaient pas clairs ni exprimés.*

  b) *Une autre très longue lettre a été adressée en 1992 à mon sujet par la directrice générale de l'Opus Dei à un journal portugais. Ladite lettre a également été traduite pour être envoyée vers d'autres pays. Elle était très critique et très négative et expliquait que mes documents personnels étaient retenus à Rome; cette directrice racontait également que ma conduite était telle qu'elle avait pris conscience de «faits d'un autre genre» en se gardant bien d'expliquer ce qu'étaient ces faits.*

  c) *Le vicaire général d'Italie a écrit une lettre le 13 janvier 1997. Sans me connaître personnellement, il déclarait son étonnement vis-à-vis de ma conduite et corroborait les déclarations faites par la directrice générale et dont j'ai parlé plus haut.*

  6. *Étant donné que mon attitude envers l'Opus Dei n'est pas belliqueuse, j'ai pardonné. Je ne garde aucune animosité contre l'institution et je prie pour les membres qui m'ont ouvertement accusée de mauvaise conduite. Cependant, des calomnies aussi sérieuses faites ouvertement contre ma réputation méritent d'être corrigées directement et clairement par une déclaration publique afin que mon nom soit réhabilité, ma réputation restaurée, et que l'on dise que je suis une personne qui a toujours cherché à vivre dans la foi et en conscience selon les enseignements de l'Église.*

Tout cela nous montre que la bonne volonté ne suffit pas pour accomplir une vraie réconciliation entre l'Opus Dei et quelques-uns de ses membres qui désirent que l'organisation reconnaisse de façon concrète ses fautes et qu'elle prenne les mesures pour les corriger. Entre-temps, les directeurs de l'Opus Dei se sentent souvent pris entre le désir de tendre une main bienveillante par amitié pour les anciens membres et celui de contester les accusations qui lui sont adressées, bien souvent considérées comme injustes et malhonnêtes.

Comme la polémique de l'affaire Tapia nous l'a démontré, les champs de mines que ces dynamiques engendrent ne peuvent être désamorcés en une seule nuit…

CHAPITRE 14

LE RECRUTEMENT

Il existe bien des façons de se retrouver dans l'Opus Dei et, parmi celles-ci, Louisa Shins, surnuméraire néerlandaise, en a sans doute expérimenté une des plus inusitées. Elle est née dans le sud des Pays-Bas et a fréquenté une école pour jeunes femmes, spécialisée dans la formation aux tâches domestiques. Elle a rencontré son mari alors qu'elle était dans cette école. Ils se sont mariés en 1961 et sont allés s'établir en Italie où son mari poursuivait une carrière de technicien dans le nucléaire. Ils vivaient à environ quarante kilomètres au nord de Milan, au bord du lac Majeur. Ils ont eu trois enfants, deux garçons et une fille, qui ont tous fréquenté des écoles internationales et ont grandi en parlant trois langues : le néerlandais, l'italien et le français.

À dix-huit ans, son fils aîné a décidé d'aller étudier à l'université à Amsterdam. Un an plus tard, il lui a téléphoné pour lui annoncer qu'il avait découvert une résidence internationale qu'il aimait beaucoup et où il pouvait rencontrer d'autres jeunes venant d'Espagne, de France, d'Italie comme des Pays-Bas. Cette résidence était sous la direction de l'Opus Dei. Par la suite, son second fils a décidé, lui aussi, de partir pour Amsterdam et a fait exactement comme son frère. Un an plus tard, il a, lui aussi, téléphoné à ses parents pour leur annoncer qu'il désirait également emménager dans la résidence de l'Opus Dei. Mme Shins m'a déclaré qu'à l'époque elle ne connaissait pas grand-chose de l'organisation, qu'elle s'était contentée de demander l'avis d'un bénédictin hollandais qui lui avait donné le feu vert. Elle a ensuite dit qu'un peu plus tard elle avait remarqué une nette amélioration dans le comportement de ses fils. Ils ne se disputaient plus, étaient plus responsables et plus adultes. Et puis leur fille est partie à son tour pour les Pays-Bas. Elle a décidé de ne pas perdre de temps et d'emménager dans une résidence pour jeunes filles de l'Opus Dei.

Peu de temps après, les Shins ont décidé de passer des vacances tous ensemble, en Espagne. Louisa a dit qu'elle s'était aperçue que quelque chose avait changé lorsqu'un de ses fils a proposé d'aller à la messe pendant la semaine et que, le jour suivant, son autre fils a proposé de dire le chapelet en famille. De plus, Louisa a déclaré qu'elle avait constaté des changements chez sa fille. Elle souriait davantage, semblait plus heureuse et était toujours prête à donner un coup de main pour les travaux ménagers. Louisa se rappelle avoir pensé à cette époque « que tout cela était merveilleux ». Elle a commencé à participer aux retraites de l'Opus Dei et aux réunions qui avaient lieu à Milan, bien qu'elle soit souvent obligée de faire le trajet sur une route dangereuse, souvent dans le brouillard.

Quelque temps après, ses enfants lui ont annoncé qu'ils avaient l'intention de se joindre à l'Opus Dei en qualité de numéraires. Elle m'a dit avoir un peu pleuré et ne pas en avoir parlé à son mari parce qu'elle ne désirait pas qu'il sache, à ce stade-ci, que leurs enfants ne reviendraient plus à la maison. Elle m'a déclaré qu'à cette époque elle ne savait pas exactement quoi penser de l'Opus Dei et que, d'autre part, son mari n'avait démontré aucun intérêt pour l'institution. Et puis un jour, à brûle-pourpoint, un de ses enfants lui a téléphoné pour lui proposer de se retrouver tous les cinq à Rome pour la fin de semaine suivante. Louisa a donc pris quelques jours de congé de son emploi de professeur et son mari, qui était à la retraite, était prêt à partir. Lorsqu'ils se sont retrouvés à Rome, deux de ses enfants les ont emmenés visiter la ville tandis que le troisième leur a dit devoir rester près du téléphone parce qu'il devait appeler quelqu'un toutes les heures. Elle a pensé que c'était un peu étrange, sans toutefois s'inquiéter. Lorsqu'ils sont revenus de leur promenade,

leur fils leur a annoncé : « Demain, nous irons à la messe papale. »
Louisa avoue qu'elle n'a pas bien dormi cette nuit-là tellement elle
était énervée, cependant elle n'était pas inquiète… Elle avait dit au
directeur de l'hôtel que, s'il ne les réveillait pas à quatre heures du
matin, ils ne payeraient pas la note.

La famille au grand complet est allée à la messe privée du pape
et, après la messe, ils se sont tous alignés pour rencontrer Jean-
Paul II. Un des aides du Vatican leur a dit qu'ils allaient pouvoir
converser avec le pape. C'est ainsi que le mari de Louisa a décidé de
poser une question qui avait trait à ses intérêts professionnels. « Très
Saint-Père, a-t-il demandé, que pensez-vous de l'énergie nucléaire ? »
Il ne s'agissait sans doute pas d'une question que l'on pose après avoir
assisté à la messe. Cependant, Jean-Paul II est resté imperturbable :
« La recherche est toujours pour le bien de tous, a-t-il dit. Nous devons
consacrer beaucoup de temps à la recherche. Toute source d'énergie
propre et abordable est bonne. » Louisa nous a rapporté que son mari
avait été très satisfait de la réponse du pape.

Et puis, ce fut son tour et elle a décidé de « poser la question de
confiance ». Elle a désigné ses enfants et a dit : « Très Saint-Père, nous
avons trois enfants qui font partie de l'Opus Dei et nous ne savons
pas exactement ce dont il s'agit. Nous avons entendu toutes sortes
de commentaires, certains positifs et d'autres négatifs. Pouvez-vous
me dire ce que vous en pensez, car la seule opinion qui compte pour
moi est la vôtre ? » Le pape l'a regardée et a répondu : « Ce sont vos
enfants ? » Louisa le lui a confirmé. Le pape s'est retourné et a parlé
aux trois enfants. Ils ont bavardé pendant un petit moment. Il était
évident que ces jeunes gens lui faisaient bonne impression, car il se
retourna vers Louisa et son mari, leur sourit et demanda : « Et vous,
vous n'êtes pas encore membres de l'Opus Dei ? »

À partir de ce moment-là, tout s'est déroulé très vite.

En guise conclusion, j'ajouterai : le jour suivant, la famille
Shins a eu une audience avec l'évêque Alvaro del Portillo, le prélat
de l'Opus Dei. De nouveau, il leur a été dit qu'ils pouvaient poser
une question, et le mari de Louisa a décidé que ce serait le test final.
S'adressant à Mgr Portillo, il a demandé : « Mon Père, que pensez-vous

de l'énergie nucléaire ? » Portillo a donné à peu près la même réponse que Jean-Paul II, et M. Shins a décidé qu'il n'avait rien à dire contre l'Opus Dei. Les deux parents sont devenus surnuméraires peu de temps après.

Éléments d'accusation

De toutes les plaintes que l'on entend au sujet de l'Opus Dei, celle qui revient le plus souvent est que l'Opus Dei se conduit comme une machine féroce n'ayant qu'un seul but : recruter des membres et utiliser ses centres et ses activités institutionnelles comme façade pour en attirer de nouveaux, tout spécialement les jeunes et les personnes impressionnables. L'Opus Dei trouve de temps en temps quelqu'un prêt à lui donner un coup de main, tout comme cela s'est produit avec Louisa. Dans ce cas précis, cette personne a été Jean-Paul II en personne. Cependant, en général, l'Opus Dei ne compte pas sur le hasard.

L'image d'une Opus Dei qui ne recule devant rien pour arriver à ses fins fait partie de la légende catholique. Une page Web hostile à l'organisation – www.opusdeialert.com – reflète une vision rigoureusement conservatrice et intégriste du catholicisme. Cette page Web a publié un ordre exprès pour empêcher les membres de l'Opus Dei de faire du recrutement. Voici ce texte :

> *Cet ordre est pour vous informer que vous, ainsi que les harcèlements et les intimidations de la secte de l'Opus Dei exercés contre mes amis catholiques et contre moi-même, êtes devenus intolérables. Cette conduite antisociale se trouve totalement en violation de tous les codes ordinaires de bienséance, contre la loi et elle est totalement indécente. Cette lettre a pour but d'exiger que toute intimidation, tous les harcèlements, toutes les manœuvres, les collectes de renseignements ainsi que l'implication de la secte de l'Opus Dei cessent une fois pour toutes. Si jamais vous ou l'Opus Dei deviez continuer ces activités en violation de cet ordre de cesser, nous n'hésiterons pas à prendre toutes les mesures légales qui s'imposent contre vous et la secte de l'Opus Dei, un procès*

au civil comme au pénal. (Insérer ici les harcèlements dont vous avez été victime. N'oubliez pas d'indiquer la ou les date(s) et le(s) lieu(x) où se sont déroulés lesdits harcèlements.)

J'ai le droit, tout comme mes pairs, de demeurer hors d'atteinte des tactiques intrigantes, manipulatrices et harcelantes de la secte de l'Opus Dei et nous prenons, mes amis et moi, la responsabilité de protéger ce droit. Veuillez noter qu'une copie de cette lettre ainsi que son accusé de réception seront dans nos archives. Prenez également note que cette lettre peut être utilisée comme preuve au tribunal et que nous nous réservons ce droit si cela s'avère nécessaire à l'avenir.

Cet ordre de cesser toute intimidation et tout harcèlement exige qu'à partir de maintenant vous arrêtiez totalement : de me parler, de me contacter, de me harceler, de me pourchasser, de m'agresser, de me frapper, de vous cogner à moi, de me frôler, de me pousser, de me tapoter, de m'empoigner, de me tenir, de me menacer, de me téléphoner (au moyen d'un téléphone fixe comme d'un téléphone mobile), de m'envoyer des messages instantanés, de m'envoyer des courriels, de me suivre, de déranger ma paix, de me faire surveiller, de collecter des renseignements sur moi, de bloquer mes mouvements, que ce soit à la maison, au travail, dans des manifestations sociales, lors de mes fonctions religieuses ou lors d'activités patronnées par l'Église catholique.

Lorsque l'on pose des questions sur le recrutement aux membres de l'Opus Dei, ceux-ci manifestent un mouvement de recul devant le terme utilisé. Appartenir à l'Opus Dei est une vocation reçue de Dieu, disent-ils, et il ne s'agit pas de quelque chose que l'on peut susciter de façon artificielle pour atteindre des seuils de rentabilité. Jésus a-t-il recruté ses apôtres ou bien n'est-ce pas plutôt qu'ils ont trouvé quelque chose d'irrésistible chez Jésus qui les a attirés et qu'ensuite ils ont répondu à son invitation ? Les membres disent qu'ils n'ont aucun intérêt à exercer des pressions pour forcer quelqu'un à devenir membre de l'Opus Dei. « La dernière chose dont le monde ait besoin, m'ont-ils déclaré, est une pléthore d'anciens membres aigris ! »

Ils ont ajouté que, même si l'Opus Dei faisait du « recrutement », ils ne voyaient pas ce que les gens auraient à redire. L'armée, les universités, les cabinets d'avocats, McDonald's font du recrutement. Pratiquement tous les diocèses de l'Église catholique dans le monde ont un prêtre dont le titre est « directeur des vocations ». Et bien que la majorité d'entre eux n'aient pas l'audace de dire la vérité, leur travail est, au fond, de recruter de nouveaux prêtres. Les ordres religieux font également du recrutement. Ce serait donc contraire à la logique s'il n'existait pas de recrutement à l'Opus Dei, étant donné que ses membres croient que leur vocation est précieuse. On peut donc s'attendre à ce qu'ils désirent la partager avec d'autres. La perception négative que l'on a de l'Opus Dei ne vient pas du fait qu'elle recrute, mais qu'elle le fasse en manipulant les personnes.

Voici donc les accusations faites à l'Opus Dei en ce qui concerne le recrutement :

- la politique et la façon d'agir de l'Opus Dei sont de constamment traquer de nouveaux membres ;
- l'Opus Dei agit avec méthode, est extrêmement bien organisée et efficace dans sa manière de recruter ;
- une partie du succès des manœuvres de recrutement provient des déceptions, de la manipulation et de la coercition.

L'Opus Dei fait-elle du recrutement ?

Il est tout à fait possible de trouver des passages dans les écrits d'Escrivá qui nous donnent l'impression d'être devant un esprit n'ayant qu'un seul désir, celui de se gagner de nouveaux membres. Voici par exemple un extrait de *Crónica*, le journal interne de l'Opus Dei destiné aux membres masculins. En 1963, Escrivá y écrivait : « Nous n'avons d'autre but que le bien commun : le prosélytisme, gagner de nouvelles vocations. [...] Le prosélytisme est pour l'Œuvre le chemin, la route qui mène à la sainteté. Je considère qu'une personne est morte lorsqu'elle ne met pas tous les moyens en œuvre pour convaincre d'autres personnes. [...] J'enterre les cadavres. » Et il a écrit de nouveau en 1971 : « Parcourez les grandes routes et les petits chemins et convainquez les personnes que vous rencontrerez de venir remplir ma maison; forcez-les. [...] Nous devons nous montrer un peu fous. [...] Vous devez vous tuer au travail en faisant du prosélytisme.» Et, en 1968, il ajoute : «Pas un seul de mes enfants ne doit se reposer sur ses lauriers tant qu'il n'aura pas réussi à susciter quatre ou cinq vocations par an.»

L'idée maîtresse de ces ordres formels semble claire, bien qu'il soit permis un certain dérapage entre le «prosélytisme» pris dans le sens de conversion des personnes au Christ et le «prosélytisme» dans celui de gagner des personnes à l'Opus Dei. Les Opusiens doivent prendre au sérieux le fait qu'ils doivent partager leurs vies avec les autres. D'autre part, les porte-parole de l'Œuvre insistent pour dire que, lorsque Escrivá a dit : «Forcez-les à se joindre à nous», il s'agissait d'une référence à un épisode des Évangiles dans lequel Jésus parle des invités à une réception de mariage. Les exégètes d'Escrivá ont déclaré que l'idée à retenir n'est pas que les individus doivent être forcés ou obligés d'adhérer à l'Opus Dei, mais plutôt que la force exercée par l'exemple d'une vie chrétienne doit être telle qu'elle attire les personnes de façon naturelle, un peu comme par gravitation. Ces commentateurs ont également déclaré qu'il ne fallait pas prendre à la lettre l'ordre donné au numéraire de faire quatre à cinq nouveaux adeptes par an. Il s'agit plutôt d'une hyperbole.

Au cours de ses premières années, l'Opus Dei avait un but principal : celui de susciter des vocations. J'ai eu la possibilité d'examiner ces lettres datant des premiers temps de l'organisation. Elles avaient été envoyées par des membres du monde entier et je les avais prises au hasard dans les archives de la maison. Une de ces lettres, datée du 8 janvier 1950, avait été écrite par un numéraire irlandais nommé Dick Mulcahy qui, parlant de lui, se qualifiait comme «l'homme qui tenait le feu rouge à ce moment-là», une plaisanterie qui avait court au sein de l'Opus Dei et que tous connaissaient, y compris les Opusiens les plus récents. Le «feu rouge» est l'éclairage du fourgon de queue d'un train et, à cette époque, personne ne voulait être cette lanterne rouge pendant trop longtemps. Mulcahy avait écrit : «Étant donné que demain sera l'anniversaire du Père, il serait gentil de pouvoir lui donner deux vocations en guise de cadeau.»

Tout au long de ce livre, nous avons rencontré des exemples du zèle mis par l'Opus Dei à trouver de nouveaux adeptes. Rafael López Aliaga, aujourd'hui associé et directeur général de Perurail à Lima, m'a déclaré que, lorsqu'il avait réussi, avec les notes les plus hautes, les examens qui lui donnaient accès à une fonction universitaire à l'extérieur de Lima, un membre de l'Opus Dei, qu'il n'avait jamais rencontré, l'a soudain appelé pour l'inviter à une manifestation de l'Opus Dei qui se déroulait dans une autre ville. Edna Kavanagh, une surnuméraire néerlandaise qui avait reçu le prix de la meilleure femme d'affaires de l'année en 1984, déclare que l'Opus Dei l'a approchée pour l'inviter à participer à ses manifestations. Une fois encore, elle n'avait jamais rencontré aucun membre jusque-là. Dans ces deux cas précis, López et Kavanagh, bien que surpris, furent heureux d'être contactés.

Quelques observateurs de l'Opus Dei déclarent que le désir de gagner de nouvelles vocations a développé une véritable science du recrutement.

« Ils déclarent que vous devriez avoir un groupe d'une quinzaine d'amis et que les cinq premiers devraient être mûrs pour se joindre à l'Opus Dei, a déclaré Tammy DiNicola, l'ancienne numéraire américaine qui a quitté l'organisation grâce à l'aide du démolisseur de sectes David Clark. Nous devions faire parvenir nos statistiques tous les soirs. Il fallait discuter avec notre directeur du cas de chaque personne placée sur notre liste. Ensuite, chaque mois, il fallait remplir un formulaire. Par exemple, vous pouviez y raconter quelque chose du genre : "Ce mois-ci, j'ai parlé de façon apostolique à ces personnes. Elles se sont confessées à un prêtre de l'Opus Dei, ont participé à une retraite fermée, etc." »

DiNicola nous a même dit qu'il existait des chants à l'intérieur de l'Opus Dei pour prôner les vertus du recrutement. *La Pesca Submarina!* (en espagnol, « la pêche sous-marine ») est un de ces nombreux chants des Opusiens que tous les membres peuvent chanter en chœur pendant leurs réunions. Elle explique d'ailleurs qu'elle l'a chanté à maintes reprises lorsqu'elle était numéraire. Voici un extrait des paroles de ce genre de comptine : « Lorsque vous découvrez un poisson, placez-vous au même niveau que lui, jetez votre harpon dans la cible avec adresse et intelligence, attrapez-le et vous avez gagné ! »

De plus, d'anciens membres prétendent que des événements comme le voyage annuel de l'UNIV à Rome, où les jeunes associés à l'Opus Dei rencontrent le pape au moment de Pâques, ont pour dessein d'organiser des « temps forts » pendant lesquels la décision de joindre l'Opus Dei se cristallise. Rappelez-vous que les trois anciens membres dont j'ai parlé au chapitre 13 m'ont rapporté que leur décision de se joindre à l'Opus Dei avait été prise pendant le voyage de l'UNIV. Sharon Clasen nous le raconte.

> *Ils m'ont invitée à Rome, et je n'avais aucune idée de quoi il s'agissait. Une de mes amies, qui par la suite est devenue surnuméraire, m'a déclaré que ce voyage était en effet une machine à produire des numéraires. Cela est arrivé au moment de Pâques, en 1982. Ils travaillent par équipe. Une femme est venue, une de ces personnes qu'ils utilisent pour « chauffer le client », tout comme lorsque l'on vend une voiture. Cela s'est produit alors que j'étais à la crypte à côté de la tombe d'Escrivá. C'est là qu'elle m'a posé la question de confiance. En vérité, je ne savais pas quoi répondre. Mon amie, celle avec qui je devais tout partager pendant cette semaine, avait une migraine causée par la coercition qu'ils avaient exercée sur elle pour qu'elle devienne numéraire. Elle venait d'une famille nombreuse et avait toujours voulu avoir des bébés. Elle pleurait, avait mal à la tête et est restée au lit pendant toute la semaine. [...] Donc, cette femme a commencé à crier contre moi en me disant que je fuyais ma vocation et, moi aussi, j'ai commencé à pleurer. Nous en avons alors discuté, mais ce n'est pas à ce moment-là que j'ai pris ma décision de devenir membre de l'Opus Dei. Cependant, ils m'ont fait subir beaucoup de pressions.*

Clasen nous a dit qu'elle était devenue surnuméraire un mois plus tard. Ensuite, elle est devenue numéraire et a démissionné deux ans après, en 1987.

Les anciens membres ont déclaré que d'autres voyages à l'extérieur avaient également comme but de stimuler le recrutement. Voici le témoignage de Charles Shaw, un ancien numéraire américain qui était devenu membre de l'Opus Dei alors qu'il étudiait à Harvard. En 1991, pendant un voyage de cinq semaines au Mexique qu'on lui présentait comme un événement socioculturel et non comme une expédition d'endoctrinement, il arriva ce qu'il décrit en ces termes : « Je me souviens avoir été placé à côté d'un directeur pendant une promenade en autobus. Ce dernier essayait de me convaincre d'adhérer à l'Opus Dei. Il m'a présenté cette idée de telle façon qu'elle me paraisse prodigieuse et m'a parlé, en particulier, du poids de ma décision en ce qui concernait le salut de mon âme et de la sienne. Il m'a dit qu'il avait le devoir de me montrer la voie du salut et que, moi, j'avais le devoir d'y répondre avec générosité. Cela me paraissait vraiment prodigieux. Mais, en y pensant bien, avec le recul il m'apparaît qu'il s'agissait de manœuvres psychologiques. Il voulait quitter ce camp d'été en ayant fait une nouvelle recrue... Ce directeur m'avait rencontré quelques semaines auparavant et avait certainement dû entendre beaucoup parler de moi, car j'ai découvert qu'il se déroulait beaucoup de bavardages à l'arrière-plan à propos de membres possibles, bien plus qu'il devrait y en avoir... Je pense qu'il s'agit là d'un sérieux abus de confiance.

« Je n'avais aucune idée de l'existence de cet homme avant le voyage, nous ne nous étions jamais rencontrés. Il avait peut-être entendu au centre de Harvard que j'étais un candidat de choix, a déclaré Shaw. L'Œuvre organise ces voyages ainsi que des projets pour les étudiants, et cela lui sert à recruter de nouveaux membres et à aider les membres potentiels à prendre leur décision. Cependant, ils le font de manière à ce que vous ne vous aperceviez jamais de leur véritable objectif. »

Shaw a décidé de quitter l'Opus Dei après avoir été numéraire pendant quatorze mois. « La chose dont les directeurs de l'Œuvre manquent le plus, c'est peut-être la patience envers les individus qui ont besoin de temps pour décider s'ils ont vraiment la vocation, a dit Shaw. Ce manque de patience est provoqué par la pression qu'ils subissent pour faire de nouveaux adeptes. Cela ressemble à une sorte de litanie à l'intérieur de l'Œuvre, voulant que l'on se fasse des amis susceptibles de devenir numéraires ou surnuméraires. Nous subissons une pression constante. Il est donc tout à fait compréhensible que, lorsque vous voyez cela de l'intérieur, vous puissiez manquer de jugement dans certaines circonstances et que vous exerciez à votre tour des pressions sur les gens pour qu'ils adhèrent au mouvement. Cela est compréhensible, mais point excusable. C'est même nocif, parce que vous vous engagez sur un chemin que vous pensez représenter votre vocation, que vous voulez que tout aille bien, mais cela est impossible parce que ce chemin n'est pas fait pour vous. »

Les dirigeants de l'Opus Dei déclarent en général que tout cela a été pris hors contexte ou encore qu'il s'agit d'actes isolés commis par quelques jeunes un peu trop zélés. Selon ces dirigeants, la maturité permet d'envisager la question sous un tout autre angle. Étant donné le respect de la liberté, inhérent à l'« esprit de l'Œuvre », les porte-parole de l'Opus Dei déclarent qu'il serait contre l'éthique de forcer quelqu'un à se joindre à l'organisation. « Recruter » dans le sens de convaincre les personnes pour qu'elles se précipitent vers l'Opus Dei alors que cela ne leur serait même pas venu à l'idée est, selon ces porte-parole, une aberration.

DiNicola a publié un formulaire de deux pages en format officiel sur le site de l'Opus Dei Awareness Network. Ann M. Schweninger reconnaît qu'il a été utilisé au Van Ness Study Center à Washington, D.C., en 1987. Bien qu'il n'ait pas de titre, ce document semble avoir comme but de recueillir des données sur des personnes impliquées dans des programmes de l'Opus Dei. On leur demande leurs qualités humaines, la nature de leurs études, leurs habitudes de travail, leur attitude envers l'Église et l'Opus Dei en particulier. David Gallagher, personnalité officielle de l'Opus Dei à New York, a déclaré en janvier 2005 que l'utilisation d'un tel formulaire n'était « pas normale » dans les centres de l'Œuvre. Gallagher a mentionné qu'il avait été directeur du centre d'études pour les hommes à Washington, D.C., à la fin des années quatre-vingt et qu'il n'a jamais utilisé de telles pièces. « Si jamais ce genre de choses venait à l'attention de l'un des directeurs, son utilisation ne serait pas recommandée, car ce type de document ne respecte pas la vie privée des personnes en relation avec notre apostolat », a-t-il affirmé.

Quelques personnalités officielles au sein de l'Église et connaissant bien l'Opus Dei soutiennent qu'il ne peut s'y dérouler de recrutement forcé. Le père Jacek Buda, dominicain polonais, est le responsable de l'aumônerie du campus de l'Université Columbia à New York depuis le début de l'année 2003. Il a encouragé la participation des étudiants aux activités de l'Opus Dei et a déclaré lors d'une interview en novembre 2004 à l'église Notre-Dame, qui se trouve près du campus, que rien ne lui avait jamais fait suspecter qu'il existait un ordre du jour secret concernant le recrutement.

« L'Opus Dei a toujours baigné dans cette aura mythique, a-t-il déclaré. Lorsque j'ai pris la direction, j'ai voulu voir si quelque chose allait se produire. Quelques prêtres m'ont averti qu'il ne fallait pas laisser les Opusiens prendre trop d'ascendant. J'étais prêt à me battre avec eux s'il le fallait. Cependant, j'ai réalisé qu'il n'existait aucune raison pour ce faire. […] J'avais peur qu'ils essayent d'attirer des vocations. Cela se produit souvent dans les collectivités de jeunes, qui essayent de recruter au maximum. Cependant, j'ai découvert que l'Opus Dei faisait preuve, intellectuellement parlant, d'un grand sérieux dans ses actions. Cela représente pour moi le critère clé. Travaillent-ils pour l'Église ou pour leur groupe ? J'ai vu des groupes qui choisissent leurs activités pour soutenir principalement leur propre cause. Je n'ai rien vu de tel dans l'Opus Dei. »

María José Font, une numéraire espagnole qui travaille dans un cabinet d'avocats à Barcelone et dont j'ai parlé au chapitre 3, a déclaré : « Je n'ai jamais été recrutée. » Elle a admis avoir été approchée par des membres de l'Œuvre lors de sa décision, mais qu'elle n'avait pas perçu cette démarche comme de la pression. « C'est vrai, de nombreuses personnes m'en avaient parlé », a-t-elle ajouté tout en faisant, à la manière de l'Opus Dei, le distinguo classique entre « discernement » ou « orientation », d'une part, et « recrutement » d'autre part.

« Quelques personnes m'ont demandé si elles pouvaient se joindre à nous et ma réponse a toujours été non, a-t-elle indiqué.

Voici notre approche. Si nous pensons qu'une personne peut avoir la vocation, nous lui disons : "Pourquoi n'y réfléchissez-vous pas ? Pourquoi ne priez-vous pas pour avoir la réponse ?" »

María José Font a déclaré qu'elle-même avait mis en pratique cette philosophie. «J'ai utilisé cette façon de procéder avec de nombreuses amies. Il se peut bien que je l'aie appliquée plus de cinquante fois au cours des vingt-cinq dernières années, mais il est vrai que je fais beaucoup de discours et que j'ai beaucoup d'amis. Ce n'est donc pas "faire du recrutement", car je ne ferai jamais cela brusquement sans bien connaître la personne.» Voilà exactement pourquoi les membres de l'Opus Dei peuvent déclarer que leur approche dite de «recrutement» diffère des méthodes traditionnelles. Les vocations naissent grâce à l'amitié et aux relations familiales. Il ne s'agit jamais de quelque chose qui se fait à froid.

Mme Font a déclaré : «Je n'ai jamais ressenti de pression quelconque de la part de l'Opus Dei pour me forcer à enrôler de nouveaux membres. Cependant, j'aime ma vocation et il n'est que normal d'essayer de rencontrer des personnes qui s'y intéressent. Lorsqu'on possède ce qu'il y a de mieux au monde, pourquoi ne pas partager ?»

Études de cas

Examinons deux cas pour déterminer comment les jeunes vivent à l'heure actuelle les pressions du «recrutement» dans l'environnement de l'Opus Dei. Un cas vient d'Afrique, l'autre, des États-Unis.

L'école Kianda

À Nairobi, l'école Kianda pour jeunes filles attire une clientèle assez importante qui représente ce que bien des personnes estiment être une pépinière de jeunes pleins d'avenir et que l'Opus Dei aimerait recruter. Kianda, qui fait partie des activités institutionnelles de l'Opus Dei, est parmi les cinq écoles du Kenya qui ont eu le plus de candidats reçus aux examens gouvernementaux. Elle compte neuf cents élèves des niveaux primaire et secondaire. En septembre 2004, hors de la présence des représentants de l'école, j'ai rencontré cinq élèves non membres de l'Opus Dei.

Annie Kiuna, alors âgée de dix-huit ans, a déclaré que, selon son expérience, les membres de l'Opus Dei considèrent que leur objectif est de rapprocher les étudiantes de Dieu et pas nécessairement de les enrôler. Elle rapporte que sa foi dans la religion catholique «a grandi et s'est fortifiée» grâce à ce qu'elle avait vécu à Kianda. Elle a déclaré que, lorsqu'elle est arrivée à l'école, elle a entendu des rumeurs au sujet de l'Opus Dei voulant que cette organisation soit une secte «qui ne faisait pas partie des grands courants». Son expérience personnelle s'est révélée tout autre.

Bertha Munuku, âgée de quatorze ans, a déclaré avoir ressenti les mêmes craintes, mais a découvert que l'Opus Dei était une «organisation sympathique». Mme Munuku a dit que les membres de l'Opus Dei étaient des gens «tout à fait ordinaires» et qu'ils n'essayaient pas de forcer qui que ce soit. Ils ne veulent, selon elle, qu'essayer de servir Dieu en agissant comme ils le font.

Elsie Oyoo, qui avait alors dix-huit ans, a déclaré qu'elle voulait devenir diplomate et que, dans cet esprit, elle devait commencer par faire preuve de diplomatie chez elle, car elle est la seule catholique d'une famille de protestants évangélistes. Elle a déclaré qu'ils n'arrêtaient pas de lui poser des questions sur les divers aspects de l'Église catholique et qu'elle était très satisfaite de la façon dont l'école Kianda l'avait préparée pour répondre à un tel interrogatoire. Elle a avoué penser adhérer à l'Opus Dei et elle est en train de choisir entre devenir numéraire ou surnuméraire. Elle affirme que cette décision a été prise sans avoir subi de pressions de qui que ce soit. «D'après ce que j'ai pu remarquer, ils ne font qu'essayer d'imiter la vie du Christ, de marcher sur ses pas», a-t-elle ajouté.

Hendrika Wanda a dix-huit ans. Sa mère enseigne à Kianda et elle nous a confié qu'au commencement elle avait cru que les membres de l'Opus Dei étaient des «hurluberlus qui allaient tous les jours à la messe, se livraient à la méditation, bénissaient à tour de bras, bref, des êtres vraiment bizarres». Puis elle a ajouté qu'elle était allée à Rome pour la canonisation d'Escrivá en 2002, qu'elle y avait vu des personnes venant des quatre coins du monde et avait alors pensé qu'il devait certainement y avoir «quelque chose de spécial» chez ces gens. Elle a également constaté à quel point le pape aimait l'Opus Dei. «J'ai réalisé qu'il s'agissait de gens bien ordinaires qui essayaient de vivre dans la sainteté», a-t-elle dit. Elle a ajouté que personne n'avait profité du voyage pour l'inviter à devenir membre de l'Opus Dei et qu'elle aurait eu des doutes si les Opusiens avaient essayé de profiter de cette occasion. «Il est fort probable que l'Opus Dei soit une bonne chose. Cependant, ce n'est pas pour tout le monde», a-t-elle déclaré.

Mme Wanda a reconnu cependant qu'il arrive parfois que les membres de l'Opus Dei poussent un peu loin. «Je tournais en rond et je voulais partir, a-t-elle dit. Ils ne voulaient tout simplement pas me laisser aller. Je subissais leur pression. L'impression qu'ils me donnaient était que, si je ne faisais pas partie de leur cercle, ma vie spirituelle serait sacrifiée.»

Annie Kiuna a dit qu'elle avait subi «un peu de pression» à Kianda pour qu'elle participe aux pratiques religieuses offertes par l'école et qu'elle réfléchisse à une vocation possible auprès de l'Opus Dei. «Il arrive parfois qu'ils vous fassent sentir que, si vous ne faites pas ce qu'ils font, vous irez tout droit en enfer, remarque-t-elle. Cela se traduit dans leur attitude et dans leurs paroles. Ils peuvent vous culpabiliser. Je pense que cette attitude fait en sorte que les gens quittent l'Opus Dei.» Annie Kiuna a ajouté, par exemple, qu'elle avait été plus ou moins forcée de se rendre à un certain nombre de séances de méditation. «J'étais obligée de rester assise et d'écouter un prêtre pendant quarante minutes alors que je n'avais aucune envie de me faire sermonner. Cela m'a influencé contre l'organisation.» Plus tard, elle a estimé qu'ils ne faisaient qu'essayer de l'aider puisque leur travail était «de rapprocher les personnes de Dieu». «Et pourtant, ajoute-t-elle, ces techniques de vente intensive peuvent parfois faire fuir les gens.»

Susan Kimani, qui avait alors quinze ans, a elle aussi déclaré qu'au début elle n'avait pas apprécié la façon dont les membres de l'Opus Dei insistaient et exigeaient qu'elle copie leur façon de prier. Cependant, elle a fini par réaliser qu'ils ne faisaient qu'essayer de l'aider à se développer sur le plan spirituel. «Lorsque l'on désire être médecin, par exemple, qu'on le veuille ou non, il faut prendre les études scientifiques au sérieux, a-t-elle déclaré. C'est exactement la même chose lorsque l'on désire devenir un saint. Et, en vérité, c'est difficile.»

Mme Oyoo, qui a envisagé de devenir membre de l'Opus Dei, a déclaré que l'approche pratiquée pour le recrutement était paradoxale, du moins de la façon dont elle l'avait vécue. «D'une part, il existe des pressions et, d'autre part, il n'en existe pas. Tous les signes sont présents pour que vous compreniez ce qu'ils veulent vous voir faire et, lorsque vous mettez le sujet sur le tapis, il se trouve repoussé. Ils vont presque jusqu'à vous renvoyer en vous disant que vous devez attendre et prier pour être certaine de votre choix.» Elle a ajouté que, selon elle, les pressions exercées n'étaient pas excessives.

Annie Kiuna a rapporté qu'il existe une autre forme de pression très subtile à Kianda : les étudiants qui semblent se diriger vers l'Opus Dei reçoivent une sorte de traitement de faveur, qui ne semble pas forcément calculé. «Vous êtes plus proches des professeurs qui sont des membres, a-t-elle dit. Lorsque vous allez dans les centres de l'Opus Dei, vous vous faites plus facilement des amis. Les personnes commencent à s'intéresser à vous.» Ces affinités électives ne sont que très naturelles, mais peuvent avoir pour effet de vous faire passer le message : si l'on veut avoir de bons résultats à Kianda, il faut manifester un intérêt quelconque pour l'Opus Dei.

À la fin de la journée, les cinq jeunes filles m'ont déclaré qu'elles éprouvaient de la reconnaissance pour l'école Kianda, car elles y avaient trouvé une instruction de qualité, un exemple moral hors pair et un souci constant pour le bien-être des étudiantes. Aucune d'entre elles n'a accusé l'Opus Dei d'avoir indûment exercé de pression pour obtenir des vocations, cependant elles ont toutes été d'accord pour dire que la pression existait quand même.

Windmoor

Un peu plus tard, au courant du mois de septembre, j'ai rendu visite au Windmoor Center à l'Université Notre-Dame, le vaisseau amiral des universités catholiques aux États-Unis et sans nul doute un environnement où on s'attendrait à ce que l'Opus Dei soit des plus entreprenantes.

David Cook a vingt et un ans. Il a déclaré que ce qui l'attirait le plus était les relations d'amitié qui se développaient entre des personnes vertueuses et non le recrutement que faisait l'Opus Dei. Il a raconté comment, lorsqu'il était arrivé à Windmoor, il avait mentionné cela au surveillant de son dortoir et que la réponse avait été : « Vous devez faire très attention. Ils vont essayer de vous flatter dans le bon sens et de faire en sorte que vous vous sentiez mal à cause de votre façon de vivre. » En fait, Cook avoue que cela est partiellement exact. « Je sortais dans les bars et je me soûlais. À l'heure actuelle, j'essaye de vivre en appliquant les vertus dont parle l'Opus Dei. » C'est dans ce sens qu'il a déclaré que le peu de « pression » que l'Opus Dei avait exercée avait été la bienvenue pour changer sa façon de vivre.

Sam Chen, âgé de vingt-quatre ans, nous offre un exemple classique de la façon utilisée par l'Opus Dei pour « recruter » des membres. Il est chinois et a terminé sa licence. Lorsqu'il est arrivé à Notre-Dame, il ne savait pas grand-chose du catholicisme. « Je voyais des personnes qui portaient un crucifix et qui allaient à la messe. Je me retrouvais totalement perdu au milieu d'eux », dit-il en riant. À un moment donné, il a montré à un autre étudiant qu'il était intéressé à en savoir un peu plus sur cette religion. Ce dernier lui a suggéré de rencontrer un ami à Windmoor. Vers l'époque des vacances universitaires de printemps, Chen est allé au centre et un homme qui, selon lui, était habillé « bizarrement » lui a ouvert la porte. En fait, il s'agissait d'un prêtre de l'Opus Dei en soutane ! Windmoor ayant organisé un voyage dans les Appalaches, le prêtre a demandé à Chen s'il voulait participer, et celui-ci a accepté. L'expérience fut concluante. « Je les ai beaucoup aimés, a-t-il déclaré. Ils ont été très gentils et se sont vraiment bien occupés de moi.» Pendant le trajet, Chen a remarqué que ses compagnons de voyage disaient le chapelet. Ils se sont montrés très patients pour lui expliquer de quoi il s'agissait. «J'ai été très surpris de voir comme ces étudiants étaient disciplinés, organisés et appliqués», remarque-t-il.

Après son voyage, Chen a réfléchi à l'endroit où il habiterait pendant la session suivante. Il a demandé à un responsable de Windmoor s'il allait pouvoir loger chez eux, et la réponse a été affirmative. Depuis ce moment-là, il prend part aux programmes de formation de l'Opus Dei et réfléchit sur la possibilité de devenir catholique. Pense-t-il également devenir membre de l'Opus Dei? «J'aime beaucoup l'Opus Dei, mais je ne deviendrai certainement pas membre», a-t-il déclaré. J'ai demandé à Chen s'il n'avait jamais eu l'impression que l'affection dont il avait été l'objet était artificielle ou si elle n'était qu'une sorte de leurre pour le faire adhérer à l'Opus Dei. «Pas du tout, a-t-il dit. Je pense que je le saurais. Il s'agit tout simplement de personnes très gentilles, qui essayent de bien agir.»

Tom Messner a vingt-six ans. Il est étudiant en troisième année en droit à Notre-Dame et a grandi dans un environnement protestant et évangélique. Lorsqu'il est arrivé à Notre-Dame, il s'est lié d'amitié avec une personne de Windmoor et a commencé à participer aux activités du soir au centre. «Les étudiants qui s'y trouvaient ont fait beaucoup de catéchèse avec moi, a-t-il déclaré. C'est l'Œuvre qui m'a fait découvrir la foi catholique.» Messner s'est converti au catholicisme au printemps 2002. Loin de sentir qu'il avait été utilisé par l'Opus Dei, il a déclaré que ce serait plutôt lui qui avait utilisé l'organisation. Il a dit que, pour lui, fréquenter l'Opus Dei était comme «entrer sa voiture au garage pour une mise au point et ensuite reprendre la route».

Becket Gremmels a vingt et un ans. Il habite à Windmoor et a déclaré que l'on y pratiquait une sorte de recrutement. «Chaque fois qu'il se produit un événement spécial, vous devez faire venir des amis aux cercles ou aux réunions. Cependant, je ne pense pas qu'ils mettent plus de pression que les directeurs du campus ou les clubs d'étudiants. En tout cas, je n'ai pas trouvé que c'était le cas.»

Chen a dit qu'il entendait tout le temps parler du recrutement pratiqué par l'Opus Dei, mais que lui n'avait rien constaté de tel. « J'avais un ami qui était membre et il a décidé de s'en aller, a expliqué Chen. L'Opus Dei n'a exercé aucune pression sur lui. » Chen a ajouté : « J'avais un autre ami qui manifestait des velléités d'adhésion à l'Opus Dei. Les responsables de l'Œuvre lui ont dit de prendre tout son temps. Il a décidé de ne pas adhérer et, par la suite, il n'a eu aucun problème. Ils ne l'ont pas rejeté et il compte encore des amis parmi les Opusiens. Personnellement, je ne pense pas que les étudiants à Windmoor seraient aussi décontractés et aussi heureux s'ils vivaient constamment sous d'insidieuses pressions de la part de l'institution. »

Andres Valdivia a dix-neuf ans. Il vient d'une famille brésilienne et son premier contact avec l'Opus Dei s'est produit au Brésil. Sa famille a déménagé à Dallas un peu plus tard. Il se remémore avoir été à une fête de Noël dans un centre de l'Opus Dei où les enfants avaient pu regarder le film *Little Drummer Boy*. Lorsqu'il a été en sixième, il a participé à un camp de l'Opus Dei où il est retourné quatre années de suite. Il a dit qu'il y avait apprécié « la vie de prière et le sens de la prière que l'on y retrouvait ».

Valdivia a déclaré que, lorsqu'il a eu seize ou dix-sept ans, il a fait une promenade avec un numéraire et avait « ressenti une certaine pression pour qu'il se joigne à l'Opus Dei ». Il a expliqué que les numéraires n'arrêtaient pas de lui en parler, de lui dire qu'il devait agir rapidement. Il a ajouté : « J'ai ressenti une certaine crainte. Je ne voulais pas devenir numéraire. Cependant, ce que l'Opus Dei offrait n'avait pas de prix… » En fin de compte, Valdivia a dit qu'il avait décidé de ne pas entrer dans l'organisation et que, malgré cela, le numéraire ne lui avait pas retiré son amitié. « Ce type m'aimait vraiment et m'a énormément aidé à évoluer », conclut-il.

Le mythe du recrutement

L'existence de préjugés contradictoires chez certains est un indice montrant qu'une organisation a mauvaise presse. Dans le cas de l'Opus Dei et de sa façon de recruter des membres, les gens ont tendance à penser deux choses : d'abord que l'institution est fort bien organisée et efficace ; ensuite qu'elle fait constamment du recrutement. Si jamais ces deux impressions étaient véridiques, la croissance de l'Opus Dei progresserait à pas de géant, ce qui n'est pas le cas.

L'*Annuario* de l'année 2000, l'annuaire officiel du Vatican, rapportait qu'en 2000 l'Opus Dei comptait 1734 prêtres et 81 954 laïcs pour un total de 83 688 personnes. En 2004, ce chiffre était de 1850 prêtres et de 83 641 laïcs, pour un total de 85 491 membres. Ce qui signifie que, de 2000 à 2004, l'Opus Dei a gagné 1803 membres supplémentaires, soit une croissance moyenne de 450 nouveaux Opusiens par an. En fait, le nombre des nouveaux membres est un peu plus élevé, car environ 200 membres de l'Opus Dei décèdent chaque année, ce qui, pour les quatre ans, donne 800 membres. Par conséquent, pour avoir une croissance nette de 1803, il a fallu que 2603 nouveaux membres s'ajoutent aux effectifs. Ce qui, en fin de compte, revient à dire que le total des nouveaux membres venant de toutes les parties du globe est de 650 par an.

Si 20 % des membres de l'Opus Dei sont des numéraires, cela veut donc dire qu'en 2000 ils étaient approximativement 16 400. Si chaque membre avait fait cinq nouveaux adeptes, comme Escrivá l'avait prescrit, on aurait constaté une croissance de 328 000 nouveaux membres en quatre ans. Les numéraires sont donc très loin d'avoir atteint l'objectif, soit le chiffre magique de 325 397 membres. Si ces numéraires avaient été des vendeurs travaillant pour une entreprise, je pense que la majorité d'entre eux se trouveraient au chômage aujourd'hui.

Le nombre de nouveaux membres n'a pratiquement pas augmenté dans certaines parties du monde. Russell Shaw, surnuméraire américain, m'a fait remarquer que, si l'on avait demandé à une personnalité officielle de l'Opus Dei quel était le nombre de membres aux États-Unis en 1980, il aurait répondu : « Environ trois mille. » Posez la même question aujourd'hui et la réponse serait très probablement la même. Il n'existe aucune raison de croire que ces chiffres ont été sous-estimés. Les ordinations de prêtres sont du domaine public et les numéraires vivent ensemble dans les centres. On peut donc vérifier leur nombre. Et n'oublions pas que la majorité des organisations ont tendance à gonfler la liste de leurs adhérents. La réalité est toute simple : l'Opus Dei n'affiche pas de croissance rapide.

Une de ces représentations de l'Opus Dei doit disparaître : ou bien les Opusiens ne sont pas précisément obsédés par le recrutement, ou bien ils n'ont aucune aptitude pour cette activité. Rien de tout cela ne devrait remettre en question la conclusion que nous avons avancée plus tôt. L'Opus Dei fait du « recrutement », certes, en ce sens que les membres invitent certaines personnes à réfléchir à la possibilité d'une vocation, et il est certain qu'ils se réjouissent lorsque l'une d'elles entend cet appel et semble être un bon « candidat ». Cependant, peu importent les techniques ou les stratégies utilisées, ces dernières ne semblent pas produire la manne de nouveaux adeptes que l'on s'attendrait à observer d'après les discours de certains.

J'en ai eu la preuve lors de mes visites dans les différents centres. Prenons comme exemple l'école Besana qui est affiliée à l'Opus Dei. Elle est située dans un quartier ouvrier de Madrid et compte 400 élèves. Quatre ont exprimé le désir d'adhérer à l'Opus Dei, ce qui représente 1 % des effectifs. Pablo Cardona, numéraire de l'Opus Dei et professeur à la fameuse école de commerce IESE à Barcelone, a déclaré que pendant les sept ans où il a enseigné à l'IESE, parmi ses 1 400 étudiants, seulement quatre ont rejoint l'Opus Dei, ce qui représente 0,3 %. Environ trois étudiants sur les 3000 qui fréquentent l'Université internationale de Catalogne, affiliée à l'Opus Dei, deviennent des membres, ce qui représente 0,1 % des élèves. L'Institut Valle Grande, au Pérou, centre de formation pour les cultivateurs et les jeunes gens, comprend 600 familles réparties dans des fermes ainsi que 110 garçons qui suivent des programmes de niveau universitaire. Environ un ou deux de ces hommes se joignent annuellement à l'Opus Dei. L'Université Strathmore, à Nairobi, compte 1500 étudiants à temps plein. Son vice-recteur, John Odhiambo, m'a confié qu'approximativement 200 des 1500 étudiants sont catholiques et qu'environ 50 de ces 200 étudiants participent à l'occasion aux manifestations de l'Opus Dei dans un des centres. Il a rapporté que, «les bonnes années», il peut y avoir quatre adhésions à l'Opus Dei, ce qui représente 2 % des étudiants catholiques. Au Centre technique pour jeunes filles de Kimlea, à l'extérieur de Nairobi, on compte environ 150 étudiantes à temps plein ainsi que 200 à temps partiel. De ce nombre, deux ou trois d'entre elles adhèrent à l'Opus Dei chaque année, ce qui représente 0,8 % des effectifs.

Le Midtown Center de Chicago héberge environ 150 étudiants à faibles revenus pendant l'année et 200 durant l'été. Art Thelen, un membre de l'Opus Dei qui a travaillé au centre depuis 1963, a rapporté qu'il n'a connu qu'une seule personne ayant décidé de rejoindre l'Opus Dei alors qu'elle était au secondaire et participait aux programmes, ainsi que de six à dix étudiants qui y ont adhéré plus tard au cours de leur vie. Le père John Debicki, curé de la paroisse Sainte-Marie-des-Anges à Chicago, la seule paroisse des États-Unis à la charge de l'Opus Dei depuis 1991, a déclaré que, durant toute cette période, il n'avait pas eu connaissance qu'un seul membre de l'Opus Dei soit issu de sa paroisse. Au Metro Achievement Center, qui est un établissement pour jeunes filles semblable à celui du Midtown Center, la directrice Sharon Hefferan a déclaré que, au cours des dernières années, il n'y avait pas eu une seule vocation pour adhérer à l'Opus Dei parmi les 300 jeunes filles qui ont participé aux différents programmes. Selon Susan Mangels, numéraire au Collège Lexington de Chicago, où environ 200 jeunes femmes sont inscrites annuellement aux différents programmes, il y a peut-être eu une vingtaine de vocations pour devenir membre de l'Opus Dei au cours des vingt-sept dernières années.

Au Crotona Center, dans le sud du Bronx, David Holzweiss travaille avec 200 enfants et 100 adultes. Un seul adulte a manifesté de l'intérêt pour l'Opus Dei au cours des sept dernières années. Au Centre Rosedale pour jeunes filles, qui est le pendant du Crotona Center, la surnuméraire Cathy Hickey a déclaré qu'au cours des seize années où elle a travaillé au centre avec plus de 1600 jeunes filles qui participaient aux activités, pas une d'entre elles n'a décidé de devenir membre. Selon Alvaro de Vicente, directeur numéraire de l'école de l'Opus Dei The Heights, à Washington, D.C., qui compte 460 écoliers par an, un seul des garçons a décidé de «siffler» alors qu'il fréquentait encore l'école et environ six ou sept l'ont fait plus tard au cours des cinq dernières années.

Le Baytree Center de Londres, qui accueille environ 800 personnes par an, pour la plupart des immigrantes sans travail, n'a pas produit une seule recrue pour l'Opus Dei au cours des treize dernières années. Peter Brown, le directeur de Netherhall, une résidence universitaire qui est l'œuvre collective la plus importante au Royaume Uni, a déclaré qu'il était devenu membre après y avoir résidé. Des 100 résidents qui s'y trouvent chaque année, Brown a déclaré qu'en général un d'entre eux se joint à l'Opus Dei en qualité de numéraire ou de surnuméraire. J'ai demandé à Brown ce qui se produisait lorsque Netherhall n'accueillait pas de nouveaux Opusiens durant une période de cinq ans. Recevait-il un appel téléphonique de la direction pour savoir ce qu'il se passait? «Ce n'est pas comme cela que cela fonctionne, m'a-t-il répondu. Il n'existe pas de quotas.»

Ces rapports sont cohérents avec l'image projetée par les membres dans le monde, c'est-à-dire que la croissance du nombre des adhérents de l'Opus Dei se fait à tout petits pas. Il n'existe pas de preuve que les services sociaux, les écoles et les autres œuvres collectives de l'Œuvre soient simplement des façades pour des opérations de recrutement – et si jamais cela l'était, il s'agirait d'une des pires opérations de recrutement à inscrire dans le livre des records.

Lorsque l'on parle de ces chiffres, les directeurs déclarent en général trois choses importantes. En premier lieu, le nombre des baptêmes augmente tous les ans parmi les participants aux programmes de l'Opus Dei, donc de conversions à la foi catholique. À Kimlea, par exemple, le directeur Frankie Gikandi affirme que, chaque année, la moitié des nouveaux élèves sont catholiques et qu'à la fin de l'année il y en a deux tiers. En deuxième lieu, les directeurs déclarent que toutes les activités de l'Opus Dei produisent un certain nombre de vocations pour la prêtrise et pour les ordres religieux en plus des vocations pour l'Œuvre proprement dite. En troisième lieu, ils ajoutent que le but principal de toutes ces activités n'est pas de produire de nouvelles recrues, mais d'accomplir des missions bien établies – éduquer les jeunes, aider les pauvres et ainsi de suite. Dans le contexte global de l'Église catholique, le fait que l'Opus Dei arrive à croître peut paraître impressionnant alors que les vocations pour la prêtrise et pour la vie religieuse sont en déclin, du moins dans les pays occidentaux. D'autre part, lorsque l'on mesure la perception que le public peut avoir de l'armada opusienne, la réalité est bien moins importante qu'on l'imagine.

Comment peut-on expliquer une croissance aussi lente? Les observateurs l'attribuent à deux facteurs. En tout premier lieu, il n'est pas facile d'être membre de l'Opus Dei et tout spécialement d'être numéraire. S'engager à mener une vie quotidienne totalement planifiée, à s'imposer une confession hebdomadaire, à se plier à une direction spirituelle, à participer à une foule d'événements hebdomadaires, mensuels et annuels exige que l'on sacrifie une bonne partie de son temps et de son énergie, ce que la majorité des gens ne sont pas prêts à faire. De plus, l'approche particulière de la spiritualité et de la formation doctrinale de l'Opus Dei n'est pas pour tout le monde. Je reprends ici l'image de la bière Guinness Extra Stout évoquée dans l'introduction de ce livre. En deuxième lieu, les membres de l'Œuvre rappellent qu'ils essayent de s'assurer que les candidats possibles sont des recrues valables avant de les encourager à s'engager. À la suite d'expériences peu heureuses, les prosélytes les plus sincères ont appris ce qui peut se produire lorsque quelqu'un a une mauvaise expérience avec l'Opus Dei. Il arrive souvent, m'ont dit les membres, qu'une personne doive faire sa demande plusieurs fois de suite pendant plusieurs mois avant d'avoir le droit d'écrire la lettre où il postule.

La duperie

Indépendamment de leur bénignité déclarée et du nombre de nouveaux membres qu'elles génèrent, les pratiques de recrutement de l'Opus Dei sont souvent qualifiées de trompeuses. Les jeunes sont souvent attirés par la sphère d'influence de l'Œuvre sans s'en rendre compte, encouragés qu'ils sont par les marques d'amitié des Opusiens, et ensuite ils subissent de telles pressions pour devenir membres qu'ils ne comprennent pas dans quoi ils se sont embarqués. Moncada, l'ancien numéraire espagnol et le principal critique de l'Opus Dei, a déclaré qu'il s'agissait là de son grief le plus grave. « Je comprends très bien qu'il s'agit d'une organisation très conservatrice, a-t-il déclaré, mais ma grande inquiétude concerne les jeunes. »

En réponse à ces accusations, les porte-parole font remarquer que, précisément pour permettre aux éventuels membres d'avoir la chance de connaître l'Opus Dei de l'intérieur, il est prévu une période d'un an et demi entre le moment où les nouveaux membres « sifflent » et le passage au statut d'oblat qui est l'instant où ils s'engagent par contrat. Ce que certains estiment être un monde secret, expliquent-ils, ressemble davantage à ce qui se produit lorsqu'on doit s'habituer à vivre dans une nouvelle famille. De plus, personne ne peut prendre un engagement définitif envers l'Opus Dei pendant les cinq ans d'oblature. Ils soutiennent qu'au bout de cinq ans la personne connaît tout ce qu'elle doit savoir quant aux exigences de l'organisation. Il arrive que d'anciens membres soutiennent que ces révélations devraient être faites avant le moment où ils « sifflent », car ce moment est généralement perçu comme un événement capital de leur existence.

Un autre élément trompeur dont se plaignent certains est que les membres de l'Opus Dei entretiennent des relations d'amitié avec les candidats potentiels dans l'espoir, du moins en partie, qu'ils finiront par adhérer à l'Opus Dei. S'il devient évident que la personne n'ira pas plus loin dans sa démarche, ils s'empressent de prendre leurs distances. Les critiques accusent ce genre d'attitude qui rend les amitiés artificielles et manipulatrices.

Le père James Martin a déclaré que, lors de sa recherche pour son article paru dans *America*, il avait entendu un certain nombre d'histoires de jeunes gens et de jeunes filles vivant dans les campus, qui s'étaient liés d'amitié avec des membres de l'Opus Dei, mais qui avaient été délaissés une fois établi que ces étudiants n'avaient aucune intention de s'enrôler dans l'institution. « Un des jeunes à qui j'ai parlé a complètement été abandonné ; lorsqu'il essayait de renouer les contacts, c'était le silence radio… a déclaré Martin. Il avait cru que ces personnes étaient ses amis. Il a essayé de les appeler, mais, finalement, la réponse qu'il reçut fut celle-ci : "Nous n'avons pas de temps à perdre avec toi." Je pense que ce genre de réponse n'est pas celle d'un vrai chrétien. »

Lorsque les membres font l'objet de ce genre de critiques, ils répondent en général que leur amitié est sincère et qu'elle survit souvent aux décisions prises par ceux qui décident de ne pas rester dans l'Opus Dei. Comme nous l'avons indiqué dans le chapitre précédent, d'anciens membres comme Joseph McCormack, Elizabeth Falk Sather et Ignacio Andreu nous ont certifié être restés en excellents termes avec les membres de l'Opus Dei après avoir décidé de partir. Ils ont déclaré que, bien souvent, la façon de quitter l'organisation influe sur le développement des relations amicales. Lorsque les gens se quittent en bons termes, ces relations se poursuivent ; lorsqu'il y a du ressentiment, les choses peuvent s'avérer plus difficiles.

Les porte-parole reconnaissent qu'il arrive parfois, lorsque des membres sont réunis pour former une *tertulia*[1] dans des centres où ils travaillent avec des jeunes, que les numéraires parlent de ceux qui prennent part aux programmes du centre et spécialement des jeunes qui pourraient être des recrues possibles. Ils précisent, cependant, qu'ils ne discutent pas de ce qui est privé, pas plus qu'ils n'utilisent la « méthode forte » développer une vocation.

Je me suis entretenu avec Juan De Los Ángeles, le directeur des admissions de l'Université de Navarre, et Gonzalo Robles, le secrétaire général de l'université, pour me faire une idée exacte de la manière dont le recrutement fonctionne. Ces deux personnes sont responsables du recrutement universitaire (et non pas celui de l'Opus Dei). Néanmoins, ils sont en contact direct avec des étudiants

---

1. *Tertulia* : assemblée quotidienne du genre « réunion de famille ».

du secondaire très intelligents et très motivés qui viennent de toute l'Espagne, ce qui normalement devrait représenter des candidats de choix pour l'Opus Dei.

Environ 19 % des étudiants de l'Université de Navarre proviennent des 84 écoles secondaires et primaires d'Espagne. On peut donc présumer que ces étudiants et leurs familles savent déjà à quoi s'attendre. De Los Ángeles a déclaré que, lorsqu'il fait du recrutement, la question qui revient le plus souvent à l'esprit des autres candidats est : « Si je vais à Navarre, exigerez-vous que je devienne membre de l'Opus Dei ? »

De Los Ángeles a déclaré qu'il essaye de calmer d'emblée toutes les inquiétudes que les futurs étudiants pourraient avoir au sujet de présumées techniques trompeuses ou sournoises. « Je leur dis : "Écoutez-moi bien, c'est une université. Cela signifie qu'il s'agit d'un endroit où tout le monde fait comme bon lui semble, où l'on pratique la liberté. Il s'agit d'une vraie université et personne ne vous harcèlera. D'un autre côté, il y aura peut-être quelqu'un qui suivra les mêmes cours que vous, un membre de l'Opus Dei qui vous demandera peut-être de l'accompagner à la messe ou d'assister à une des activités qui a lieu au centre de l'Œuvre. Il est dans son droit de vous le demander et vous serez dans votre droit de refuser. C'est aussi simple que cela" », a-t-il déclaré.

De Los Ángeles a reconnu que l'Université de Navarre affiche une « orientation apostolique » très claire du fait qu'elle est une institution de l'Opus Dei. Cela signifie, en partie, que ses dirigeants aiment voir des étudiants démontrer un intérêt certain pour l'Œuvre. « Nous voulons enrôler de nouveaux membres et trouver des personnes d'accord pour se joindre à nous, a-t-il dit. Nous l'expliquons clairement. Lorsqu'on nous en parle, je réponds : "Oui, nous désirons enrôler de nouveaux membres. Cependant, nous n'allons pas exercer de pression sur vous, car nous voulons que ceux qui se joignent à nous le fassent par vocation, que ce soit un choix décidé en toute liberté". Il existe de nombreux étudiants qui ne participent jamais aux activités de l'Opus Dei pendant tout le temps qu'ils passent avec nous. Il est certain que nous préférerions une participation plus importante; cependant, ils sont libres de faire ce qu'ils veulent.»

J'ai demandé à De Los Ángeles et à Robles pourquoi, si cela est leur politique, l'université ne publie pas une brochure intitulée, par exemple, *Le recrutement et l'Opus Dei à l'Université de Navarre*. Cette brochure pourrait expliquer ce qu'est l'Opus Dei, comment les étudiants peuvent être mis en contact avec elle, ce qu'ils doivent faire s'ils sont intéressés et, s'ils ne le sont pas, qui contacter au cas où ils auraient l'impression d'être soumis à trop de pressions. Cette brochure pourrait être distribuée aux étudiants et à leurs parents et, de cette façon, tout le monde saurait exactement à quoi s'attendre. Ne serait-il pas possible, ai-je demandé, que certaines des inquiétudes qu'expriment les individus à propos des techniques de recrutement trompeuses proviennent du fait qu'il n'existe pas de politique bien définie?

Un silence plein d'étonnement a fait suite à ma question et il est alors devenu évident que j'avais fait un faux pas en essayant de comprendre l'espace qui sépare la façon anglo-saxonne de raisonner de celle du reste du monde.

«La meilleure façon pour vous de découvrir notre politique est de venir ici en observateur. Je veux dire par là qu'en suivant la vie quotidienne de notre université, vous pourrez voir la façon de se conduire des membres de l'Opus Dei, a déclaré Robles. Vous voyez, nous connaissons tellement bien notre politique que nous n'avons absolument pas besoin de la consigner par écrit. Et si nous découvrons des abus, il existe quelque chose que nous appelons la "correction fraternelle". Je pense que c'est ainsi que nous traiterions les errements. Un conseiller commercial de mes connaissances avait l'habitude de dire que plus forte est la culture, moins on ressent le besoin d'une structure. Je pense donc que nous sommes culturellement très forts et que, par conséquent, notre niveau de structure est plutôt faible.»

De Los Ángeles et Robles ont déclaré de concert, mais non sans ironie, que d'après eux l'Université de Navarre a un seul vrai défi à relever et que celui-ci est exactement à l'opposé d'un recrutement intensif. En effet, les étudiants peuvent passer plusieurs années sur le campus sans pouvoir se prétendre «contaminés» par les valeurs chrétiennes de l'établissement et encore moins par un intérêt quelconque pour l'Opus Dei. Ces dirigeants ont même déclaré que l'évêque Alvaro del Portillo, l'ancien prélat de l'Opus Dei, avait rencontré tous les Opusiens travaillant à Navarre et les avait mis au défi de s'assurer que les étudiants ne passent pas cinq ans à l'université sans avoir la possibilité de rencontrer le Christ!

Résumé

Il semble qu'en fin de compte la réalité soit celle-ci : l'Opus Dei prie, désire et encourage les nouvelles vocations. Ses dirigeants se sont entendus pour le faire dans le respect des libertés, et en particulier de la liberté de conscience. Cependant, il existe des cas spécifiques où des membres particulièrement zélés peuvent dépasser les bornes, comme dans le cas d'Andres Valdivia ou celui de Charles Shaw, qui avait été acculé dans un autobus au Mexique. Dans ce sens, la perspective que l'on a du «recrutement» à l'Opus Dei dépend du style propre à la personne qui le pratique ainsi que de la façon dont la recrue potentielle le perçoit. C'est donc pour des raisons internes que De Los Ángeles préfère résoudre les problèmes en utilisant la culture plus que la structure. L'Opus Dei se refuse à adopter une politique claire à ce sujet. En supposant qu'elle fasse clarifier pour ses membres, ses futurs membres et le monde extérieur à l'Opus Dei ce qui est approprié lorsqu'on discute de vocation avec quelqu'un, l'effet serait peu heureux. De plus, la réputation qu'a l'Opus Dei d'être une machine à recruter est certainement un mythe, étant donné que sa croissance annuelle est minime si on la compare avec la perception que certaines personnes ont des volontés de l'Œuvre.

Parmi tous les observateurs, il existe le sentiment que, peu importent les difficultés qu'il a fallu affronter dans le passé en ce qui concerne le recrutement, les choses sont beaucoup plus calmes aujourd'hui. Dans l'article que Martin a publié en 1995 dans le magazine *America,* par exemple, il a cité Donald R. McCrabb, qui était à l'époque le directeur de la Catholic Campus Ministry Association. Celui-ci avait rapporté des plaintes émanant de prêtres présents sur le campus. Elles concernaient les pratiques de recrutement de l'Opus Dei et le contrôle qu'elle exerçait sur ses membres. En janvier 2005, j'ai contacté Ed Franchi, qui aujourd'hui occupe le poste de McCrabb, pour lui demander si les choses avaient changé. « Si certaines des inquiétudes exprimées par Don il y a dix ans sont encore présentes, nous entendons peu parler de l'Opus Dei de nos jours, m'a déclaré ce cadre. Plusieurs autres organisations catholiques se sont établies sur le campus depuis dix ans. Les interrogations et les inquiétudes qu'elles suscitent – et dont nous entendons parler – sont bien plus importantes… »

Lorsque j'ai posé la question au sujet de la raison pour laquelle l'Opus Dei ne possédait pas de « politique de recrutement », Carlo de Marchi, un jeune Italien très énergique qui siège au conseil général à Rome et est responsable de l'apostolat des jeunes, m'a répondu que tout simplement cela ne fonctionnait pas ainsi.

« Lorsque j'ai eu dix-huit ans, m'indique de Marchi, j'ai parlé de ma vocation à mes amis. Je leur ai dit ce que l'Opus Dei représentait pour moi et pourquoi je pensais ne pas me marier. […] C'est le genre de choses que l'on partage facilement. Je parle de mon histoire, du cadeau que j'ai reçu de Dieu. Il est impossible de formaliser ces confidences et de les organiser de façon rigide, parce qu'elles font partie de l'amitié. C'est dans cet esprit qu'un jeune est en droit de se demander : "Serait-il possible que, moi aussi, je puisse recevoir le même cadeau ?" »

QUATRIÈME PARTIE

ÉVALUATION SOMMAIRE

CHAPITRE 15

L'AVENIR DE L'OPUS DEI

Voici venu le temps de tirer quelques conclusions. En résumé, quelles sont les réponses aux questions que de nombreuses personnes se posent au sujet de l'Opus Dei, la puissance la plus controversée de l'Église catholique?

- De nombreuses accusations ont été portées contre son fondateur, saint Josemaría Escrivá : sa prétendue arrogance, son caractère colérique et sa désillusion à la suite de Vatican II. Ses comportements peuvent être interprétés de façons diverses et en aucun cas ils ne doivent conduire à le disqualifier de sa qualité de saint. Si tel était le cas, de nombreux autres saints devraient également êtres effacés du calendrier. D'autres accusations semblent exagérées ou du moins mal formulées. Escrivá n'a pas été «pro-Franco», par exemple. Le plus que l'on puisse dire est qu'il n'a pas été «anti-franquiste», non plus.

- Les idéaux légués par Escrivá à l'Opus Dei – comme la sanctification du travail, la contemplation dans notre monde, la liberté chrétienne et la filiation divine – semblent être des éléments prometteurs d'une spiritualité chrétienne saine. Quand bien même il y aurait eu un culte de la personnalité démesuré autour d'Escrivá, il s'agit là de principes enfouis pendant trop de temps sous les décombres de querelles cléricales et dualistes pour être exhumés aujourd'hui.

- L'Opus Dei n'est pas particulièrement «secrète». Les noms de ses directeurs et les emplacements de ses centres sont de notoriété publique. Ses activités sont officielles et obéissent aux différentes lois. Ses services d'information peuvent satisfaire à toutes les questions qui leur sont posées. Le fait qu'ils ne répondent pas à un nombre limité de questions – principalement lorsqu'on leur demande qui est membre et qui ne l'est pas – ne fait pas d'eux une société plus «secrète» que les Alcooliques anonymes, qui, également, ne répondent pas à cette question. D'autres groupes, comme les institutions séculières à l'intérieur de l'Église, observent la même discrétion concernant leurs membres. Au cours des dernières années, on a constaté des progrès notables vers une plus grande transparence. Les controverses des débuts de l'Opus Dei, qui se produisirent en Espagne au cours des années trente et quarante, alors que l'Œuvre était accusée d'appartenir à la franc-maçonnerie, de se livrer à des pratiques rituelles étranges et de soutenir les hérésies se combinaient à celles des années cinquante et soixante, alors que l'organisation éprouvait des difficultés à trouver sa place au sein de l'Église. Cela explique de bien des façons les réticences traditionnelles à son égard.

- La pratique des mortifications corporelles, quoi que l'on puisse en penser, n'est pas exclusive à l'Opus Dei. L'histoire de ces pratiques remonte très loin, et elles sont acceptées comme un élément du raisonnement théologique. D'autre part, il ne semble pas, en général, que ces pratiques aillent à l'extrême. Lorsque des exceptions se présentent, les porte-parole de l'Opus Dei ne refusent jamais d'admettre leurs torts.

- Les femmes membres de l'Opus Dei ne se considèrent généralement pas comme des «citoyennes de deuxième classe». Il existe, dans certains cas, un point de vue «traditionaliste» du rôle des sexes. Cependant, une personne attirée par l'Opus Dei aura en général une bonne connaissance de ce point de vue. Il est vrai que l'autorité suprême au sein de l'Opus Dei demeure du domaine des hommes ordonnés prêtres, mais nous retrouvons exactement la même dynamique dans l'Église catholique. Lorsqu'on élimine ce point, on observe que les femmes membres de l'Opus Dei possèdent leur propre système de direction qui les rend pratiquement autonomes. Les numéraires et les surnuméraires sont des avocates, des architectes, des journalistes et des professeures d'université. Les numéraires auxiliaires responsables des cuisines et du nettoyage des centres de l'organisation ne se sentent pas opprimées. Elles comparent leurs rôles à celui de « mères » de la grande famille opusienne.

- Lorsqu'on compare ses caractéristiques financières à celles de l'Église catholique et, plus encore à celles des multinationales, on peut affirmer que l'Opus Dei n'est pas riche. Nous pouvons évaluer exactement le montant de ses biens aux États-Unis à 344 millions de dollars et au Royaume-Uni à 72 millions de dollars. (L'Opus Dei n'a pas voulu accepter ces chiffres consolidés parce qu'elle n'est pas la véritable propriétaire de plusieurs de ses nombreuses œuvres ; par contre, ses membres et ses conseils de direction les acceptent.) Lorsque nous nous basons sur les chiffres obtenus aux États-Unis et au Royaume-Uni, nous pouvons extrapoler pour obtenir un avoir total mondial de 2,8 milliards de dollars. Pour remettre ces chiffres dans leur contexte, disons que les évêques américains estiment les revenus de l'Église catholique états-unienne à 102 milliards de dollars. En 2003, les biens de la société General Motors étaient de l'ordre de 455 milliards de dollars. L'Opus Dei a le même rang en termes de richesse qu'un diocèse américain de taille moyenne.

- L'image d'association « élitiste » véhiculée par l'Opus Dei a une explication historique. En effet, Escrivá faisait preuve d'un intérêt tout particulier pour évangéliser les milieux intellectuels et les professions libérales. Cependant, l'Opus Dei n'est pas « élitiste » au sens général, elle ne s'adresse pas tout particulièrement aux intellectuels et aux cadres. Nous trouvons parmi ses membres des coiffeurs, des maçons, des mécaniciens, des marchands de fruits. La majeure partie des surnuméraires mènent la vie de citoyens normaux et éprouvent des difficultés à payer leurs factures et à financer l'éducation de leurs enfants. Certains membres de l'Opus Dei se trouvent en haut de l'échelle sociale, mais ils ne forment certes pas la majorité. À Cañete, au Pérou, par exemple, j'ai rencontré la surnuméraire Isabel Charún qui possède une maison de deux pièces dont elle doit se contenter pour abriter sa famille nombreuse. La chambre à coucher ne possède même pas un toit complet ! La façon de vivre de Mme Charún ressemble énormément à celle de nombreux membres de l'Opus Dei, tout spécialement dans les pays en voie de développement.

- L'Opus Dei ne représente pas seulement une spiritualité verticale. Elle possède une conscience sociale. Une grande partie de ses œuvres ont pour but d'aider les pauvres, qu'il s'agisse de l'école de filles de Kimlea, au Kenya, qui enseigne aux jeunes filles des plantations de thé et de café des techniques commerciales de base, ou bien de l'Institut rural Valle Grande, qui aide les fermiers pauvres à conserver la biodiversité de leurs cultures et à faire parvenir leurs récoltes locales vers les marchés. Il est une chose que l'Opus Dei ne fait pas : elle ne s'engage pas, en tant qu'institution, dans les luttes politiques pour la justice sociale.

- L'Opus Dei ne cherche pas à « supplanter » l'Église catholique. En décembre 2004, 20 membres de l'Opus Dei travaillaient au Vatican, tandis que leurs rivaux de toujours, les Jésuites, en avaient 26. Au Vatican, les membres de l'Opus Dei occupent 3,6 % des postes de direction de niveau intermédiaire. Les 41 évêques de l'Opus Dei ne représentent qu'une infime fraction, soit 0,9 % des quelque 4000 évêques de l'Église catholique dans le monde.

- L'Opus Dei en tant qu'organisation déclare ne pas avoir de programme établi pour le catholicisme. Ses membres, cependant, ont tendance à être de droite en ce qui concerne les matières théologiques et liturgiques. Pour eux, franchir le Rubicon serait de devoir répondre à cette question : « L'enseignement de la religion prescrit par les personnalités officielles de l'Église peut-il être mauvais?» Si un catholique répond oui à cette question, alors il ne sera pas à l'aise au sein de l'Opus Dei, où l'on insiste lourdement sur la nécessité de se conformer à la «pensée de l'Église».

- L'Opus Dei en tant qu'organisation n'a pas de tendance politique définie. En fait, ses membres se retrouvent parmi toutes les factions politiques. Cependant, en ce qui concerne l'avortement, le divorce, le mariage des homosexuels, la recherche sur les cellules souches, les membres de l'Opus Dei exprimeront presque automatiquement des opinions de droite étant donné que la position de l'Église catholique sur ces sujets est «officielle». C'est sans doute la raison pour laquelle une certaine fixation sur ces points précis peut détruire l'image de pluralité qui existe dans les autres domaines de l'institution.

- Malgré les mythes voulant que l'Opus Dei soit une machine à recruter prête à écraser quiconque se trouve sur son passage, sa progression se fait à pas de tortue. Au cours des quatre dernières années, on compte en effet environ 650 nouveaux membres par an dans le monde. La plupart des institutions affiliées à l'Opus Dei ont la chance de recruter un nouveau membre par an parmi les centaines de personnes qui fréquentent ces centres. Il est vrai qu'il a existé des moments où les jeunes recrues subissaient énormément de pressions, mais cela appartient à un passé révolu. D'autre part, ces pressions n'ont jamais été assez fortes pour empêcher qu'une jeune recrue puisse dire «non».

- Il existe peu de moyens de contrôler la majorité des surnuméraires de l'Opus Dei. Les numéraires, représentant 20 % des membres, vivent dans les centres et sont soumis à une structure plus définie. Ils doivent rencontrer leurs supérieurs avec régularité et s'en remettre aux jugements éclairés de ces derniers concernant leurs lectures et leurs passe-temps. Vus de l'extérieur, ces contrôles peuvent paraître étouffants. Il n'existe cependant aucune preuve que quiconque aurait pu être soumis à ce régime contre sa volonté au moyen d'un quelconque « contrôle de la pensée ». La plupart des membres qui trouvent l'encadrement trop oppressant quittent généralement la structure opusienne.

- Un certain nombre d'anciens membres de l'Opus Dei, un nombre suffisant pour nous suggérer qu'il ne s'agit pas de cas isolés, déclarent qu'ils ont été meurtris par ce qu'ils ont vécu au sein de l'Œuvre. Bien que la nature des plaintes puisse varier d'une personne à l'autre, l'accusation la plus grave généralement portée par ces contestataires contre l'institution est de s'être sentis manipulés à propos de leur engagement et ensuite d'avoir subi des pressions pour réaliser des tâches excessives. Ces rapports suggèrent qu'il serait bon que l'organisation mette au point une politique de recrutement faisant preuve de plus de discernement, surtout quand il s'agit des jeunes.

- Selon le zèle avec lequel ils vivent leur vocation dans l'Opus Dei, certains membres seront enclins à « forcer la dose » dans le but de recruter à tout prix de nouveaux adeptes. Ils peuvent exercer des pressions ou faire preuve d'un manque de compréhension pour la faiblesse humaine. Certains témoignages d'anciens membres nous exposent le manque de jugement de certains pontes de l'Œuvre. Avec le temps, l'Opus Dei a pris de la maturité et ces regrettables épisodes sont de moins en moins fréquents. Il existe également une plus grande ouverture sur le monde. En 2004, les anciens membres qui critiquent l'Œuvre et l'abandonnent sont moins nombreux qu'au milieu des années soixante ou quatre-vingt.

Perspectives historiques

L'Opus Dei aime souligner sa singularité et elle le fait avec raison. L'histoire de l'Église n'a jamais rien connu de semblable, c'est-à-dire une organisation rassemblant les laïcs comme les prêtres, les hommes comme les femmes, les unissant tous grâce à leur vocation commune et parce qu'ils appartiennent à une institution unique. Chronologiquement parlant, on peut considérer que l'Opus Dei est la dernière d'une série de transformations de la spiritualité catholique remontant au moins au xiie siècle. Les Franciscains ont redéfini la vie religieuse en démontrant qu'elle pouvait aussi bien être vécue dans les villes à côtoyer les laïcs que dans les monastères. Les Jésuites nous ont montré que la vie religieuse n'exigeait pas que l'on prie ensemble ou que l'on mène des activités traditionnellement « religieuses », mais que tous les secteurs de l'activité humaine pouvaient être sublimés pour « la plus grande gloire de Dieu ». L'Opus Dei nous suggère que l'on peut vivre sa religion sans qu'elle comporte ce que l'on nomme traditionnellement une « vie religieuse » au sens canonique du terme et que les laïcs qui ne prononcent pas de vœux et ne portent pas d'habits religieux demeurent extérieurement identiques à toute autre personne avec, en plus, le sens de la vocation et la certitude de pouvoir œuvrer pour transformer le monde de l'intérieur.

Bien que l'Opus Dei ne soit en aucune façon un ordre religieux semblable aux Franciscains ou aux Jésuites, l'élément commun de leur évolution est la dissolution progressive de la religion en tant qu'expérience distincte et la réalisation d'une lente révélation au cours des siècles : la création dans son ensemble et tout ce qui est en rapport avec la vie humaine sont imprégnés de signification religieuse. Cette attitude impose que l'on conçoive des façons de vivre en accord avec cette perception. L'Opus Dei désire faire avancer ce processus vers une nouvelle étape et annonce que l'évangélisation et la rédemption doivent devenir l'objectif de tous les chrétiens où qu'ils se trouvent, que ce soit dans des conseils d'administration ou dans les pouponnières, au parlement comme dans les bureaux de poste. Bien qu'Escrivá ait déclaré privilégier la vie religieuse, sa vision l'a poussé dans une autre direction. Il s'agit de la fin annoncée du cléricalisme et d'une prise de pouvoir audacieuse de la laïcité qui devient le principal corps de l'Église catholique dans presque tous les domaines, exception faite des sacrements. Quoi qu'on puisse penser de l'Opus Dei, celle-ci n'en demeure pas moins le véhicule de cette idée et signifie un changement important de la culture ecclésiastique.

Chaque fois qu'une nouvelle tendance apparaît au sein de l'Église, elle doit lutter pour se faire accepter. Les membres de l'Opus Dei ont pu remarquer qu'avant eux les Jésuites, ainsi que les Franciscains et les Dominicains avant les Jésuites, avaient, eux aussi, été la cible des accusations les plus saugrenues. Les fondateurs de ces ordres religieux ont répondu à ces accusations en se soumettant totalement à la papauté afin de prouver que leur façon de faire la révolution n'avait, en fait, comme unique but que de servir l'Église. Lors de sa première rencontre avec saint François d'Assise en 1209, le pape Innocent III avait dit au saint, dont l'apparence était plutôt miteuse, d'aller se rouler dans la boue avec les cochons. C'est exactement ce que fit l'apôtre des animaux. Innocent III a été tellement surpris d'avoir été obéi à ce point qu'il approuva la règle des Franciscains. Saint Ignace de Loyola a totalement remis le sort des Jésuites entre les mains du pape Paul III. Lorsqu'on lui a demandé ce que serait sa réaction si le pape décidait de supprimer la jeune communauté, saint Ignace a répondu : « Je prierais pendant un quart d'heure et ensuite j'arrêterais d'y penser. » De la même façon, Escrivá avait déclaré que, même si les cardinaux élisaient un sauvage comme pape, il se jetterait à ses pieds et lui déclarerait que l'Œuvre est inconditionnellement à son service. C'est dans ce contexte que la loyauté totale que l'Opus Dei voue à Jean-Paul II semble être en ligne avec les douleurs qui accompagnent la naissance de quelque chose de créatif au sein de l'Église catholique.

Les années qui ont suivi Vatican II ont été en quelque sorte la pire époque pour la naissance de ce phénomène, étant donné « les guerres de cultures » des quarante dernières années. Ces rivalités culturelles ont conduit trop de personnes à percevoir l'Opus Dei comme soumise à l'autorité de l'Église et à son « traditionalisme », mais non à la nouvelle façon d'envisager la vie chrétienne que les égards et le traditionalisme sont censés inspirer. L'Opus Dei est arrivée sur la scène au moment où les catholiques devaient choisir quel parti prendre : pour ou contre les conceptions traditionnelles de la doctrine et du pouvoir. Ce débat au sein de l'Église pouvait se résumer entre prendre parti soit pour les progressistes soit pour les traditionalistes. C'était un peu comme essayer de percevoir un objet en trois dimensions dans un environnement bidimensionnel. Je fais cette comparaison avec tout le respect dû à l'Opus Dei. Escrivá et ses disciples sont certainement du côté des conservateurs sur la question du *Roma locuta est*. Cependant, si on se borne à ne voir que cela lorsqu'on examine l'Opus Dei, il est certain que l'essentiel a été perdu. Les discussions qui ont largement apparu tout au long de ce livre – que ce soit au sujet du pouvoir, des secrets ou des finances – sont des plus essentielles pour faire éclater la vérité. Cependant, elles ne sont que les prolégomènes à une véritable idée de ce que l'Opus Dei représente.

Il reste encore à voir si l'Opus Dei pourra répondre aux questions qu'elle génère et si elle sera capable de mettre en pratique la révolution conceptuelle de la pensée chrétienne qu'elle propose. Les obstacles sont phénoménaux. Lorsque l'on parle de «prière», la majorité des personnes pensent de façon instinctive que cela se résume à «parler» à Dieu. Elles ne pensent pas que la prière a un rapport avec leur manière de vivre et de travailler. Lorsque les gens parlent de «vie spirituelle» ou de «vie intérieure», ils ont encore tendance à penser à certaines pratiques pieuses comme les retraites ou à des événements se déroulant dans une église. Pour de nombreuses personnes, la notion d'«apostolat» ne signifie pas spontanément la «sanctification des autres par le travail», pas plus qu'elle n'a un rapport avec les amitiés personnelles ou avec une vie sociale et familiale vécue dans un esprit chrétien. La notion même que toutes les circonstances de la vie sont des prières, qu'elles représentent une forme de vie spirituelle et la mission d'évangélisation de l'Église, est quelque chose de complexe qui prendra du temps à trouver sa place dans les esprits. À bien des points de vue, les membres de l'Opus Dei sont encore en train d'assimiler ces concepts.

L'Opus Dei a eu besoin des soixante-quinze premières années de son existence pour obtenir laborieusement un statut au sein de la structure de l'Église catholique, d'où il lui a été possible de répandre son message. Au cours de ce laps de temps, il y a eu beaucoup de malentendus entourant l'Opus Dei, et elle n'a été que partiellement comprise, ce qui lui a causé un certain nombre de préjudices souvent engendrés par la mauvaise volonté de plusieurs ou encore des erreurs ou des excès de zèle de certains de ses membres. Ces malentendus étaient souvent le résultat de la nouveauté du message de l'Opus Dei et de l'audace de ses revendications concernant les laïcs et le monde séculier. Comme les Opusiens se le disent en privé, il est fort possible que toutes ces controverses soient oubliées dans cinq cents ans. Il est également possible – et c'est ce que souhaitent ses détracteurs – que l'Opus Dei soit complètement oubliée d'ici là. Puisque les desseins de Dieu sont impénétrables, nul ne peut prévoir ce qui se passera. Une chose est certaine : si jamais l'Opus Dei devait disparaître, les carences de sa spiritualité en seraient la cause, tout spécialement l'approche particulière donnée par ses membres à la sanctification du travail, étant donné que ces derniers sont des contemplatifs dans notre monde actuel. L'Opus Dei ne disparaîtra pas parce qu'elle aura commis de faux pas dans les premiers temps de son existence et elle ne disparaîtra pas plus parce que les idiosyncrasies d'une époque précise ont fait que l'essentiel de l'Œuvre n'a jamais été entendu.

L'avenir : des réformes

Nous ne pouvons pas bien prévoir ce que sera l'avenir dans environ cinq cents ans ; cependant, l'Opus Dei est certainement bien assise depuis le pontificat de Benoît XVI. Sa bonne étoile pourra briller ou disparaître, il n'en restera pas moins que l'organisation possède une excellente base juridique, des membres un peu partout dans le monde et un réseau d'institutions qui lui sont liées ainsi qu'un appui important au sein de l'Église catholique. Une question concernant davantage son avenir pourrait ressembler à ceci : Quelles mesures l'Opus Dei devrait-elle prendre si elle veut mieux faire que de survivre, si elle veut s'épanouir et soulager les angoisses que certaines personnes peuvent éprouver et aller ainsi de l'avant en définissant de nouveaux horizons d'apostolat ?

Pour suivre la ligne de pensée de ce livre, trois étapes semblent s'imposer.

La transparence

Jean-Paul II avait déclaré en 1984 que l'Église catholique devrait être une « maison de verre » où tout le monde aurait la possibilité de voir ce qui s'y fait ainsi que la manière avec laquelle elle remplit sa mission en témoignant sa fidélité au Christ et aux messages des Évangiles. Même si l'Opus Dei n'a jamais été vraiment une entité très secrète, il n'en reste pas moins qu'elle n'a pas été non plus ce qu'il convient d'appeler transparente. En partie à cause d'une résistance à faire sa propre promotion ou quoi que ce soit d'autre qui aurait pu la transformer et faire d'elle un « groupe d'intérêts ». Cependant, il paraît étriqué de formuler cet aspect du problème en s'adressant à l'Opus Dei dans des termes qui la mettraient seule en cause. L'Opus Dei existe non seulement pour elle-même, mais également pour le bien de l'Église catholique dans sa totalité et, par extension, pour le monde entier. Il existe une curiosité légitime venant du public à laquelle l'Opus Dei devrait répondre (et, il faut lui rendre justice, c'est exactement ce qu'elle fait). De plus, les impressions négatives reçues par le public à cause de son manque de transparence et des querelles internes que cela provoque, rejaillissent automatiquement sur l'Église. Si jamais l'Opus Dei pouvait faire quelque chose pour améliorer les impressions qu'elle dégage, sans toutefois sacrifier son identité, son devoir est de le faire.

Quelles seraient les mesures à prendre pour que l'Opus Dei devienne plus transparente ? Plusieurs étapes s'imposent d'elles-mêmes.

- Chaque région devrait publier régulièrement un bilan financier complet détaillant ses revenus, ses dépenses, son actif et son passif pour toutes ses œuvres. Ces états financiers devraient être accompagnés d'explications dans la langue de chaque région concernée ainsi qu'en anglais. Le siège social de Rome devrait réunir des rapports brefs mais explicatifs répertoriant les bilans de chaque pays et publier des descriptions de l'étendue des œuvres entreprises dans les soixante et un pays où l'on trouve des programmes de l'Opus Dei. Un effort dans ce sens est fait actuellement aux États-Unis, car la Fondation Woodlawn publie un rapport comptable pour certaines des activités financières de l'Opus Dei. Le mot clé ici est « certaines », étant donné que toutes les activités financières de l'Œuvre aux États-Unis ne figurent pas dans ce rapport. Les bilans financiers devraient être complets pour pouvoir être utilisés. Ces rapports pourraient expliquer clairement que certaines œuvres n'appartiennent pas à l'Opus Dei tout en étant administrées par des laïcs faisant partie de son conseil d'administration. Il est impératif que l'Opus Dei soit transparente financièrement, car de nombreux observateurs ont l'impression qu'elle est fabuleusement riche. La construction récente d'un immeuble de dix-sept étages en plein cœur de Manhattan n'a fait que renforcer cette idée erronée. Les observateurs des actions de l'Église croient que les coûts de construction de ce que l'on peut qualifier d'« édifice du pouvoir » sont le résultat d'un mystérieux amoncellement de valeurs mobilières provenant de quelque obscure cave du Vatican. La réalité est bien moins romanesque. La banalité de ces faits exige qu'ils soient rendus publics et qu'ils occupent plus d'espace qu'à l'heure actuelle, où ils se résument à une simple note de bas de page dans une déclaration fiscale. C'est uniquement ainsi que disparaîtront les fausses perceptions que le public a de l'organisation.

- Les entreprises ayant un lien avec l'Opus Dei devraient être clairement identifiées comme telles. Que ce soit au centre de l'avenue Wyoming à Washington, par exemple, ou d'autres centres, qu'ils soient à Lima, à Madrid ou à Helsinki, il faudrait apposer une plaque indiquant très clairement qu'il s'agit d'un centre de l'Opus Dei. De plus, le lien du centre avec l'Opus Dei mériterait certainement davantage qu'une mention hyper-discrète dans la brochure explicative des activités du lieu. La brochure d'Oakcrest, l'école de filles de l'Opus Dei à McLean, en Virginie, devrait expliquer à un endroit très visible ce qu'est l'Opus Dei et les influences de cette dernière sur les activités de l'école. Par exemple, on pourrait signaler qu'elle est responsable de la formation spirituelle et de la doctrine et qu'en ce qui concerne les autres activités, il existe des personnes chargées de l'administration. Il ne faut pas oublier que l'Opus Dei n'est pas une marque de commerce. Semblablement, il devrait exister une politique visant à offrir à toute nouvelle personne – et spécialement aux jeunes – qui participe pour la première fois à une activité parrainée par l'Opus Dei des explications très claires faisant ressortir cette réalité. Il paraît que cette politique est déjà généralement appliquée dans de nombreux centres. Elle devrait, cependant s'appliquer partout.

- L'Opus Dei devrait, du moins pour le monde anglo-saxon, penser à mettre au point une politique écrite concernant quelques-uns des points les plus névralgiques de sa vie et de son apostolat. Il serait impossible, par exemple, de demander à l'Opus Dei de publier une brochure sur le « recrutement » parce que, selon ses dirigeants, ce mot sent la coercition et possède une connotation d'artificialité. Cependant, ils pourraient publier une brochure traitant de « l'amitié au sein de l'Opus Dei », insistant sur les raisons qui poussent les membres de l'Œuvre à inviter des amis et des collègues aux activités offertes par les centres. On y expliquerait que le refus de participer à ces activités ne signifie pas que l'on commet un péché ou que l'on se conduit en mauvais chrétien. Cette brochure pourrait indiquer brièvement ce qu'il est bon de faire lorsqu'on estime subir une certaine forme de pression pour faire intégrer l'Opus Dei. Elle pourrait également expliquer qu'une invitation à participer à une activité de l'organisation, comme une retraite d'un jour, n'a pas d'autre objectif que de partager la vie de cette institution avec des amis. Cette brochure pourrait être distribuée aux étudiants, à leurs parents ou à quiconque se trouverait dans un environnement où ce genre de problème pourrait survenir.

- De plus, une brochure intitulée « La vocation de numéraire » pourrait décrire avec précision les attentes, les obligations et le genre de vie mené par les numéraires dans les centres de l'Opus Dei. Cette brochure pourrait, entre autres, expliquer rapidement et avec tact les pratiques de mortification corporelle, les obligations financières auxquelles sont tenus les membres ainsi que tous les aspects de la vie au sein de l'institution. Un tel document pourrait être distribué aux candidats avant leur intégration ainsi qu'aux parents des membres les plus jeunes et à toute autre personne qui en ferait la demande. De nouveau, il est important de souligner qu'à l'heure actuelle ces sujets ne sont pas considérés comme secrets. Il est tout à fait certain que, lorsque des personnes décident de se joindre à l'Opus Dei, elles ont déjà créé des relations d'amitié avec des numéraires et qu'elles connaissent bien ce dans quoi elles s'engagent. Et pourtant, d'anciens membres comme John Schneider qui préparait une licence à Notre-Dame, ont déclaré qu'ils n'étaient pas au courant de tout ce qu'ils auraient dû savoir. Il en résulte que toute initiative de l'Opus Dei pour faire disparaître cette impression serait bienvenue.

Les objections soulevées par l'Opus Dei à de telles suggestions sont prévisibles : ses porte-parole ne veulent rien faire qui puisse compromettre l'esprit même de leur grande famille, ces suggestions ne seraient pas « naturelles » et ne feraient que formaliser ce qui doit être spontané et informel. Cela est sans doute vrai. Cependant, les familles ont elles aussi leur politique, et il arrive qu'une certaine forme de structure soit le prix à payer pour que cette famille puisse travailler de façon cohérente. Dans ce cas précis, le prix que représente une meilleure compréhension de l'Opus Dei doit être évalué en le comparant à l'immense réconfort apporté au public grâce à la diminution de ses craintes vis-à-vis de l'organisation.

- L'Opus Dei devrait envisager d'inclure dans tous les contrats avec ses membres une clause stipulant que l'identité de ceux-ci pourrait être révélée dans des circonstances particulières et tout spécialement lorsqu'il s'agit d'une personnalité publique. Ce point précis est délicat, car chaque personne a droit à un certain niveau de vie privée, et à plus forte raison dans le domaine spirituel. En outre, il est très difficile de décider qui est une personnalité publique importante ou pas, comme le démontrent les procès en diffamation. Néanmoins, l'image de l'Opus Dei subit des préjudices importants lorsqu'elle doit répondre à des questions dont l'objectif est de savoir si telle personne est membre. Ce qui s'est produit dans le cas de Ruth Kelly, la ministre de l'Éducation de Grande-Bretagne, illustre bien ce problème particulier. Lorsqu'en décembre 2004 la presse britannique a fait état des «liens» qu'elle entretenait avec l'Opus Dei, le porte-parole de l'Œuvre, qui était obligé selon la politique en vigueur de laisser au membre le soin de déclarer son appartenance, s'est retrouvé contraint de faire des déclarations aussi élusives que celle-ci : «Elle est en contact avec nous. Elle a assisté à certaines de nos réunions, etc.» Il s'agissait de faits véridiques connus du public. Cependant, une certaine ambiguïté a été créée et quelques journaux ont déclaré que Mme Kelly était une Opusienne tandis que d'autres niaient ce fait. Finalement, ces demi-vérités ont accentué les remugles de secrets qui existaient déjà. Voilà bien un cas où l'Opus Dei a été desservie par un de ses membres. Étant donné qu'il n'y a pas de honte à se dire Opusien ou Opusienne, il est logique que, lorsqu'il s'agit d'une personnalité connue, l'institution doive répondre ouvertement sur l'adhésion de celle-ci. Ensuite, c'est au membre de décider ce qu'il dira. Cette condition pourrait s'appliquer aux élus ainsi qu'aux évêques de la Société sacerdotale de la Sainte-Croix et, sans conteste, à ses prêtres, par ailleurs personnages publics de l'Église catholique.

- Les membres de l'Opus Dei, et tout spécialement les surnuméraires, doivent réaliser, qu'ils le veuillent ou non, qu'ils sont les ambassadeurs de l'Opus Dei dans leur vie sociale et professionnelle. Afin de mettre les choses au grand jour, ils devraient se porter volontaires pour en parler lors des réunions de conseil paroissial, dans les écoles catholiques, dans les universités et dans tout autre endroit où certains seraient susceptibles de leur demander des renseignements. Là encore, le but n'est pas de faire de la publicité pour l'Opus Dei ou de donner à ses membres le droit de parler en son nom. Ils devraient plutôt raconter leurs expériences personnelles, et c'est en agissant ainsi qu'ils pourront aider à mettre un visage sur cette organisation, que de nombreuses personnes ne connaissent que grâce aux médias et aux ragots de pause-café. Matthew Collins, ancien surnuméraire américain devenu coopérateur à Baltimore, nous donne ici un exemple. Il a créé un site Web dénué de polémique au sujet de l'Opus Dei, dans lequel il fournit toutes sortes d'informations et répond aux questions qui lui sont posées. Robert Duncan, un surnuméraire vivant à Madrid, a également créé un site Web en espagnol et en anglais qui se nomme Sanctificarnos. Ce site ne s'intéresse pas uniquement à l'Opus Dei. Il traite du sujet de façon raisonnable et fournit de nombreux renseignements pertinents. Il faudrait multiplier ce genre d'initiatives et pas seulement sur Internet : elles apaisent le public et aident à projeter une image différente de l'institution.

- Finalement, l'Opus Dei devrait trouver des façons originales de toucher les anciens membres ayant vécu des expériences pénibles. Il est vrai que certains ex-Opusiens n'ont aucune envie de se réconcilier avec l'organisation. Les blessures sont peut-être trop profondes ou il est possible que le diagnostic qu'ils ont établi au sujet des lacunes de l'Œuvre soit tellement radical qu'il bloque toute discussion possible. Certains d'entre eux ont même pu être reconnus comme «critiques officiels». Là encore, l'Œuvre doit vraiment se livrer à un effort de transparence pour toucher ce groupe de personnes, pour dire publiquement ce que l'évêque Javier Echevarría avait écrit dans son livre intitulé *Nous demandons pardon*. Cela n'implique en aucune façon que les accusations portées contre l'Opus Dei soient fondées. L'institution pourrait même inviter ses anciens membres à une table ronde. Certains de ceux-ci pourraient y exposer leurs doléances et d'autres leurs points de vue afin de débattre des questions spécifiques comme la façon de diminuer les difficultés de ceux qui choisissent de quitter l'Opus Dei. Ces discussions et les résultats obtenus pourraient être rendus publics, ce qui se révélerait une excellente manière de démontrer que l'Opus Dei fait preuve d'un désir sincère de dialoguer.

Toutes ces étapes auraient comme effet de rendre l'Opus Dei plus transparente et compréhensible pour le reste de la population. Certains Opusiens se sentiront peut-être frustrés en entendant de telles suggestions, car ils pensent que l'Opus Dei en a déjà trop fait pour être devenue ce qu'un de ses membres, William O'Connor, avait décrit à Michael Walsh comme «un livre ouvert». Il insiste en disant que quiconque «prend le temps nécessaire pour nous comprendre, verra immédiatement que nous n'avons rien à cacher». Et pourtant, en ce xxie siècle, ce que certains considèrent comme un problème devient automatiquement un problème réel. Les évêques, les curés et les autres personnes travaillant pour l'Église catholique seraient sans doute beaucoup plus à l'aise si l'Opus Dei réussissait à trouver des façons de répondre à ces perceptions qui, bien que non fondées et injustes, n'en compliquent pas moins les discussions sur le rôle qu'elle doit jouer et sur sa mission.

La collaboration

Lorsque j'étais au Kenya, j'ai dîné un soir avec un ami jésuite très actif dans les milieux de l'Église de ce pays pendant trente-deux ans. Lorsque l'Opus Dei fut mentionnée au cours de la discussion, il a exprimé un jugement négatif qu'il a commenté en disant qu'il était dû à plusieurs facteurs. Cependant, son accusation la plus importante concernait l'«élitisme» de l'Œuvre. Je lui ai demandé quelles étaient les activités de l'Opus Dei au Kenya qui lui étaient familières, et il a cité l'Université Strathmore ainsi que l'école Kianda. Ces deux établissements ont en effet la réputation d'attirer l'élite kenyane. Il ne connaissait pas les autres activités de l'Œuvre au Kenya. Je lui ai alors raconté ma visite à une école maternelle un peu plus tôt dans la journée. Il s'agissait de l'école Gatina, qui se trouve dans une plantation de thé en banlieue de Nairobi. Deux enseignantes employées à mi-temps apportent des biscuits et du lait à la centaine d'enfants dont elles ont la charge. Cet apport de nourriture, un acte tout simple, représente la différence entre la vie et la mort pour ces enfants qui souffrent de malnutrition. Mon ami jésuite a été ébahi. «Ce n'est vraiment pas l'Opus Dei que je connais», a-t-il admis.

La question importante qu'il convient de se poser est la suivante : comment est-il possible qu'il ne connaisse pas l'existence de cette école? Le Kenya est un pays relativement petit, et les catholiques ne sont que 7,6 millions. Comment était-il possible qu'il ne connaisse pas les autres activités parrainées par l'organisation au Kenya ? Beaucoup d'entre elles sont en contradiction avec l'idée d'une organisation élitiste.

Cet exemple n'est pas unique. Je pourrais en donner de multiples partout sur la terre, là où les catholiques sont impliqués à plein temps au sein de l'Église, tout spécialement ceux qui font partie d'ordres religieux et qui ne connaissent pas vraiment l'Opus Dei. Mettons de côté certains facteurs comme un manque de communication ou une certaine animosité entre l'Opus Dei et les Jésuites. Ainsi, la seule réponse possible dans le cas de mon ami, si peu au courant des réalités opusiennes, est qu'il s'agit d'un fait sociologique. Les activités de l'Opus Dei sont organisées par des laïcs qui, en général, ne côtoient pas les mêmes milieux que les hommes et les femmes appartenant à des ordres religieux et ne font pas partie du même réseau de communication. De nombreux membres de l'Opus Dei entretiennent à titre personnel des relations positives avec les membres des communautés religieuses. Cependant, à Rome, lors de la réunion des supérieurs généraux, l'organisation qui chapeaute les communautés religieuses masculines, et lors des réunions internationales des supérieures générales pour les femmes, l'Opus Dei n'est pas présente. Lorsque des religieux et des religieuses ont des rencontres aux niveaux national, international et local, l'Opus Dei brille également par son absence. L'Opus Dei n'agit pas ainsi parce qu'elle désire se distinguer, mais parce qu'elle n'est pas un ordre religieux et qu'elle a dépensé énormément d'énergie au cours des soixante-quinze dernières années pour que cet état de choses soit bien compris de tous...

La conséquence est un manque de connaissances flagrant au sujet de l'Opus Dei, de la part des membres des communautés religieuses. Le problème est sérieux étant donné que de nombreuses critiques ont été faites et le sont encore par des membres provenant de ces communautés. La presse séculière a également créé certains mythes. Cependant, de façon générale, la tendance actuelle est de remettre en cause les accusations émanant de l'Église catholique. Ces accusations ont bien souvent comme origine des préjugés qu'une meilleure connaissance de l'Opus Dei dissiperait.

L'Opus Dei devrait prendre une mesure qui paraît évidente : collaborer systématiquement avec les autres groupes à l'intérieur de l'Église et tout spécialement avec les ordres religieux. J'ai déjà mentionné au chapitre 11 qu'Escrivá avait repoussé une demande faite au cours des années soixante par le père Pedro Arrupe, l'ancien directeur des Jésuites, pour que l'Opus Dei et la Compagnie de Jésus fondent ensemble une université.

Actuellement, pourrait-on imaginer l'existence d'un programme social où les Jésuites et l'Opus Dei travailleraient main dans la main, comme Condoray, au Pérou, ou Kimlea au Kenya, un programme ayant pour but d'enseigner le commerce et d'alphabétiser des femmes à faible revenu ? Pourrait-on imaginer l'Opus Dei et les services du Secours catholique travaillant ensemble pour quelque chose comme l'institut Informal Sector Business de Nairobi qui enseigne des techniques commerciales de base aux Kenyans pauvres impliqués dans l'économie parallèle ? Des actions communes comme celles que nous venons de nommer n'assureraient pas seulement des services de valeur, mais permettraient également d'offrir aux autres catholiques de connaître l'Opus Dei dans sa vie quotidienne. Si l'on se place dans une perspective plus large, étant donné qu'il existe trop de polarisation sur l'Église et qu'elle peut paraître divisée, des initiatives conjointes pourraient promouvoir un dialogue chez les catholiques de toutes tendances, un couronnement que l'on doit désirer ardemment.

Lorsque l'on évoque ces possibilités avec des membres de l'Opus Dei et que l'on demande leur avis, l'impression que donnent leurs réponses est qu'un tel changement ne serait pas dans l'«esprit de l'Œuvre».

«Nous faisons un effort tout particulier et conscient pour ne pas circuler dans les milieux religieux ou pour nous mêler de leurs œuvres. Nous essayons, dans la mesure du possible, de ne pas marcher sur leurs plates-bandes. Nous ne voulons pas être à la source de conflits, affirme le père Tom Bohlin, le prélat de l'Opus Dei aux États-Unis. Notre message principal doit prendre une autre direction. Il s'agit d'une nouvelle approche de la spiritualité des laïcs. Nous suivons donc des chemins totalement différents tout en servant l'Église, chacun à notre manière. »

Lorsque j'ai demandé à Bohlin s'il existait un principe quelconque qui empêcherait un projet commun comme celui dont nous avons parlé plus haut, il n'a pas éludé la question et a répondu : « En ce qui concerne le niveau institutionnel, oui. En effet, nous insisterions pour que l'opération soit menée par des laïcs dans un esprit de laïcité plutôt que dans un esprit religieux, car si vous mettez les deux esprits ensemble, l'un des deux finira par vouloir influencer l'autre. C'est exactement la raison pour laquelle Escrivá avait rejeté la proposition que lui avait faite Arrupe d'une université conjointe entre les Jésuites et l'Opus Dei. » Selon le dicton opusien : « Il est impossible d'avoir des médecins et des avocats travaillant dans les mêmes locaux. »

Cette position est, en général, soutenue par deux autres arguments. Le premier est que les membres de l'Opus Dei sont déjà très pris par une foule d'engagements auxquels ils doivent collaborer. Le prélat de l'Opus Dei, Mgr Echevarría, m'a raconté une anecdote pour illustrer cet argument. Le cardinal Giovanni Colombo a été l'archevêque de Milan de 1963 à 1979. Il a tenu un synode diocésain dans cette ville au cours de son mandat et par la suite il s'est plaint au vicaire de l'Opus Dei en Italie que l'Œuvre n'y avait pas participé. Le vicaire lui a fait remarquer qu'en fait cinq membres du comité de coordination que Colombo lui-même avait nommés dans ce comité, étaient membres de l'Œuvre. Cependant, cette anecdote cristallise bien le cœur du problème. En ce qui concerne les initiatives personnelles, les membres de l'Opus Dei sont en fait des catholiques engagés qui s'impliquent dans leurs paroisses, dans leurs diocèses et dans tous les aspects de la vie de l'Église. Ces activités ne semblent pas avoir de liens avec l'Opus Dei et, par conséquent, ne font rien pour rassurer les personnes qui s'inquiètent du fait que l'Œuvre pourrait construire une « Église parallèle ».

Le point n'est pas que les institutions reliées à l'Opus Dei ne collaborent pas, même de manière informelle, avec les autres institutions. Pour prendre un exemple parmi tant d'autres, Frankie

Gikandi, numéraire directrice du centre pour jeunes filles de Kimlea, au Kenya, a déclaré que des sœurs de l'Assomption, qui désiraient créer une école, étaient venues plusieurs fois à Kimlea pour se renseigner sur les possibilités de trouver du personnel ainsi que sur la nature des équipements d'enseignement disponibles. Elles avaient même posé des questions concernant les services et les permis. Gikandi avait été heureuse de les aider, étant donné qu'elle avait travaillé dans une maison de l'archidiocèse destinée aux handicapés à dix kilomètres de la ville. Cette collaboration reste, cependant, dans la catégorie des échanges non officiels. L'Opus Dei et les sœurs de l'Assomption ne vont pas ouvrir ensemble une école de filles. Le monde extérieur ne reconnaît pas cela comme un exemple typique de « collaboration » de la part de l'Opus Dei.

Deuxièmement, les membres de l'Opus Dei vont souvent soutenir que l'organisation s'occupe elle-même de la formation spirituelle et de la doctrine de ses activités collectives et que, en conséquence, elle ne peut partager cette responsabilité avec qui que ce soit d'autre. Cela dit, ils déclarent que la solution du problème réside davantage dans une communication accrue entre l'Opus Dei et les autres entités de l'Église que dans une collaboration au niveau institutionnel. Cependant, ce point de vue semble ne pas envisager les choses dans un contexte adéquat. La collaboration *est* une forme de communication. La collaboration a un rapport avec le rôle que tout groupe désire jouer au sein de l'Église catholique lorsqu'il a comme mission d'aller vers autrui et de chercher des façons d'appliquer l'ecclésiologie eucharistique, un thème cher au pape Jean-Paul II. Si l'on regarde le côté psychologique, la collaboration est une manière de dire : « Nous ne possédons pas toutes les réponses et nous ne pensons pas être plus catholiques que vous. Travaillons de concert et vous verrez bien ce que nous pourrons accomplir. »

La question ardue qui se présente à l'Opus Dei semble être la suivante : ses dirigeants sont-ils en mesure d'imaginer des façons créatrices de collaborer avec les autres groupes faisant partie de l'Église, tout spécialement les ordres religieux, de créer des structures et des institutions qui n'endommageraient pas l'esprit de liberté, de responsabilité individuelle et de laïcité ? Sans qu'elle agisse en tant que «groupe», avec l'aspect péjoratif que ce mot peut impliquer, existe-t-il une façon pour que l'Opus Dei envisage d'unir ses initiatives et ses entreprises et que cela soit visible pour le reste du monde ?

L'autocritique institutionnelle

Lors des quelque trois cents heures et plus passées en interviews pour ce livre, les moments les plus frustrants ont été ceux où je posais cette question aux membres : «Étant donné que l'Opus Dei, tout comme l'Église catholique, déclare qu'elle possède un côté divin et un côté humain, il est toujours possible de la réformer. Selon vous, quelles réformes l'Opus Dei devrait-elle entreprendre aujourd'hui ?»

La tendance générale a été de formuler des réponses où l'on glosait sur la conversion personnelle et le désir de s'améliorer au lieu de dire quoi que ce soit risquant d'impliquer l'Opus Dei en tant qu'institution. Voici, par exemple, la réponse de Mgr Echevarría :

«Lorsqu'eut lieu la canonisation [d'Escrivá], j'ai eu une révélation. Je me suis dit : "Cette canonisation signifie la conversion de chacun d'entre nous." C'est pourquoi, placez-vous devant le Seigneur – une réponse qui a toujours été celle de Josemaría – et demandez-vous ce que vous devez changer dans votre propre vie. Il s'agit là d'un immense effort à poursuivre sur tous les tableaux. Nous devons nous convertir tous les jours et le faire de bien des façons, que ce soit dans nos activités pieuses, à notre travail, dans des détails comme la ponctualité ou même en accomplissant des choses sans importance. Nous devons prêter une meilleure attention aux besoins de notre prochain. Nous sommes perdus si nous ne vivons pas dans cet esprit.

«Saint Josemaría avait coutume de dire : "L'Œuvre n'a pas besoin de changements venant de l'extérieur, parce que nous sommes des hommes et des femmes qui vivent au milieu du monde et que, par conséquent, nous marchons avec les êtres qui le composent."» Selon Mgr Echevarría : «L'Opus Dei sera toujours pertinente, non pas parce que nous sommes meilleurs que les autres ou que nous faisons partie des premiers de la classe, mais parce que nous vivons parmi les autres hommes et les autres femmes. Suivons cette direction, car c'est la bonne. Nous ne vivons pas séparés du monde. Il sera donc toujours possible de demander après ce que nous aurions pu faire dans d'autres circonstances. »

« Que pensez-vous des changements de structures à l'intérieur de l'Opus Dei ? lui ai-je demandé.

– Je ne vois rien qui devrait être changé pour l'instant, a déclaré Mgr Echevarría. C'est sur un plan personnel que les membres doivent vivre l'Opus Dei. Nous n'agissons pas en tant que groupe. »

Cette réponse fait preuve d'une grande sagesse spirituelle. Ne rejetez pas la responsabilité sur l'organisation, assumez votre propre responsabilité et cherchez en vous-même quelles sont les mauvaises herbes à sarcler. L'Opus Dei nous délivre ici un message important : les organisations et les systèmes ne peuvent accomplir de grandes choses si les personnes qui se trouvent à l'intérieur de ces entités ne sont pas gentilles, honnêtes et généreuses. Cependant, lorsque l'on pousse à l'extrême ce genre de raisonnement, on en déduit que cela peut entraîner un processus rationnel faisant qu'un organisme ne se soumette jamais à une autocritique.

Il s'agit davantage de problèmes imaginaires que de problèmes véritables. Si vous réunissez deux ou trois numéraires et que votre magnétophone soit fermé, il vous sera impossible, après quelques bières, de les arrêter de parler des erreurs commises par l'Opus Dei et des changements qui sont nécessaires. Cette conduite provient directement de l'amour qu'ils éprouvent pour l'institution et du désir qu'ils ressentent de la voir prospérer. De plus, comme ce livre en a fait la démonstration, l'histoire de l'Opus Dei est de bien des manières une suite de réformes. En 1961, une personnalité dirigeante de l'Opus Dei a déclaré au magazine américain *America* que les bureaux de renseignements ne faisaient pas partie de la nature de l'Opus Dei ; toutefois, l'Œuvre possède actuellement un centre d'information à Rome ainsi que dans un grand nombre de pays. La constitution de 1950 interdisait aux membres de divulguer leur appartenance à l'organisation sans en avoir reçu la permission du directeur de leur centre ; cette clause n'existe plus dans les

Statuts publiés en 1982. Au cours des années quarante, Escrivá avait demandé aux membres de faire preuve de « discrétion » et de ne divulguer à aucun prix ce qui se passait dans l'Opus Dei. Le mot « discrétion » a ensuite été rayé du vocabulaire. Aux premiers temps de l'Opus Dei, les lettres que les membres envoyaient et recevaient étaient filtrées par les directeurs de centres. Cette pratique n'est plus en usage à l'heure actuelle.

Un des numéraires de l'Opus Dei a voulu me prouver que les membres pouvaient faire leur autocritique et m'a dressé sa liste personnelle des « sept péchés de l'Opus Dei ». Les voici : 1) un manque de communications à la source d'une perception erronée donnant l'impression qu'on a affaire à une société secrète ; 2) l'impétuosité de ses jeunes éléments et un zèle qui ont été pris pour de l'arrogance ; 3) l'insistance mise sur le fait que l'Opus Dei était quelque chose de « différent ». Ainsi, ce qui l'unissait à l'Église n'a pas été convenablement perçu – une réalité pouvant donner l'impression que l'on a affaire à « une Église au sein de l'Église » ; 4) une dévotion indiscutée au message d'Escrivá sur la sanctification du travail et la filiation divine, une ferveur si forte que les membres oubliaient parfois que les manières d'appliquer ce message n'étaient pas toujours claires, ce qui conférait à celui-ci une impression de rigidité et de dogmatisme ; 5) une tendance à se montrer sur la défensive, voire réactionnaire, pendant la période qui a suivi Vatican II, alors que l'Église faisait face à une crise, l'Opus Dei se montrait traditionaliste et laissait entendre qu'elle ne désirait pas changer ; 6) l'Opus Dei insiste tellement sur la « fidélité » aux enseignements de l'Église que les membres donnent une impression de formalisme, qu'ils obéissent à une éthique du devoir plus qu'à une philosophie d'amour ; 7) finalement, la passion que déploient les membres pour atteindre l'excellence dans leur travail est telle qu'elle devient une fin en soi et que le but final est l'acquisition de biens et du pouvoir.

Voilà certes une analyse pertinente.

Le problème sous-jacent ne réside donc pas dans un manque d'autocritique des membres, mais dans leur tendance à laisser le reste de la population dans l'ignorance de ce qui se passe à l'intérieur de l'organisation. Cela est en partie causé par les attaques nombreuses et féroces subies pendant tellement longtemps que les membres se trouvent naturellement sur la défensive et ne tiennent pas à donner d'armes supplémentaires à leurs ennemis potentiels. Cette conduite s'explique aussi par un amour passionné de leur vocation que l'Opus Dei leur permet de développer. Ainsi, comme ce que l'on peut constater entre des personnes qui s'aiment, ils évitent d'afficher en public les défauts de leur partenaire. Cette conduite est également due au fait qu'ils n'aiment guère parler de l'Opus Dei de peur de faire du tort au caractère laïque de cette dernière et de perdre le sentiment qu'ils sont comme tout le monde, « des contemplatifs vivant dans la société ».

Tout cela fait preuve d'un instinct naturel et compréhensible et peut être considéré comme louable spirituellement parlant. Le coût à payer, cependant, est qu'il est à peu près impossible d'entendre un membre de l'Opus Dei formuler des critiques contre l'organisation ; tellement, qu'on a l'impression que les Opusiens ont subi un lavage de cerveau ou que cela cache quelque chose. L'impression inavouée derrière tout cela est la suivante : « Il est impossible que tout soit aussi parfait à l'intérieur de l'Opus Dei. »

En fait, après avoir voyagé pendant un an, passé plus de trois cents heures en interviews et probablement deux fois plus de temps en conversations non officielles, après avoir lu tout ce qui avait été écrit sur l'Opus Dei au point d'en avoir des problèmes de vision, après avoir encombré mon ordinateur de notes et de courriels sur le sujet, ma propre opinion est que les choses ne sont pas si mauvaises que cela – ou du moins qu'elles sont bien mieux que ce que l'on croit souvent. De façon paradoxale, je soupçonne que les autorités et les membres de l'Opus Dei parviendraient à convaincre le reste du monde de cela s'ils arrêtaient un petit peu de porter aux nues les qualités de saint Josemaría ou le principe de la sanctification du travail et qu'ils nous montraient un peu plus leur vulnérabilité, leurs défauts et leur besoin d'aide – non pas en tant qu'individus mais en tant qu'« Œuvre ». Comme saint Paul l'a écrit dans la deuxième épître aux Corinthiens : « Oui, je me complais dans mes faiblesses, dans les outrages, les détresses, les persécutions, les angoisses endurées par le Christ ; car lorsque je suis faible, c'est alors que je suis fort. »

Table des matières

Introduction 9

Première partie – L'essentiel

Chapitre premier – Un survol rapide de l'Opus Dei 25

Chapitre   2 – Escrivá 61

Deuxième partie – L'Opus Dei vue de l'intérieur

Chapitre   3 – La sanctification du travail 103

Chapitre   4 – Des contemplatifs au milieu du monde 121

Chapitre   5 – La liberté chrétienne 137

Chapitre   6 – La filiation divine 153

Troisième partie – Interrogations à propos de l'Opus Dei

Avant-propos 171

Chapitre   7 – Le secret 175

Chapitre   8 – Les mortifications 211

Chapitre   9 – Le rôle des femmes 233

Chapitre 10 – Les finances 271

Chapitre 11 – L'Opus Dei et l'Église 307

Chapitre 12 – L'Opus Dei et la politique 365

Chapitre 13 – L'obéissance aveugle 395

Chapitre 14 – Le recrutement 453

Quatrième partie – Évaluation sommaire

Chapitre 15 – L'avenir de l'Opus Dei 485

Cet ouvrage a été composé en Minion corps 11,5/13,5
et achevé d'imprimer au Canada en avril 2006
sur les presses de Quebecor World L'Éclaireur / St-Romuald.